Carte du Canada ou de la Nouvelle France et des découvertes qui y ont été faites/ Dressée sur plusieurs Observations et sur un grand nombre de Relations imprimées ou manuscrites

Par Guillaume Delisle, géographe de l'Académie Royale des Sciences
À Paris/ chez l'auteur Rue des Canettes près de St-Sulpice/ 1703.

Claude Delisle (1644-1720) était géographe et historien. Avec ses quatre fils (Guillaume, Simon Claude, Joseph Nicolas et Louis), il permettra à la France de prendre sa place dans le domaine de la cartographie et de mettre un terme à la domination des Hollandais.

Son fils Guillaume (1675-1726), pour sa part, aurait dessiné sa première carte dès l'âge de neuf ans. Outre l'influence de son père, il profitera de l'enseignement et de la protection de Jean Dominique Cassini, célèbre astronome à qui on doit une méthode de calcul des longitudes.

Plusieurs spécialistes considèrent Guillaume Delisle comme le plus grand cartographe de son époque. Il apporta à son métier une rigueur scientifique issue de sa double formation en mathématique et en astronomie. Il n'hésita pas à corriger les travaux de ses prédécesseurs dont ceux des Sanson, autre célèbre famille de cartographes français.

Sur ses cartes de l'Amérique septentrionale, Guillaume Delisle, conscient de l'importance du réseau fluvial, s'intéressa de façon particulière au Mississippi. Au tout début du 18e siècle, il pouvait représenter avec une remarquable précision le fleuve Saint-Laurent, les Grands Lacs et le Mississippi jusqu'au golfe du Mexique. Le rôle stratégique de Détroit, fondé par Lamothe Cadillac et Alphonse Tonty à l'été 1701, ne lui avait pas échappé. Dès 1703, il l'indique à la rencontre du lac Erié et du lac Sainte-Claire. À l'Ouest du pays des Iroquois (en majuscules au sud du lac Ontario), il a compris que ce tout nouveau poste qu'il nomme « Le Détroit » offre plus de possibilités que Michillimakinac.

Qu'on la regarde dans n'importe quelle direction, la carte réalisée par Guillaume Delisle en 1703 est riche de renseignements. Les noms des nations indiennes voisinent avec ceux des noms de lieux, de lacs et de rivières ; Acadie, Canada, Saguenay côtoient N. York, Pensilvanie (sic), Mariland (sic), tandis que la désignation triomphante de Nouvelle France rend bien modeste celle de la Nouvelle Angleterre.

Pour le cartographe Herman Moll, cette carte française de 1703 est de la provocation. Dès les lendemains du traité d'Utrecht (1713), il se mettra à l'oeuvre. Deux ans plus tard il publiera sa fameuse « Beaver Map », remarquable par cette scène de castors — inspirée d'une carte de 1698 de Nicolas de Fer selon Edward H. Dahl —, et, en 1720, une autre carte devenue célèbre, cette fois grâce à une vignette représentant le séchage de la morue. Moll, bien que d'origine hollandaise, est devenu un chaud partisan anglais ; il s'est empressé de transformer le Labrador en New Britain, de prolonger la Nouvelle Angleterre jusqu'à l'Acadie et surtout de rattacher aux colonies anglaises la rive nord du lac Ontario et du fleuve Saint-Laurent. Moll aura des imitateurs : John Senex en 1719 et Henry Popple en 1733. Le traité de Paris permettra aux Britanniques d'établir la frontière actuelle à peu près le long de la ligne de partage des eaux, entre le Saint-Laurent et l'Atlantique.

Iroquoisie
1666-1687

Nous remercions le Conseil des Arts du Canada et la SODEC pour le soutien accordé à notre programme d'édition, de même que le gouvernement du Canada pour l'aide financière reçue par l'entremise du Programme d'aide au développement de l'industrie de l'édition (Padié).

L'éditeur tient à remercier de façon toute particulière la Fondation Lionel-Groulx pour son autorisation de publier ce manuscrit conservé aux Archives du Centre de recherche en histoire de l'Amérique française.

Illustrations de la couverture :

Dessin anonyme tiré de Alvin M. Josephy, jr, *500 Nations. An illustrated history of North American Indians*, Alfred A. Knopf, 1994, coll. Virginia Historical Society. Sur l'épine, un détail d'un tableau conservé au Musée des Augustines de l'Hôtel-Dieu de Québec, *Martyre des missionnaires jésuites*, anonyme. Sur la 4e de couverture, détail d'une carte de John White et un personnage montagnais tiré de la *Carte Géographique De la Nouvelle France* (1612) de Samuel de Champlain.

Chargés de projet :	Marcelle Cinq-Mars, Denis Vaugeois
Mise en pages :	Josée Lalancette
Traitement de l'image :	Gilles Herman
Page couverture :	Ose Design
Équipe éditoriale :	Marcelle Cinq-Mars, Jude Des Chênes, Andrée Laprise, Jean-Marie Lebel, Louise Tassé, Denis Vaugeois

Si vous désirez être tenu au courant de nos publications
vous pouvez consulter
www.septentrion.qc.ca ou nous écrire au
1300, av. Maguire, Sillery (Québec) G1T 1Z3
ou par télécopieur (418) 527-4978

Données de catalogage avant publication (Canada)

Desrosiers, Léo-Paul, 1896-1967

Iroquoisie

L'ouvrage complet comprendra 4 v.
Comprend des réf. bibliogr., des cartes, des illustrations et des index.
Sommaire : t.. 1. 1534-1652 ; t. 2. 1652-1665 ; t. 3 1666-1687.

ISBN 2-89448-081-4 (v. 1)
ISBN 2-89448-106-3 (v. 2)
ISBN 2-89448-123-3 (v. 3)

1. Canada - Histoire - Jusqu'à 1763 (Nouvelle-France). 2. Iroquois (Indiens) - Guerres. 3. Fourrures - Commerce - Canada - Histoire. 4. États-Unis - Histoire - ca 1600-1775 (Période coloniale). 5. Indiens d'Amérique - Maladies. 6. Épidémies - Canada - Histoire. I. Titre.

FC305.D47 1998 971.01 C98-941014-5
F1030.D47 1998

Dépôt légal : 1er trimestre 1999
Bibliothèque nationale du Québec

ISBN 2-89448-123-3

Diffusion Dimedia
539, boul. Lebeau
Saint-Laurent (Québec)
H4N 1S2

Léo-Paul Desrosiers

Iroquoisie
1666-1687

Septentrion

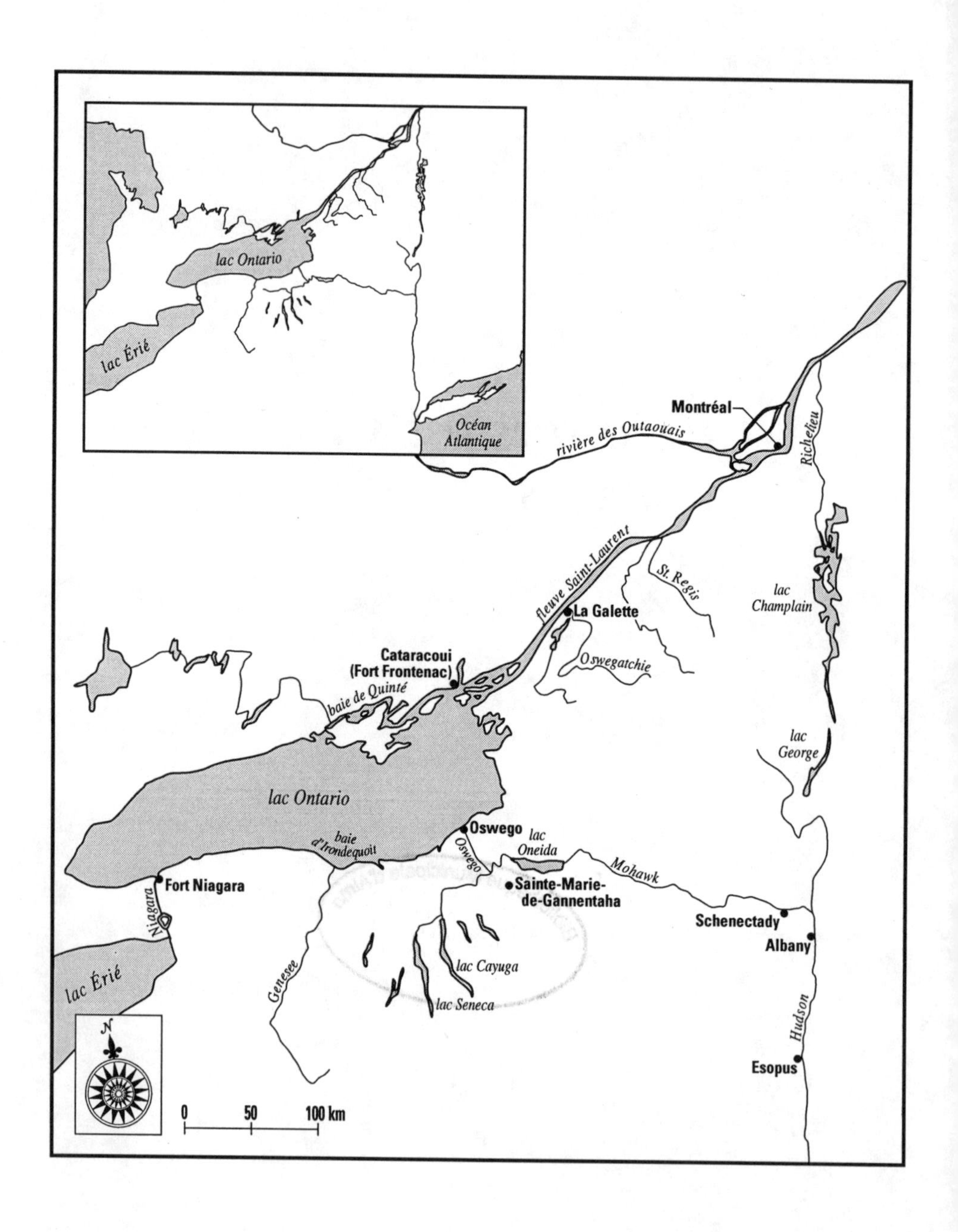

lac Ontario
lac Érié
Océan Atlantique
Montréal
rivière des Outaouais
Richelieu
fleuve Saint-Laurent
St. Regis
lac Champlain
La Galette
Cataracoui (Fort Frontenac)
Oswegatchie
baie de Quinté
lac George
lac Ontario
Oswego
lac Oneida
baie d'Irondequoit
Oswego
Mohawk
Fort Niagara
Sainte-Marie-de-Gannentaha
Schenectady
Albany
Niagara
lac Érié
Genesee
lac Cayuga
lac Seneca
Hudson
Esopus
N
0
50
100 km

Chapitre 104

1666

Le premier conseil a lieu chez M. de Tracy qui reçoit les députés. « Les jours suivants, ils sont traités à la Française plusieurs fois par ces Messieurs ; nous les traitons aussi, mais à la sauvage, dit le *Journal des Jésuites*, donnant au chef de quoi faire un bon festin aux Hurons et aux Algonquins, et le soir leur portant chacun un petit pain, de l'anguille rôtie, quelques pruneaux et de la bière ».

Alexandre de Prouville de Tracy (v. 1600-1670), commandant des troupes et lieutenant général de l'Amérique.

Le même *Journal* contient, au 9 décembre, l'entrée suivante : « La Grande Gueule sut dès lors de je ne sais qui, le dessein formé de Mons. le Gouverneur pour Anniéjé, et en donne avis dans nôtre salle à Garakontié ». Dès le 9, l'un des ambassadeurs apprend donc et communique à ses collègues la nouvelle que le gouverneur général a décidé de faire une campagne d'hiver contre les Agniers. Parlant de cette expédition, la *Relation* de 1666 dira ce qui suit : « ...Il fallait un courage français et la constance de M. de Courcelles pour l'entreprendre ». Le Gouverneur semble donc responsable de cette action militaire. Mais il est invraisemblable qu'il ait agit sans l'assentiment et la collaboration de M. de Tracy et de Talon.

«La grande Gueule» ou Otreouti (v. 1659-1688), chef onontagué

Garakontié (mort en 1677 ou 1678), chef des Onontagués et ami des Français.

Les Agniers, ou Mohawks, constituent l'une des Cinq-Nations iroquoises. Ils sont établis au centre de l'actuel État de New York.

Cette expédition se prépare activement pendant le mois de décembre. C'est l'une des entreprises les plus hardies qui se puissent concevoir. Le raid se fera en plein hiver. Les obstacles principaux seront donc le froid le plus intense de l'année ; les Indiens eux-mêmes entreprennent rarement des expéditions lointaines durant les mois de janvier et de février ; il y a aussi l'épaisse couche de neige qui recouvre le sol et la glace qui se forme sur les cours d'eau. Les simples soldats devront chausser des raquettes canadiennes auxquelles ils ne sont pas habitués et qui les fatiguera beaucoup au moins pendant les premiers jours ; de plus, ils devront marcher du début à la fin, sur une distance de plus de trois cents milles, sans pouvoir profiter, comme ils l'auraient fait en été, d'un transport maritime sur une longue distance. Ils devront transporter sur leur dos armes, munitions, provisions et couvertures, bien que des traînes tirées par des chiens les soulageront un peu. La nuit, ils dormiront n'importe où sur la neige et la glace à côté de quelque grand feu. Et certains jours les vents violents et le froid intense les épuiseront complètement.

Daniel de Rémy de Courcelles (1626-1698), gouverneur de la Nouvelle-France de 1665 à 1672.

Des Canadiens bien habitués au pays entreprendront plus tard cette expédition si tentante, mais si difficile qu'elle ne sera jamais un succès complet. M. de Courcelles, lui, partira avec des soldats qui viennent juste d'arriver sur le sol canadien et qui ne connaissent pas les rigueurs de l'hiver. L'audace

Jean Talon (1626-1694), intendant de la Nouvelle-France de 1665 à 1668 et de 1670 à 1672.

touche ici à l'imprudence ou à la témérité. Quelles sont les raisons de cette hâte ? On sait bien que M. de Tracy aurait dû passer l'hiver au pays en 1664-1665 ; qu'il ne l'a pas pu ; que les troupes sont arrivées si tard en 1665 qu'elles n'ont pu que jalonner de certains forts la route de l'invasion ; tous ces délais coûtent cher et impatientent peut-être le roi et ses ministres. Mais est-ce une raison suffisante ?

Pierre Raffeix (1635-1724), jésuite, fondera en 1668 la mission de Laprairie.

M. de Courcelles part de Québec le 9 janvier 1666. Il a pour lieutenant M. du Gas, un gentilhomme qui est volontaire. M. de Salampar l'accompagne, de même que le père Raffeix, jésuite. Il conduit trois cents hommes du Régiment de Carignan et une centaine de Canadiens. Le détachement quitte ensuite Sillery le 10. Il suit la vaste tranchée pratiquée dans la forêt canadienne qu'est le fleuve. Le troisième jour, le froid est intense. Les soldats ont le nez, les oreilles, les joues, les genoux ou les pieds gelés. Quelques-uns demeurent là sur place et seraient morts si on ne les assistait pas jusqu'au prochain bivouac.

Pierre Boucher (1622-1717), gouverneur de Trois-Rivières.

Cinq jours plus tard, le 15, le détachement atteint le Cap de la Madeleine. M. de Courcelles a donné des ordres. Pierre Boucher est venu au-devant de lui. Quand le Gouverneur arrive aux Trois-Rivières, tout est prêt pour recevoir ses troupes. Le 17, il quitte l'endroit avec 80 soldats, quatre officiers et quatre Canadiens ; les autres soldats se remettront un peu plus longtemps de leurs fatigues et de leurs misères. Trois capitaines du Régiment de Carignan, les sieurs de la Fouille, Maximin et Lobiac, avec vingt hommes chacun, se joindront ici à eux. Le 25, ce corps d'armée avance sur la glace du lac Saint-Pierre. C'est un immense pays plat ou rien n'arrête la violence du vent. Il souffle ce jour-là avec violence ; de nombreux soldats se blessent en tombant sur la glace et d'autres se gèlent les membres. Le détachement atteint le fort Richelieu, ou Sorel, qui ne peut accueillir tous ces hommes qui doivent improviser des logements formés de glace, de neige ou de branches de pins. Le contingent des habitants de Ville-Marie vient rejoindre le gros du détachement : « ...M. le Gouverneur les sachant les mieux aguerris il leur fit l'honneur de leur donner la tête en allant et la queue au retour..., il leur témoignait une confiance particulière..., il les appelait ses capots bleus... ». Charles Le Moyne commande ce groupe hardi ; le sieur de Hautmesnil s'est joint à lui.

Charles Le Moyne (1626-1685), soldat, deviendra seigneur de Longueuil.

Jean-Vincent Philippe de Hautmesnil de Marigny.

Louis Godefroy de Normanville, procureur du roi, fils de Jean Godefroy de Lintot.

Le 29 janvier, M. de Courcelles part du fort Chambly et le 30 du fort Sainte-Thérèse, le dernier poste avant la complète sauvagerie ; il a sorti des forts où il est passé, des recrues qui remplaceront les malades ou les blessés. Il commande donc un détachement d'environ six cents hommes. C'est ici qu'il devait trouver les guides indiens de l'armée, une trentaine d'Algonquins que commande Louis Godefroy, sieur de Normanville. Mais ils n'apparaissent pas. Que faire ? Des Canadiens offrent-ils de conduire l'armée ? Ou bien M. de Courcelles ne peut-il s'immobiliser plusieurs jours au fort Sainte-Thérèse faute de provisions ? Toujours est-il qu'il part quand même. La première partie de la route est facile à trouver : on suit le Richelieu qui coule ici à fleur de sol, le lac Champlain et ensuite le lac Saint-Sacrement qui s'étendent dans la large passe bordée de hautes montagnes. Mais après, il faut s'engager dans l'immense forêt, dans les montagnes, et atteindre là-bas trois ou quatre minuscules bourgades perdues dans l'immensité. Nous sommes en février; le froid est peut-être un peu moins dur, car on descend vers le sud; la neige est très épaisse et ralentit la marche en même temps qu'elle fatigue les soldats. Les guides canadiens ne sont pas sûrs de la route; ils engagent le détachement dans des culs-de-sac, il faut parfois revenir sur ses pas, on perd du temps et on gaspille les précieux vivres.

L'expédition de Courcelles atteint Shenectady.

M. de Courcelles atteint enfin Rensselaerswyck, ou Shenectady, ce village hollandais situé à l'ouest de Fort Orange, aujourd'hui Albany; la première bourgade des Agniers s'élève à quinze lieues à l'ouest de Shenectady. Les Français ne sont pas loin de leur objectif. Le *Journal des Jésuites* situe leur arrivée le 20 février, les *Relations* parlent du 14, un document anglais indique le 9, bien que cette date semble improbable, étant beaucoup trop rapprochée de la date du départ. Mais en arrivant à Shenectady, M. de Courcelles a créé un « incident international » car il a pénétré avec des soldats armés sur le territoire d'une autre puissance européenne, l'Angleterre. C'est ce que signale un document anglais qui porte le titre suivant: « Relation de la marche du Gouverneur du Canada, avec 600 volontaires, dans les territoires de Sa Grandeur le Duc d'York, en Amérique ». L'auteur raconte avec force détails l'arrivée des Français qui cherchaient leurs ennemis héréditaires, les Agniers; ils se sont présentés en plein hiver, alors qu'il y avait quatre pieds de neige partout, marchant sur des raquettes et conduisant des chiens traînant des traîneaux chargés de vivres. Ils ont placé leur camp en plein bois à trois jours de voyage du bourg le plus proche des Agniers; ils pensaient pourtant avoir suivi la bonne route; ils avaient en effet rencontré des guerriers agniers qui avaient battu en retraite devant eux; soixante fusiliers français les avaient vivement poursuivis; mais en avançant, ces derniers étaient tombés dans une embuscade de leurs ennemis qui étaient là, au moins deux cents, embusqués derrière des arbres. Une escarmouche avait eu lieu; les Agniers auraient tué onze soldats, ils en auraient blessé quelques autres de même qu'un lieutenant. Leurs compagnons se seraient alors retirés vers le gros de l'armée. Les Agniers auraient disparu ayant trois hommes tués et six blessés; ils seraient apparus plus tard à Albany avec quatre scalps français. La nouvelle de l'arrivée de M. de Courcelles aurait été transmise tout de suite à Albany. De cette dernière ville partent le lendemain trois commissaires qui se rendent auprès de M. de Courcelles pour lui demander avec quelles intentions il pénètre ainsi avec ses soldats sur les territoires du roi de la Grande-Bretagne. Et M. de Courcelles répond que l'expédition qu'il dirige est conduite contre les Agniers; qu'il n'avait nullement l'intention d'envahir un pays étranger ou de molester les sujets du roi d'Angleterre. Il demande pour ses troupes des vivres qu'il est prêt à payer et que les soldats blessés soient soignés à Albany.

Les trois notables anglais accèdent à ces demandes. Ils offrent gratuitement du vin et des vivres. M. de Courcelles pourrait aussi prendre ses quartiers parmi eux, mais il refuse pour partager le sort des simples soldats. Il ne permet pas non plus à ses troupes affamées d'entrer dans Shenectady, car il craint des pillages ou des incidents sur un territoire étranger.

Le jour suivant, sept soldats sont soignés à Shenectady et évacués sur Albany. Des Hollandais apportent des provisions au camp. Se montrant fort généreux, de Courcelles verse le prix fort pour le pain et les pois. Pendant ce délai, les Agniers s'éloignent avec l'intention d'organiser la résistance dans leurs bourgades.

Le 12 février 1666, l'expédition rebrousse chemin.

D'après le même auteur, les Français auraient ensuite pris le chemin qui conduit à ces mêmes bourgs. Cependant, ils auraient rebroussé chemin, par panique, ou à cause d'une mutinerie. Cette volte-face a lieu le troisième jour après leur arrivée, soit le 12 février. Les Iroquois disent hautement que c'est une retraite déshonorante. Le narrateur, lui, est d'avis contraire : « Une entreprise aussi hardie et aussi audacieuse, dit-il, ne s'est jamais produite à aucune époque ». Les éclaireurs agniers poursuivent le détachement français jusqu'au lac, mais ils ne lui auraient infligé que bien peu de mal, auraient capturé trois soldats, tué un autre parce qu'il ne pouvait plus marcher et trouvé sur la neige cinq soldats morts de froid et de faim qu'ils auraient scalpés.

Le gouverneur de Courcelles étonné de voir la Nouvelle-Hollande aux mains des Anglais.

Une autre partie du récit est piquante. Par son visage et ses paroles, le gouverneur semblait troublé en apprenant que les Anglais étaient maintenant maîtres de la Nouvelle-Hollande ; il aurait voulu connaître le nombre de soldats formant la garnison d'Albany et comment était le fort qui défendait cette ville. On lui aurait répondu qu'il y avait soixante soldats, que leur capitaine du nom de Baker avait fait venir vingt autres soldats qui étaient probablement arrivés ; que le fort en plus comptait quatre bastions défendus par neuf canons. Ayant trouvé les Agniers résolus et les Anglais sur leurs gardes, de Courcelles aurait alors décidé de revenir sur ses pas avec ses soldats fatigués, mais en promettant de revenir l'été suivant. L'auteur ajoute encore qu'il circulait « beaucoup de rumeurs à l'effet que le Roi français et les États de Hollande étaient unis » contre l'Angleterre. Dans cette Nouvelle-Hollande conquise d'hier, les Hollandais forment l'immense majorité, et leur union avec les Français aurait été fatale aux Anglais.

Ce récit fait se poser quelques questions. De Courcelles ne peut ignorer, au mois de février 1666, que l'Angleterre a fait la conquête de l'État de New York en septembre 1664. C'est pourtant ce qu'il a soutenu ; c'est ce que M. de Tracy lui-même soutiendra au gouverneur de New York dans une lettre du 30 avril 1667 : « ... Nous n'avions pas nouvelle que la Nouvelle-Hollande était sous une autre juridiction que celle des États des Provinces-Unies de la Belgique ».

Ce récit cadre assez bien avec celui des documents canadiens. Il en diffère cependant quant au motif de la retraite soudaine de M. de Courcelles. Les

Relations adoptent une autre version. Des prisonniers iroquois, disent-elles, et le commandant de Shenectady affirment que les Agniers et les Onneyouts « étant allés plus avant faire la guerre à d'autres peuples appelés les faiseurs de porcelaines [Andastes], ils n'avaient laissé dans leurs bourgs que les vieillards infirmes et les enfants, et l'on reconnut qu'il serait inutile de pousser plus loin une expédition qui avait tout l'effet que l'on en avait prétendu, par la terreur qu'elle avait mise parmi toutes ces nations, qui n'étaient fières et perfides que parce qu'elles se croyaient inaccessibles à nos troupes ». Ces raisons paraissent assez peu claires. Il semble bien qu'un bon nombre d'Agniers étaient sur les lieux et que M. de Courcelles dut revenir parce qu'il manquait de provisions, que ses troupes étaient fatiguées, que cette marche en forêt sur une distance supplémentaire de quinze lieues paraissait dangereuse après la première escarmouche. M. de Courcelles reviendra avec l'impression que l'expédition qu'il a conduite a été un insuccès complet. Il n'avait ni l'expérience des ennemis, ni l'expérience de la guerre en Amérique qui permettra aux Canadiens sous Frontenac de frapper par surprise ces bourgades perdues. Sans canon, le gouverneur aurait-il pu d'ailleurs prendre d'assaut des bourgades qui connaissaient sa marche ?

Les causes de l'échec de l'expédition de M. de Courcelles.

Le *Journal des Jésuites* dit qu'il pleuvait pendant la première nuit passée à Shenectady ; c'était un samedi ; qu'il plut aussi tout le dimanche et que le « soir, on décampa avec précipitation ; on marcha toute la nuit et une partie du lundi ». Le soir, la troupe rencontre les trente Algonquins qui devaient la conduire et « que l'ivrognerie avait arrêtée en chemin ; ils apportèrent quelque soulagement aux troupes par la chasse ».

Le difficile retour de l'expédition.

Les vivres manquent complètement au milieu du lac Champlain. Le gouverneur charge des soldats de retrouver les provisions laissées à l'aller dans une *cache* ; elles ont été dérobées. Les troupes doivent marcher épuisées et affamées. Le 8 mars, M. de Courcelles arrive au fort Saint-Louis. On estime qu'une soixantaine de soldats sont morts de faim. Toutefois, plusieurs d'entre eux se présenteront après le gros du détachement et les pertes seront beaucoup moins importantes qu'on ne le pensait.

Le fort Saint-Louis (site actuel de Chambly)

Le gouverneur est mécontent de son expédition. Il accuse tout le monde. Il « a eu prise avec le P. Albanel, qui est au fort Saint-Louis... l'accusant d'avoir retardé exprès les Algonquins... Mais comme il n'était pas satisfait, il cherchait à jeter la faute sur les Jésuites. Passant par les Trois-Rivières : Mon Père, dit-il au P. Fremin, en l'embrassant, je suis le plus malheureux gentilhomme du monde, et c'est vous autres qui êtes la cause de mon malheur ». Le 17 mars, il est à Québec où il rencontre M. de Tracy et Talon : « Il attribua d'abord toute la faute de cette expédition aux Pères, qui avaient, disait-il, arrêté les sauvages, etc., parlant en particulier à Mons. de Tracy, et à Mons. l'Intendant ; ce qu'il dit là-dessus (selon que nous l'avons appris de M. d'Auteil) fit grande impression sur l'esprit du dernier ». Plus tard, le vice-roi dit à M. de Courcelles

Charles Albanel (1616-1696), jésuite, missionnaire et explorateur, curé au fort Saint-Louis en 1666.

Jacques Frémin (1628-1691), jésuite, avec les Montagnais près de Trois-Rivières en 1666.

qu'il était satisfait de l'entreprise ; et M. de Courcelles cessa de tenir des propos accusateurs contre les Jésuites.

On raconte aussi divers incidents. Des Iroquois ont harcelé longtemps la retraite des Français. Au cours d'un combat d'arrière-garde, M. d'Aigues-Mortes et quatre soldats perdent la vie. Le jeune Lotbinière remplace Aigues-Mortes. Il est blessé à son tour, mais légèrement. Une trentaine d'Iroquois seraient restés sur place mais ce nombre semble exagéré. Combattant dans la forêt qu'ils connaissent bien, les Agniers n'ont probablement pas de pertes aussi considérables.

René-Louis Chartier de Lotbinière (1641-1709).

Du point de vue militaire, l'expédition n'est pas un succès. Elle n'a pas atteint les bourgades ou les forces militaires ennemies ; de légers engagements n'ont apporté aucun résultat satisfaisant. Mais elle a apporté aux autorités des données précises sur un ancien problème. Les Français connaissent maintenant la distance importante entre eux et leurs ennemis et quel obstacle presque infranchissable elle constitue. L'Iroquois est aussi dans la forêt un tirailleur dangereux. Les soldats savent manœuvrer en terrain découvert, mais en Amérique, il n'y en a pas. Les méthodes, la stratégie, la tactique doivent être modifiées. Dollier de Casson le constate : « ...Toutefois comme ils voulaient qu'on suivît la manière dont on se sert dans l'Europe pour se défendre, laquelle est très désavantageuse pour ce pays, aux expériences duquel ils y ajoutaient trop peu de foi : cela fit que les ennemis ne laissaient pas de nous tuer du monde... ».

*François Dollier de Casson (1636-1701), auteur d'*Histoire du Montréal.

Pourtant, l'expédition est loin d'avoir été inutile. La présence d'un détachement français sur l'Hudson fournit un bon thème de réflexions aux Agniers directement menacés et aux Anglais. Le fait que des soldats soient venus une fois indique clairement qu'ils peuvent revenir et que, cette fois-là, il pourrait y avoir de la casse. Les uns et les autres savent qu'un régiment est arrivé et qu'il a une tâche à accomplir. Ni Albany, ni New York ne sont des places difficiles à prendre ; les détachements peuvent trouver des alliés dans les Indiens des colonies anglaises, les Abénaquis par exemple. Si les Iroquois sont détruits, qui apportera des peaux de castor aux factoreries de l'Hudson ? De toute façon, la guerre nuit au commerce et les Agniers qui partent pour la guerre ne peuvent pas aller à la chasse aux castors.

Le régiment de Carignan-Salières.

Les Abénaquis, constitués d'un groupe de tribus, sont alors établis dans la région actuelle du Maine et du Nouveau-Brunswick.

Ces réflexions portent immédiatement leurs fruits. Tout d'abord, les relations entre les Anglais et les Agniers avaient été peu satisfaisantes. Leur ancien conflit ne s'était pas terminé avec la conquête de New York. Dans une lettre que le gouverneur de New York, le colonel Nicolls, écrira en novembre 1665 au duc d'York, on peut trouver la phrase suivante : « ... J'ai aussi été mêlé à des troubles avec les Indiens, à Fort Albany, et ils étaient si dangereux que j'ai jugé nécessaire d'augmenter le nombre de mes soldats ». Mais maintenant que M. de Courcelles est venu jusqu'à Shenectady, un mouvement s'ébauche pour réconcilier les Agniers et les Français, ce qui suppose ainsi un rapprochement entre les Anglais et les Agniers. De l'ancienne Nouvelle-Hollande devenue l'État de New York, des lettres sont écrites en faveur de la

Le colonel Richard Nicolls, premier gouverneur anglais de New York, de 1664 à 1668.

paix alors que l'expédition française vient à peine de retrouver ses bases de départ. On n'en a pas le texte. Toutefois, des lettres subséquentes y feront des allusions continuelles, les résumeront et répéteront les principaux passages. Le 17 mars, par exemple, un chirurgien du nom d'Hinse, d'Albany, écrit au gouverneur général pour lui signifier que les députés agniers manifestent de bonnes dispositions pour la paix ; il annonce que le gouverneur de New York, Nicolls, a choisi Arent Van Corlaer pour se rendre en Nouvelle-France avec les ambassadeurs agniers, endosser les propositions de ceux-ci et leur donner une garantie morale anglaise. Puis les Commissaires d'Albany, c'est-à-dire les personnes mêmes auxquelles Nicolls a confié l'administration de ce poste, écrivent une lettre qui est datée du 26 mars 1666. On n'en a pas conservé le texte. Toutefois, Nicolls, M. de Tracy et les Commissaires d'Albany en parleront dans des communications subséquentes de façon à en révéler le contenu. Nicolls dira en évoquant ces commissaires que «...leur dessein était de vous aviser rapidement du fait que les Agniers étaient enfin disposés à traiter de paix si vous, de vôtre côté, étiez disposés de la même façon...»

Arent van Corlaer ou Curler, interprète hollandais.

En plus, les Agniers ne feront preuve d'aucune hostilité contre la Nouvelle-France tant que des négociations de paix seront en cours: «Nous leur avons recommandé, bien plus nous leur avons enjoint (en autant que nous avons de l'influence sur eux) de vivre en paix avec les Français». Les Onneyouts apporteront ces lettres au début du mois de juillet. Elles feront l'objet d'une controverse plus tard entre M. de Tracy et le gouverneur de New York.

Les Onneyouts, ou Onneiouts, ou Oneidas, constituent l'une des Cinq-Nations iroquoises. Ils sont alors établis dans l'actuel État de New York, d'Utica jusqu'au lac Oneida.

Mais pendant qu'elles s'écrivent, on dirait qu'un moment d'hésitation, d'incertitude, suit au Canada le retour de la première expédition militaire. Les troupes, épuisées, prennent la route de Montréal où elles vont un peu se refaire. Le 12 mars, elles s'en vont aux Trois-Rivières et à Québec. La neige nouvellement tombée brille sous l'ardent soleil du printemps. L'ophtalmie des neiges se déclare chez les soldats: quelques-uns deviennent aveugles; leurs compagnons les conduisent par la main. Dès le printemps, les autorités militaires entreprennent la construction, projetée l'automne précédent, du fort Sainte-Anne; elles ont jugé bon d'avoir une base encore plus rapprochée du pays ennemi. De Courcelles et Tracy chargent trois cents hommes de cette tâche. La Durantaye fait partie de ce groupe. Cet ouvrage est édifié sur la première île qui se présente sur le lac Champlain : elle fait sept milles de long et deux de large; elle est boisée d'érables, de chênes et de pins. On choisit une pointe sablonneuse à l'abri d'une colline, de façon à avoir un bon poste d'observation. L'ouvrage aura 144 pieds de long, 90 de large, quatre bastions et des palissades de quinze pieds de hauteur. Plusieurs édifices et un fort s'élèveront à l'intérieur; il pourra accueillir un grand nombre de soldats. Le 20 juillet, tous les travaux sont terminés.

Ophtalmie : maladie inflammatoire de l'œil.

La construction du fort Sainte-Anne, sous le commandement de Olivier Morel de La Durantaye (1640-1716), capitaine du régiment de Carignan.

Pendant que ces préparatifs militaires contre les Agniers se poursuivent, il s'avère chaque jour que les tribus supérieures sont de mieux en mieux disposées pour la paix et qu'elles veulent s'y maintenir. Le 24 mars, on apprend

Les Goyogouins (ou Cayugas) et les Tsonnontouans (ou Senecas) constituent deux des Cinq-Nations iroquoises.

à Québec que seize ambassadeurs goyogouins sont arrivés à Montréal ; le 22 mai, une dizaine de députés Tsonnontouans se présentent pour négocier. De grands conseils ont lieu. M. de Tracy refuse d'abord trente-quatre présents qui lui sont offerts : « ... Mais voyant que ce refus leur était extrêmement sensible et qu'ils le prenaient pour la dernière injure qu'on pût leur faire, il accepta enfin leurs porcelaines en leur répétant que ce n'était pas leurs présents ni leurs biens que le Roi désirait, mais leur véritable bonheur et leur salut ». Les Tsonnontouans ratifient alors le grand traité signé en décembre 1665, en leur nom, par leurs représentants. Cette ratification est enregistrée dans un document officiel. Dix de leurs ambassadeurs se sont présentés, y est-il dit ; leur orateur était Garonhiaguera, il a offert trente présents. Tous « ont unanimement demandé qu'ayant été toujours sous la protection du Roi Louis XIV depuis que le Roi a découvert leur pays, ils soient maintenus sous cette protection, et qu'ils soient reçus au nombre de ses fidèles sujets, demandant aussi en même temps que le traité conclu par les Onnontagués aussi bien que par les Tsonnontouans, puisse avoir pleine force et plein effet pour eux, le ratifiant dans toutes ses dispositions et articles, qui leur sont lus en langue iroquoise par le père Chaumonot, et ajoutant qu'ils veulent, de bonne foi, en exécuter toutes les stipulations ». Ils sont disposés à envoyer quelques-unes de leurs familles à Québec, aux Trois-Rivières et à Montréal afin de créer un lien plus profond avec la Nouvelle-France et avec ceux qui commandent pour le roi « qu'ils reconnaissent à l'avenir comme leur souverain » ; ils désirent que des familles françaises s'établissent dans leur pays, que des missionnaires viennent prêcher le Dieu des Français qu'ils promettent d'adorer.

Garonhiaguera, Garonhiagué ou Ogenheratarihiens (v. 1646-1687). Un capitaine onneiout, baptisé Louis en 1676.

Pierre-Joseph-Marie Chaumonot (1611-1693), jésuite, alors missionnaire des Hurons établis au poste Notre-Dame-des-Neiges, près de Beauport. En 1673, il fondera la mission huronne de Notre-Dame-de-Lorette au nord de Québec (aujourd'hui Wendake).

Les députés apposent ensuite la marque distinctive de leur tribu ; M. de Tracy, Jean Talon et le père Le Mercier signent pour les Français.

C'est le 25 mai que les Tsonnontouans ratifient le traité de paix. En même temps, des Iroquois dont on ne connaît pas la nationalité — des Agniers probablement — commettent des meurtres. Le 23 mai, ils massacrent un soldat de la compagnie de M. de la Fredière qui fait partie de la garnison. La victime est âgée de trente ans. Un peu plus tard, le 8 juin, à Ville-Marie encore, ils tuent un soldat de la compagnie de M. de Varennes, Claude Duparc, âgé d'une vingtaine d'années. Un autre soldat du nom de Lavau, bien que tué en même temps, ne sera inhumé que douze jours plus tard, le 20 juin. À Chambly également, un soldat a perdu la vie.

François-Joseph Le Mercier (1604-1690), jésuite, recteur et supérieur général des missions.

En avril, mai et juin, les seuls actes militaires des autorités françaises sont la construction du fort Sainte-Anne. Attendent-elles que cet ouvrage soit terminé pour entreprendre d'autres actions ou bien la soumission des Agniers et les ratifications du premier traité que doivent apporter les autres tribus ? Pourquoi tant de hâte en janvier et si peu de hâte maintenant ? M. de Tracy, Jean Talon, l'évêque, assistent à la solennité de la fête de la Saint-Jean. Ils se passent le flambeau de cire blanche qui allumera le bûcher. Des débats philosophiques ont lieu, ils y prennent part.

Dans l'État de New York pourtant, des nuages se forment comme dans les autres colonies anglaises. Winthrop est gouverneur du Connecticutt. Le 22 février, des lettres royales lui sont envoyées ainsi qu'à son conseil, « avec la déclaration de guerre de Sa Majesté contre les Français. Cette déclaration a été, selon les ordres de Sa Majesté, publiée immédiatement à Hartford, New-London et autres places de la Colonie ». Winthrop dira aussi qu'il a pris en considération « les autres demandes de sa Majesté pour réduire à l'obéissance à Sa Majesté les plantations du Canada appartenant aux Français... » Et c'est dire que le 22 février, à Londres, le Roi annonce au gouverneur du Connecticutt que la guerre vient d'éclater entre la France et l'Angleterre et qu'il lui demande de préparer une invasion de la Nouvelle-France.

L'arrivée de ces documents dans les colonies anglaises déterminera une modification de l'attitude prise en mars au sujet de la guerre franco-iroquoise. Pendant ce dernier mois, les Anglais exerçaient toute leur influence sur les Agniers pour les porter vers la paix ; ils prétendaient avoir réussi, se donnaient comme garants des sentiments pacifiques de leurs alliés indiens, envoyaient Arent van Corlaer avec leurs députés pour conclure la paix. Mais au mois de juillet, leur attitude change du tout au tout. L'ambassade promise n'est pas venue. Et le 6, dans une lettre adressée au conseil du Massachussetts, Nicolls, gouverneur de New York, déclare qu'il a pris connaissance de la déclaration de guerre contre la France et de l'ordre donné au Connecticutt et probablement aux autres colonies de s'emparer du Canada. Lui-même, semble-t-il, n'a reçu aucun message semblable, car voici ce qu'il dit : « J'ai appris récemment que Sa Majesté vous a conseillé de soumettre le Canada à l'obéissance de Sa Majesté et même vous l'a commandé ». Il veut donc fournir au Massachussetts l'occasion « d'exécuter cet ouvrage tout de suite » . La veille, soit le 5, il a reçu une lettre disant que sept cents soldats français marchent sur Albany. Ils ne se porteront pas, croit-il, contre les Anglais tant qu'ils n'auront pas battu et réduit les Agniers. Dès la réception de cette nouvelle, il a augmenté la garnison du fort et il a écrit à Winthrop, au Connecticutt. Nicolls croit qu'il ne faut pas laisser passer l'occasion d'attaquer ce détachement français en route « puisque les commandements de Sa Majesté dans cette affaire sont si positifs... » Si cent cinquante cavaliers du Massachussetts se joignaient à cent cinquante cavaliers du Connecticutt, « peu de Français retourneraient au Canada... », car ceux-ci seraient alors trop éloignés de leurs bases.

Les Anglais ont songé à attaquer l'expédition de Courcelles.

Nicolls désire donc que le Connecticutt et le Massachussetts se lancent dans la guerre contre la Nouvelle-France en attaquant une expédition qui serait en marche contre les Agniers. Il recevra tout de suite une réponse signée par Samuel Willis, à Hartford, le 11 juillet. Elle n'est pas encourageante. Toute la population, y lit-on, est occupée aux travaux des champs, il est impossible de trouver des hommes pour l'expédition proposée. D'autre part, les Agniers contre qui les Français se battent, sont également des ennemis invétérés des Indiens amis des Anglais qui habitent le Massachussetts ; ces Indiens sont prêts à se joindre aux Français dans une attaque contre les Agniers ; ils pourraient se joindre également aux Français dans une attaque contre les Anglais du Massachussetts si ceux-ci voulaient intervenir dans la guerre. Ces Indiens sont sans doute des Abénaquis qui obéissent déjà aux directives françaises. Willis accuse ensuite Nicolls d'avoir excité les Agniers contre les Français : « Votre Honneur, dit-il, comme vous l'écrivez, s'est engagé si loin avec les Agniers qu'il les a encouragés dans la guerre contre les Français... » ; il a également excité les Agniers contre les Abénaquis. Encore récemment, des combats ont eu lieu entre Agniers et Indiens du Massachussetts ; la veille, un parti d'Agniers s'est rendu à Podunck ; aussitôt découvert, il a pris la fuite. Il faudrait d'abord, ajoute M. Willis, négocier la paix entre les Agniers et les Indiens du Massachussetts ; autrement, ceux-ci pourraient attaquer les Anglais à revers s'ils veulent intervenir dans les guerres franco-iroquoises. Toutefois, la colonie se tiendra prête à toute éventualité. M. Willis est heureux d'apprendre que la garnison d'Albany a été renforcée, car c'est là que la frontière est menacée ; aucune menace française toutefois n'existe pour les colonies anglaises tant que les Agniers ne seront pas battus ; pour sa part, il proposerait plutôt de laisser Agniers et Français se battre entre eux car ils s'affaibliront mutuellement.

Tout le présent et tout l'avenir sont dans cette réponse. Ce sera toujours l'État de New York qui sera menacé par la Nouvelle-France par le Richelieu et le Saint-Laurent, mais il recevra toujours des autres colonies anglaises les mêmes réponses dilatoires et négatives : ces colonies s'arrangeront pour que l'Iroquoisie mène à peu près seule les guerres contre la Nouvelle-France ; les Abénaquis resteront fidèles aux Français ; les Iroquois seront armés et excités contre la Nouvelle-France et les ordres du roi dans les colonies anglaises seront plus ou moins respectés.

Cette guerre entre l'Angleterre et la France, ces ordres aux gouverneurs coloniaux apportent un élément nouveau dans la tâche que doit mener M. de Tracy. Une expédition peut attaquer le Canada par le golfe et le fleuve Saint-Laurent ; les corps qui se rendent du Canada en Iroquoisie peuvent être pris de flanc par des détachements venant des colonies anglaises ; enfin, sous le feu des excitations anglaises survenant en juin ou en juillet, les Iroquois, ou du moins les Agniers, peuvent se montrer moins souples et, au lieu de venir ratifier le traité ou conclure la paix, s'abstenir ou s'entêter dans les hostilités.

Jacques Le Ber (v. 1633-1706), marchand et trafiquant de fourrures.

Pourtant, le danger ne se concrétise pas tout de suite. Le 8 juillet, c'est-à-dire le jour même où le gouverneur de New York écrit la lettre précédente, le *Journal des Jésuites* contient l'entrée suivante : « Le 6 la barque de M. Le Ber arrive avec 24 ambassadeurs d'Onneyout, avec des lettres d'Orange. Ils logent chez nous ». En fait, ces députés apportent les lettres écrites au mois de mars alors qu'Anglais et Hollandais de l'État de New York travaillaient à une entente entre les Agniers et les Français et garantissaient à ces derniers les sincères désirs de paix des premiers. Les *Relations* sont plus explicites que le *Journal* ; les députés Tsonnontouans, disent-elles, « furent suivis de près de ceux des autres peuples, et entre autres de ceux des Onneyouts et même de ceux d'Agnié, de sorte que les députés des cinq Nations Iroquoises se trouvèrent presque en même temps à Québec, comme pour y affermir d'un commun consentement une paix durable avec la France». Il y a bien des allées et venues en Nouvelle-France pendant cet été mémorable ; des délégations arrivent et repartent, mais en laissant derrière elles quelques-uns de leurs membres ; des Onnontagués, par exemple, ont hiverné non loin de Montréal. Il est exact que des représentants de plusieurs tribus sont présents, mais tous ne sont pas officiellement mandatés pour s'occuper des négociations. Celles qui s'ouvrent à ce moment-là, sont des négociations particulières avec les Onneyouts et les députés de cette tribu «répondaient aussi de la conduite des Agniers, et donnaient même pour eux des otages». Toutefois, les Agniers ne sont pas représentés par des Agniers ; ce sont les Onneyouts et les lettres écrites en mars qui témoignent de leur désir de paix. Corlaer n'est pas venu. Il semble que si les pourparlers engagés par les Onneyouts sont favorables, des députés agniers viendront plus tard.

Les Onnontagués ou Onontagués ou Onondagas, alors établis dans l'État actuel de New York, du lac Oneida au lac Skaneateles. La bourgade d'Onnontaé constituait le siège politique principal de l'Iroquoisie.

Les lettres écrites en mars joueront un rôle important. M. de Tracy affirmera à plusieurs reprises que sur la foi des assurances qu'elles contenaient, il a rappelé deux partis de deux cents hommes chacun qui partaient pour Anniéjé. Il citera en particulier la lettre des commissaires anglais d'Albany comme ayant pesé lourd dans la balance, elle l'aurait en pratique décidé à abandonner ses projets militaires contre l'Iroquoisie.

Cependant, comme on l'a vu, à la date même où ces communications arrivent en Nouvelle-France, elles ne sont plus exactes et ne peuvent plus qu'induire M. de Tracy et les autorités de la Nouvelle-France en erreur. Nicolls et les Commissaires d'Albany ne travaillent plus à une entente entre Agniers et Français ; bien au contraire, ils excitent maintenant les Agniers contre les Français. Le changement de leur attitude doit probablement dater des mois de juin et juillet.

Persévérant dans leur première modération envers les Iroquois, travaillant à terminer le présent conflit sans effusion de sang, M. de Tracy accepte maintenant la proposition des deux nouvelles tribus ; le 12 juillet, Agniers et Onneyouts ratifient le grand traité franco-iroquois, comme les Tsonnontouans l'ont fait un peu plus tôt au printemps. Mais ce n'a pas été sans difficulté ; le 7 juillet, les députés ont offert leurs présents et prononcé leurs discours : «...Ils n'ont pas dit grand chose» affirme succinctement le *Journal* des Jésuites. Et voici l'entrée qu'il contient le 8 alors que les Français donnent leur réponse : «...Le P. Chaumonot leur a dit de la part de M. de Tracy toutes leurs vérités en bons termes et d'une bonne façon».

Dès ce moment toutefois, M. de Tracy a pris une décision. Comme les tribus paraissent décidées à «affermir d'un commun consentement une paix durable avec la France», il a pris leurs demandes de paix en considération. Mais «afin de mieux y parvenir, l'on jugea à propos de députer quelques Français avec les députés d'Onneyout, qui répondaient aussi de la conduite

Ambassade française à Albany.

des Agniers, et donnaient même pour eux des otages. Les Hollandais de la Nouvelle-Hollande avaient aussi écrit en leur faveur et se rendaient caution de la fidélité de tous ces Barbares, à observer fidèlement les articles de la paix qu'on ferait avec eux. Ces députés Français avaient ordre de s'informer soigneusement sur les lieux de toute chose, et de voir s'il y aurait sûreté à se fier encore une fois aux Sauvages, afin que les armes de sa Majesté ne fussent pas retardées par une fausse espérance de la paix». Le *Journal des Jésuites* ajoute quelques précisions au sujet de cette ambassade française qui doit se rendre à Albany et autres lieux pour faire enquête sur la bonne foi des Agniers. Il dit que certains députés onneyouts demeurent au pays ; puis « on renvoie le reste avec le P. Bêchefer, qui va avec eux en ambassade à Orange, accompagné de Mons. de la Tesserie comme interprète, et Boquet pour l'assister». Jacques Hertel doit faire partie de cette mission.

Thierry Beschefer (1630-1711), jésuite.

Charles Boquet (v. 1630-1681), donné des jésuites, guide et interprète.

Il est un point important à noter. Plus tard, à la fin de ce siècle, Frontenac refusera résolument et absolument de mêler les Anglais ou les Hollandais d'Albany aux négociations de la France avec l'Iroquoisie ; ces Indiens, affirma-t-il, forment une nation indépendante qui ne dépend aucunement du roi d'Angleterre. Appeler les représentants de celui-ci dans des pourparlers avec les Iroquois, les admettre à des traités, ce serait reconnaître, avouer que l'Iroquoisie est pays anglais, ou sous influence anglaise, et que les Indiens qui l'habitent sont sujets anglais. Toutefois, à cette époque, une grande controverse se sera élevée sur la question de savoir qui, de la France ou de l'Angleterre, est suzeraine ou maîtresse de l'Iroquoisie. En 1666, on n'en est pas encore à de telles subtilités. Toutefois, M. de Tracy n'agit pas dans le meilleur intérêt de la France en admettant les Anglais dans ses colloques avec les Iroquois et il joue un rôle de dupe qui lui fera pousser un peu plus tard des plaintes bien amères.

Joseph-François Hertel de la Fresnière (1642-1722), soldat et interprète.

Car le 12 juillet, soit quatre jours après le conseil qui a pris la décision d'envoyer une ambassade à Albany, il s'écrit nombre de lettres à Québec. Il faut répondre aux lettres écrites en mars à Albany et que les Onneyouts viennent d'apporter. La réponse la plus importante du groupe est bien celle que M. de Tracy adresse aux Commissaires d'Albany. Il a reçu le 6 juillet, dit-il, leur lettre écrite le 26 mars. « Je dirais, écrit-il, qu'en considération du bien public, et, en particulier, qu'en considération pour vous, j'accéderai volontiers à une paix raisonnable avec toute la nation iroquoise, mais à des conditions que nous jugerons justes entre eux et nous quand vous aurez pris la peine de vous rendre ici par ordre et avec l'autorité de vôtre Gouverneur-Général». Les Iroquois, continue-t-il, ont toujours manqué à la parole donnée ; ils ont exercé des cruautés inouïes sur les Français ; et alors « il ne serait pas prudent de perdre la chance de les détruire quand nous avons un corps de troupes considérable». M. de Tracy est sûr que les commissaires auront la même opinion s'ils étudient la conduite des Iroquois. C'est alors qu'il annonce à son correspondant qu'il a donné ordre de revenir dans leurs quartiers à deux détachements de deux cents hommes chacun qu'il avait dépêchés des forts du

Des Français attaqués près du Fort Saint-Anne.

Richelieu ; cette complaisance, ajoute-t-il, peut coûter des vies, mais il préfère courir ce risque afin que la paix générale s'établisse. Il dit encore que dix navires de France sont en route pour le Canada, que quatre d'entre eux sont déjà à Gaspé. Enfin, il a demandé au supérieur des Jésuites d'envoyer le père Bêchefer, accompagné de trois personnes, pour ramener les soldats blessés que M. de Courcelles a abandonnés à Albany. Ces Français pourront protéger au retour les députés agniers qui pourraient venir avec eux : « J'ai accordé aux Iroquois quarante jours seulement, à courir de la date de la présente lettre, pour paraître dans cette ville. »

Le même jour, M. de Courcelles adresse aussi une lettre à M. d'Hinse, médecin d'Albany. Parlant des Iroquois, ou plutôt des Agniers, car il ne peut s'agir que d'eux, il affirme que les remontrances des Commissaires d'Albany en leur faveur, la charité chrétienne « ont été cause que nous avons pris la résolution de les écouter, de leur accorder le traitement le plus favorable possible » ; d'envoyer le père Bêchefer et trois personnes pour qu'ils sachent, aussi bien que les Anglais, que leur plaidoyer a été écouté avec bienveillance, « et pour assurer aux Agniers qu'ils peuvent venir en toute sûreté ». Il demande à son correspondant de remercier le gouverneur général d'avoir désigné Corlaer pour venir à Québec ; car, « lui, endossant ce que les Agniers nous diront... », les Français ajouteront foi à leurs paroles. Les députés doivent venir dans un délai de quarante jours. Enfin, de Courcelles demande de renvoyer les sept soldats qui sont maintenant guéris ; quant aux onze autres, il y aura peut-être lieu de les renvoyer avec Arent van Corlaer.

Et l'on voit tout de suite que M. de Tracy et M. de Courcelles sont dupes : au moment même où ils écrivent ces lettres, Richard Nicolls, le gouverneur de la Nouvelle-York, excite les Agniers contre la Nouvelle-France et il demande aux autres colonies anglaises, soit de préparer une invasion du Canada, soit de tomber sur les détachements français en route pour l'Iroquoisie. Le régiment de Carignan reste inactif pendant la saison qui peut être favorable aux invasions.

Arent van Corlaer ou Curler responsable du présent traité entre les Iroquois et les Hollandais en 1643.

Cette situation anormale aurait pu durer un certain temps, s'il ne se s'était produit au lac Champlain un incident grave qui soulève la colère des autorités françaises. Il a probablement lieu le 18 juillet puisque la nouvelle est arrivée à Québec le 20. Les troupes sont stationnées au fort Sainte-Anne que les Français viennent d'achever sur une île à l'entrée du lac Champlain. M. de Chasy, officier du régiment de Carignan, cousin du Vice-Roi et parent du maréchal d'Estrées, Louis de Leroles, neveu de M. de Tracy, M. de Traversy, les sieurs Chamot, Morin et de Montmagny, décident de se rendre sur la terre ferme pour chasser. Ils montent dans une embarcation, se dirigent vers le rivage ouest et mettent pied à terre à l'embouchure de la rivière qui portera bientôt le nom de Chasy. Mais à peine descendus, ils sont vivement attaqués par un parti d'Agniers qui était probablement en observation et les a vus approcher. Un chef du nom d'Agariata est à leur tête. Les Iroquois, semble-t-il, somment les Français de

Agariata (Agorita), chef agnier, mort en novembre 1666.

se rendre. M. de Chasy et quelques autres refusent de le faire. La bataille s'engage. Quand elle est terminée, M. de Chasy, M.M. de Traversy et Chamot et le sieur Morin sont tués sur place, scalpés et pillés. Leurs compagnons ont été capturés et restent prisonniers de guerre.

Portée rapidement à Québec, la nouvelle suscite une grande émotion. Les victimes appartiennent pour la plupart à la meilleure noblesse française. Et qui se serait attendu à ce coup, après les protestations des Onneyouts en faveur et au nom des Agniers, après celles aussi des lettres écrites en mars à Albany ? M. de Tracy prend, sans plus tarder, les mesures qui s'imposent. La députation française qui se rendait à Albany est arrêtée en chemin: le père Bêchefer, Hertel, Boquet et La Tesserie doivent revenir à Québec avec les députés onneyouts qui les accompagnent.

Guillaume Couture (1616-1701), fils de Guillaume. Donné des jésuites et interprète.

Toutefois, M. de Tracy décide d'envoyer Guillaume Couture à Albany, avec un Onneyout, « pour faire plainte du coup arrivé nonobstant les assurances de trêve qu'ils [les Anglais] nous avaient données ». La présente mésaventure ne l'a pas guéri non plus du goût d'écrire. Il s'adresse de nouveau, le 22 juillet, aux Commissaires d'Albany pour leur exposer ses griefs. « Les Commissaires, dit-il, auront vu par ses lettres, les bonnes dispositions dont il était animé envers les Iroquois ; il avait contremandé la marche de deux détachements. Eh bien, après les assurances que vous m'avez données par écrit à l'effet qu'ils ne commettraient aucun acte d'hostilité, ils ont assassiné sept jeunes gens français, parmi lesquels il y avait quatre gentilhommes qui étaient allés à la chasse, se fiant aux paroles que vous aviez écrites ». M. de Tracy a arrêté la marche du père Bêchefer ; il a fait emprisonner à Québec les ambassadeurs onneyouts, sauf un qui se rendra à Albany avec Guillaume Couture pour remettre « la présente lettre ». Les Hollandais doivent porter les Agniers à accorder toute satisfaction, sinon, il abandonnera lui, les prisonniers Onneyouts aux Algonquins. Le vice-roi porte enfin l'accusation suivante : « ...Ma bonne foi a été surprise par les assurances que vous m'avez données à l'effet qu'aucun acte d'hostilité ne serait commis pendant que les négociations seraient en cours avec lesdits Onneyouts ». Cette accusation fera long feu ; les Commissaires et Nicolls ensuite tenteront de se disculper. Le vice-roi répondra. Toute cette correspondance intempestive est représentative d'autres correspondances du même genre qu'entameront La Barre et, en particulier, Denonville. Ils éprouvent les uns et les autres on ne sait quel besoin de confier leurs intentions à leurs ennemis. L'histoire seule sait les difficultés qu'ils ont ainsi attirées à la Nouvelle-France.

Pierre de Saurel (1628-1682), capitaine du régiment de Carignan-Salières.

Heureusement, M. de Tracy ne s'aventure pas dans les méandres d'une correspondance avec un gouverneur qui excite les Iroquois contre lui et qui même s'entend avec le gouverneur du Massachussetts pour faire échouer le projet français d'enrôler les Indiens de cette dernière province contre les Agniers. Il n'est pas dupe à ce point. Il organise l'expédition de M. de Sorel. Quatre jours après la communication à Québec de l'affaire de M. de Chasy, les troupes sont prêtes à partir. Deux cents soldats et 80 ou 90 Indiens composeront ce détachement. Le commandant doit donner l'ordre de marche quatre ou cinq jours après le passage de Guillaume Couture. Mais, le jour même, les Français apprennent que M. de Leroles et trois autres des compagnons de M. de Chasy sont seulement prisonniers et n'ont pas été tués.

L'expédition de M. de Sorel est la deuxième du régiment de Carignan. On le connaît mal. Des soldats et des Indiens constituent le corps de troupes; une trentaine de Montréalistes en font aussi partie; il y a environ trois cents hommes au total. Ce détachement part le 24 juillet et il revient le 28 août. La *Relation* de 1666 dit que M. de Sorel le « mena à grandes journées dans le pays des ennemis en résolution d'y faire main basse partout. » Quelle route choisit-il? Quels sont les incidents de cette marche? On l'ignore. Les troupes se rendent jusqu'à vingt lieues environ d'une bourgade d'Anniéjé selon les *Relations*; et le *Journal des Jésuites* affirme que c'est à deux journées de marche du pays des Agniers. Et là elles rencontrent un chef célèbre, le Bâtard Flamand et trois autres ambassadeurs qui ramenaient le sieur de Leroles, M. de Montagny et le soldat prisonnier, les trois survivants du parti de chasse de M. de Chasy. Ces députés « venaient offrir toute sorte de satisfaction pour le meurtre de ceux qui avaient été tués et de nouvelles sûretés pour la paix ». Un incident se produit à ce moment-là. Les Algonquins du détachement français ont repéré le Bâtard Flamand et l'ont capturé avec ses compagnons. Cet homme est pour eux un vieil ennemi, il leur à infligé de même qu'aux Hurons et aux Français des défaites sanglantes. L'ayant entre leurs mains, ils veulent le traiter comme un prisonnier de choix et lui infliger les plus terribles tortures. M. de Sorel, lui, considère avant tout la qualité d'ambassadeurs de ces Agniers et il les prend sous sa protection. Bien plus, il arrête sa troupe, à deux pas du but, et il la ramène au point de départ avec les députés et les prisonniers. Les Algonquins sont révoltés. Cette décision était difficile à accepter. Le *Journal des Jésuites* signale leur retour précipité: « Le 28 François Peltier arrive, qui était allé avec Mons. Sorel; il rapporte qu'à deux journées d'Agnié, ayant rencontré le Bâtard Flamand, et trois autres qui remènent le sieur de Leroles, etc., ils reviennent tous avec eux sans passer outre; les sauvages sont piqués de ce qu'ayant pris le Bâtard, etc., on ne les a pas laissés à leur disposition ». Bien plus les autorités françaises ont des égards pour le chef agnier; voici ce que Marie de l'Incarnation dira de lui: « On le traite avec cette honnêteté, parce qu'ayant pris un proche parent de M. de Tracy avec quelques autres gentilhommes, il ne leur a fait aucun mauvais traitement mais il les a ramenés dans une entière bonne volonté ».

Le Bâtard Flamand, chef agnier (c. 1650-1687).

Pendant que M. de Sorel revient avec les députés agniers, de nouveaux ambassadeurs iroquois se présentent en Nouvelle-France. Le 28 août, le *Journal des Jésuite*s contient encore l'entrée suivante: « Voilà en même temps une troupe de Tsonnontouans et de Goyogouins de plus de cent personnes, 70 hommes, le reste femmes et enfants; il y a aussi deux ou trois Onnontagués ».

Nouvelle négociation de paix en 1666.

Les négociations reprennent avec vigueur, car des députés des tribus iroquoises sont présents : Agniers, Onneyouts, Tsonnontouans, Goyogouins forment un échantillon très représentatif. Seuls les Onnontagués, qui ne sont pas nombreux, n'ont pas le mandat de leurs compatriotes.

Agariata, le chef du parti qui a attaqué M. de Chasy et ses compagnons, vient se joindre à ce groupe. Il semble qu'après le combat, il s'est posté à Laprairie avec une trentaine de prisonniers. Mais on ne sait pas exactement dans quel but. Là, il a rencontré des Onnontagués qui ont chassé tout l'hiver aux portes de Ville-Marie pour prouver la sincérité de leur amitié pour les Français. Et ceux-ci lui disent que le Bâtard Flamand est à Québec pour négocier un traité entre les Agniers et les Français. Alors, Agariata et ses compagnons s'embarquent immédiatement dans des canots avec les Onnontagués ; ils traversent à Montréal ; puis ils montent sur un bateau à destination de Québec où ils arrivent bientôt. M. de Tracy sait-il tout de suite à qui il a affaire ? Il semble que oui ; Agariata est en quelque sorte un chef et il le reçoit à sa table avec le Bâtard Flamand.

Le vent est de nouveau à la paix. La *Relation* de 1666 dit qu'après le retour de M. de Sorel, « on ne parla plus que de paix, qu'on prétendait conclure par un commun conseil de toutes les nations qui avaient en même temps leurs députés à Québec ». Le *Journal des Jésuites* est peu loquace : « Le 31 se tient conseil dans notre parc, où il se trouve de toutes les cinq nations iroquoises. Les deux nations d'en haut font présent de 52 colliers de porcelaine ». Ce sont probablement les Tsonnontouans et les Goyogouins qui présentent les colliers. On ne connaît rien malheureusement des propositions que chacun d'eux symbolise. Les négociations vont loin ; on peut même affirmer qu'elles aboutissent à des accords officiels. Car après les avoir racontées, les *Relations des Jésuites* ajouteront ce qui suit : « Ces traités n'eurent pas encore tout le succès qu'on en attendait... » Dans tous les cas, les pourparlers sont sur le point d'aboutir à la paix.

L'arrestation et la mort d'Agariata.

Soudain, un incident fort désagréable se produit. Une fois de plus, M. de Tracy invite à dîner Agariata et le Bâtard Flamand qu'il ménage de façon particulière. Il leur raconte la douleur que lui a causée la mort de son neveu, M. de Chasy, mais mettant l'intérêt public avant un deuil personnel, il veut bien accorder la paix au Bâtard Flamand. C'est alors que dans un mouvement d'insolence et d'orgueil, Agariata lève le bras et dit que c'est ce bras qui a cassé la tête de M. de Chasy. Et M. de Tracy lui réplique que ce bras ne tuerait plus personne. Il fait arrêter Agariata sur le champ, le fait étrangler en présence du Bâtard Flamand qu'il fait ensuite incarcérer. Les pourparlers de paix sont rompus. M. de Tracy a donc décidé de recourir de nouveau aux armes contre les Agniers.

Cet incident a-t-il révélé à M. de Tracy que les Agniers ne sont pas mûrs pour une bonne paix et qu'ils ne l'observeront pas si une expédition punitive ne châtie pas d'abord leur insolence ? Il semble bien que oui. Avant de prendre une décision définitive, il consulte les personnes les plus avisées. Ainsi, les archives ont conservé l'une de ces consultations qui est signée par Jean Talon, qui est très élaborée et porte le titre suivant: « S'il est plus avantageux au service du Roi de faire la guerre aux Agniers, que de conclure la paix avec eux ». Le document porte la date du 1er septembre, il sera transmis au vice-roi et au gouverneur.

L'opinion de Jean Talon sur l'attitude à adopter face aux Iroquois.

Toute la colonie, dit d'abord l'intendant, est persuadée « que jamais paix ne s'est faite solide avec cette nation, qui ne la garde qu'autant qu'elle lui est utile ou qu'elle craint qu'en y faisant infraction elle n'en reçoive quelque détriment... ». Si cette croyance a un fondement solide, Talon est en faveur de la guerre. Car un régiment commandé par de bons officiers est maintenant sur les lieux; il a ordre « de combattre cette nation barbare qui retarde si fort l'établissement de la Colonie Française. Il sera plus glorieux à Sa Majesté et plus utile au pays qu'il travaille à la détruire, que ce qu'il vive en paix avec elle ». Pourquoi aussi ne pas profiter de l'occasion ? Les traités conclus avec les Indiens se brisent au moindre prétexte ; ils continueront à l'être si on n'inflige pas une bonne leçon à l'ennemi. La troisième considération de Talon révèle une grande compréhension politique; même si les Iroquois observent leurs traités de paix, il faudrait, dit-il, les attaquer. Car « la proximité des Anglais qui donnent un grand mouvement à leurs desseins, doit faire appréhender que tôt ou tard, cette nation Européenne en guerre contre la France n'excite les dits Agniers et Onneyouts à nous la déclarer au haut de la Rivière pour partager nos forces, tandis qu'elle voudra faire quelque progrès sur nous dans l'entrée ou le courant du Fleuve St-Laurent ». Cette vision des choses est presque prophétique. C'est la double attaque par le Saint-Laurent et le Richelieu que Talon prévoit ici ; c'est encore l'alliance militaire des Anglais et des Iroquois. Il veut détruire cette menace dans l'œuf. La France est en guerre contre l'Angleterre et ses appréhensions l'aident à distinguer la forme que prendra l'avenir.

De l'avis de l'intendant, l'automne est le moment le plus favorable pour entreprendre une expédition de ce genre; l'hiver est trop rigoureux; au printemps les eaux sont en crue et il y a des moustiques. Pour l'instant, les Iroquois n'appréhendent pas une attaque, il serait facile de les surprendre. La guerre entre la France et l'Angleterre ne peut se faire avant le printemps prochain. Mieux vaut en finir tout de suite avec l'Iroquoisie. Les troupes sont prêtes ; les vivres et les munitions sont préparés, les chances semblent bonnes : « ...L'expédition proposée promet bien plus de succès qu'elle ne fait appréhender de mauvais événements... » ; les soldats sont plus nombreux que les guerriers iroquois ; et, enfin « le succès de l'entreprise contre les Agniers ouvre la porte à l'enlèvement du fort d'Orange... » Talon se détourne donc du projet de conquérir l'État de New York pour la France ; il reprend ainsi l'ancien projet du père Paul Le Jeune et de M. d'Avaugour ; il s'en ouvrira à plusieurs reprises aux ministres ; le 13 novembre, il reviendra sur le sujet dans l'une de

Paul Le Jeune (1591-1664), supérieur des Jésuites de Québec de 1632 à 1639.

Pierre Dubois d'Avaugour, gouverneur de la Nouvelle-France de 1661 à 1663.

Talon rêve de « deux entrées dans le Canada. »

ses dépêches ; pendant les prochaines négociations, le roi devrait réclamer cette colonie : « J'estime qu'il le pourrait à des conditions raisonnables et ce pays, qui ne leur est pas bien considérable le serait fort au Roi qui aurait deux entrées dans le Canada et qui par là donnerait aux Français toutes les pelleteries du nord, dont les Anglais profitent en partie par la communication qu'ils ont avec les Iroquois, par Manathe et Orange, et mettrait ces nations Barbares à la discrétion de Sa Majesté... et tiendrait la Nouvelle-Angleterre enfermée dans ses limites ». Talon voit clair, grand et précis : c'est de l'État de New York que se contrôle l'Iroquoisie ; posséder le Saint-Laurent et l'Hudson, c'est s'assurer tout le commerce des pelleteries du nord qui ne sortent du continent que par ces voies ; l'Hudson, le Richelieu et le lac Champlain formeraient donc une frontière occidentale droite devant les colonies anglaises et les confineraient sur la côte de l'Atlantique. Les Hollandais de l'État de New York, qui n'ont pas pardonné aux Anglais la conquête de leur colonie, favoriseraient les projets de la France, avec qui d'ailleurs leur mère patrie est alliée.

Ainsi, au moment même où l'Angleterre médite la conquête du Canada, le Canada médite la conquête de l'État de New York. C'est la première fois que ce double projet s'agite, mais ce ne sera pas la dernière. Une expédition contre les Agniers, dit encore Talon, peut même empêcher une attaque contre la Nouvelle-France à ce moment-là, car l'Angleterre est « capable d'entreprendre de ruiner le Canada par une descente... » ; cette expédition en effet se fera sous les yeux des Anglais d'Albany ; ils verront l'énergie et la belle tenue des soldats français ; puis ensuite ils resteront tranquilles.

Après avoir fortement exposé les raisons qui militent en faveur de la guerre, Talon renverse celles qui favoriseraient l'inaction. Trois navires manquent encore à la flotte qui est arrivée au Canada ; certains craignent qu'ils n'aient été capturés par une escadre anglaise dans le golfe ; cette escadre pourrait attaquer Québec. L'intendant est sûr que ces suppositions sont fausses, qu'une attaque anglaise ne viendra pas avant le printemps et même qu'elle ne se produira pas, car l'Angleterre sait que le régiment de Carignan est actuellement dans la colonie et peut la défendre avec les habitants. Si une expédition enlève des Canadiens aux moissons, c'est un moindre mal que les courses iroquoises ; les cultivateurs qui ne viendront pas travailleront aussi pour ceux qui se feront soldats. Enfin, les Algonquins peuvent être mécontents parce qu'on leur a enlevé le Bâtard Flamand, mais ils ne sont pas insensibles aux présents.

Talon examine encore deux objections. La première s'exprime ainsi : « Que les Agniers qui semblent demander la paix avec une intention sincère de la bien maintenir ne voudront jamais plus y entendre, s'ils s'aperçoivent qu'on ait formé un dessein de guerre dans le temps qu'ils apportaient des paroles de paix ». L'intendant répète qu'il préfère la guerre à une paix peu solide et que le caprice du premier venu peut briser ; il viendra moins de mal de l'hostilité ouverte que d'une paix fourrée « puisque d'eux à nous il n'y a pas plus de fidélité qu'entre les bêtes les plus farouches ». La seconde objection est que les Anglais et les Hollandais pourraient ouvrir les hostilités en Amérique s'ils voient les Français détruire une nation qui est leur alliée. Tout d'abord, les Anglais infligent déjà aux Français tout le mal qu'ils peuvent puisque les deux pays sont déjà en guerre ; quant aux Hollandais, voici ce qu'en pense Talon « ...Nous devons être persuadés par toutes les démarches qu'ils ont faites jusques à présent qu'ils en recevront de la joie... » Talon esquisse même le grand problème des prochaines années ; il n'est pas convaincu que les Anglais soient les maîtres des Iroquois ; il parle simplement de cette « nation sauvage qui semble être sous leur protection ». Il ne va pas plus loin.

Garder l'initiative, selon Talon.

Le 1er septembre, Talon se prononce donc nettement pour une troisième expédition militaire contre les Agniers. Sa consultation montre avec quelle application travaillent les envoyés du roi, étudiant les problèmes sous tous les angles, examinant les conséquences pour l'avenir, procédant avec d'infinies précautions. Ce qui paraissait être un coup de tête de la part de M. de Tracy ressemble plutôt à une décision prise de sang froid.

Chapitre 105

1666

Guillaume Couture s'est rendu à Albany pendant que M. de Sorel se rendait en Anniéjé et en revenait avec le Bâtard Flamand et ses compagnons. Il a vu les Commissaires d'Albany; il leur a raconté l'événement sanglant qui s'est produit à la rivière Chasy et il a demandé des explications.

Les Anglais de New York et les Agniers.

Les Commissaires tentent de se disculper dans une lettre datée du 20 août: « ...Nous ne sommes pas obligés de répondre pour les actions de ces Indiens... », disent-ils. Leurs intentions ont toujours été bonnes; autrefois, ils ont fourni la rançon de prisonniers français des Iroquois et maintenant ils ont voulu avancer la cause de la paix. Et soudain, on peut lire ce qui suit: « ...C'est le commandement du Général [Nicolls] notre Maître que nous vous écrivions ceci; il nous a aussi ordonné de vous dire que, étant donné que vous n'avez pas bien compris ni exprimé droitement nos bonnes intentions, nous ne nous mêlerons plus à l'avenir de vos affaires, et nous obéirons à cet ordre».

Nicolls n'a pas avec lui Guillaume Couture qui est reparti tout de suite d'Albany. Il écrit à M. de Tracy le même jour que les commissaires. Il défend ceux-ci; il rappelle le souvenir des prisonniers français libérés. Ces hommes ne sont pas les maîtres des Iroquois, ils n'ont pu prendre à leur égard les engagements précis dont parle M. de Tracy. Le gouverneur de New York rappelle que M. de Courcelles a envahi le territoire anglais l'hiver passé; il se conduira en bon chrétien dans toute cette affaire « à condition que les limites et les frontières des possessions de Sa Majesté le roi d'Angleterre soient respectées, ou que la paix et la sécurité de ses sujets ne soient pas menacées... ».

Iroquoisie: terre indépendante

Toute cette correspondance est fort intéressante à un autre point de vue. En 1666, ni les Hollandais ni les Anglais ne réclament les Iroquois pour leurs sujets; ils ne prétendent pas que l'Iroquoisie soit terre anglaise. Que M. de Tracy respecte la colonie autrefois connue sous le nom de Nouvelle-Hollande, et il peut faire de l'Iroquoisie ce qu'il veut. Pour eux, ce pays forme en fait une terre indépendante.

Dans une lettre du 25 octobre, Winthrop révèle aussi des événements qui se déroulent pendant les mois d'août et de septembre. Après avoir reçu la déclaration de la guerre de l'Angleterre contre la France, il a convoqué l'Assemblée générale de sa colonie. Celle-ci a délibéré sur les ordres du roi relatifs à la conquête du Canada. Décision a été prise que Winthrop lui-même se rendrait à Boston pour y consulter le gouverneur et s'entretenir aussi avec le conseil du Connecticutt. Il a voulu procéder avec célérité, mais une affaire l'a retardé.

J'ai voulu, dit-il, empêcher « un corps considérable d'indiens de se joindre aux Français du Canada, événement que j'avais appris et du capitaine Baker, commandant à Fort Albany, et de divers chefs indiens... » Les Français voulaient entraîner ces tribus dans leur alliance. « ...Leur intention était de faire la guerre contre les Agniers et autres tribus barbares, qui étaient déjà en guerre avec ces Indiens ; et ceux-ci semblaient fort mécontents de cette chance de s'unir aux Français... » Ceux-ci communiquent bientôt aux Indiens le fait qu'ils sont en marche vers l'Iroquoisie ; que leurs soldats se comptent par centaines. Ils leur donnent rendez-vous à un endroit déterminé. Un parti considérable se met en marche pour rejoindre le corps que M. de Tracy conduit lui-même en Iroquoisie. C'est cette nouvelle que Winthrop apprend ; il a alors des entrevues avec les chefs indiens, il leur expose ses objections ; enfin, il obtient d'eux que la première décision soit rescindée ; et le parti qui est déjà loin est aussitôt rappelé.

rescinder = annuler

Winthrop dépêche aussi vers le Canada un parti de cavaliers du Connecticutt et du Massachussetts ; celui-ci doit suivre les mouvements de l'armée française dont il connaît la marche par des nouvelles qui lui sont venues de New York et d'Albany. Les cavaliers se rendent à 120 milles d'Hartford ; ils reviennent avec la nouvelle que les Agniers ont maintenant ouvert des négociations avec les Français.

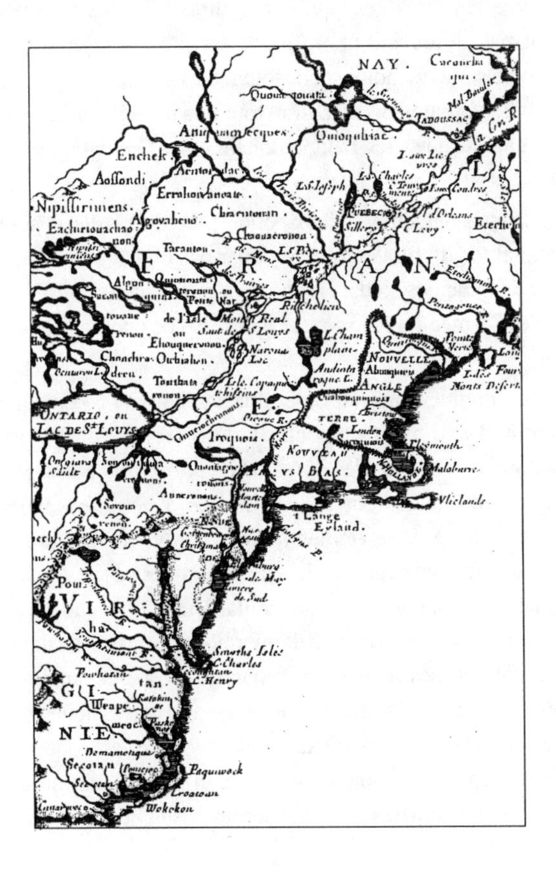

Chapitre 106

1666

Longanimité = patience à supporter ce qu'on pourrait arrêter.

C'est le 6 septembre que se termine la longanimité de M. de Tracy. Ce jour-là, après avoir pris les avis de ses seconds, il décide de lancer une troisième expédition contre le pays des Agniers. Cette fois, c'est lui qui prendra le commandement suprême, il aura sous lui tout le régiment de Carignan-Salières, et il ne reviendra pas sans avoir infligé de graves dommages à l'ennemi.

L'expédition de M. de Tracy au pays des Agniers.

La nouvelle se répand rapidement parmi les Iroquois qui sont encore à Québec. Aussitôt, le chef des députés Tsonnontouans et trois compagnons demandent à voir le père Chaumonot et le père Le Mercier ; ils leur « présentent un collier pour retenir le bras d'Onnontio levé sur l'Agnier ». Pris au dépourvu, les missionnaires ne savent quoi répondre. Puis, ils affirment qu'ils ne s'occupent pas de questions militaires, « que l'Agnier est un étourdi..., qu'Onontio ne souffrira point son insolence... » Toutefois, quoi qu'il arrive en Anniéjé, les Tsonnontouans recevront toujours le meilleur accueil. Le *Journal des Jésuites* ajoute que « les Tsonnontouans et les Goyogouins se rembarquent assez satisfaits ».

Les Français ont apporté deux petites pièces d'artillerie pour faire face à toute éventualité ; ils auraient pu pratiquer des brèches dans des ouvrages de bois. Mais à la vue des soldats réguliers s'avançant avec ordre, les guerriers s'enfuient et l'armée française reste maîtresse des bourgades conquises sans coup férir.

Dans un premier hameau, les soldats découvrent « quelques personnes que leur grand âge avait empêchées de se retirer du bourg deux jours auparavant... ; et les restes des corps de deux ou trois Sauvages d'une autre Nation que ceux-ci avaient à demi-brûlés à petit feu avec leur fureur accoutumée ». Il y a deux vieilles femmes, un vieillard et un jeune garçon. Celui-ci sera amené en captivité. Les deux femmes se jetteront dans le feu qui consumera leurs cabanes. Quant au vieillard, il raconte que les guerriers de sa tribu s'étaient rassemblés dans ce dernier bourg ; qu'ils l'avaient bien fortifié, l'avaient muni d'armes et de vivres ; mais qu'en apercevant le corps français, le capitaine avait fui le premier et demandé aux autres de le suivre. Marie de l'Incarnation dit avec assez d'exactitude que « si les Iroquois avaient tenu ferme, ils eussent bien donné de la peine, et eussent fait un grand déchet à nôtre armée, étant fortifiés et munis comme ils étaient, hardis et orgueilleux comme ils sont. Car nous avons l'expérience que les Agniers... ne cèdent à personne ; tous leurs voisins n'osaient les contredire ; il fallait que tous se soumissent à leurs conseils, et ils venaient à bout de toutes leurs entreprises par malice et par cruauté ».

Déchets = perte, diminution

La victoire est donc facile, elle n'occasionne aucune perte de vie. Mais elle ne donne que des bourgades palissadées. L'armée les examine avec une curiosité infinie. Elle est étonnée de la perfection de cette civilisation iroquoise qu'hier encore elle ne connaissait pas. « Les cabanes que l'on a saccagées et brûlées étaient bien loties et magnifiquement ornées... Elles étaient garnies d'outils de menuiserie et d'autres, dont ils se servaient pour la décoration de leurs cabanes et de leurs meubles... » Marie de l'Incarnation en avait déjà parlé : « L'on croyait n'y trouver que des chaumines et des huttes de bergers ou de bêtes, mais tout fut trouvé si beau et si agréable que M. de Tracy et tous ceux de sa suite en étaient surpris. L'on voyait des cabanes de menuiserie de six vingt pieds de long, et larges à proportion, dans chacune desquelles il y avait huit ou neuf familles ». Puis le pays, dit-elle encore, semble d'une prodigieuse fertilité : « C'est une chose merveilleuse d'entendre parler de la beauté et de la bonté de ce pays-là. Il y a une grande étendue de terre toute défrichée ; on y voit de très belles prairies, où l'herbe croît haute comme les hommes ; les cannes ou tuyaux de blé d'indes sont de dix, de douze et de treize pieds de hauteur ; les épis ont une grande coudée, et il y a à chaque épi plus de quatre cents grains. Les citrouilles, qui valent les pommes de rainette de France, et qui en ont le goût, les faisolles y croissent à foison... Nous sommes ici dans un bon terroir, mais celui-là vaut mieux incomparablement. L'on saura si le Roi désire que l'on y établisse des colonies Françaises ». Ces témoignages confirment ceux des missionnaires de Sainte-Marie de Gannentaa ; le sol iroquois émerveille les Européens. Et comme l'automne est venu, que l'hiver s'en vient, les récoltes ont été moissonnées ; et c'est une abondance incomparable de provisions : « Les cabanes et réservoirs étaient si remplis de vivres, qu'on tient qu'il y en avait pour nourrir tout le Canada deux années entières » ; les bourgs sont « si remplis de vivres, d'ustensiles et de toutes sortes de commodités et de meubles, que rien ne leur manquait ».

Découverte par l'expédition de M. de Tracy de la civilisation des Agniers.

« Des cabanes bien loties et magnifiquement ornées. »

« L'Iroquoisie, un pays si beau et si agréable que tous en étaient surpris. »

« Rien ne leur manquait. »

Mais que peut faire ensuite ce corps d'armée après avoir conquis ces bourgades distantes l'une de l'autre de trois à quatre lieues ? Les forces militaires de l'ennemi et sa population sont intactes. Pour les détruire, ou leur infliger des pertes, il faudrait quitter les grandes pistes et se lancer dans une poursuite à travers la vaste forêt. Les Français n'ont pas de détachements entraînés pour accomplir cette tâche. Il leur faudrait vivre sur le pays, savoir comment on escarmouche dans le bois, comment on s'y dirige, savoir aussi construire des canots, des radeaux. Les Indiens qui l'accompagnent ne sont pas assez nombreux pour cette chasse aux Agniers ; ceux qui seraient venus de la Nouvelle-Angleterre si Winthrop ne les avait pas arrêtés auraient pu fournir une assistance précieuse. M. de Tracy forme même le projet de s'avancer plus loin sur la grande piste qui traverse l'Iroquoisie. Les soldats ont pu se ravitailler facilement en maïs et il pourrait atteindre le pays des Onneyouts. Et peut-être devrait-il s'y rendre puisqu'il en est très proche. Mais c'est l'automne, les pluies, le froid, les glaces peuvent survenir. Les forces militaires des Agniers sont intactes, elles pourraient engager des escarmouches dans les forêts dangereuses ou mettre à mal la petite garnison qui défend les embarcations, là-bas, au nord, à la tête du lac, dans un petit fortin.

Prise de possession de l'Iroquoisie.

Jean-Baptiste Dubois de Cocreaumont et de Saint-Maurice, officier dans le régiment de Carignan-Salières.

Les troupes chantent un *Te Deum* ; le 17 octobre, M. de Tracy joue un bon tour à ses rivaux anglais, en prenant officiellement possession de l'Iroquoisie au nom de la France. Nicolls a laissé les Français libres de régler cette affaire à leur guise, il n'a réclamé ni les Agniers ni les Iroquois comme sujets du roi, il n'a fixé aucun droit de possession. C'est le sieur Dubois qui accomplit cette cérémonie et Du Guet, notaire royal, qui rédige l'acte. Commandés par Alexandre de Prouville, seigneur de Tracy, assisté de Daniel de Remy, seigneur de Courcelles, les soldats sont rangés en ordre de bataille devant le fort d'Andaraque ; et Jean-Baptiste Du Bois s'est alors présenté à la tête des troupes, dit la pièce, et à la demande de Talon, il a pris possession dudit fort, des trois autres bourgades enlevées à l'ennemi et des terres des alentours. En témoignage de cette prise de possession, une croix est érigée devant la porte du fort ; on plante aussi un poteau où sont clouées les armes du roi. Par trois fois les soldats crient : « Vive le Roi ». L'acte est rédigé en présence d'Alexandre de Chaumont, du chevalier Grande Fontaïne, d'Antoine de Contrecœur, des sieurs Du Wally, Du Fresne, De Lotbinière, etc.

Andaraqué, village agnier.

Alexandre de Chaumont (v. 1640-1710), officier dans le régiment de Carignan, aide de camp de Tracy et capitaine des gardes.

L'armée brûle ensuite les bourgades. Le feu consume toutes les cabanes, leur contenu, les grains récoltés et ceux qui ne l'étaient pas encore. « L'on brûla tout, dit Marie de l'Incarnation, après que l'on eut retenu le nécessaire pour la subsistance de l'armée ». Les soldats se chargent aussi d'outils et d'environ quatre cents chaudières de métal dont on se sert pour la cuisson des aliments.

Destruction complète du pays des Agniers.

Après avoir accompli une destruction complète, l'armée prend la route du retour. Le voyage est rapide. Le niveau du lac à traverser a monté. On ne sait quel parti prendre. « Comme l'on allait et venait, l'on aperçut dans les herbiers de grands arbres creusés en bateaux, que l'on crut y avoir été cachés par les Iroquois. On les tira, et les ayant trouvés propres pour voguer, on s'en servit pour passer toute l'armée ». On brûle ensuite ces pirogues. « ...Et l'on repassa les autres lieux effroyables dont j'ai parlé, de la même manière qu'on les avait passés ». *La Relation* de 1666 raconte que le retour fut plus difficile que l'aller parce que, suite aux pluies, le niveau des rivières et des ruisseaux s'était élevé. Une tempête se lève peu après que la flottille traverse le lac Champlain. Deux canots chavirent ; huit personnes se noient, entre autres le sieur de Luques, lieutenant d'une compagnie, qui a souvent fait preuve de bravoure. Le 2 novembre, les premières nouvelles de l'expédition parviennent à Québec ; dans la soirée du 5, M. de Tracy lui-même arrive. On y cesse

« l'oraison de quarante heures [qui] a été continuelle depuis le premier d'octobre jusqu'au second de novembre... Les prières n'étaient pas moins continuelles dans les familles en particulier que dans les églises pour le public... » Puis, on chante le *Te Deum*.

Chapitre 107

1666

Détruire l'Iroquoisie.

Détruire l'Iroquoisie, tel avait été le mot d'ordre. M. de Tracy, M. de Courcelles et Talon sont venus avec le régiment de Carignan pour exécuter ce projet. Les Senèques, c'est-à-dire les quatre tribus de l'ouest, ayant fait leur proposition et signé les traités de paix, les Français ont concentré leurs forces contre la seule tribu des Agniers, c'est-à-dire contre la cinquième partie du peuple iroquois. C'est contre eux qu'ils ont conduit trois expéditions successives. Toutes trois ont été des expéditions blanches, excepté la première où ont eu lieu quelques escarmouches. Mais aucune d'entre elles n'a affaibli cet ennemi particulier qui, depuis 1642, est le principal ennemi, celui qui est le plus actif et le plus cruel de la Nouvelle-France. Malgré les louanges que l'on s'adresse, l'insuccès militaire est pour ainsi dire complet.

Cet échec doit-il être attribué à la tiédeur des chefs ? Talon écrit au roi en novembre, et voici ce qu'il dit: « Quoique les ordres que Vôtre Majesté a donnés... n'aient pas été exécutés jusques à l'entière destruction de cette nation sauvage... Je m'assure que Vôtre Majesté demeurera satisfaite du service qu'on tâche de lui rendre en Canada... » Les « gens de guerre ont rempli tout leur devoir et fait tout ce qu'humainement ils pouvaient faire en trois voyages... » Talon dira encore que « l'on ne peut rien ajouter à ce qui s'est fait de ce qui se pouvait faire et que les ordres du Roi auraient été parfaitement exécutés... si ces sauvages avaient tenu ferme, à la vérité il serait à désirer qu'une partie eut été battue et quelqu'autre prisonnière ». Talon n'est pas sûr que les nouvelles du Canada donneront satisfaction au roi qui avait confié une tout autre tâche à M. de Tracy : la nation iroquoise demeure entière et pratiquement aussi dangereuse qu'avant l'arrivée du régiment. Pour disculper le vice-roi, M. de Courcelles, le colonel Salières affirme que les chefs ont fait tout ce qu'ils ont pu. C'est donc un aveu d'impuissance qu'il communique à Paris. Même avec des forces nouvelles, la Nouvelle-France est impuissante contre l'Iroquoisie, le courage des troupes et leur belle tenue n'ont été d'aucun secours.

La solution de Talon : conquérir la Nouvelle-Hollande.

Aujourd'hui, on trouverait rapidement une réponse au problème iroquois : il fallait un corps de troupes bien entraînées au genre de guerre à livrer. Les soldats auraient pu s'habituer à la guerre à l'indienne, à la forêt, à la distance, s'exercer dans l'art de surprendre l'ennemi, se déplacer rapidement et pénétrer dans les bourgades avant même qu'on ne les ait repérés. Mais Talon n'y pense pas. Et après avoir constaté l'insuccès des expéditions militaires, il retrouve lui aussi la solution qu'avaient proposée Champlain, le père Paul Le Jeune et

M. d'Avaugour, c'est-à-dire la conquête de la Nouvelle-Hollande, devenue l'État de New York. C'est de là seulement que les Français pourront assujettir ou maîtriser l'Iroquoisie ; le Canada est trop éloigné.

Talon croit qu'au cours des négociations qui vont s'ouvrir, le roi pourrait acquérir cette colonie. Citons-le de nouveau : « J'estime qu'il le pourrait à des conditions raisonnables et ce pays, qui ne leur est pas bien considérable, le serait fort au Roi qui aurait deux entrées dans le Canada, et qui par là donnerait aux Français toutes les pelleteries du Nord, dont les Anglais profitent en partie par la communication qu'ils ont avec les Iroquois par Manathe et Orange, et mettrait ces nations barbares à la discrétion de Sa Majesté... et tiendrait la Nouvelle-Angleterre enfermée dans ses limites ». On ne saurait résumer en moins de mots les avantages de la conquête de la Nouvelle-Hollande : deux voies d'entrée, la main mise sur toutes les pelleteries du nord, la maîtrise de l'Iroquoisie et la Nouvelle-Angleterre enfermée dans ses limites.

« La Nouvelle-Angleterre enfermée dans ses limites »

Toutefois, on peut déduire que si Talon prône cette solution, s'il y revient à plusieurs reprises, c'est que lui, comme M. de Tracy et M. de Courcelles, ont perdu l'espoir, après les trois expéditions, soit de détruire les Iroquois, soit de les dominer, de façon à assurer une paix permanente à la Nouvelle-France. Ils ne se leurrent pas, ne se découragent pas non plus. Les raids n'ont pas eu de résultats sanglants, mais ils ont eu des résultats moraux. Les Agniers sont sédentaires. La destruction complète de leurs bourgades est une perte grave. Ils ne s'en remettront qu'avec le temps. Au printemps, lors de la montée de la sève, ils pourront lever l'écorce de l'orme gras ; ils pourront reconstruire leurs cabanes et ensuite les meubler. Ils ensemenceront leurs champs. Pour l'instant, les Français croient que plusieurs d'entre eux succomberont pendant l'hiver à la famine ; mais, en fait, les Agniers obtiendront des secours de Fort Orange. Cette assistance les empêchera de mourir de faim, mais n'empêchera pas les misères, les souffrances, les déplacements pénibles et toutes les difficultés liées aux situations provisoires. Enfin, l'avenir est incertain. Par trois fois, les soldats français sont venus en Anniéjé ou aux portes de l'Iroquoisie ; ils demeurent en Nouvelle-France, prêts à revenir ; leurs insuccès relatifs dans le passé n'est pas la preuve qu'ils échoueront toujours. Le danger demeure grand. La bataille contre les forces régulières de la Nouvelle-France, que l'Iroquoisie acceptera en 1689, elle n'est pas disposée aujourd'hui à l'entreprendre ; elle n'a pas atteint ce degré d'audace. Et l'appui de l'État de New York ne lui est pas encore suffisamment acquis.

C'est pour ces raisons que l'Iroquoisie tout entière penche vers la paix. M. de Tracy et son état-major l'y inclinent par des actions délibérées. À leur retour, ils condamnent un second Agnier à la pendaison, « faisant comprendre aux autres que c'est parce qu'il a été un facteur de la paix et qu'il était cause du malheur qui est arrivé aux Agniers par les mauvais conseils qu'il leur avait donnés ». Les autres Iroquois prisonniers craignent le même sort, le Bâtard Flamand plus que les autres. M. de Tracy n'épargne pas les bons traitements à ce dernier ; il veut se servir de lui dans les prochaines négociations. Il le renvoie bientôt parmi les siens « avec ordre de leur dire, que s'ils remuent davantage, il les ira voir derechef, mais qu'ils n'en seront plus quittes à si bon marché » ; il renvoie aussi trois ou quatre prisonniers de chaque tribu « pour leur porter la nouvelle de ce qui est arrivé aux Agniers, et leur dire qu'ils aient à faire savoir leurs intentions, faute de quoi il fera pendre tous ceux qui restent ici de leurs gens. Ils ont fait de belles promesses en partant, je ne sais s'ils les garderont ». En novembre, Talon écrira au roi qu'il y a encore vingt-deux prisonniers iroquois dans les prisons de Québec. À ces renseignements généraux, le *Journal des Jésuites* ajoute des précisions. C'est le 8 novembre que le Bâtard Flamand est renvoyé avec un compagnon ; que deux Onneyouts partent aussi avec un capitaine du nom de Soenres. Ils sont chargés de demander à leurs compatriotes d'envoyer des députés avant que « quatre lunes » ne soient écoulées et de « contenter Onontio sur les propositions qu'il a faites pour le bien des peuples, entr'autres qu'ils amènent de leurs familles ».

Nicolas Perrot (v. 1644-1717), serviteur chez les Sulpiciens en 1666.

De nouveau, l'hiver canadien s'ouvre avec son froid, ses neiges. Les tribus iroquoises méditent les leçons qu'elles ont reçues. D'après Nicolas Perrot, le Bâtard Flamand a trouvé la désolation dans le pays des Agniers ; quatre cents de ses compatriotes sont morts de faim ; les Onnontagués leur ont refusé des vivres pour cause de mésentente politique. Malgré ces nouvelles pessimistes, les sachems agniers se rendent à Fort Orange pour consulter les Anglais. Les Français comprennent maintenant que toute attaque qu'ils dirigeront contre l'Iroquoisie se traduira par un rapprochement anglo-iroquois ; c'est un phénomène qu'ils auront le loisir d'observer mieux avant longtemps et qui deviendra pour ainsi dire automatique. Cette fois, les Agniers, seuls, se jettent dans les bras ouverts pour les recevoir.

Les Agniers se rapprochent des Anglais.

Le gouverneur de New York n'est pas disposé toutefois à courir le moindre risque pour eux. Les autres colonies anglaises non plus. Dans sa lettre du 25 octobre à Arlington, Winthrop dit qu'après avoir empêché les Indiens de son district de se joindre aux Français, il s'est rendu à Boston pour consulter le gouverneur et le conseil. Les uns et les autres ont constaté d'abord qu'il n'y avait pas de navires pour transporter des troupes en Nouvelle-France et conduire une attaque ; qu'en second lieu, une attaque terrestre, à travers la forêt, était impossible ; que les Indiens locaux auraient pu attaquer les habitations pendant l'absence des troupes ; qu'enfin les Français avaient au Canada des forces bien armées, bien entraînées et des navires. Tous ont unanimement conclu « que les colonies ne pouvaient rien faire dans le moment pour conquérir le territoire canadien ou les alentours de ce territoire ». Toutefois, comme le prouve une autre lettre, quelques Anglais sont inquiets. Ils soupçonnent les Français de projets de conquête ; ils redoutent la construction d'un fort à l'ouest, sur l'arrière des territoires qu'ils habitent ; ils ont veillé tout l'été. Richard Nicolls, gouverneur de l'État de New York, dénonce l'inaction du Massachussetts dans une lettre du 24 octobre ; il demande au roi de réduire cette colonie à l'obéissance. Mais celle-ci ne s'en laisse pas imposer par des ordres qui viennent de loin.

À la fin de l'automne, la situation est donc plus nette ; les colonies anglaises n'interviendront pas à moins d'être attaquées directement. Nicolls, pour sa part, surveille Fort Orange. Les commissaires de cette place lui ont écrit le 25 octobre, probablement après avoir appris l'expédition de M. de Tracy ; il leur répond brièvement, disant qu'il leur a déjà donné « des directions complètes pour leur sécurité, dans le cas où les Français tenteraient de leur causer d'autres dommages... » Puis viennent les lettres de Nicolls du mois de janvier. Dans celle du 7, il précise aux mêmes commissaires dont il a reçu les lettres, les propositions des Agniers, les réponses qu'on a faites et les résolutions qui ont été prises. Cette simple phrase prouve que les Agniers et les Anglais ont tenu un conseil : les sachems sont venus, ils ont probablement exprimé les désirs de leur tribu dont les bourgades viennent d'être détruites ; les Anglais les ont entendus ; puis les uns et les autres en sont venus à certaines décisions. Nicolls remercie les commissaires de leur application « en ces temps où nous avons des difficultés avec ces ambitieux Français... » Il a voulu obtenir des secours des colonies anglaises du nord « dans le cas où les Français troubleraient la paix ». Donc, Nicolls ne considère pas que les Français troublent la paix quand ils attaquent les Agniers ; ce n'est qu'en attaquant les Anglais eux-mêmes qu'ils commettent des actes de guerre. La garnison d'Esopus est prête en tout temps à partir pour Albany. « Je peux espérer, dit-il, que les Français ne sont pas seulement fatigués de leurs deux voyages infructueux mais que la plupart de leurs soldats seront envoyés dans les Antilles avec le Vice-Roi. » Nicolls est plus explicite dans une lettre écrite le même jour à Arent van Corlaer : « J'espère, que par la résolution arrêtée à l'unanimité, on découragera les Français de tenter de vous troubler, de même que les Agniers seront à jamais obligés par la bonté et la protection qu'on leur a accordées dans leurs besoins ». Est-ce à dire qu'au conseil tenu à Albany entre les Agniers et les Anglais, ces derniers, en plus d'accorder des vivres, du maïs probablement, comme ils le feront plus tard à la tribu chassée de ses bourgades, ont promis des secours dans l'éventualité d'une nouvelle attaque ? Cette promesse paraît assez plausible, elle est de bonne politique. Et ainsi se pose un axiome de la politique canadienne : toute attaque française contre les tribus iroquoises pousse celles-ci dans les bras de l'État de New York où elles cherchent protection et secours. Enfin, Nicolls exprime l'espoir que le fort Sainte-Anne sera détruit et il parle de la carte du lac Champlain, indiquant les forts français, que Corlaer doit tracer.

Esopus, aujourd'hui Kingston dans l'État de New York.

Les Iroquois poussés dans les bras des Agniers ?

Quatre jours plus tard, probablement le 11 janvier 1667, Nicolls écrit d'autres lettres. Il a certainement appris que des négociations de paix sont en cours entre les Agniers et les Français. Alors, il est tout en éveil. Il veut savoir des commissaires d'Albany quelles sont les propositions de paix des Français. Est-il possible ou même probable que les Agniers concluent un traité avec les

Une paix entre Agniers et Français serait l'occasion de faire démolir les forts français du lac Champlain.

Français ? Il leur donne pour l'avenir les directives suivantes: conseiller aux Agniers de demander l'insertion dans le traité d'un article qui obligerait les Français à démolir leurs forts avancés sur le lac Champlain; pour l'obtenir, les sachems pourront plaider que cet acte détruira à jamais leur défiance; que la chasse dans ces territoires deviendra plus libre et que des Français en armées ne pourront plus s'introduire dans leurs territoires sans être aperçus. En second lieu, Nicolls ordonne aux commissaires de ne pas encourager les Agniers dans leur désir de s'établir à Albany; ceux-ci ont fait cette demande; il faudra dorer le refus. Les commissaires doivent enfin saisir l'occasion de donner aux Agniers des conseils qui les conduiront à une paix honorable, mais exprimée dans les mots mêmes qu'ils sauront leur glisser; réussir dans cette tâche, c'est s'assurer pour plus tard des avantages commerciaux et récolter plus tard les bénéfices du traité. Si les Français refusent les propositions des Agniers, ceux-ci découvriront que les premiers n'ont d'autre dessein que « de monopoliser tout le commerce des fourrures ». Nicolls dit en parlant des armées canadiennes que « leurs expéditions contre les Agniers seront un échec chaque fois que les Agniers auront de leur venue une heure d'avis... » Si le fort du Richelieu et le fort du lac Champlain demeurent, c'est un danger non seulement pour l'Iroquoisie mais encore pour les colonies anglaises. Même si le traité entre Agniers et Français ne devait pas être signé, il faudrait prolonger les négociations le plus longtemps possible. Enfin, les commissaires doivent se renseigner sur les propositions et sur les projets des Français.

Le même jour, Nicolls écrit de nouveau à Corlaer; les Français, croit-il, demeureront en paix pendant l'hiver. Et il parle de M. de Tracy qui « colore son ambition de s'emparer de la traite du castor en détruisant et en interrompant le nôtre à Albany ».

Dans une autre lettre qui est probablement du même jour, mais beaucoup plus explicite parce qu'elle est adressée à un Anglais, le capitaine Baker commandant de la garnison d'Albany, Nicolls exprime ses arrière-pensées: « ...Nous n'avons pas à craindre beaucoup leurs attaques cet hiver... Les forts français sont [toutefois] des voisins trop rapprochés et des soldats peuvent en sortir avant que nous en soyons avertis si nous ne montons pas toujours la garde ». Voici son conseil aux Agniers: « ...C'est qu'ils fassent une bonne paix aux Français ou qu'ils n'en fassent pas du tout, une paix telle qu'elle apporte des peaux de castor à Albany et qu'elle les laisse sans défiance envers les Français et sans crainte... » Maintenant, voici le point le plus important. Nicolls a-t-il appris que les Français ont pris possession de l'Iroquoisie ou bien d'Anniéjé ? Connaît-il maintenant le traité en vertu duquel certaines tribus iroquoises ont reconnu la suzeraineté du roi de France ? Et à ces actes précis veut-il opposer une manœuvre ? Voici en effet ce qu'il écrit à Baker: « ...Un article sera nécessaire; les Agniers devraient déclarer aux Français que le Roi d'Angleterre est le grand Roi de tout leur pays et des territoires adjacents; qu'à lui, ils sont subordonnés, car ils vivent en paix et font le commerce avec les sujets anglais... Et maintenant ils veulent bien conclure la paix avec les Français et prendront la résolution de l'observer si les Français démolissent leurs forts et ne conduisent pas d'autres troupes de soldats dans le pays du Roi d'Angleterre ou dans ses plantations».

S'aboucher = se mettre en rapport.

Afin d'inspirer ces projets aux Agniers, le capitaine Baker devra s'aboucher avec Smiths Jean (probablement le Bâtard Flamand), avec les sachems aussi et les persuader qu'il est dans leur intérêt «de mentionner le Roi d'Angleterre de façon honorable»; il devra leur présenter l'importance des groupes anglais qui les entourent «et quelle force considérable de toutes les colonies adjacentes sont venues à Albany en trois ou quatre jours», et quelle amitié ancienne a toujours uni les Agniers, les Hollandais et les Flamands.

Rôle et intérêts des Anglais.

Il semble donc acquis qu'une concentration de troupes s'est faite à Albany lors de l'expédition conduite par M. de Tracy; que des conseils ont eu lieu subséquemment entre les Anglais et les Agniers et que ceux-ci ont obtenu de l'assistance; que les Anglais ont modifié leur attitude première envers les Agniers, qui n'était pas sympathique; qu'ainsi les Agniers ont oublié leur inimitié ancienne pour demander des secours là où ils pouvaient en obtenir; que les Anglais se sentant menacés sur leurs arrières par les forts français ont senti le besoin de s'appuyer sur les Agniers; qu'ils ont soudain constaté que le commerce des fourrures d'Albany et que l'Iroquoisie elle-même, dont ils n'étaient toutefois pas propriétaires, étaient sur le point de passer aux mains des Français; qu'ils ont voulu prendre des mesures pour intervenir secrètement dans les négociations entre les Français et les Agniers; que, constatant soudain l'importance du futur traité, pour eux comme pour les Indiens de l'État de New York, ils ont intrigué pour que celui-ci leur fût favorable et protège leurs droits futurs. Toutefois, il faut bien noter que jusqu'au 11 janvier, les Anglais se sont conduits comme si l'Iroquoisie était un pays tout à fait indépendant, tout à fait séparé d'eux, sur l'avenir duquel ils n'avaient rien à dire.

Chapitre 108

1667

Senèques : ce mot désigne ici les quatre autres tribus des Cinq-Nations, celles de l'Ouest.

Les Andastes occupaient la baie de Chesapeake et la vallée de la rivière Susquehannah. Ils étaient de la grande famille huronne-iroquoise.

L'historien manque de renseignements sur les négociations qui peuvent avoir lieu entre Anglais, Hollandais et Agniers pendant les mois de janvier, février et mars. Les Senèques, par exemple, y sont-ils mêlés ? Il semble bien que non puisqu'ils ont tout de suite fait leur proposition et qu'à cette date leurs sachems ne paraissent pas souvent à Albany. Le *Journal des Jésuites* dit que pendant les expéditions des Français contre les Agniers, ils continuaient à combattre les Andastes, les Français ont appris des vieillards trouvés dans le dernier bourg agnier détruit « que tout fraîchement nouvelle était venue que l'armée d'Onnontaé avait été défaite par les Andastes ». Enfin, on sait que le Bâtard Flamand ne servira pas la cause anglaise. Il ne s'allie pas avec les conquérants de l'ancienne Nouvelle-Hollande. Après avoir été l'ennemi acharné de la Nouvelle-France, il se réconcilie maintenant avec elle et il doit bientôt s'y établir pour y passer les dernières années de sa vie.

L'hiver se déroule dans l'inquiétude. Français et Agniers se redoutent mutuellement. Parlant de la tribu des Agniers et de celle des Onneyouts, Marie de l'Incarnation dira ce qui suit : « Celles-ci et toutes les autres ont été si effrayées de la peur des Agniers et du grand courage des Français, qu'ils n'avaient regardés jusqu'alors que comme des poules, qu'ils s'imaginaient qu'une armée française était toujours à leurs trousses et les suivait partout ». Dollier de Casson dira « que chaque arbre leur paraissait un Français et qu'ils ne savaient où se mettre... » En Nouvelle-France, les troupes se cantonnent étroitement dans les forts, et surtout dans le fort Sainte-Anne qui est exposé aux attaques ; elles redoutent l'une de ces surprises sanglantes dont les Indiens ont le secret et usent de stratagèmes comme d'allumer des feux pour montrer qu'elles sont nombreuses et en sécurité. Le scorbut se déclare parmi les troupes ; cela arrive fréquemment chez des soldats confinés.

Le *Journal des Jésuites* contient quelques notations pour le mois d'avril. Tout d'abord « le 2, nouvelle arrive de Montréal que les cinq nations témoignent une bonne disposition pour la paix ». En voici une seconde un peu plus loin : « Le 20, le Bâtard Flamand avec deux Onneyouts arrivent sans avoir amené ni hurons, ni algonquins, ni familles, qu'on leur avait demandé ». Ils ne ramènent donc pas les prisonniers. Dollier de Casson est au fort Sainte-Anne lors du passage des députés agniers : « ...C'était des ambassadeurs iroquois qui venaient demander la paix, accompagnés de quelques Français qu'ils ramenaient de leur pays... » Le scorbut sévit toujours, les convalescents circulent sur la route entre Montréal et Chambly ; on organise une mise en scène pour montrer aux députés que des partis se promènent et veillent partout.

Pourparlers de paix.

Il semble que ces ambassadeurs ne se montrent pas aussi souples que l'espérait M. de Tracy. Se font-ils les interprètes de Nicolls et des Anglais ? Demandent-ils des concessions conseillées par ces derniers ? Ou bien, encouragés par eux, adoptent-ils une attitude plus intransigeante ? C'est ce qui semble probable étant donné la notation suivante du *Journal des Jésuites* : « Le 27 [avril], on prend résolution en conseil de retenir ici toutes les femmes, et de renvoyer les hommes dans le pays, à la réserve de deux, avec protestation de la part de Mons. de Tracy, que si dans deux lunes ils n'obéissent, et n'exécutent les articles proposés, nôtre armée partira pour les aller ruiner dans le pays ». Évidemment, les Agniers sont encore récalcitrants. Mais demandent-ils la destruction des forts du Richelieu et du lac Champlain ? Veulent-ils inclure le nom du roi d'Angleterre dans la convention ? M. de Tracy dans tous les cas ne veut pas modifier les articles qu'il a d'abord proposés et il n'est sans doute pas content puisque la menace est nette.

Comme les députés retournent immédiatement dans leur pays, il profite de l'occasion pour écrire des lettres et continuer la discussion commencée avec les Anglais. Il s'adresse d'abord aux commissaires d'Albany pour leur dire qu'il n'a jamais cru qu'ils fussent mêlés directement ou indirectement dans l'affaire de la rivière Chasy ; voici les phrases qu'il ajoute : « Puisque vôtre gouverneur vous commande de ne pas vous interposer dans nos affaires avec les Agniers, vous agirez prudemment en lui obéissant avec respect... » Ces mots prouvent jusqu'à quel point M. de Tracy est continuellement dupe en conduisant cette correspondance de même qu'en utilisant les faits qui y sont énoncés comme fondement de sa conduite. On sait jusqu'à quel point Nicolls a abandonné cette première politique ; que les difficultés que le vice-roi rencontre maintenant dans ses négociations avec les Agniers dépendent très probablement de lui. C'était manquer de psychologie et s'abaisser au niveau de M. de La Barre. Le 30 avril, M. de Tracy écrit aussi à Corlaer : « J'ai accordé, dit-il, des conditions si raisonnables aux Agniers et à toutes les tribus que je ne doute pas qu'ils accepteront la paix » ; il leur a accordé un autre délai qui s'étendra jusqu'au 25 ou 26 juin pour prendre une décision finale. Tracy ajoute que le Bâtard Flamand reçoit toutes les attentions possibles ; des Français doivent le reconduire jusqu'au lac Champlain. Le vice-roi confesse même qu'il a beaucoup d'amitié pour cet homme, il lui a donné un passeport qui sera valide jusqu'à la fin du mois de juin. Il tente évidemment de le gagner. Perrot se trompe lorsqu'il affirmera que les Français le retiennent à Québec. M. de Tracy se déclare très heureux de recevoir Corlaer en Nouvelle-France, il lui promet une réception amicale. Il le prie même de dire aux Agniers que leurs propositions ainsi que leurs présents ne resteront pas sans réponse ; ils pourraient être indisposés s'ils n'apprenaient pas ce fait. Enfin, il annonce une victoire remportée en Europe par les Hollandais sur les Anglais. M. de Tracy croit

Joseph-Antoine Le Febvre de La Barre sera gouverneur de la Nouvelle-France de 1682 à 1685.

avec assez de justesse que les Hollandais de l'État de New York ne sont pas encore très bien disposés envers leurs nouveaux maîtres.

Le 30 avril, M. de Tracy adresse encore une nouvelle lettre à Nicolls. Il continue la discussion. Il raconte de quelle façon l'expédition de M. de Courcelles a abouti près de Shenectady au lieu de se rendre en Anniéjé. Il ne veut pas insister non plus sur l'affaire Chasy, sauf pour dire que les Français ne s'étaient éloignés du fort Sainte-Anne que sur les assurances contenues dans les lettres des Hollandais qui affirmaient que les Agniers voulaient sincèrement la paix et celles-ci avaient été diffusées dans les forts ; s'ils ne les avaient pas connues, ces jeunes gentilhommes ne se seraient pas rendus à la chasse sur la terre ferme. Toutefois, M. de Tracy n'affirme pas qu'il y a eu connivence entre les Hollandais et les Agniers.

Les Anglais se méfient des Indiens et des Français.

Un peu plus tard, d'autres lettres intéressantes sont aussi écrites en Amérique. La présence de troupes françaises en Nouvelle-France continue à inquiéter Winthrop. « Nous savons qu'apparemment, dit-il, ces forces françaises sont ici à cause d'Indiens que l'on appelle Agniers, avec lesquels elles sont en guerre ; mais nous avons bonne raison de nous défier de plus grands desseins, et de soupçonner que Français et Hollandais songent à des entreprises par mer ». Les Indiens des territoires anglais peuvent s'allier aux Français contre les Iroquois « mais aussi contre les Anglais ce que nous essayons d'empêcher par tous les moyens possibles ». Les Anglais ne veulent pas être pris au dépourvu par des attaques inopinées. Le 12 septembre, Nicolls écrira les phrases suivantes à Arlington : « Pour empêcher les incursions des Français du Canada sur nos territoires, j'ai transformé un tiers de la milice du pays en cavaliers et en dragons ; on a fait la même chose dans la colonie du Connecticutt ; mais les gentilhommes de Boston sont trop orgueilleux pour être traitables... » Plus directement menacés, Albany et l'État de New York réagiront toujours plus vivement que les autres colonies anglaises ; par le Richelieu, le lac Champlain, l'Hudson, une armée atteindrait New York assez facilement. Toutefois, rien dans cette correspondance n'indique que cet État ou que les autres colonies américaines sont alors prêtes à prendre les armes pour défendre les Agniers contre le régiment de Carignan.

Van Corlaer désire se rendre au Canada.

Nicolls avait aussi annoncé la visite au Canada de Arent van Corlaer. Il affirme, cependant, ne lui avoir confié aucune mission. Le célèbre Hollandais n'aurait d'autre désir que de se rendre en Nouvelle-France pour visiter des amis et pour en ramener un individu du nom de Fontaine.

Jean-Baptiste Colbert (1619-1683), ministre des colonies.

En même temps, Louis XIV et ses ministres suivent étroitement les affaires du Canada. Les traités déjà signés arrivent à Paris et ils excitent leur curiosité. Le 5 avril, Colbert écrit à Talon qu'il les a vus et les a même lus attentivement, « ayant fort bien remarqué que vous avez eu principalement en vue d'acquérir une possession contre les prétentions présentes ou de l'avenir des nations de l'Europe, aussi Sa Majesté y a donné une entière approbation ». Pour lui, l'Iroquoisie est maintenant pays français ; elle l'est aussi en droit international. Le cabinet est content.

Quant aux expéditions blanches de M. de Courcelles, M. de Sorel et de M. de Tracy, elles ne provoquent à la cour aucun enthousiasme ; on ne croit pas qu'elles soient suffisantes ou satisfaisantes. À la même date, Colbert le dira à Talon : « Mais comme l'effet des armes du Roi contre eux quoique considérable n'est pas suffisant pour assurer la Colonie contre leurs invasions, [les Iroquois] n'étant pas détruits, et étant d'ailleurs à craindre qu'ils ne reviennent avec plus de férocité que jamais faire leurs massacres accoutumés dans les habitations éparses et qui ne peuvent être secourues par leur éloignement, Sa Majesté s'attend que vous engagerez et par vos conseils, et par tous les moyens que vous aurez en main, M. de Courcelles à faire une nouvelle entreprise sur eux pendant l'été prochain, soit pour les détruire entièrement s'il est possible, soit au moins pour augmenter la terreur qu'ils ont des forces de Sa Majesté et les mettre moins en état de troubler le pays quelque envie qu'ils en puissent avoir ». Les troupes demeureront en Nouvelle-France pendant une autre année, il faut faciliter l'établissement des soldats, les marier, les placer dans les trois bourgs organisés pour résister à la guérilla iroquoise. Le ministre envoie encore quatre cents hommes et cinquante jeunes filles.

Les expéditions menées contre les Iroquois ne rassurent par la cour.

Détruire ou tout au moins soumettre.

Le ministre écrit ces lignes à l'heure même où, au Canada, s'engagent les négociations finales avec les Agniers et d'autres tribus iroquoises. M. de Tracy ou Talon a-t-il ces dépêches en mains quand les Agniers arrivent en Nouvelle-France pour conclure enfin la paix ? « C'est le 5 juillet et déjà des navires sont arrivés de France. Des Onneyouts sont aussi venus ». Les uns et les autres ont-ils abandonné leurs premières prétentions ? Celles que les Anglais leur avaient inspirées ? Rien cette fois ne traîne en longueur : « Le 6, dit encore le *Journal des Jésuites*, les Agniers et les Onneyouts font leurs présents, entr'autres les premiers demandent deux robes noires, et les Onneyouts, une ». Immédiatement après, se trouve l'entrée suivante : « Le 10 on leur fait réponse, et on leur accorde ce qu'ils demandent ; ils laissent des familles en otage ».

Traité de paix avec les Agniers et les Onneyouts.

Voilà de bien maigres renseignements pour un événement important. On ne connaît ni le nombre des députés, ni celui des présents offerts, ni les propositions soumises. On ignore si les Agniers ont signé exactement le même traité que les Senèques. Contre son habitude, Marie de l'Incarnation est, elle aussi, fort laconique : « Dans cette frayeur, ils ont été heureux d'avoir entrée pour demander la paix, de telle sorte qu'ils ont acquiescé à toutes les conditions qui leur ont été proposées : savoir de ramener tous nos captifs de l'un et de l'autre sexe, et d'amener ici de leurs familles pour otages des Pères et des Français qui seront envoyés dans leur pays. Tout cela s'est exécuté de point en point ». Sauf quelques propos généraux, les *Relations des Jésuites* sont presque muettes sur ce grand événement : « Les expéditions militaires qui furent faites l'an passé, dans le pays des Iroquois Agniers, y ont laissé tant de terreur, que ces Barbares sont venus cet été nous solliciter de la paix, avec grand empressement, et même nous ont amené quelques-unes de leurs familles, pour servir d'otages et se rendre caution de la fidélité de leurs compatriotes. Ils représentent entr'autres choses, que tous leurs désirs étaient d'avoir chez eux quelques-uns de nos pères pour cimenter la paix, et pour imiter ceux des leurs, qui pendant une année de détention à Québec, avaient été instruits, et dont dix-huit avaient reçu le saint Baptême. Monsieur de Tracy voyant à ses pieds ces barbares si humiliés, leur déclara qu'encore qu'il pût les ruiner entièrement, comme ils pouvaient bien le juger par la dernière destruction de leurs bourgades, il avait néanmoins la bonté de leur conserver leur terre, même leur donner les Pères qu'ils demandaient, afin que rien ne manquât à l'affermissement de la paix ».

Ayant donné des nouvelles de la paix acceptée par les Agniers et les Onneyouts le 10 juillet 1667, Marie de l'Incarnation ajoute les curieuses paroles suivantes : « Il y a encore les Onnontagués, les Goyogouins et les Tsonnontouans, qui n'ont point encore paru. Ils disent pour raison qu'ils se préparent à la paix, et ils s'excusent disant qu'ils ont déjà fait ici onze ambassades, sans qu'on leur ait donné satisfaction. La vérité est que ces peuples étant naturellement orgueilleux, ils ont de la jalousie de ce que les autres les ont devancés ; et de plus, ils ont une grande guerre contre les Andastes de la Nouvelle-Suède. Ils donnent néanmoins espérance pour le printemps prochain, et voilà où nous en sommes pour les Iroquois ».

Les faits sont les suivants : Onnontagués et Tsonnontouans ont signé un traité de paix en 1665 ; en 1666, les Goyogouins sont venus à leur tour. Les tribus supérieures ont eu des députés ou des représentants à Québec pendant une bonne partie de l'année 1666 ; pour leur donner à manger, Talon a dépensé des sommes aussi considérables que pour nourrir trois compagnies. Toutefois, il semble qu'au milieu du brouhaha des expéditions contre les Agniers, la ratification a été perdue de vue. Mais la présence de ces Senèkes en Nouvelle-France était une preuve qu'ils s'en tenaient au traité et à une attitude amicale envers la France. D'autre part, aussitôt la guerre des Agniers terminée, les clauses du traité seront mises en vigueur. Garakonthié reviendra au mois d'août 1666 ; il ne sera pas question de ratification ; mais tout indiquera que le traité fait loi, qu'il est le grand document qui règle les relations des deux peuples.

Chacune des Cinq Nations iroquoises a fait la paix avec les Français.

Le 10 juillet 1667, la paix existe donc entre la Nouvelle-France et toute l'Iroquoisie. Et il semble acquis que les Agniers et les Onneyouts ont signé le même traité, en substance, que les autres. M. de Tracy l'a conclu alors que, très probablement, il connaissait l'attitude récente de la cour et la demande d'une autre expédition. Faute de documents, il est difficile de savoir les raisons qui l'ont porté à agir de cette façon. A-t-il reconnu qu'avec les troupes qu'il possédait, avec les moyens dont il disposait, il lui était impossible de détruire les Iroquois ou d'entamer leurs forces vives ? Que le seul résultat qu'il obtiendrait serait de les jeter un peu plus dans les bras des Anglais ? Une quatrième expédition aurait retardé la réinstallation des Agniers dans leurs bourgades, retardé la construction des maisons, l'édification des palissades, la mise en culture des terres. Il se peut aussi que M. de Tracy ait vu juste. La paix qu'il signe aujourd'hui durera longtemps. On ne peut lui reprocher qu'elle n'ait pas été éternelle. Des esprits pénétrants comme celui de Talon et de M. de Courcelles lui ont sans doute donné à l'époque des avis prudents. Les uns et les autres ont sagement pesé la situation; leur attitude s'accompagne également d'humanité.

Le 25 août 1667, près d'un mois et demi après la conclusion de la paix, Talon répond de la façon suivante à Colbert qui avait conseillé une quatrième expédition: «Il ne m'aurait pas été difficile d'engager M. de Courcelles à une nouvelle entreprise sur les Iroquois de la nation d'Agniers puisque de lui-même il avait un assez grand penchant à retourner à la charge, si ceux de cette nation venus en ambassade au mois de juin dernier, n'avaient donné les assurances de la paix qu'ils ont témoigné vouloir observer aussi inviolablement qu'ils la sollicitaient avec empressement. M. de Tracy pouvant vous dire de vive voix les raisons qui ont pu le porter à traiter avec ces barbares...» Talon n'ajoutera rien sur le sujet. Pour sa part, il aurait préféré que les Iroquois laissent en Nouvelle-France un plus grand nombre de familles en otage, puisque le traité le stipulait ainsi; il craint que les Agniers ne recommencent la guerre quand ils auront mis fin à leurs hostilités contre les Mohicans. Dans tous les cas, ajoute-t-il, «je préparerai toutes choses à la guerre» et il laisse au roi le soin de décider s'il faudra reprendre la lutte. Puis, immédiatement, il passe à son projet de conquête de l'État de New York: «J'ai eu l'honneur de vous écrire de Manhate et d'Orange et de vous proposer ou la conquête, ou l'acquisition de ces deux postes, si vous trouvez bon de les donner au Roi... J'espère que vous aurez fait plus de la moitié de l'établissement que vous projetez en Canada et que vous en tirerez les avantages contenus au mémoire ci-joint». Marie de l'Incarnation fait écho, elle aussi, aux idées qui circulent dans les cercles officiels de Québec: «Si la Nouvelle-Hollande, aujourd'hui occupée par les Anglais, appartenait au roi de France, on serait maître de tous ces peuples [les Iroquois] et on y ferait une colonie Française admirable».

Les Mohicans, ou Loups, ennemis des Agniers, avaient dû quitter la région d'Albany et avaient émigré en 1664 dans le Massachusetts où se trouve aujourd'hui Stockbridge.

Ces paroles sont écrites trop tard. Le traité de Bréda vient d'être signé le 31 juillet 1667. Il laisse la Nouvelle-Hollande à l'Angleterre. Talon n'a pas été plus écouté que d'Avaugour ou le père Paul Le Jeune.

Talon parlera de nouveau d'une quatrième expédition dans une lettre adressée à Louvois le 19 octobre; les soldats, dit-il, sont toujours au poste, «Jusques à ce que vous ayez fait connaître si Sa Majesté veut qu'on fasse une seconde irruption sur les Iroquois ou qu'on se contente de confirmer avec eux la paix...» Un peu plus tard, il écrira quelques phrases à Colbert sur le même sujet: «...Nous estimons qu'il n'est pas à propos de leur porter la guerre durant l'hiver; ainsi, nous demeurons dans l'attente des ordres du Roi...» Mais ces ordres doivent arriver de bonne heure au printemps si la guerre doit se poursuivre.

François Michel Le Tellier, marquis de Louvois (1639-1691), chancelier et secrétaire à la Guerre.

Toutefois, à l'heure où Talon écrit ces lignes, M. de Tracy est à Paris. Le *Saint-Sébastien* est arrivé à Québec le 5 août pour le ramener. Il n'avait pas alors complètement terminé ses affaires. Il ne quittera son poste que le 28 août : « ...Il a fait ici, dit Marie de l'Incarnation, des expéditions qu'on n'aurait jamais osé entreprendre ni espérer... » Il donne apparemment des explications rassurantes au roi et à ses ministres ; et ceux-ci sont sans doute satisfaits. Ils acceptent la paix faite à Québec, car Talon ne recevra pas l'ordre de continuer la guerre. Le printemps suivant, les premières dépêches parleront du rappel du régiment de Carignan. Les traités Franco-Iroquois resteront en vigueur. La période des guerres sera close.

Talon écrira de nouveau au roi en décembre 1667. Il racontera qu'un parti iroquois a rôdé deux ans autour de Tadoussac. Sur le chemin du retour, il a rencontré une troupe de Mohicans, ou Loups, « nos alliés » qui s'étaient mis à l'affût pour massacrer les ambassadeurs agniers qui venaient de signer la paix à Québec ; des missionnaires accompagnaient ces derniers. Les Mohicans concertent-ils leurs mouvements avec les Français depuis un certain nombre d'années ? Tout l'indique. Les uns et les autres avaient un ennemi commun : l'Iroquoisie. Mais maintenant que les Français ont fait la paix, les Mohicans, qui ne sont probablement pas contents, poursuivent seuls la guerre.

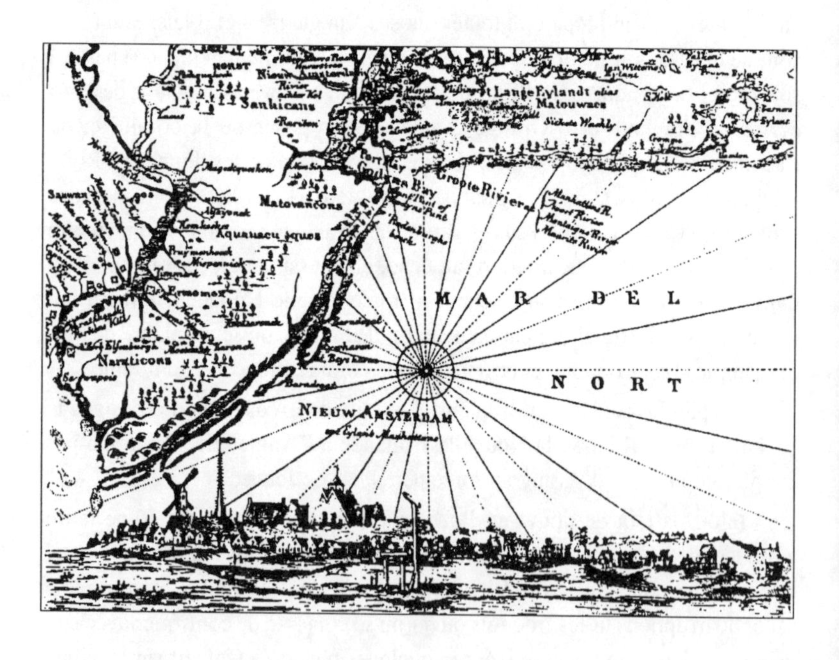

Chapitre 109

1667

Les conséquences des traités de paix.

Les conséquences résultant de la signature des traités de paix sont importantes. Tout d'abord, la guérilla iroquoise cesse. Des partis ennemis cessent de se tenir autour des postes et des défrichés, de circuler sur les rivières et sur le fleuve. L'anxiété et l'angoisse prennent fin.

Les habitants peuvent désormais s'aventurer hors des palissades et des maisons et la colonisation se développe activement. Des paroisses et des seigneuries vont naître; on commence à cultiver un immense domaine. Le développement industriel et commercial suivra de près. Grâce aux actions énergiques de Talon, il prendra rapidement une certaine ampleur. La paix attirera aussi des immigrants et elle permettra à ceux que le roi envoie de s'établir dans des conditions moins dures.

Les routes du continent sont libres.

Les missionnaires peuvent ensuite reprendre leurs courses apostoliques. Les routes du continent sont maintenant libres et ils en subissent depuis longtemps l'impérieux appel. Ils s'y précipiteront sans tarder, dans deux directions différentes, celle de l'ouest et du nord-ouest, puis celle du sud-ouest, l'Iroquoisie.

Les explorateurs les suivront de près, les devanceront ou les accompagneront. Ils ont déjà abordé de concert les régions qui s'étendent à l'ouest du lac Michigan et du lac Supérieur; ils vont s'élancer plus loin, suivant en cela la tradition des découvertes bien établie par Champlain au début de la colonie.

Coureurs des bois et marchands de fourrures s'engagent immédiatement dans leur sillage. La paix a brisé la grande entrave de la traite; alors les flots de fourrures vont couler et rouler vers la Nouvelle-France. Quelques flottes outaouaises étaient venues accidentellement et irrégulièrement du Sault Sainte-Marie. Le trafic va maintenant s'organiser sur une base plus stable.

Enfin, les Français reprennent tout de suite une politique esquissée timidement au temps de Sainte-Marie de Gannentaha: christianiser les Iroquois, les franciser d'une façon plus large, leur inspirer des sentiments qu'on estime plus humains, les pénétrer d'influences et d'effluves sympathiques à la France. Si le conflit franco-iroquois apparaît en premier lieu comme un conflit d'intérêts, au sujet de la traite des pelleteries, nul doute qu'il n'ait été envenimé, exacerbé, par des incompréhensions mutuelles et par les excitations des Hurons. Davantage de renseignements, non seulement sur les actes nationaux, mais encore sur les mœurs, les coutumes ou la religion, auraient pu éviter bien des frictions et bien des heurts.

Aussi les *Relations* célèbrent-elles avec lyrisme l'avènement de l'ère nouvelle. « Il fait beau voir à présent presque tous les rivages de nôtre fleuve de S. Laurent ... La crainte des ennemis n'empêchera plus nos laboureurs de faire reculer les forêts, et de charger leurs terres de toutes sortes de grains... Nos chasseurs vont bien loin en toute assurance... Les Sauvages nos alliés ne craignent plus d'être surpris en chemin, nous viennent chercher de tous côtés... Les Iroquois même remplissent quelques-unes de nos habitations... et font leur traite avec nos Français... » La colonisation fait de rapides progrès dans la vallée du Richelieu ; les officiers dirigent ce travail : « ...L'on y défriche beaucoup, surtout au fort de Chambly et à celui de Sorel... Ils y vivent du ménage, y ayant des bœufs, des vaches, des volailles. Ils ont de beaux lacs fort poissonneux... et la chasse y est abondante en tout temps... L'on a fait des chemins pour communiquer des uns aux autres, parce que les officiers y font de fort belles habitations, et font bien leurs affaires par les alliances qu'ils font avec les familles du pays ».

Les officiers du régiment de Carignan s'installent au pays.

Au début toutefois, nombre de Français ont des doutes sur la sincérité et la durée de cette paix : « Ce n'est pas qu'il n'y ait beaucoup à craindre de la perfidie de ces nations barbares, qui, n'ayant point la foi en Dieu, seront toujours sans foi pour les hommes ». Cependant, on trouve que « la paix avec les Iroquois est assez raisonnable ». L'année d'après, la *Relation* de 1666 affirmera que la paix durera « autant que les Iroquois seront en crainte, dans laquelle il est important de les maintenir ». Et cette opinion paraît assez générale. La paix est satisfaisante ; elle a des conséquences bienfaisantes immenses ; c'est à la leçon cuisante que le vice-roi a infligée aux Agniers que la Nouvelle-France la doit ; c'est aussi à la crainte que les Français leur inspire et qu'il faut nourrir pour tenir en bride cet ennemi malfaisant, car les Iroquois sont, croit-on, naturellement perfides ; il faudra se défier d'eux continuellement, tout en se rappelant qu'entre peuples soi-disant chrétiens et civilisés, il n'existe pas souvent d'autre paix que celle-là. Ces idées sont assez justes, à cette époque, l'Iroquois n'attaquera pas la Nouvelle-France si celle-ci leur paraît le moindrement en état de se défendre.

La crainte, fondement de la paix.

L'exécution du traité commence tout de suite. Des familles iroquoises sont maintenant arrivées au pays : Marie de l'Incarnation cite le fait : « L'on instruit ici, dit-elle, leurs familles sédentaires et d'otage, dont plusieurs doivent être baptisées le jour de la Conception de la sainte Vierge, qui est la fête de toutes ces contrées ». Puis, pour le 14 juillet, quatre jours après la signature du traité de paix, le *Journal des Jésuites* contient l'entrée suivante : « Le 14 les P. Frémin, Pierron, Bruyas avec Charles Boquet et Fr. Poisson, partent avec les Iroquois pour Agnié et Onneyout ». Ils se rendent rapidement au fort Sainte-Anne, dans ce lac Champlain où le grand spécialiste hollandais des affaires iroquoises, Arent van Corlaer, vient de se noyer. Ils séjournent dans l'île. Ils ont appris qu'une troupe de Mohicans pourrait les arrêter au passage ; ils en partent le 23 août après la destruction de ces ennemis ; pendant de longues

Jean Pierron (1631-v. 1700), jésuite, séjourna en Iroquoisie de 1667 à 1674. Jacques Bruyas (1635-1712), jésuite.

Charles Boquet et François Poisson, donnés des jésuites.

journées, ils rament sur ce lac si long en pensant à Corlaer «qui venant à Québec pour y traiter de quelques affaires importantes, fut noyé en traversant une grande baie, où il fut surpris de l'orage». Les missionnaires parlent longuement de leur voyage, de leur arrivée au fond du lac Saint-Sacrement, du sentier d'environ trente lieues qui les conduit aux bourgades des Agniers. «Tout le pays des Iroquois, disent-ils, était alors dans des appréhensions si étonnantes d'une nouvelle armée des Français, que depuis plusieurs jours quatorze guerriers étaient continuellement en sentinelle, à l'entrée de ce Lac, pour découvrir la marche de cette armée, et pour en porter en diligence les nouvelles à toute nation, afin de lui venir dresser des embûches dans les bois, à la faveur desquels ils prétendaient l'attaquer avantageusement et la harceler dans les défilés».

Gandouagé, village construit de l'autre côté de la rivière Mohawk, en face d'Ossernenon, détruit par Tracy en 1666. Kateri Tekakouitha y habiterait alors.

Ces guerriers se joignent aux ambassadeurs et aux missionnaires, après avoir appris que la paix a été conclue à Québec et que les traités ont été signés. Le groupe arrive bientôt à Gandouagué. La foule accueille les Français avec plaisir et leur offre le cérémonial habituel. Les visiteurs doivent demeurer là trois jours, « la crainte des guerriers de la nation des Loups [Mohicans] nous y tenant resserrés, diront-ils, et nous empêchant de passer outre, sans escorte considérable». Une Iroquoise vient d'être scalpée par des Mohicans devant le peuple; quelques jours plus tard, un Iroquois perdra la vie dans des circonstances identiques. Quand les Français se risquent au-dehors des palissades, une escorte armée de deux cents hommes les accompagne; sous cette protection, ils atteignent la seconde bourgade, éloignée de deux lieues, puis la capitale d'Anniéjé, Tsonnontagouen; les Français marchent «les derniers, immédiatement devant les têtes blanches et les plus considérables du pays. Cette marche se faisait avec une gravité admirable...» Selon l'ancienne coutume, la procession s'arrête à bonne distance du bourg pour les harangues que débitent les meilleurs orateurs qui les attendent avec des anciens. Après quoi, c'est l'entrée dans le hameau « où nous fûmes reçus avec la décharge de toute l'artillerie, chacun tirant de sa cabane..., et deux pierriers faisant feu aux deux bouts du Bourg». Les Agniers se déclarent heureux parce que les Français viennent «remettre leur esprit en bonne assiette par l'assurance de la paix...» On dîne d'un plat de bouillie de maïs additionnée de poisson fumé et d'un peu de citrouille. En somme, les cérémonies de ces Indiens ne diffèrent guère de celles des peuples civilisés.

Jacques Frémin, jésuite, sera en Iroquoisie de 1667 environ à 1679.

C'est le jour de l'Exaltation de la Sainte-Croix qu'a lieu le grand conseil de ratification de la paix. Hommes, femmes et enfants de toutes les bourgades sont présents. Le père Frémin l'ouvre par le chant du *Veni Creator* qu'accompagne un instrument de musique. Puis il prononce sa harangue en parlant à l'indienne, c'est-à-dire «pas moins de gestes que de la langue». Tel que rapporté dans les *Relations*, ce discours paraît aujourd'hui brutal dans certaines de ses parties. «Il leur fit voir les grands biens que produisait la paix, les malheurs qui accompagnent la guerre, dont ils avaient éprouvé les effets depuis un an par l'embrasement de leur Bourg». Il leur reproche leurs perfidies, leurs cruautés; les Français viennent en Anniéjé pour leur apprendre à vivre en hommes et en chrétiens, «et qu'ensuite nôtre grand Onontio les recevrait pour ses sujets, et les prendrait désormais sous sa protection royale, comme il a fait tous les autres peuples de ces contrées». Que les Agniers se gardent désormais d'exercer le moindre acte d'hostilité sur les Français ou sur les alliés. Pour imprimer la terreur dans l'esprit de son auditoire, le missionnaire fait ériger au milieu de la place où se tient le conseil une perche longue de quarante à cinquante pieds, avec un collier de porcelaine au sommet, «leur déclarant que serait aussi pendu le premier des Iroquois qui viendrait tuer un Français, ou quelqu'un de nos alliés...»; il aurait le sort du chef agnier pendu à Québec. Cette perche excite un grand étonnement, comme on se l'imagine bien. Et il semble aussi que l'orateur des Agniers, un homme de soixante ans, s'en moque tout de suite ouvertement et publiquement. Il «fit toutes les singeries imaginables autour de cette perche... On ne peut pas décrire toutes les gesticulations que fit cet homme; que d'exclamations... que souvent il se prenait horriblement par le gosier avec ses deux mains... il employa toutes les figures des plus excellents orateurs, avec une éloquence surprenante...»

Les Agniers commencent à libérer les captifs demandés, plus un Français qui est captif depuis un certain temps et douze Algonquins.

Une église fruste s'élève bientôt dans la bourgade. Les missionnaires commencent une existence pénible. Ils trouvent chez les Hurons prisonniers depuis dix-sept ans une église toute formée. Il faut confesser, communier, enseigner.

À partir de ce moment-là, les Français peuvent observer avec soin cette Iroquoisie qui leur a fait tant de mal. Désormais, ils seront en contact étroit avec le peuple, ils sauront ce qui se passe dans le pays. Leurs observations quotidiennes sont d'un grand intérêt. Les influences françaises qu'ils représentent s'opposeront dans une certaine mesure aux influences hollandaises et anglaises. Anniéjé ne tourne pas dans l'orbite de la Nouvelle-France, mais peu s'en faut.

Les Agniers victimes de la «petite guerre» conduite par les Mohicans.

Cette description de la vie quotidienne en Iroquoisie comporte des faits importants. Ainsi, si les Agniers portent la «petite guerre» chez les autres, ils la souffrent aussi chez eux. À cette époque-là, ce sont les Mohicans qui continuent le combat entamé depuis longtemps contre les Iroquois. Leurs guerriers viennent se poster autour des bourgades et commettent des meurtres. Les Agniers ont probablement été heureux de conclure la paix avec la France, afin de consacrer désormais leurs forces à repousser cet ennemi qui combat à l'indienne et qui lui inflige des pertes.

Puis, les Iroquois ont déjà commencé dans l'ouest une guerre qui les mettra bien vite en opposition avec les Français. Après le conseil où a parlé le père Frémin, les Agniers libèrent un certain nombre de prisonniers outaouais. Mais un peu plus tard, les Onneyouts envoient un prisonnier outaouais qui doit subir le supplice du feu. On le fait entrer dans la bourgade en cachette, on prépare les feux pour la nuit prochaine. Les sachems sont malheureusement absents, ils auraient pu arrêter ces violences. Et « les jeunes gens qui ne respirent que la guerre, s'étaient déjà saisis de cette proie, et l'avaient enfermée dans une cabane toute en feu, pour y exécuter à la sourdine leurs cruautés ordinaires ». Averti en secret, le père Frémin se précipite sur les lieux. « ...J'y cours incontinent, dit-il, je parle, j'exhorte, mais en vain ; je menace, je fais retirer les femmes et les enfants, tous m'obéissent à la réserve de deux hommes, qui nonobstant tous mes efforts continuèrent à brûler ce misérable... » Puis il s'adresse à la foule, imitant les Iroquois, il fait « le cri par toutes les rues du Bourg... » ; et voici ce qu'il dit : « Vieillards, vous êtes morts ; enfants, il n'y a plus de vie pour vous, la paix est rompue ; voilà les Loups qui viennent d'un côté, et de l'autre je vois Onontio avec son armée ; votre terre va être renversée, vos champs, vos cabanes, vos bourgades vont être ruinés ». Après avoir parcouru les rues en criant ces paroles, le missionnaire revient « devant la cabane où l'on brûlait ce prisonnier contre un des principaux articles de la Paix... » Il trouve enfin un vieillard qui a quelque parenté avec les auteurs de cette tragédie ; et celui-ci, sous le coup des menaces, prend possession de la victime et la remet à son défenseur. L'Outaouais mourra des suites de cette aventure trois semaines plus tard. Comme il s'est converti, de grandes funérailles catholiques, auxquelles assiste toute une petite chrétienté, ont lieu en Anniéjé devant la foule qui contemple ce spectacle pour la première fois.

Les Outaouais, de la famille algique, étaient établis dans la partie nord de l'État actuel du Michigan.

Incontinent = immédiatement

Limites des traités de 1665-1666

Cet incident pose un problème particulier. Les *Relations* disent qu'avoir infligé le supplice à cet Outaouais était enfreindre l'un des articles du traité. Mais justement, le grand traité de 1665 ne mentionne pas les Outaouais, ni la région où ils vivent ; c'est même l'un des oublis les plus flagrants de ce document. Les peuples qui vivent au-delà du lac Huron et du lac Michigan, c'est-à-dire les grands pourvoyeurs de fourrures de la France, auxquels les Iroquois font déjà la guerre, ne sont pas mentionnés. L'étaient-ils dans le traité particulier que les Agniers ont signé ? C'est possible, mais peu probable.

Nouvelle mission en Iroquoisie

Au mois de septembre, le père Bruyas ouvre une mission chez les Onneyouts, tribu qui est « la moins nombreuse en effet, mais la plus superbe, et la plus violente de toutes ». La réception qui lui est offerte est relativement bonne. Une chapelle est bientôt construite et le travail d'évangélisation commence. Le missionnaire assiste au supplice de quatre femmes andastes. L'Iroquoisie jouit assez peu de la paix, puisque les Mohicans continuent leurs attaques à l'est et les Andastes au sud.

Du mois de juillet au mois de décembre, s'ouvrent donc deux missions chez les deux tribus iroquoises les plus hostiles à la Nouvelle-France ; chez celles qui ont porté presque seules le fer et le feu sur le Saint-Laurent et qui se sont soumises les dernières. Au premier abord, la conversion de ces indigènes semble difficile aux jésuites. Pourtant, quelques succès les encouragent au début. Des Iroquois qui sont demeurés à Québec un certain temps, embrassent la religion catholique. Le 3 décembre par exemple, l'évêque baptisera solennellement à Québec onze Agniers et Onneyouts. Pour encourager ces conversions en leur donnant un éclat inusité, les parrains sont le gouverneur lui-même, l'intendant et des officiers. Ainsi se forme un noyau de catholiques iroquois.

Double rôle des missionnaires

Quelques jours plus tard, le 15 décembre, des nouvelles des deux premières missions iroquoises arrivent à Québec. C'est un Huron qui les apporte. Les lettres sont adressées aux jésuites : « Nos messieurs, dit le *Journal des Jésuites*, trouvent mauvais que le P. Frémin ne leur ait point écrit et de ce que le journal, au moins pour ce qui touche les affaires, ne leur a point été adressé ». Naturellement, il aurait mieux valu séparer nettement les fonctions : envoyer sur les lieux des interprètes ou des chargés d'affaires laïques et envoyer des missionnaires ; les uns et les autres ayant des tâches bien particulières à accomplir dans un pays qui reste bien menaçant malgré les traités de paix. Mais faute de laïcs compétents, les missionnaires administrent les affaires spirituelles et les affaires temporelles ; cette double activité sera pour eux une source d'embarras.

Le 19 février 1668, le père Pierron arrive du pays des Agniers avec le donné François Poisson, deux Indiens et une Indienne. « Il vient, dit le *Journal des Jésuites*, pour informer de tout ; les esprits de ces peuples, dans leur disposition ordinaire ; nos Pères se portent bien, et instruisent paisiblement les peuples, ont baptisé un nombre considérable d'enfants, quelques adultes, la plupart malades ». En un mot, les missionnaires tâtent le pouls de la nation et disent de quelle façon se comportent les hommes.

Charles Boquet, donné des Jésuites, guide et interprète.

Le 12 avril, c'est Charles Boquet qui arrive du pays des Onneyouts. Une troupe l'a accompagné et elle est demeurée au-dessus de Ville-Marie. Marie de l'Incarnation consacre un passage charmant à ce donné des Jésuites : « ...Aussi l'appelle-t-on par divertissement le courrier apostolique... Il fait le circuit des lieux où sont les pères... Dieu lui donne des forces pour ses grandes fatigues. Il ne se soucie non plus de sa vie que de la paille... Il est connu de tous les sauvages, qui le craignent et l'estiment, car comme il sait les langues, il leur rend sans cesse le change quand ils font quelque insolence. Il sait parfaitement tous les chemins... » Le 21 avril, Boquet repart pour le pays des Onneyouts avec le père Julien Garnier.

Julien Garnier (1643-1730), en mission en Iroquoisie de 1668 à 1685. Par la suite à Lorette et à Sault Saint-Louis.

Les nouvelles sont assez satisfaisantes. Le gouverneur de New York a convoqué le père Pierron. Depuis deux ans, il n'a rien reçu d'Angleterre, la disette sévit, les troupes sont peu nombreuses. « Le dessein de ce général, ainsi que nous l'avons appris, était principalement de sonder dans le Père les intentions des Français, parce qu'il craignait qu'une armée française n'allât l'attaquer, comme elle avait fait des Iroquois, ainsi que l'on en avait fait courir le bruit ». L'Iroquoisie ne peut espérer d'assistance de l'État de New York ; ainsi, laissée à elle-même, harcelée par les Andastes et les Mohicans, elle ne peut qu'observer les traités conclus avec la France.

Le père Julien Garnier arrive bientôt chez les Onneyouts où se trouve déjà le père Bruyas. Alors, comme dit la *Relation*, il « se vit obligé par tous les motifs de charité, de donner jusqu'à Onnontaé, qui n'est éloignée que d'une petite journée ». Il y arrive probablement au mois de juin de l'année 1668. « Cette grande Bourgade, qui est le centre de toutes les Nations Iroquoises, et où se tiennent tous les ans comme les États généraux, pour vider les différends qui pourraient avoir pris naissance entre eux, pendant le cours de l'année. Leur politique en cela est très sage et n'a rien de barbare : car, comme leur conservation dépend de leur union, et comme il est difficile que parmi des peuples où la licence règne avec toute impunité, surtout parmi les jeunes gens, il ne se passe quelque chose capable de causer de la rupture et de désunir les esprits, ils font chaque année une assemblée générale dans Onnontaé, où tous les députés des autres nations se trouvent pour faire leurs plaintes et recevoir les satisfactions nécessaires, par des présents mutuels, avec lesquels ils s'entretiennent ainsi en bonne intelligence ». Il est donc particulièrement important pour les Français de s'installer dans ce centre politique et national, où affluent des visiteurs de toutes les tribus, où aboutissent toutes les affaires importantes et où se prennent les grandes décisions.

Donner = se rendre

Onnontaé, capitale des Onnontagués, en quelque sorte le cœur de l'Iroquoisie.

Tenue annuelle d'États généraux.

Comme Ondessonk autrefois, le père Garnier est reçu avec cordialité et bienveillance. Les Onnontagués insistent pour que le missionnaire, au lieu de revenir chez les Onneyouts, demeure dans la capitale. En peu de jours, ils lui élèvent une chapelle sous la direction énergique de Garakonthié et lui bâtissent une demeure. La jalousie inter-tribale joue de nouveau. Constatant que les Agniers et les Onneyouts ont déjà des relations avec les Français, que des missionnaires vivent chez eux, ils prennent à leur tour une initiative importante. De Courcelles, leur a-t-on dit, a exprimé le désir de rencontrer Garakonthié, « cet homme si obligeant envers les Français... » Alors, pour assurer le succès de ses projets, Garakonthié se concerte avec les chefs des quatre grandes familles de la capitale. Une ambassade s'organise ; le 20 août 1668, elle sera à Québec. Tels sont les débuts de l'église d'Onnontaé, qui deviendra bientôt la principale église iroquoise, et qui jouera un rôle de première importance pendant les deux prochaines décades.

Ondessonk : surnom donné aux Pères Isaac Jogues et Simon Le Moyne,

Ambassade des Onnontagués à Québec.

À Québec, au cours des conseils, Garakonthié prend la parole au nom de sa tribu et parle avec son éloquence habituelle. Il s'enorgueillissait autrefois, dit-il, d'avoir racheté vingt-six prisonniers français, de leur avoir évité le supplice et de les avoir remis aux Français. Sa propre générosité a été bien dépassée depuis : M. de Tracy en effet n'a pas mis à mort les ambassadeurs onneyouts qui étaient en son pouvoir quand M. de Chasy et ses compagnons ont été tués ; le droit indien le lui permettait. Il n'a pas emprisonné non plus les ambassadeurs des autres nations qui étaient en Canada, il leur a même permis de partir. Il s'est « contenté d'humilier le seul Agnier », et il n'a pas voulu la ruine totale de la nation iroquoise.

décade = décennie

Les Onnontagués ont subi de grandes pertes dans leur lutte contre les Andastes. Le père Garnier a présenté les sympathies des Français et Garakonthié a exprimé leur reconnaissance. Le missionnaire a dit également qu'Onontio lui avait commandé de visiter les Onnontagués « pour voir en quel état était nôtre pauvre nation ». « Cette courtoisie, ajoute Garakonthié, nous a tellement gagné le cœur que nous lui avons fait toutes sortes de caresses, et l'avons prié de ne nous point quitter... » Le missionnaire a acquiescé à cette demande à condition que des Onnontagués viennent lui demander un compagnon à Québec. C'est ce qu'il fait maintenant. « Vous ne sauriez douter de ma fidélité : je vous prie de croire que toutes nos Nations seront dorénavant dans le respect qu'elles ont promis à votre grand Onontio, n'écoutez plus les Hurons fugitifs, qui vous veulent mettre en défense envers nous ».

Garakonthié demande ensuite l'intervention des Français dans le conflit qui sévit entre les Mohicans et les Iroquois : « Faites, O Onontio, que vôtre voix retentisse dans leur pays, et que dorénavant ils n'infestent plus les chemins, que vous et nous tenons pour nous entrevisiter, car autrement ils vous tueront bientôt aussi bien que nous ». Cette demande tend également à prouver que les Français ont des relations amicales avec les Mohicans et que les questions de paix et de guerre ont pu se discuter entre eux.

Garakonthié termine son discours après avoir offert cinq présents. Le second conseil a lieu le 27 août, une semaine plus tard. Le gouverneur donne sa réponse aux propositions qui lui ont été faites. Les Français connaissent bien le grand chef onnontagué, ils ne doutent ni de son affection ni de sa générosité ni de ses bonnes paroles ; ils espèrent que ses bons sentiments sont partagés par ses frères, par ses neveux et par toute la nation iroquoise et qu'ainsi la paix sera inviolable. Déjà, on entend dire dans la Confédération par des jeunes Onnontagués que si M. de Tracy n'avait pas attaqué les Onneyouts c'est qu'il ne l'avait pas pu, ou qu'il n'avait pas osé. Que Garakonthié leur fasse bien comprendre que si il n'y a pas suffisamment de troupes au Canada, Louis XIV peut en expédier vingt fois plus qu'il n'en est venu, et qu'il en enverra « au moindre avis qu'il aurait que quelque Iroquois des cinq habitations aurait fait la moindre injure, non seulement à ses propres sujets, mais encore à ceux des nations sauvages, qui se sont mis sous sa protection, et qui l'ont reconnu comme leur souverain, ainsi que tu as fait pour les cinq habitations ». Si les autres membres de la tribu des Onnontagués n'observaient pas le traité, les soldats français apparaîtraient en territoire onnontagué pour les détruire. Ils sont cependant convaincus que ceci ne se produira pas ; ils ajoutent foi aux représentations qui leur sont faites. Onontio n'en doute pas, « et pour marque qu'il se confie en tes paroles, et qu'il est assuré d'ailleurs qu'il te pourra toujours punir... il t'envoie une Robe-Noire... Il fera passer la jeunesse dans tes habitations, pour s'employer avec toi à la défense commune ». Quant aux Mohicans, les Français ne les craignent pas ; ils ne pensent pas non plus qu'ils veuillent les attaquer. La guerre en cours ne dépend-elle pas d'abord des

Cinq habitations : les cinq peuples iroquois, les Cinq Nations.

Robe Noire : surnom des missionnaires.

Iroquois eux-mêmes ? Car « il faut que tu saches que le Loup a fait entendre que l'Iroquois lui faisait la guerre... » L'Onnontagué affirme que ce sont les Agniers et les Onneyouts seulement qui conduisent les hostilités contre les Mohicans. Toutefois le Mohican répond qu'il a cherché les auteurs de certains meurtres, et que les Agniers et les Onneyouts leur ont alors assuré « qu'ils n'étaient pas les meurtriers, et que les casse-tête venaient de vos trois Nations supérieures, Onnontagués, Goyogouins, Tsonnontouans » ; ils assurent de plus aux Français que des guerriers des trois tribus supérieures prennent souvent part à la guerre chez eux. Il faudrait donc que les cinq tribus cessent leurs attaques contre le Mohican « afin que le Français put avec justice lui défendre de la faire à l'Iroquois, de quelque nation qu'il soit ».

Toutefois, les Onnontagués affirmant par la bouche de Garakonthié, qu'ils ne veulent plus à l'avenir, faire la guerre aux Mohicans, le gouverneur demande à ces derniers de vivre en paix avec eux.

Ce passage indique de nouveau les relations amicales et étroites qui existent entre les Mohicans et les Français.

Casaque : vêtement de dessus à larges manches

En récompense de ses services, Garakonthié reçoit du gouverneur « une magnifique casaque d'écarlate chamarrée d'argent » ; et il retourne chez lui avec deux missionnaires : le père Étienne de Carheil qui demeurera à Onnontaé, dans la capitale et le père Pierre Millet qui doit se rendre jusque chez les Goyogouins. Les deux jésuites arrivent sur les lieux à la fin du mois d'octobre et ils relèvent l'ancienne mission de Sainte-Marie de Gannentaha.

Étienne de Carheil (1633-1726), jésuite, sera en mission chez les Goyogouins de 1668 à 1685.

Le père Étienne de Carheil arrive le 6 novembre 1668 chez les Goyogouins. Il bâtit une chapelle et commence ses travaux apostoliques. En même temps, se répand une rumeur disant que les Andastes viennent attaquer la bourgade ; tous reviennent des lieux de chasse et de pêche. Mais la nouvelle est fausse. Une active guérilla se poursuit de part et d'autre.

Le 10 novembre, des députés tsonnontouans se présentent à Montréal pour demander deux missionnaires qui les instruiront. Ils apportent à cet effet une bande de grains de nacre pour le gouverneur. Toutefois, le père Frémin, qui habitait chez les Agniers, avait quitté cette mission le 10 octobre, pour se rendre chez les Tsonnontouans. Il avait marché sur la route de l'Iroquoisie, visitant au passage les missions du pays des Onneyouts, des Onnontagués et de Goyogouins, et vingt jours plus tard, le 1er novembre, il arrive chez les Tsonnontouans. Cette tribu le reçoit avec tous les honneurs dus aux ambassadeurs extraordinaires. Elle lui élève une chapelle. Les premières semences évangéliques sont heureuses. Mais des événements malheureux viendront rapidement contrecarrer les efforts des missionnaires.

Migration d'une partie du peuple goyogouin.

La guerre des Andastes est ensuite à la source d'un important mouvement de population. C'est la tribu des Goyogouins qui est la plus menacée et qui doit supporter le plus fort des attaques. Alors des parties importantes de population se déplacent et vont se fixer au nord du lac Ontario. Cette migration se dessine au moment précis où le conflit avec la France s'engage dans la voie d'un règlement, c'est-à-dire en 1665. « Mais parce que la crainte des ennemis a obligé quelques-uns de cette Nation [Goyogouins] à s'écarter, et à s'aller placer sur les côtes du Nord du grand lac Ontario, ce détachement des Goyogouins, ou plutôt cette nouvelle peuplade » éprouve à son tour le besoin de pasteurs catholiques. Des Tsonnontouans se mêleront à ces exilés. Les uns et les autres envoient des députés à Montréal ; ils y arriveront au mois de juin 1668. M. de Fénélon et M. Trouvé, sulpiciens, viennent d'être ordonnés prêtres ; ils s'offrent pour cette mission. Jusqu'à ce jour, les Jésuites ont fourni les missionnaires canadiens. C'est un précédent à établir. Monseigneur de Laval accepte l'offre des jeunes prêtres ; le gouverneur et l'intendant concèdent une seigneurie sur les lieux. Le 2 octobre, les deux apôtres s'embarquent à Lachine avec le chef de la bourgade de Kenté et un autre Indien. Le 28, ils abordent à ce dernier endroit qui deviendra tout de suite le centre de leurs travaux et ils commencent les courses qui les conduiront dans tous les bourgs de cette région.

Fénélon et Trouvé, deux jeunes missionnaires sulpiciens. Le premier était le frère de l'illustre archevêque de Cambrai.

Le *Journal des Jésuites* qui, pendant l'année 1668, a contenu plusieurs entrées relatives à La Prairie de la Magdeleine, soit pour l'examen des lieux, soit pour divers arrangements, expose le fait suivant dans le cours du mois de mai : « Le 26 nous voilà de retour de nôtre voyage de Montréal... Tout commence bien à La Prairie de la Magdelaine ; il y a plus de 40 concessions données ». Ainsi débute une autre entreprise qui deviendra célèbre dans les annales iroquoises. Bientôt des familles catholiques arriveront de l'Iroquoisie pour se grouper autour d'une chapelle dans ce lieu voisin de Montréal qui rappellera d'étroite façon la réduction de Sillery.

Kenté ou Quinté, sur le lac Ontario.

C'est ainsi que pendant les années 1667 et 1668 se forment le cadre et le squelette de l'ordre nouveau. Depuis longtemps, Français et Iroquois se combattaient sans se connaître ; la paix que vient d'apporter le régiment de Carignan ouvre l'ère de la multiplicité des contacts. À La Prairie de la Magdeleine, à Lorette même où se réfugieront des Iroquois catholiques, à Kenté, dans les cinq missions de l'Iroquoisie, les deux peuples vont désormais vivre l'un à côté de l'autre, s'observer, s'étudier, entretenir de continuels rapports.

Chapitre 110

1668

À l'automne de l'année 1667, le roi reçoit les dépêches du Canada, en particulier celles de Talon ; M. de Tracy revient à la même époque. Il a réglé les problèmes militaires et administratifs, a accepté les traités de paix iroquois, a gouverné la Nouvelle-France à sa guise pendant deux ans. Il ne faut pas douter du fait que c'est lui encore qui, à l'automne 1667, inspire la politique que Louis XIV appliquera en 1668. Malheureusement, on ne connaît pas les idées de M. de Tracy.

Le roi prend assez tôt, comme on l'a vu, la décision de ne pas désavouer M. de Tracy et de s'en tenir aux traités conclus avec les tribus iroquoises. Talon l'apprend par une lettre de Colbert qui porte la date du 20 février. Parlant de Sa Majesté, il écrira les phrases suivantes : « Elle envoie ses ordres pour faire revenir le Régiment d'Infanterie de Carignan-Salières... à l'exception de quatre des compagnies qu'elle laisse dans le pays pour conserver les forts les plus avancés et les plus importants, pour la garde des habitants et les garantir de l'incursion des sauvages et autres nations ennemies... » Les compagnies qui demeureront au Canada sont celles dont les capitaines se sont mariés. Louis XIV voudrait aussi que les autres laissent dans la colonie une bonne partie de leurs soldats ; que tous les militaires qui le désirent, puissent s'y établir. Sans contraindre personne, il offre des avantages financiers. Fort de ces écrits, Talon travaillera au Canada dans le même sens. Mais il ne calmera pas facilement l'opposition de M. de Salières, qui voit fondre son régiment, ni celle de M. de Courcelles.

Une partie du régiment de Carignan demeure en Nouvelle-France.

Le roi juge évidemment, sur le rapport verbal de M. de Tracy, que la situation autorise le rappel du régiment. Est-il complètement rassuré ? Il semble que non. Voici ce qu'il écrira en parlant des colons du Saint-Laurent : « ...Ceux qui ont à présent et qui auront ci-après l'autorité... ne sauraient jamais assez travailler à les aguerrir et à les rendre adroits au maniement des armes, capables de l'obéissance et d'une bonne discipline, et par conséquent à les mettre en état et de se bien défendre, et aussi d'attaquer ».

Des colons-soldats

Louis XIV ne permettra pas aux gouverneurs canadiens d'oublier le principe cardinal qu'il vient ainsi de poser. Les Canadiens seront vite astreints aux exercices et aux manœuvres militaires. C'est sur eux que le roi compte déjà pour défendre la colonie. Peu nombreux dans un immense continent, ils sont absorbés par la plus lourde des tâches, celle de défricher pour rendre le pays habitable et vivable. On ne leur épargne pas le faix de cette guerre iroquoise

Faix = fardeau

qui est si difficile à conduire. On continue à s'y préparer. Talon reçoit des félicitations pour avoir formé, près de Québec, trois bourgs qui se conforment à la volonté royale : les habitants y sont rassemblés, ils pourront se défendre, se prêter main forte en cas d'attaque, ils ne souffriront pas de l'isolement qui en faisait des victimes faciles pour l'ennemi.

Bourg La Reine, Bourg-Royal et Charlesbourg. Le dernier conserve le tracé en étoile typique de ces concessions. On croit cependant que l'idée revient aux jésuites.

Ces lignes indiquent assez que la Cour n'est pas convaincue que la paix soit éternelle ; elles prouvent même assez directement le contraire. La situation au fond n'a pas changé. La France et l'Angleterre viennent en effet de mettre fin à leur courte guerre. Louis XIV n'a pas accepté, n'a pas obtenu ou peut-être même n'a-t-il pas demandé la cession de la Nouvelle-Hollande, de l'État de New York, que lui avait conseillée Talon. C'est par New York et par l'Iroquoisie que la Nouvelle-France apprend d'abord la nouvelle « que par le traité la Nouvelle-Hollande demeure aux Anglais, et que l'Acadie est rendue au roi de France ». Pour les Canadiens, ce fait signifie en termes précis que les Anglais, maintenant établis définitivement en Nouvelle-Hollande, soudoieront, le temps venu, les Iroquois contre la Nouvelle-France.

Les Anglais rendent l'Acadie, mais conservent la Nouvelle-Hollande.

D'autre part, de vagues relations se poursuivent entre New York et Québec. On l'a vu (p. 50) le gouverneur anglais a convoqué le père Pierron établi en Anniéjé. Celui-ci est venu tout de suite. Il note que les Anglais n'ont rien reçu de leur pays depuis deux ans, que la disette règne et que la troupe n'est pas nombreuse. La place n'est pas mieux défendue qu'au temps des Hollandais. Le missionnaire voit le gouverneur : « Le dessein de ce Général, dit Marie de l'Incarnation, ainsi que nous l'avons appris, était principalement de sonder dans ce Père les intentions des Français, parce qu'il craignait qu'une armée française n'allât l'attaquer, comme elle avait fait des Iroquois, ainsi que l'on en avait fait courir le bruit » .

Les Anglais de New York éprouvent cette crainte parce que la guerre entre la France et l'Angleterre n'est pas terminée et que le régiment de Carignan demeure posté sur le Richelieu. Plus tard, la paix faite, un nouveau gouverneur arrive à New York. Il écrit tout de suite à M. de Courcelles « une lettre toute pleine d'amitié. Il ne s'oppose point à ce que les Pères prêchent la foi de nos mystères aux Iroquois ; mais il n'est pas content que les Français de Montréal traitent avec eux, parce que cela diminue leur pelleterie, et par conséquent leur revenu. Voilà comme chacun cherche ses intérêts ». Alors, dès que les Anglais ne redoutent plus d'attaque contre Albany ou New York, ils étendent de nouveau la main sur l'Iroquoisie et s'efforcent d'y conserver leurs droits commerciaux. Mais, ils rencontrent d'abord quelque résistance. D'après Marie de l'Incarnation, le père Pierron écrit au gouverneur de New York au sujet des boissons alcoolisées : « Il a même interposé l'autorité du roi, affirme-t-elle, lui représentant que Sa Majesté ne souffrirait jamais que l'on perdît un peuple qui était soumis à son obéissance ». Elle ajoutera même la phrase suivante : « Les Iroquois désirent avec ardeur qu'une colonie française aille s'établir avec eux ; le temps fera voir ce qui sera à faire ».

Et c'est ainsi que l'Iroquoisie entre dans un régime nouveau. En droit, la France a pris possession de ce pays, soit par les traités signés avec chaque tribu, soit par acte rédigé sur les lieux ; toutefois, elle ne paraît pas attacher à ses droits une très grande valeur ; elle ne semble pas trop y croire ; les actions pratiques qui démontreraient l'évidence de cette possession ne se posent pas. La situation est mal tranchée. Passant à l'Ouest des colonies anglaises de l'Atlantique, une colonisation puissante ne remonte pas le Richelieu, le lac Champlain, le lac Saint-Sacrement, comme l'avait conseillé Champlain autrefois, pour aller enserrer et entourer au sud la lointaine Iroquoisie. Talon, qui a l'âme impériale et qui a toujours deviné les possibilités de ce continent, a exposé de grands plans à la Cour. Phénomène invraisemblable, ni le grand roi ni ses grands ministres n'ont mordu à cette entreprise. Talon reçoit une dure rebuffade : « Le Roi, lui répond Colbert, ne peut convenir de tout le raisonnement que vous faites sur les moyens de former du Canada un grand et puissant État, y trouvant divers obstacles... Il ne serait pas de la prudence de dépeupler son Royaume comme il faudrait faire pour peupler le Canada... » Et dans ces phrases se loge l'erreur capitale qui coûtera l'Amérique à la France. Car après avoir laissé la Nouvelle-Hollande aux Anglais, Louis XIV ne prend pas le soin de s'assurer de l'Iroquoisie dont il vient de prendre possession et qui demeure infiniment dangereuse. Les choses en restent pratiquement en l'état où elles étaient avant 1665.

Grave erreur stratégique de Louis XIV.

Par contre, les missionnaires pénètrent dans les tribus iroquoises. Les Jésuites s'installent au foyer de ces ennemis terribles pour y poursuivre, à longueur d'année, leurs travaux. Ils sauront ce qui se passe en Iroquoisie. Ils auront aussi l'occasion d'intervenir sur les événements ; ils sauront parfois s'y créer une clientèle ; ils s'essaieront à la tâche profonde de modifier l'Iroquois par l'intérieur, d'en faire un catholique, une personne attachée à la France ; qu'ils le veuillent ou non, ils sont les tenants de la politique et de la cause française. Des laïcs se joindront parfois à eux. Le Moyne, Cavelier de La Salle auront également une grande influence.

Toutefois, du point de vue commercial, l'Iroquoisie demeure sous zone d'influence anglaise. Agniers, Onneyouts, Onnontagués, Goyogouins, Tsonnontouans, continuent à porter presque toutes leurs fourrures à Albany pour les échanger contre des marchandises européennes. Leurs sachems y viennent annuellement pour renouveler leur traité d'alliance et de paix. Et là, ils tiennent des conseils qui permettent à l'influence anglaise de se maintenir et de s'exercer largement.

L'Iroquoisie entre ainsi dans une dualité qui sera le fond de sa politique pendant de longues et difficiles années. Deux grandes nations européennes ont un accès chez elle ; l'État de New York, c'est-à-dire l'Angleterre, qui succède à la Nouvelle-Hollande et qui, par la proximité, par les relations commerciales, ne peut que jouer un grand rôle ; la Nouvelle-France, et ainsi la France qui, par ses missionnaires et par ses explorateurs, saura souvent

Dualité de la politique des Cinq Nations.

contrebalancer l'influence des marchands anglais. Cet accès a été conquis en 1665 et en 1666 par le régiment de Carignan. Installés au foyer des Iroquois, Anglais et Français s'efforceront de gagner à leur pays les puissants sachems.

Les Iroquois, politiciens avisés et tenaces, apprendront à opposer Français et Anglais.

Les Iroquois sont des politiciens avisés et tenaces. Ils apprennent vite à jouer le jeu entre des Français qui ne peuvent les détruire et des Anglais qui veulent se servir d'eux. Ils sont les plus faibles; les Anglais sont à leur porte, ils sont très nombreux, ce serait une folie d'entreprendre une lutte militaire contre eux; les Français représentent un pays plus puissant, mais la Nouvelle-France est éloignée; de dangereux guerriers peuvent cependant venir du Saint-Laurent en partis puissants. Les Iroquois qui veulent subsister et maintenir leur unité nationale, apprendront vite à opposer Français et Anglais, ces deux hôtes trop puissants que le hasard a poussés dans leur cabane. Si l'un veut leur imposer une mesure dont ils ne veulent pas, ils courront à l'autre; s'ils sont menacés par l'un, ils demanderont assistance à l'autre. Jeux subtils, dans lesquels bientôt ils seront passés maîtres; mais qui, en même temps, ne révèlent pas toute la situation: une partie de la population, des groupes de sachems se laisseront gagner à la cause de l'une ou l'autre nation en toute sincérité, ou par la méthode habituelle des présents; l'Iroquoisie, à certains moments, sera profondément divisée et déchirée par des dissensions intérieures.

Cette nouvelle situation, qui se développe rapidement après 1668, est donc meilleure que l'ancienne, alors qu'un seul peuple européen influençait la politique iroquoise. Le régiment de Carignan, conduit par des hommes de l'époque, n'a probablement pas pu obtenir mieux. M. de Tracy n'a pas livré ses pensées intimes sur ce problème, mais tout indique qu'il ne croyait pas pouvoir subjuguer entièrement l'Iroquoisie avec les forces à sa disposition, ni la placer à tout jamais sous l'unique influence de la France. Pour obtenir un résultat idéal, il aurait fallu plus de soldats et une politique coloniale beaucoup plus vigoureuse et plus agressive.

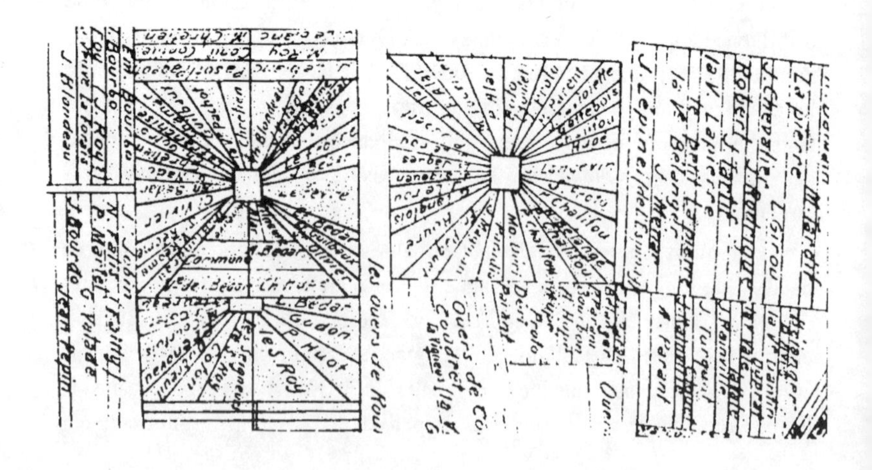

Chapitre 111

1669

Les traités de paix n'apportent pas en 1669 tous les bénéfices que l'on en attend. De nombreux incidents menacent la tranquillité des habitants.

Tout d'abord, les arrangements en vertu desquels les familles iroquoises s'établiraient ou vivraient en Canada ne sont pas un succès complet. Manquant totalement de fourrures dans leur pays, des Iroquois prennent avantage de la paix pour chasser en Nouvelle-France. Des groupes se répandent ici et là. Ainsi, pendant l'hiver 1668-1669, six Onneyouts — trois hommes, une femme, deux enfants — construisent une cabane sur la rivière Mascouche ; de ce pied-à-terre, ils rayonnent dans les forêts environnantes. Trois Français chassent aussi dans le voisinage. Le printemps venu, ceux-ci rendent visite aux Iroquois, ils découvrent que ces derniers ont accumulé une bonne quantité de peaux d'orignaux et de castors, cinquante peut-être. Et ils forment le projet criminel de s'en emparer.

L'affaire de la rivière Mascouche.

Cette affaire est bien connue, grâce à une déposition de René Cavelier, sieur de La Salle, datée le 5 juillet 1669, et faite devant Bénigne Basset, notaire, « pour l'intérêt public ». L'explorateur raconte que des Iroquois lui ayant déclaré qu'à leur avis ce crime ne pouvait avoir été commis que par des Français, il a conduit une enquête et découvert que, pendant l'hiver 1668-1669, Étienne Bauchaud et trois individus portant les noms de Lafontaine, de Cochon et de Jean Turcot étaient voisins de chasse du groupe onneyout. Turcot lui a confessé qu'au printemps, il s'était rendu avec ses trois compagnons dans la cabane des Iroquois ; Français et Onneyouts avaient pris part à un festin de sagamité et d'eau-de-vie ; les Français avaient alors décidé de massacrer leurs hôtes quand ceux-ci seraient ivres ; les cris d'un chat-huant avaient réveillé à minuit un Onneyout qui se mit à dire qu'à l'aube, il ne serait plus vivant : Lafontaine avait réussi à dissiper les craintes de cet Indien ; peu de temps après, les Français avaient massacré les Onneyouts : trois hommes, une femme, un enfant d'un an et demi puis un autre de sept ou huit ans. Ils s'étaient ensuite emparés des fourrures et les avaient cachées en face de la cabane de Bauchaud. Les meurtriers avaient amarré les cadavres dans un canot, posé des perches de travers par-dessus, puis ils l'avaient coulé avec sa lugubre cargaison. Le butin avait été le suivant : 58 peaux d'orignal, 30 de castor, 150 livres de graisse, des capots, des bas, des mitasses, etc.

René-Robert Cavelier de La Salle (1643-1687), explorateur.

Jean Turcot est frustré plus tard de sa part du larcin qui peut avoir une valeur d'environ 400 livres. Il apprend que la « cache » a été violée, et les peaux volées ; elle était dans un îlot de la rivière Jésus. Il révèle toute l'affaire à un nommé Leprévost et à deux autres compagnons ; il leur demande de porter un billet à Bauchaud alors « dans la maison de la commune » ; par cet écrit, il lui demande de nouveau sa part sous peine de dénonciation. Il emprunte ensuite un certain montant de Cavelier de La Salle parce qu'il croit que ses camarades lui donneront la forte somme pour sa part de pelleteries. C'est ainsi que ce dernier est saisi de toute l'affaire. Turcot affirme encore que ses complices lui ont proposé d'autres opérations du même genre et même des émoluments.

René de Bréhant de Galinée (v. 1645-1678), sulpicien.

La Salle doit partir le lendemain, 6 juillet, avec Dollier de Casson et Galinée pour une expédition qui tournera court en chemin. Il a été propriétaire d'une seigneurie à Saint-Sulpice, non loin de Mascouche, qu'il vient de vendre pour se procurer les fonds nécessaires à son exploration.

Le meurtre d'un capitaine tsonnontouan.

Chose assez curieuse, le départ de La Salle, de Dollier de Casson et de Galinée, est remis au 6, parce que trois soldats de la garnison de Ville-Marie, tout comme les Français de Mascouche, ont tué un capitaine tsonnontouan pour s'emparer de ses pelleteries et qu'ils doivent payer ce forfait de leur vie le 6 juillet. Nous possédons moins de renseignements sur ce second crime. Il est aussi grave que le premier : la victime occupe une place éminente parmi ses compatriotes. Tout ce que l'on sait, c'est que les soldats font un voyage en forêt pour troquer avec les Indiens des marchandises contre des fourrures, qu'ils rencontrent cet Iroquois en possession de riches pelleteries et l'assomment simplement pour s'en emparer.

Commis très probablement le dernier, le meurtre du chef tsonnontouan est découvert assez vite. Après un procès expéditif, les meurtriers sont condamnés à mort. C'est au cours du procès qu'on découvre l'affaire de Mascouche qui a fait de plus nombreuses victimes. Bien que non encore connus, les coupables sont condamnés par contumace.

Les conséquences de ces deux horribles assassinats sont graves, comme on peut facilement l'imaginer. Marie de l'Incarnation les signalera dans une lettre du mois d'octobre : « Nous avons été à la veille, dit-elle, de voir les nations sauvages venir fondre sur nous et rompre la paix qu'ils avaient faite, et qui a tant coûté au Roi. Nôtre situation était d'autant plus embarrassante que les Missionnaires étaient dispersés en toutes ces nations, il y avait sujet de craindre qu'ils ne fussent égorgés avec tous les Français de leur suite. Ce qui a encore aigri les affaires du côté des Iroquois, c'est que les trois assassins ayant été saisis et interrogés, l'un d'eux déposa que les deux autres avaient proposé d'empoisonner, dans les occasions, autant d'Iroquois qu'ils pourraient. Ce bruit a éclaté et nous a mis dans la dernière crainte que les Iroquois ne fissent mourir les Missionnaires et ne vinssent à détruire nos habitations écartées ; les Tsonnontouans en particulier avaient résolu de tuer autant de Français qu'ils en pourraient rencontrer à l'écart, pour venger la mort de leur capitaine ».

De plus, ces meurtres ont des conséquences politiques; ils nuisent au rapprochement franco-iroquois; ils menacent la pacification et font naître des germes de défiance.

Monseigneur de Laval ordonne des prières publiques. Quant à M. de Courcelles, il juge la situation si grave qu'il se rend à Montréal ou six cents Outaouais, un nombre fort élevé, arrivent pour la traite annuelle. Sous le nom d'Outaouais, les Français comprennent plusieurs tribus de l'ouest qui se sont assemblées «plutôt néanmoins pour leurs chasses et pour leurs traites». Le gouverneur les convoque à un grand conseil. Savant en langues indiennes, le père Chaumonot harangue ce vaste auditoire, parlant à la façon des sauvages eux-mêmes et leur offrant des présents qui symbolisent chaque proposition.

Les autorités françaises expliquent aux Indiens que les meurtres commis sur les Iroquois sont le fait de particuliers, d'individus isolés et non celui de la nation ou du gouverneur; elles désirent se dissocier de ces crimes et prouver qu'ils ne resteront pas impunis. C'est pourquoi elles font exécuter les meurtriers le 6 juillet devant les Indiens rassemblés. Les coupables se repentent au dernier moment et leur fin est édifiante. Peu d'Iroquois toutefois sont présents.

Une victime : trois coupables ? Deux sortes de justice.

Les Indiens comprennent mal la justice européenne et les exécutions de sang-froid. Eux ressuscitent un mort en donnant son nom à une autre personne, au lieu de tuer un être vivant; ils exigent des proches du criminel des réparations substantielles, et c'est la famille, le clan ou la tribu qui les fournissent. De plus, ils comprendraient peut-être l'exécution d'un seul coupable pour la mort d'une victime; l'exécution de trois criminels leur semble injuste et ils offrent des présents pour que l'on épargne la vie des deux autres condamnés. En vain, car la justice française suit son cours inexorable.

Comme il faut s'y attendre, ces assassinats provoquent une profonde commotion en Iroquoisie. Le père Frémin est dans la capitale quand la nouvelle y arrive. Le conseil s'assemble immédiatement pour délibérer. «Cette nouvelle, dit le missionnaire, altéra terriblement toute cette Nation». C'est pourtant un Iroquois que M. de Courcelles a envoyé de Montréal, qui raconte les divers assassinats; il apporte aussi des présents sous forme de colliers ou de bandes de grains de nacre. Cependant, il ose changer la destination de chacun des présents en gardant pour sa tribu une bande de cinq mille grains de nacre noirs, le plus beau, et en réservant l'autre pour les Tsonnontouans. Les missionnaires ayant reçu en même temps une lettre du père Chaumonot qui contient les renseignements nécessaires, ils remettent immédiatement les choses au point.

Garakonthié prend en mains les négociations. Il rencontre un Tsonnontouan dans Onnontaé, «il lui donna le collier qui était pour cette Nation, lui disant, il y a trop loin pour y aller moi-même; tu feras entendre à tes anciens la voix et la pensée d'Onontio». Comme des Onneyouts doivent venir bientôt dans la capitale pour le conseil général, il retient les présents des Onneyouts:

« Il est hors de doute, dit le missionnaire, qu'une affaire de cette nature est très fâcheuse, et capable de rallumer la guerre entre l'Iroquois et le Français ».

Chargé des présents français, le Tsonnontouan arrive enfin dans son pays : « Ce collier, dit le missionnaire, a été reçu ici assez froidement, et bien que le châtiment exemplaire que Monsieur le Gouverneur avait fait de ces assassins, leur fit approuver sa conduite et louer sa justice, je crois néanmoins qu'ils eussent mieux aimé dix colliers de porcelaine, que la mort de ces trois Français ; parce qu'ils ne se voient pas en état de rendre la même justice, dans une pareille occasion. Ils témoignent cependant se contenter de cette satisfaction, et je ne pense pas qu'ils osent pousser plus loin leur ressentiment, ni rien entreprendre contre les Français ». En effet, si les Iroquois commettent des meurtres contre des Français, leurs compatriotes ne les condamneront pas à mort et ne les exécuteront pas. Ils offriront seulement des réparations, comme le veut leur propre justice de temps immémorial ; ils tiennent à leur justice à eux, à ses formes, autant que les Français tiennent à la leur.

Les conflits entre Iroquois et Outaouais.

En 1668, peut-être pendant l'hiver 1668-1669, un ancien conflit se réveille. C'est celui qui partage les Iroquois et les Outaouais, ou plutôt les Iroquois et les Indiens alliés du Wisconsin. Ces derniers sont les pourvoyeurs en fourrures des Français ; ils sont les maîtres des pelleteries les plus riches et les plus précieuses du Nord, comme le castor, la martre, la zibeline, le vison, le renard blanc, etc. D'autre part, ils ont besoin de marchandises européennes, en particulier d'armes à feu.

Avant 1665, les Iroquois se sont postés régulièrement sur le passage des flottilles, à l'aller ou au retour, le long du Saint-Laurent et de l'Outaouais, pour les piller, les harceler, tuer des hommes. Ils ont aussi conduit des expéditions mal connues dans la région du lac Supérieur. Entre 1657 et 1660, ils ont obligé les Hurons et les Outaouais, établis à la baie Verte, à se réfugier plus loin encore chez les Sioux. Les exilés sont donc allés s'établir au fond d'une baie profonde, au sud-ouest du lac Supérieur, où ils vivent maintenant. Et les tribus des alentours composent avec eux des foules mêlées qui, sous leur direction générale, viennent à la traite.

La situation à cette époque est donc la suivante : les traités franco-iroquois de 1665, 1666, 1667, ne concernent pas ces peuples qui, en général, vivent en amis avec la France et lui sont indispensables parce qu'ils lui apportent des fourrures. Les Iroquois croient qu'ils peuvent les attaquer sans enfreindre leurs engagements. Pour satisfaire des désirs de vengeance et surtout pour mettre la main sur les précieuses pelleteries du nord dont ils ont toujours besoin, ils ne tarderont pas à envoyer leurs partis de guerre dans cette direction. Non moins remuants, souvent présomptueux, les Outaouais et autres Indiens alliés ont le goût de riposter. Moins bien pourvus d'armes, moins aguerris, ils se lancent, sans y réfléchir suffisamment, dans de petites aventures militaires qui leur attirent de sanglantes représailles.

On a vu arriver en Anniéjé en 1668, un prisonnier outaouais destiné au supplice. Les Agniers ont voulu cacher ce fait au missionnaire, car ils redoutent la réaction des Français. Ceux-ci comprendront que des guerriers iroquois ont commis une agression contre leurs alliés. C'est probablement cette action de l'année 1668 qui déterminera une attaque contre les Iroquois, en 1669, ou pendant l'hiver 1688-1689. Marie de l'Incarnation en parle dans les termes suivants: «Pour comble de division et de malheur, les Outaouais, qui sont amis des Français, ont exercé un grand acte d'hostilité sur les Iroquois, ayant pris ou tué dix-neuf de leurs gens. Ce sont toujours des sujets d'ombrage aux Iroquois de se voir attaqués par nos alliés, et à nous des motifs de crainte pour une rupture générale de la paix».

Le gouverneur, arbitre.

En bonnes relations avec les uns et avec les autres, le gouverneur du Canada devient l'arbitre entre les parties. Sa situation est expliquée par la phrase suivante des *Relations*: «...Monsieur notre Gouverneur, qui est maintenant devenu par son courage et par sa bonne conduite, l'arbitre général et le maître de tous les différends et de toutes les guerres de ces Sauvages...» Autrefois, les Français ont employé des mots à cet effet, mais c'est maintenant que des réalités s'introduisent sous les mots. Pendant une certaine période, le gouverneur sera un juge obéi; les nations indiennes qui gravitent autour de la Nouvelle-France se soumettront à lui. Il rendra en général une justice stricte, réconciliera les tribus, apaisera les différends, conseillera des accords, prônera des solutions pacifiques, maintiendra la paix. Son action s'exercera dans le sens de la conservation des tribus indiennes.

Pendant l'été 1669, l'attaque des Outaouais se mêle dangereusement à l'affaire des sept Onneyouts et du Tsonnontouan tués par des Français. Aspirant toutefois à la paix, les Outaouais descendent à la traite avec le projet de cesser les différends qui les opposent aux Iroquois; ils ramènent trois prisonniers qu'ils veulent libérer. Mais voici l'histoire qu'ils racontent à Montréal au début du mois de juillet. Une troupe d'une vingtaine d'Iroquois se rend à la chasse; elle rencontre en chemin deux compatriotes que les Outaouais ont capturés, mais qui, par la suite, ont réussi à s'échapper. Ceux-ci leur révèlent que la bourgade d'où ils ont fui est vide de guerriers. Les Iroquois s'y rendent rapidement, ils pénètrent facilement dans la place qui n'est pas défendue, ils y capturent une centaine de femmes et d'enfants. Certains fugitifs ont pu s'enfuir, ils avertissent les guerriers qui reviennent à la hâte, poursuivent les Iroquois, mais sont incapables de les rejoindre. Des tribus voisines s'allient alors à eux pour tirer vengeance de ce grand crime. Un parti de guerre se forme vite. Il attaque les cabanes où s'abritaient les chasseurs iroquois et leur infligent une cruelle défaite. Ils reviennent enfin avec une quinzaine de prisonniers de guerre. Mais ils ne sont pas très rassurés, car les Iroquois battus appartiennent à la tribu des Tsonnontouans. Ils demandent l'intercession de deux missionnaires qu'ils amènent avec eux à Montréal pour régler le différend, ramènent trois prisonniers et promettent de libérer les douze autres qu'ils ont laissés au pays.

Claude Allouez (1622-1689), jésuite, nommé vicaire général en 1663 par Mgr de Laval pour ce qui est aujourd'hui le centre des États-Unis.

M. de Courcelles veut bien se porter garant auprès des Tsonnontouans de la bonne foi les Indiens alliés et donner une garantie de la promesse qu'ils ont faite de relâcher les autres prisonniers. Le père Allouez se charge d'une mission chez eux. « Trois prisonniers que le Père Allouez a amenés ici avec lui cette année, et qu'il a rendus aux Iroquois de la part de Monsieur de Courcelles notre Gouverneur, affermiront sans doute la paix qui a été faite entre les Iroquois et les Outaouais... ». Cette ambassade est arrivée à temps en Iroquoisie : « Néanmoins l'on a su que les plus considérables du pays ont arrêté, à la sollicitation du Père, trois partis de leurs guerriers qui se disposaient à aller en guerre ». Ce qui a facilité l'arrangement, c'est que les Iroquois « ont la nation des Loups [Mohicans] et des Andastes sur les bras, et qu'ils craignent plus que jamais les armes de la France ». L'auteur des nouvelles est un peu inquiet, il parle « de la guerre qui se prépare contre les Outaouais algonquins, laquelle brouillera beaucoup les affaires, et retardera infailliblement les progrès de la Foi parmi ces peuples ».

Les Neutres étaient une tribu de langue huronne-iroquoise. Ils furent vaincus par les Iroquois en 1650-51.

À la fin du mois de septembre, Dollier de Casson et Galinée sont dans l'ancien pays des Neutres, la presqu'île de Niagara. Ils y voient arriver un certain Jolliet, probablement Adrien Jolliet, le frère du grand explorateur, qui revient du Nord-Ouest et qui se rend au pays des Tsonnontouans pour libérer un prisonnier iroquois. Il raconte qu'« ayant trouvé aux Outaouais des prisonniers que ces peuples avaient faits sur les Iroquois, il leur dit que l'intention d'Onontio était qu'ils vécussent en paix avec les Iroquois et leur persuada d'envoyer aux Iroquois un de leurs prisonniers, en témoignage de la paix qu'ils voulaient avoir avec eux ».

Le père Allouez est « descendu cette année à Québec pour mettre entre les mains de Monsieur de Courcelles, les captifs iroquois qu'il avait rachetés de sa part, des Outaouais... » ; mais pendant les mois qui ont précédé son retour, de nombreuses tribus se sont rassemblées à la pointe du Saint-Esprit, au fond du lac Supérieur et il a prêché un grand rassemblement d'Indiens « pendant le temps que la crainte des Iroquois les a tenus rassemblés ». Une fois que les arrangements avec les Outaouais ont été faits, ils sont si optimistes qu'ils attendent des ambassadeurs iroquois.

Qui sont ces Nez-Percés ? Des Outaouais comme le suggère l'auteur ? Ou des Amikoués ? Plusieurs tribus ont été surnommées les Nez-Percés.

Un autre incident qui semble aussi se rapporter à cette guerre, se produit à Onnontaé dans les derniers jours du mois d'août. Le conseil qui vient d'étudier les meurtres commis sur des Iroquois en Nouvelle-France est à peine terminé, « qu'on entend dans le bourg le cri d'un Onneyout, qui venait de se sauver très heureusement des mains d'une troupe de guerriers de la Nation des Nez-Percés ». Invité à raconter son aventure, ce guerrier explique qu'il était parti avec quatre jeunes compagnons, que tous revenaient victorieux avec deux prisonniers touagannha, lorsqu'ils ont rencontré un parti de Nez-Percés qui les a défaits, a tué ses quatre compagnons, et libéré les captifs. Lui seul a pu s'échapper. S'agit-il ici des Outaouais à qui l'on donne parfois ce nom, ou de véritables Nez-Percés ? On l'ignore. « Nous ne savons pas encore, dit le missionnaire, quelle résolution il prendra sur ce sujet. Ce que je puis vous assurer, est que nous sommes par la grâce de Dieu préparés à tout événement... »

Le règlement de l'affaire des Outaouais ne semble pas définitif. Après s'être rendu d'Onnontaé à la bourgade des Goyogouins, un missionnaire écrit ce qui suit : « Depuis le premier jour de septembre, toute la jeunesse de ce pays commença selon la coutume de se mettre en campagne... Ils peuvent être environ cinq cents pour la guerre, divisés en plusieurs bandes, qui marchent tous contre les Touagannha, et quatre ou cinq cents pour la chasse au castor, qu'ils feront vers le pays des Hurons. Ces derniers mènent leurs femmes et leurs enfants avec eux, tellement qu'il ne reste ici qu'un petit nombre de personnes avancées en âge. J'ai su qu'ils faisaient la même chose à Goyogouin, et qu'ils s'étaient tous partagés, ou en chasseurs, ou en guerriers ».

Touagannha ? Des alliés des Outaouais dit Nez-Percés ?

Chapitre 112

1669

Le conflit entre Agniers et Mohicans.

Sur leur frontière orientale, les Agniers combattent avec énergie les Mohicans ou Loups. Les premiers rapports des missionnaires sont remplis des incidents de cette guérilla qui se poursuit autour des bourgades, qui fait de nombreuses victimes en même temps qu'elle permet de grandes victoires. Un missionnaire écrit: «L'on ne saurait dire si la guerre que les Iroquois ont avec les neuf tribus des Loups répandues depuis Manhate, jusques aux environs de Québec, est plus avantageuse à la foi chrétienne, que la paix. La guerre les humilie par la perte de leurs gens,... elle met des obstacles à la conversion des guerriers qui se séparent en plusieurs bandes pour aller en parti contre l'ennemi. Les Agniers et les Loups se font la guerre jusques auprès de la nouvelle Orange et s'étant pris se brûlent et se mangent les uns les autres. Mais les Loups ont cet avantage qu'étant grand nombre d'hommes et gens errants, ils ne peuvent être facilement détruits par les Iroquois, et les Iroquois le peuvent être facilement par les Loups». Les *Relations* permettent de se faire un tableau exact de cette «petite guerre».

Guérilla, de «petite guerre».

Ambassadeur des Agniers en Nouvelle-France.

Les Agniers souffrent tellement de ces hostilités qu'au printemps 1669, ils ont eux-mêmes recours aux Français. Leurs députés viennent en Nouvelle-France au printemps de l'année 1669. «L'ambassade des principaux guerriers d'Agnié qui sont venus le printemps vers M. de Courcelles notre Gouverneur, pour lui demander avec des présents quelques-uns de nos Pères, afin d'assister celui qui a soin de leur Église» est une marque que l'on a raison de concevoir de grandes espérances au sujet de leur conversion. «De plus la paix qu'ils sont d'eux-mêmes venus les premiers affermir par de nouveaux présents...» contribue encore à l'avancement de la religion. Enfin, ils sont «dans la juste crainte que leur donnent les armes du Roi, sous la conduite de M. de Courcelles, dont ils redoutent le courage, et qui, à même temps qu'il agit avec eux de la manière la plus propre à les tenir dans le devoir...», leur inspire encore les sentiments de piété.

Après avoir renouvelé leur traité de paix, demandé des missionnaires, ces députés sollicitent encore l'assistance des Français contre les Mohicans. «Ces barbares ont maintenant une si haute idée de la valeur les Français, qu'ils pensent qu'il n'y a que la protection du Roi qui les puisse défendre de leurs ennemis, c'est pourquoi ils sont venus demander du secours à Monsieur nôtre Gouverneur contre la nation des Loups, *comme pour la défense d'un pays qui est déjà au Roi par la force des armes, et qu'ils ne tiennent que parce qu'il lui plaît de le laisser. C'est ainsi que les ambassadeurs d'Agnié se sont expliqués dans leur harangue*». Voici des paroles à retenir pour le jour où se livrera la grande bataille pour la possession de l'Iroquoisie.

Les *Relations* ne nous fournissent pas la réponse des Français. On doit supposer toutefois qu'elle est la même que celle qu'ils ont donnée aux Onnontagués conduits par Garakonthié.

Les Anglais s'intéressent particulièrement à cette guerre qui nuit au commerce d'Albany : « La guerre entre les Agniers et les Indiens de la Rivière, qui dure maintenant depuis six ans, agit beaucoup au détriment de cette place », écrit Jeremiah Van Rensselaer.

Francis Lovelace, successeur du gouverneur Richard Nicolls

Quand les Agniers sont en guerre, ils ne peuvent s'éloigner de leur pays pour la chasse. N'en trouvant plus chez eux, ils n'apportent pas de fourrures aux factoreries. Aussi, le 29 décembre 1669, le gouverneur Lovelace de New York parlera-t-il au gouverneur Winthrop « du vif désir des Agniers de conclure une ferme paix avec les Mohicans..., tous les moyens seront employés pour rendre un bénéfice si universel à ce coin du monde». Un peu plus tard, au mois de janvier, il écrira les mots suivants : « Je suis résolu de commencer au printemps l'ouvrage d'établir une paix générale... » Au fond, la guerre conduite par les Andastes et par les Mohicans sert les intérêts de la Nouvelle-France en affaiblissant et en tenant en échec l'Iroquoisie ; elle nuit à la l'État de New York qui a besoin d'une Iroquoisie assez forte pour lui rapporter des fourrures.

Les Andastes sont de la famille iroquoienne, tandis que les Mohicans appartiennent à la famille algonquienne.

Cette guerre comporte des épisodes sanglants. Ainsi, le matin du 18 août 1669, trois cents Mohicans paraissent soudain autour de la bourgade de Gandouagué, qui est la plus orientale des trois et fort solide. Une fusillade éclate, les balles traversent les palissades et les écorces des cabanes. Cette diane réveille vite la population qui ne perd pas toutefois son sang-froid ; la hache ou le fusil en main, chaque homme est rapidement à son poste ; les femmes fondent des balles et s'arment de couteaux. Quatre guerriers perdent bientôt la vie, deux sont blessés. Cette fusillade s'entend de la bourgade voisine d'où la population fuit. Les fuyards atteignent vite Tionnontoguen, hameau éloigné de quatre lieues, ils donnent l'alarme en disant que la première bourgade est déjà tombée aux mains de l'ennemi, et peut-être aussi la seconde, Gandagaro. Malgré cette nouvelle, les guerriers se parent de leurs ornements de guerre et courent au combat. À leur arrivée, ils trouvent l'ennemi en pleine retraite. Le siège a duré deux heures sans donner aucun résultat. Un Mohican a perdu la vie.

Gandouagé, village agnier

Tionnontoguen, important (peut-être le plus important) village agnier.

Gandagaro, village tsonnoutouan.

Les femmes fabriquent alors des farines pour la subsistance des troupes qui commencent immédiatement la poursuite. La nuit suivante, ces troupes découvrent le gîte de l'ennemi. Mais celui-ci l'a si bien choisi, que les Iroquois ajournent l'assaut.

Ils vont se poster en embuscade plus loin sur la route que les Mohicans doivent suivre et qui conduit aux forts de l'Hudson. C'est un défilé. Quand les

Mohicans s'y présentent, douze d'entre eux sont soudain fauchés par une fusillade. Après une brève escarmouche, ils battent en retraite dans le lieu facile à défendre où ils ont passé la nuit. Assiégés avec fureur, ils résistent fermement. Quelques-uns s'évadent. Le jour s'écoule dans un vif combat que la nuit vient interrompre. Au matin, les Agniers trouvent le nid vide. Les Iroquois auraient rapporté dix-neuf scalps, plus six prisonniers et quatre prisonnières. Un témoin affirme que l'affaire a coûté cinquante victimes aux Mohicans et quarante aux Agniers. Ces chiffres varient selon les versions. Le missionnaire baptise les prisonniers qui subiront la torture: « Ces guerres affaiblissent terriblement l'Agnier, et ses victoires mêmes, qui lui coûtent toujours du sang, ne contribuent pas peu à l'épuiser ». Cette idée est développée : « La victoire de nos Agniers sur les Loups leur a été plus glorieuse que profitable, à cause qu'ils sont très peu de monde en comparaison de leurs ennemis, qui peuvent leur opposer cinquante hommes contre un. Cependant elle n'a pas laissé de leur enfler le courage ; et sans considérer que leurs victoires mêmes les affaiblissent, et qu'ils perdraient beaucoup plus dans un seul de leurs guerriers, que les ennemis ne perdraient dans cinquante des leurs, ils prirent résolution de se venger de l'affront qu'ils croyaient avoir reçu des Loups... » Et, cette fois, Agniers, Onneyouts, Onnontagués et Goyogouins, « comme intéressés dans cette commune cause », forment en commun un parti qui compte quatre cents guerriers. Il se donne comme objectif une bourgade ennemie située non loin de New York. Il s'y rend en secret. Les guerriers se placent aux endroits stratégiques. Incapables de mener un siège à bonne fin, ils imaginent le stratagème suivant, qui leur a parfois servi : huit ou neuf d'entre eux s'avancent seuls, ils comptent tuer quelques Mohicans tout près des palissades ; pour les venger, la population se lancera à leur poursuite ; ils reculeront vers leur parti qui, à un moment donné, se lancera à l'attaque et s'introduira dans la place ; malheureusement, il n'y a pas de Mohicans en dehors des palissades, aucun ne se présente pour entamer le combat, tous sont aux aguets à l'abri de leurs remparts. Les Iroquois sont alors contraints d'attaquer ouvertement la place. Ils tirent à leur tour à travers les palissades mais sans remporter, eux non plus, le moindre succès ; « ...Car ayant rencontré une palissade impénétrable à leurs coups, ils désespérèrent de la pouvoir forcer, et furent enfin obligés de se retirer avec bien de la confusion, sans avoir tué, ni blessé aucun des ennemis, et deux des leurs ayant été blessés ». Ces combats dont les missionnaires entendent les récits, montrent assez quel appui précieux les Mohicans ont fourni dans le passé et peuvent fournir à la Nouvelle-France. Quand les Mohicans se portent à l'assaut d'Anniéjé, les Iroquois doivent abandonner leurs incursions contre la Nouvelle-France.

Les Agniers ont plus à perdre que les Mohicans beaucoup plus nombreux.

Le harcèlement exercé par les Mohicans et les Andastes est l'occasion d'un répit pour la Nouvelle-France.

De la guerre contre les Andastes, il n'y a pas de récits aussi dramatiques. Mais elle est très active. Des partis de guerre partent et reviennent. Parfois, ils ont du succès et ramènent des prisonniers. Il semble qu'une menace latente pèse sur l'Iroquoisie.

Les missionnaires notent en conséquence toutes les nuances de sentiments que ces événements inspirent aux Iroquois, surtout au parti militaire, qui, comme tout parti militaire de toute nation, cause bien des embarras aux sachems, c'est-à-dire à l'administration et au gouvernement. Ils craignent comme le feu que les troupes de Québec les attaquent, redoutent les rapports défavorables que les missionnaires peuvent envoyer et condescendent à des excuses pour les paroles ou les injures qui ont pu blesser. Mais pour peu qu'il remportent une victoire, ils redeviennent instantanément fanfarons, outre-cuidants et leur naturel belliqueux prend tout de suite le dessus.

Les Iroquois, menacés de toute part, mais non abattus.

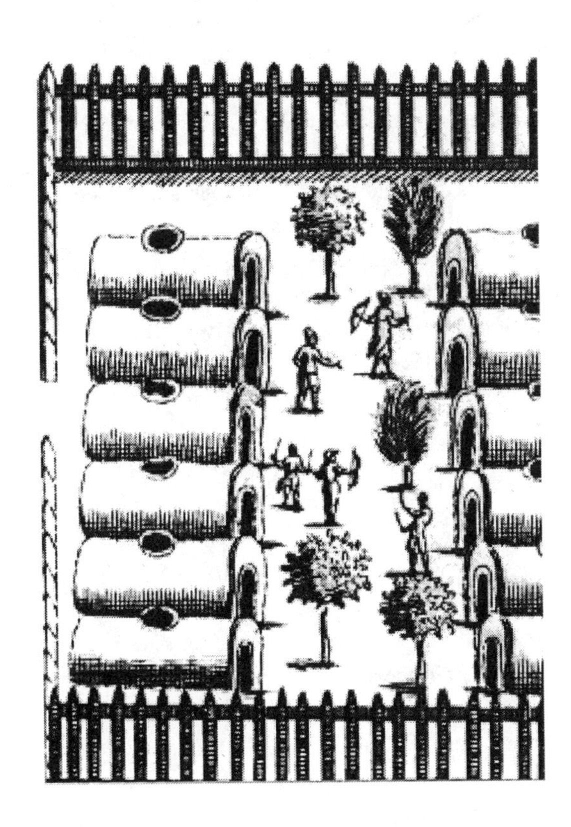

Chapitre 113

1669

Tant que durent la guerre des Mohicans et celle des Andastes, la Nouvelle-France ne redoute pas des attaques trop vives. Pourtant, l'Iroquoisie a toujours besoin de pelleteries et c'est de là que vient le danger des raids sanglants. C'est pourquoi le rappel du régiment de Carignan représente un certain risque. Pour y parer, le roi recommande quelques mesures. Dans un mémoire destiné à Jean Talon qui doit revenir en Nouvelle-France en 1669, mais qui, à cause d'un naufrage, ne sera de retour qu'en 1670, voici quelles sont ses directives : « L'exciter à établir l'exercice des armes dans tout le pays et à faire voir ses forces de temps en temps aux Iroquois et autres nations qui en peuvent troubler la paix ». Talon écrira en marge l'annotation suivante : « Cet ordre du Roi s'exécutera dans son temps, et dans les occasions favorables, puisqu'il importe de temps en temps de réveiller la crainte que les Iroquois ont reçue des armes du Roi. Bon. » Le 15 mai 1669, Colbert revient sur ces instructions dans une dépêche à l'intendant. « Ce qu'elle [Sa Majesté] désire de vous pour maintenir les habitants dans l'exercice des armes et dans la discipline militaire ; et vous devez considérer ce point comme le plus important et celui qui contribuera le plus à maintenir, augmenter et fortifier la colonie, d'autant qu'ils seront plus en état de repousser les injures qui leur peuvent être faites et de réprimer avec plus de force les irruptions des Iroquois et de toutes les autres nations, s'ils en font. Vous verrez que la résolution que vous avez prise de paraître quelquefois à Montréal est bien conforme aux intentions de Sa Majesté, mais elle désire que vous portiez plus loin cette pensée, c'est-à-dire que vous paraissiez, s'il est possible, jusque dans le pays des Iroquois, avec toutes les forces que vous pouvez rassembler, de deux ans en deux ans, et plus souvent si vous l'estimez à propos, étant certain qu'il faut établir dans l'esprit de ces nations une grande opinion de la nôtre, pour les contenir dans leur devoir ; et cette grande opinion ne pourra jamais être établie assez fortement jusqu'à ce qu'ils aient vu trois, quatre, peut-être cinq ou six fois, toutes les forces françaises dans leur pays ; et quand cette réputation sera une fois bien établie, non seulement les habitants de cette colonie en recevront les avantages de ne pouvoir jamais être troublés dans leur travail et leur commerce, mais encore de nombreux immigrants viendront en Nouvelle-France parce qu'ils n'appréhenderont plus le danger iroquois. » C'est une première esquisse du projet de démonstration militaire qui s'exécutera prochainement. On sait assez que les nations, encore aujourd'hui, ont souvent recours à cette stratégie quand ils redoutent une attaque

Le roi recommande l'exercice des armes pour tous les habitants de la Nouvelle-France

ou qu'ils veulent appuyer une demande. Elle était bien adaptée au Canada où l'esprit les Indiens se laissait facilement impressionner par les déploiements et les étalages de force. Un peu enfantin parfois, il avait des réactions naïves que certains Français sauront utiliser.

De nouvelles compagnies pour la Nouvelle-France.

Toutefois, le roi ne se contente pas de ces ordres généraux. Il destine de nouvelles troupes à la colonie. Le 15 juillet 1669, Talon écrit à Colbert qu'il a fait embarquer le nouveau contingent: «Les six compagnies se sont trouvées de 333 soldats, écrit-il, ainsi il y a 33 surnuméraires». Ce secours reçoit bon accueil dans la colonie où le conflit Iroquois-Outaouais inquiète. Les autorités, disent les *Relations*, ont fait «tout l'imaginable pour se mettre en état de n'être pas surpris et pour maintenir dans toutes ces nations, une paix qui les comble de toutes sortes de biens. Les cinq Compagnies que le Roi a eu la bonté de nous envoyer cette année, nous serviront d'un puissant renfort pour tenir ces Barbares en leur devoir; et la frayeur qu'ils ont connue des armes victorieuses d'un si grand Monarque, servira merveilleusement à rassurer nos esprits. Sa Majesté est tellement persuadée qu'il est nécessaire d'entretenir sans cesse les troupes dans ce pays, pour dompter l'orgueil iroquois, et les empêcher de rompre la paix, comme ils ont fait dès qu'ils ont cru être les plus forts, qu'il a eu soin d'envoyer depuis peu de mois cent cinquante filles, afin que les soldats s'établissent dans la Nouvelle-France, puissent y avoir famille, cultiver les terres, et défendre cette colonie».

Et des filles.

Ces troupes rassurent la Nouvelle-France bien que la paix n'ait pas été brisée en 1669, comme on l'avait appréhendé. «On ne peut pas être plus persuadé que nous le sommes ici, des avantages de la paix, depuis que les armes victorieuses du Roi nous l'ont heureusement procurée. À peine autrefois osait-on sortir de sa maison, pour la juste crainte que l'on avait de se voir aussitôt investi d'une troupe d'Iroquois, qui couraient tout le pays; présentement un Missionnaire ira seul et sans escorte, depuis la première bourgade des Iroquois, jusqu'à la dernière, et fera sans courir aucun danger, environ cent lieues de chemin, dans les terres mêmes de ces barbares. Il ne se trouve plus personne parmi eux, qui ose nous troubler dans nos fonctions apostoliques... Mais ce qui paraîtra presque incroyable à ceux qui connaissent la fierté des Iroquois, c'est que cette année semblait être celle de la rupture de la paix entre eux et nous, parce que quelques-uns des Français avaient malheureusement tué plusieurs Iroquois; mais la bonne justice qui en a été faite, a obtenu de Dieu que les Iroquois ne s'en soient point ressentis jusqu'à présent».

Une paix fragile.

Toutefois, l'émerveillement des Jésuites qui circulent librement sur la grande piste de l'Iroquoisie ne cache pas la réalité. La paix actuelle est à refaire et à maintenir pour ainsi dire chaque jour, car elle est excessivement instable. «Nous n'osons pas néanmoins nous flatter de l'espérance d'une paix inaltérable; la brutalité et le peu de foi qu'on a si souvent reconnus dans nos Barbares, nous donnent sujet de tout craindre. L'antipathie naturelle qui semble être entre la nation Iroquoise, et quelques autres de celles qui nous sont alliées, nous fait appréhender quelque rupture. Il est difficile que les vieilles querelles soient tellement éteintes, qu'il n'en reste toujours quelques étincelles secrètes dans les cœurs qui ne respirent que la guerre et le pillage. » On pourrait dire que la paix est vacillante comme la lumière d'un lampion.

L'expédition de Cavelier de La Salle.

Pourtant, dans le cours de cette année 1669, trois hommes ont l'occasion de sonder les dispositions de la tribu qui cause peut-être maintenant le plus d'inquiétudes. Ce sont Dollier de Casson, Galinée et Cavelier de La Salle qui partent de Montréal le 6 juillet dans le but de découvrir le vaste pays de l'Ohio. Ils ont des guides tsonnontouans qui ont passé l'hiver 1668-1699 chez Cavelier de La Salle. Après avoir remonté le Saint-Laurent au-dessus de Montréal, la petite expédition côtoie la rive méridionale du lac Ontario ; elle s'enfonce ensuite dans les terres sous des futaies de chênes, où l'on pourrait chasser à cheval, et dans de belles prairies ; après avoir franchi six ou sept lieues, elle atteint la première bourgade. Là, les explorateurs offrent divers présents ; l'un d'eux, dit le narrateur, signifie « que nous venions de la part de l'Onontio, pour affermir la paix ». Les Iroquois donneront un présent au même effet ; ils disent « qu'ils étaient bien résolus d'entretenir la paix avec les Français, et que ceux de leur nation n'avaient jamais fait la guerre aux Français ; qu'ils ne voudraient pas commencer dans un temps de paix ». À ce moment, ils sont au courant des meurtres commis à Montréal et de l'assassinat d'un de leurs capitaines : « ...Ils avaient résolu de tuer pour la vengeance du mort, qui était considéré, tout autant de Français qu'ils en pourraient attraper à l'écart ». Mais l'exécution des meurtriers a mis la paix partout. « ...Le gros de la nation fut apaisé par cette exécution ». Pourtant, les parents de la victime sacrifieraient bien quelques Français.

Chez les Tsonnontouans

Onnontaé, le cœur de l'Iroquoisie

Déserts = défrichements

Les Jésuites ne redoutent pas un revirement d'opinion. Dans le moment même, ils construisent à Onnontaé un édifice qui sera le centre de leurs missions iroquoises. Physiquement, géographiquement, politiquement et moralement, cette bourgade est le cœur de l'Iroquoisie.

Quatre bourgades dont deux de cent cinquante cabanes, les deux autres en comptant une trentaine. En tout 180 ou 360 cabanes ? Sans doute 180 pour une population de 3600 ménages. C'est beaucoup !

Une dizaine d'hommes sont au travail. Ils pratiquent aussi des « déserts » dans la forêt pour y semer ce dont ils ont besoin.

Les voyageurs laissent une bonne description de la puissante tribu iroquoise qui, pendant les années qui vont suivre, donnera tant de mal aux Français. Le village dans lequel ils arrivent coiffe un plateau cultivé de deux lieues de tour ; les palissades ont douze à treize pieds de hauteur ; à l'intérieur, elles sont doublées de pièces de bois jusqu'à hauteur d'homme. La tribu habite quatre bourgades. Les deux plus grandes comptent cent cinquante cabanes d'écorce d'orme qui peuvent loger jusqu'à vingt ménages et plus chacune ; les deux autres n'en ont qu'une trentaine. Ils s'échelonnent à une quinzaine de milles du lac Ontario, dans la région du Rochester d'aujourd'hui, c'est-à-dire non loin de Niagara. Tout comme les autres tribus iroquoises, les Tsonnontouans subissent présentement les incursions des Andastes qui « font continuellement des courses autour de leur pays ». Quand les voyageurs arrivent, ces ennemis ont tué récemment dix hommes autour de la bourgade principale. Des guerriers reviennent avec un prisonnier qui est soumis au supplice.

Chapitre 114

1669-1670

Malgré les assurances pacifiques que ces trois illustres voyageurs reçoivent des Tsonnontouans, les dangers demeurent fort grands. Ils proviennent maintenant d'un grand territoire qui embrasse le sud-ouest, l'ouest et le nord-ouest du lac Michigan. De nombreuses tribus l'habitent. Elles portent aujourd'hui le nom générique d'Outaouais, demain elles porteront celui d'Indiens alliés, mais avant longtemps chacune retrouvera son nom distinct.

Michillimakinac à la rencontre des lacs Huron, Michigan et Supérieur.

La capitale de cette région sera Michillimakinac; elle sera la capitale et le point névralgique de l'ouest. Les documents commenceront bientôt à la décrire : « Michillimakinac est une île fameuse en ces contrées, de plus d'une lieue de diamètre, et escarpée en quelques endroits de si hauts rochers, qu'elle se fait découvrir de plus de douze lieues loin ». Elle se situe au point précis où se touchent les lacs Huron, Michigan et Supérieur qui s'y joignent là par le sommet, comme trois pêches qui pendent au même rameau. Ses pêcheries sont célèbres parmi la population indienne : « Ce lieu est le plus célèbre de toutes ces contrées pour l'abondance de poisson, puisque selon la façon de parler des sauvages, c'est là où est son pays... De fait outre le poisson commun à toutes les autres nations, comme le hareng, la carpe, le brochet, le poisson doré, le poisson blanc et l'esturgeon, il s'y trouve de trois sortes de truites : une commune, l'autre plus grosse, de trois pieds de long et d'un de large ; et la troisième monstrueuse... étant d'ailleurs si grasse, que les Sauvages...ont peine d'en manger. Or la quantité est telle, qu'un d'eux en darde avec une épée, sous les glaces, jusqu'à 40 ou 50 en trois heures de temps. C'est ce qui a autrefois attiré en un lieu si avantageux, la plupart des sauvages de ce pays, qui se sont dissipés par la crainte des Iroquois. » L'île est entourée d'une auréole de fables ou d'histoires. Les Michillimakinacs, peuple puissant, l'ont habitée ; ils vivaient en trente bourgades, comptaient des milliers de guerriers, dominaient les tribus voisines. Ils se sont battus longtemps contre les Iroquois qui, finalement, ont réussi à les éliminer. Les Potéoutamis et les Osakis, certains clans de Saulteux, séjournent dans l'île ; d'autres y viennent chercher leur subsistance l'hiver. Lors de la dispersion des Hurons, les Outaouais et les débris de la nation du Pétun y séjournent un moment avant de se fixer à la baie Verte et dans le Wisconsin qui sert déjà de refuge à plusieurs peuplades : « ...Car les féroces Iroquois, à l'est, dit Kellog, et les Sioux à l'ouest, ont conduit de nombreuses expéditions contre les tribus les moins fortes qui fuient vers n'importe quelle région qui semble leur offrir même un abri temporaire contre leurs ennemis ».

Pêcheries célèbres

Les Indiens Michillimakinacs

Saulteux, Outaouais et Potéoutamis, tous algonquiens, auraient formé à cette époque la Confédération des Trois-Feux.

La zone neutre qui, du temps de Champlain, suit le Saint-Laurent et s'enfonce jusqu'au centre de l'Ontario, a maintenant atteint l'île Michillimakinac et se heurte à la rive ouest du lac Michigan. Les alentours du lac Érié, le Michigan, sont maintenant vides. Ce ne sont que terrains giboyeux où s'aventurent timidement les chasseurs. Et dans le Wisconsin, où les terres sont fertiles, grouillent de nombreuses tribus qui ont été refoulées par la guerre.

Les Osakis, Sakis, ou Sauks, constituent une tribu algonquienne installée au fond de la baie des Puants (Green Bay, lac Michigan). La nation du Pétun, de la famille huronne-iroquoise, avait occupé un territoire à l'ouest de celui des Hurons, dans la péninsule de Bruce (lac Huron). Les Sioux, ou Dakotas, étaient constitués de nombreuses bandes établies dans la région du Mississipi, le long de la rivière Minnesota et à l'ouest du Missouri.

Après la paix de 1665, les avantages naturels de l'île attirent de nouveau les Hurons et les Outaouais qui, après un séjour à la baie Verte, ont émigré au Mississipi chez les Sioux pour fuir les Iroquois. S'étant brouillés avec leurs hôtes, ils sont revenus au sud-ouest du lac Supérieur ; craignant les Sioux, ils reviennent vers l'est et abordent à Michillimakinac. Par nature, les Outaouais sont des négociants et des commerçants, tout comme les Hurons. C'est eux qui, en 1650, ont éveillé les peuplades du Wisconsin au commerce avec les Français ; ils en reprennent maintenant la direction et développent rapidement un empire commercial ; bientôt, les fourrures provenant de cet immense territoire s'accumuleront dans l'île avant de s'entasser dans les barques à destination de Montréal. Les missionnaires établiront un centre apostolique d'où rayonneront des courses sans nombre dans le continent. Les explorateurs partiront aussi de cet endroit. Une garnison ayant à sa tête un chef français surveille cette capitale. Attiré par ce continent immense, le peuple des coureurs des bois viendra de Québec et y établira ses quartiers généraux. Les fourrures arrivent maintenant des régions inexploitées de l'ouest mystérieux ; c'est là pour ainsi dire que se rencontrent et se joignent les deux grandes routes pelletières des régions du nord : celle d'Albany qui passe par l'Iroquoisie, atteint la rivière Niagara et les Grands Lacs ; celle de Montréal qui suit le Saint-Laurent, l'Outaouais et les mêmes Grands Lacs. Quelle route prendront les flottilles de fourrures ? Dans laquelle s'engageront les Indiens alliés ? Depuis 1650, les convois suivent la route de Montréal, mais de façon irrégulière et sous la menace constante de partis de guerre iroquois. Contraints par la paix à ne plus piller, les Iroquois doivent cependant trouver des fourrures ; ils s'imposeront comme des rivaux dangereux des Français auprès des peuplades du Wisconsin et de l'ouest. Par la force, par des négociations ou par le chantage, ils tenteront de les extorquer et entreront ainsi en concurrence avec la France. Ils intrigueront, combattront et pêcheront en eau trouble. À Michillimakinac retentira l'écho de toutes ces querelles et les clameurs des guerres qui y prendront naissance ; on s'y disputera l'allégeance des Indiens alliés ; on y tiendra les fils d'intrigues sans nombre qui uniront ou diviseront les tribus, les opposeront aux Français ou aux Iroquois et aux Anglais.

Pacte entre Iroquois et Outaouais

Voici le premier épisode de cette histoire de Michillimakinac et du Wisconsin. Les Outaouais, ayant subi une défaite aux mains des Iroquois, ont ensuite attaqué un parti de chasseurs iroquois et ont fait des prisonniers. Grâce à l'intervention des pères Allouez, Nicolas et quelques autres, une paix se conclut à la fin le l'année 1669. Les Français qui ne songeaient qu'à se défendre

Renards ou Outagamis, peuple de langue algonquienne, souvent allié des Saulteux et des Mascoutins.

en Nouvelle-France avant 1665, ont maintenant pris assez d'assurance pour s'occuper au lac Michigan de leurs pourvoyeurs de fourrures, de leurs alliés et des ouailles de leurs missionnaires. Ils ont suivi de près les événements, ils sont intervenus avec force. Mais un autre conflit se déclenche immédiatement ailleurs. Pendant les mois de mars et d'avril 1670, un parti composé de dix-huit guerriers tsonnontouans se rend dans cette région. D'après une version, il trouve sa proie non loin des rives du lac Michigan ; d'après une autre version, deux Potéoutamis, d'anciens prisonniers des Iroquois, le dirigent ; il remonte la rivière aux Renards et atteint une bourgade d'Outagamis où tous les hommes, sauf six, sont à la chasse. Les Tsonnontouans pénètrent alors facilement dans la place où se trouvent une centaine de personnes ; ils massacrent toute cette population à l'exception d'une trentaine de femmes qu'ils ramènent comme prisonnières. Le nombre les victimes est donc de soixante-dix. Le père Allouez se présente sur les lieux quelques semaines plus tard mais ses hôtes n'ont pas le cœur à l'écouter. Sur la même rivière aux Renards, deux missionnaires « atteignent les Mascoutins et les Miamis, qui ont fixé leur résidence au même endroit, pour se défendre en commun contre les Iroquois ».

Massacre d'Outagamis par des Tsonnontouans

Les Mascoutins, ou Mascoutens, sont de la famille algonquienne, tout comme les Miamis, lesquels sont apparentés aux Illinois et alors établis au Wisconsin.

C'est toujours le même problème qui se pose, bien que sous une forme différente. Les Iroquois attaquent les tribus algonquines que les missionnaires veulent évangéliser, qui sont ou qui deviendront les pourvoyeuses de fourrures de la France, qui habitent dans la sphère d'influence qu'elle s'est acquise dans l'ouest. La France ne peut pas se désintéresser de leur sort. D'autant plus que l'on soupçonne les Iroquois d'attaquer ces tribus pour s'emparer de leurs fourrures, pour les forcer à les leur livrer ou bien pour les intimider et les soumettre à leur volonté. De plus, les Iroquois commercent maintenant avec les Anglais.

Ces incidents menacent la paix, tous le comprennent, et peut-être plus que les autres encore, les Onnontagués, qui sont la nation la plus politique et la plus habile de toute l'Iroquoisie. Ils ont une raison particulière de redouter une guerre avec la Nouvelle-France, car leur conflit avec les Andastes les a vivement éprouvés. Le père Frémin s'en rend vite compte, lorsqu'il examine la capitale à son retour : « ... Tout m'y paraît, écrit-il, où elle était lorsque nous la quittâmes en l'année mil six cent cinquante huit, hors que les Onnontagués ont été beaucoup humiliés depuis peu par les Andastes ; car presque tous leurs braves sont morts à la guerre. Ils nous parlent avec bien plus de douceur, ils sont tout autrement traitables qu'ils n'étaient auparavant ... Garakonthié nous aime véritablement ». Mais ils ne veulent pas abandonner la partie, et ils poussent les Goyogouins à massacrer un ambassadeur andaste qui était venu pour conclure la paix avec cette dernière tribu.

Les Onnontagués, les plus habiles, mais militairement très affaiblis.

Toutefois, il faut pendant ce temps maintenir la paix avec la Nouvelle-France. C'est Garakonthié qui prend l'initiative d'un grand conseil à Québec pour liquider et régler tous les problèmes qui se posent maintenant entre les deux pays. « Garakonthié, capitaine d'Onnontagué, chef de toutes les nations iroquoises, et qui s'était rendu lui-même comme garant de la paix faite avec les Français, voyant qu'elle était en danger d'être troublée par ces actes d'hostilité, qu'on commettait de part et d'autre», voyant aussi que les Français «pouvaient y être enveloppés, envoie à toutes les nations iroquoises des colliers de porcelaine, pour arrêter les bandes et les partis de guerre qu'on commençait à former, et leur remontra qu'il était plus à propos de mettre le canot à l'eau pour se rendre à Montréal à la rencontre les Algonquins supérieurs qui y devaient descendre en même temps pour y faire la traite; que c'était là le lieu où ils devaient faire et entendre de part et d'autre leurs plaintes réciproques, et terminer leurs différends en la présence d'Onontio... puisqu'ils l'avaient choisi autrefois pour l'arbitre de leurs querelles». Et, comme le dit le père Millet, Garakonthié n'est pas un mince personnage; il «doit être plus estimé et plus considéré que tous les autres. Il faut avouer que c'est un homme incomparable: il est l'âme de tout le bien qui se fait ici; il y soutient la Foi par son crédit; il y maintient la paix par son autorité: il ménage les esprits de ces barbares avec une adresse et une prudence qui égale celle des plus sages de l'Europe; il se déclare si hautement pour la gloire et pour l'intérêt de la France, qu'on peut justement l'appeler le protecteur de cette couronne en ce pays; ...il se soutient toujours dans l'éclat et dans l'autorité que lui donne sa charge de capitaine général de cette nation, et il ne s'en sert que pour faire du bien à tout le monde».

Garakonthié, un homme incomparable, selon le père Millet, lui-même un excellent ambassadeur.

Garakonthié, semble-t-il, travaille énergiquement en faveur de la paix. Un missionnaire signale son passage chez les Onneyouts le 4 mars 1670. «Garakonthié Capitaine d'Onnontagué est venu ici, avec quarante six beaux colliers, pour assurer l'Onneyout, qu'il sera toujours uni avec lui. Il a parlé avantageusement de la Foi, et a exhorté nos Anciens à venir à la prière à son exemple. Il a aussi fait un présent pour les inviter à allumer le feu de paix à Montréal, au temps que les Outaouais y seraient descendus». Il s'est aussi rendu chez les Agniers.

La nation tout entière a le loisir d'étudier le projet. Dans un rapport rédigé à Onnontaé, le 15 juin 1670, le père Millet dit que les sachems ont tenu plusieurs conseils sur la proposition qu'il leur a faite d'envoyer des députés à Montréal où l'on ratifierait la paix entre Iroquois et Algonquins. Ils acceptent de le faire; bien plus, ils décident d'envoyer quelques messagers aux Tsonnontouans pour leur demander de désigner, eux aussi, quelques députés qui se joindraient aux Onnontagués pour les prier, au nom de toute l'Iroquoisie, de ne plus commettre d'actes d'hostilité dans le pays des Outaouais; pour demander aussi aux Goyogouins d'observer la paix dans ce même secteur. Des courriers doivent exécuter une mission identique chez les Onneyouts et chez les Agniers. Garakonthié a promis de partir bientôt et d'attendre, en cours de route, les députés des autres nations iroquoises.

Garakonthié tient sa promesse. Mais les autres tribus ne lui envoient pas de compagnons de voyage. Il arrive à Montréal en même temps que la dernière partie de la flottille outaouaise qui compte de 80 à 90 canots et environ quatre cents hommes. Tous s'attendent à trouver le gouverneur général sur les lieux ; mais il n'y est pas. On l'avise aussitôt que les Iroquois et les Outaouais sont arrivés. M. de Courcelles demande aux chefs de se rendre à Québec. Vingt représentants de chaque tribu se mettent en route et ils atteignent la capitale à la fin du mois de juillet.

Conseil de paix à Québec en l'absence des Tsonnontouans.

Les Tsonnontouans se sont donc abstenus, ils « étaient les plus intéressés dans cette affaire », car c'est entre eux et les Indiens alliés que le conflit est le plus violent. Malgré leur absence, des délibérations commencent et trois grands conseils se succèdent. On a peu de renseignements sur ces délibérations. La première séance « se passa en compliments ». Pendant la seconde, qui a lieu le lendemain, les Algonquins, c'est-à-dire les Indiens alliés, soutiennent qu'ils « avaient respecté les ordres d'Onontio, touchant la paix » ; les Tsonnontouans ne les avaient pas imités, « ayant défait presque cent de leurs alliés dont la plupart avaient été faits esclaves ». Il s'agit évidemment ici des Outaouais. Enfin, ils demandent au gouverneur « de se ressouvenir qu'en pleine assemblée de toutes les Nations, il avait protesté qu'il punirait ceux qui contreviendraient aux articles de la paix, qu'ainsi ils l'exhortaient de leur tenir sa parole ».

Le lendemain, M. de Courcelles répond à ces propositions. Il a donné lui-même, dit-il, l'exemple d'une paix internationale : quand des Français ont tué des Iroquois, il les a fait exécuter « à cause que cela était capable de rallumer la guerre... » Il appliquera la même justice aux Iroquois ou à toute autre tribu qui osera troubler la paix ; « ...et que quant aux Tsonnontouans, il commençait à les punir sur l'heure même, retenant les captifs qu'on lui avait amenés des Outaouais pour les leur rendre ». Puis il explique à ces peuples tous les avantages de la paix : ils pourront par exemple descendre librement à la traite avec leurs pelleteries et retourner avec les marchandises européennes. Un vieil Huron insistera ensuite sur l'office de père des peuplades indiennes que remplit bien le gouverneur, « tantôt reprenant les uns, et tantôt punissant les autres, menaçant celui-ci, exhortant celui-là, à vivre en paix avec ses frères ».

Garakonthié représente pour ainsi dire toutes les tribus iroquoises. Il remplit son rôle avec courage et habileté. On ne connaît qu'un passage de sa réponse, mais qui va au fond de la question. Les Tsonnontouans, dit-il, « n'ont fait aucune insulte ni apporté aucun dommage aux Outaouais, mais seulement aux Onkouagannha, qu'Onontio jamais n'avait pris sous sa protection, et qu'ainsi cette dernière nation iroquoise ne devait pas être accusée d'avoir en cela rompu la paix ». La nation ainsi désignée est probablement celle des Outagamis. La remarque est pertinente, car les traités de paix franco-iroquois ne couvrent ni les Hurons ni les Outaouais ni les Indiens alliés, encore moins les Outagamis. Garakonthié dit encore qu'il obéit mieux aux désirs du gouverneur que tous ces Algonquins qui attaquent les Iroquois puisqu'il a déjà renoncé à son paganisme.

Après avoir entendu les plaidoiries des uns et des autres, le gouverneur rend son verdict. Comme disent les *Relations*, « on jugea que les Algonquins avaient tort d'avoir commencé la guerre par les actes d'hostilité». Et par Algonquins, il faut ici entendre les Outaouais. Mais les Iroquois méritent un blâme parce qu'ils n'ont pas attendu que le gouverneur général, après avoir écouté leurs plaintes, punisse les coupables. Ils n'auraient pas dû tout de suite se venger eux-mêmes.

Voilà pour l'origine du conflit. Maintenant, «les Algonquins paraissaient vouloir la paix avec plus de sincérité que les Iroquois, puisqu'ils avaient mis en liberté deux prisonniers dès l'an passé, et qu'ils les avaient renvoyés dans leur pays, que cette année même ils en renvoient quatre autres, et assurent qu'ils étaient prêts de rendre tous ceux qu'ils avaient chez eux, si Onontio le leur ordonnait». Par contre, les Iroquois n'ont libéré aucun de leurs nombreux captifs, ils n'ont fait aucune démarche indiquant le moindre désir de vivre en paix avec les Indiens alliés et «ceux de Tsonnontouan qui avaient le plus d'intérêt en cette querelle, ne s'étaient pas trouvés au lieu où l'on parlait de la terminer aimablement».

Et pour finir: «...Monsieur le Gouverneur manderait aux Tsonnontouans qu'ils eussent à rendre les prisonniers algonquins; qu'autrement il les considérerait comme perturbateurs de la paix, et qu'il les traiterait comme les ennemis du Roi». Salomon n'aurait pas été plus sage. D'autres jugements suivront celui-ci, car les gouverneurs de la Nouvelle-France remplissent un rôle d'arbitre, ce qui n'est pas une sinécure. Les tribus sont remuantes et des scènes de ce genre se répéteront à l'envie.

La décision que vient de prendre M. de Courcelles est grave. Il donne à la tribu iroquoise la plus nombreuse, la plus puissante, la plus éloignée, l'ordre de remettre des prisonniers de guerre. Obéira-t-elle? Si elle ne s'exécute pas, sera-ce la guerre? Le gouverneur a été très clair: il ne veut pas que les prisonniers soient torturés, mutilés.

Le baptême de Garakonthié.

La présence de Garakonthié atténue les inquiétudes des Français. Ce grand chef, qui s'est continuellement rapproché de la France, embrasse maintenant la foi catholique. Les missionnaires l'observent depuis longtemps et constatent qu'il parle dans les conseils comme un véritable converti. L'évêque croit que le temps est venu pour l'Église de l'admettre dans son sein. Le gouverneur veut servir de parrain; la marraine sera la fille de l'intendant, M. de Boutroue. C'est monseigneur de Laval lui-même qui administrera le baptême. Toute la population remplira le temple; des représentants des tribus indiennes seront présents. Garakonthié se conduit avec simplicité et sincérité. Il répond aux questions qui lui sont posées avec autant d'intelligence «qu'on en pourrait attendre d'un homme savant».

Claude de Boutroue d'Aubigny (1620-1680) est nommé intendant en 1668. Il occupe ce poste jusqu'au retour de Talon en 1670.

Après la cérémonie, Garakonthié se rend au château pour remercier M. de Courcelles d'avoir été son parrain. Celui-ci veut honorer ce fidèle et ce grand ami des Français: «À son entrée il se vit salué par la décharge de tous les canons du fort, et de toute la mousqueterie des soldats qui étaient disposés en haie pour le recevoir... » Il lui fournit ensuite le nécessaire pour offrir un grand festin aux Indiens rassemblés à Québec. Marie de l'Incarnation parlera de cet événement important : « Il a rompu, dira-t-elle, les liens qui, par faiblesse humaine, le retenaient... Il y a longtemps qu'il l'était [catholique] dans son cœur ; il faisait tout son possible pour la conversion de ses compatriotes ; il délivrait les captifs français ; il apaisait tous les désordres ; il protégeait les missionnaires, et il n'y avait invention dont il n'usait pour entretenir la paix... »

Prétentions hollandaises sur Anniéjé.

Pendant que ces cérémonies se déroulent à Québec, les Hollandais esquissent une revendication sur Anniéjé. Le tribunal d'Albany, Rensselaerswyck et Shenectady demandent au missionnaire des Agniers de comparaître devant lui. Il est présent le 25 août 1670. Le secrétaire lui demande en latin de produire son permis de séjour et de dire ensuite pour quelle raison il est venu avec autant de Français dans le pays des Agniers. Le secrétaire lui dit aussi que le général « ne veut pas que le Jésuite devienne propriétaire d'aucun terrain à cet endroit, car ce pays est sous la Juridiction de Sa Majesté royale d'Angleterre ». D'après ce rapport, le missionnaire ne répond pas à cette injonction avec la précision d'un juriste. Il dit qu'il a les mêmes droits de venir en Anniéjé que les Hollandais de venir en Canada, surtout par temps de paix, et que les deux gouverneurs Nicolls et Lovelace lui ont permis de voyager et de faire du commerce en Anniéjé ; qu'en second lieu, le différend au sujet de son établissement dans le pays des Agniers sera réglé par le général Lovelace et par De Courcelles : enfin qu'il informera immédiatement le général par lettre. M. de Tracy a déjà pris possession du pays des Iroquois, et, en particulier, d'Anniéjé, au cours de la campagne rapide qui a conduit en 1666 à la destruction des trois bourgades. Les traités de paix confirment cette possession. Le missionnaire est donc en territoire français lorsqu'il évangélise les Agniers et ses droits d'y voyager sont incontestablement plus grands que ceux des Hollandais. Toutefois, il faut noter que la réclamation des Anglais frappe seulement Anniéjé et non toute l'Iroquoisie.

Chapitre 115

1670

Les conseils de Québec ne calment pas toutes les appréhensions de la Nouvelle-France. Et les craintes se reflètent dans les dépêches de Talon qui vient d'arriver après deux naufrages, un premier en 1669 et un autre en 1670 dans le golfe même. L'intendant est à Québec le 16 août et sa dépêche du 20 septembre contient le passage suivant: « ...J'apprends presque en arrivant et on me veut persuader que les Iroquois ne sont plus dans l'assiette dans laquelle je les ai laissés, qu'ils veulent rentrer en guerre avec nous en la faisant aux Outaouais que le Roi a pris sous sa protection. » Ce n'est qu'une rumeur, mais Talon ajoute: « ...Je vais travailler à préparer toutes choses à la guerre sans interrompre le cours du travail commencé. »

Le 10 octobre, Talon reviendra de nouveau sur le sujet: « Outre qu'on m'a fait entendre, et par récit et par écrit que les Iroquois menacent de rupture, je m'aperçois qu'ils ruinent le commerce des Français... » Et ici, il faut bien prêter l'oreille, car l'intendant développe un projet qui s'exécutera sous peu, fera naître un débat qui fera rage pendant une trentaine d'années et que les historiens raniment encore: la construction d'un fort au lac Ontario.

En sa qualité d'intendant, Talon étudie de près les affaires commerciales et surtout la traite des pelleteries. Il peut obtenir sur ce point les précisions qui manquaient à ses devanciers, car la Nouvelle-France a maintenant des représentants en Iroquoisie même et au nord du lac Ontario, à Kenté; la pacification de ces régions permet de circuler librement dans l'État de New York aussi bien que dans l'Iroquoisie. Les négociants peuvent aussi le renseigner largement, car ils sont vite prévenus après 1666 des grands courants que suivent les pelleteries de l'Amérique du Nord. Or, l'intendant est vite saisi de faits qui ne lui sont pas agréables. Manquant de fourrures chez eux, les Iroquois quittent en grand nombre leurs bourgades à l'automne. Des centaines d'entre eux remontent au nord, contournent le lac Ontario à l'est et à l'ouest, se dispersent en petits groupes et passent l'hiver à la chasse dans le Haut-Canada. Depuis la dispersion des Hurons et des Ériés, cet immense territoire est maintenant inhabité, et le gibier à poil y foisonne. Au printemps, ces chasseurs se rassemblent, retournent en leur pays avec les fourrures canadiennes et vont les échanger à Albany contre des marchandises européennes. Mais ces territoires de chasse ne donnent pas pleine satisfaction aux Iroquois, ils sont éloignés, et leur pays reste exposé aux attaques pendant l'absence d'une partie de la population mâle. Ce détournement des fourrures

Kenté ou Quinté

Le Haut-Canada désigne ici la région située au nord du lac Ontario, par rapport au Canada tout court, c'est-à-dire la vallée du Saint-Laurent.

canadiennes alarme Talon. En 1670, la situation empire encore. Les Iroquois ruinent le commerce canadien des fourrures d'une autre façon, parce qu'ils «chassent les castors sur les terres des sauvages qui se sont mis sous la protection du Roi et exercent sur eux des pirateries qui les dépouillent de leurs pelleteries». Il s'agit évidemment des Indiens alliés et c'est probablement l'explication des difficultés qui ont surgi entre ceux-ci et les Iroquois et les combats qui ont fait rage.

Talon projette la construction d'un fort au lac Ontario.

Alors Talon propose une solution: «Je suis fortement persuadé que si on fait un établissement sur le lac Ontario, que j'avais projeté de faire avant mon départ pour la France, on tiendra les Iroquois dans le devoir, le respect et la crainte plus aisément avec cent hommes, si Sa Majesté approuve que je fasse un petit bâtiment en forme de galère qui puisse aller à voile et à rame se faire voir en tous les endroits du lac par lequel ces barbares font tout leur commerce...» Mais un seul établissement ne lui paraît pas suffisant, car il parle plus loin des «deux postes qu'il sera bon d'occuper au Nord et au Sud de ce lac»; il demande que mandat soit expédié à M. de Courcelles de lui «donner toute l'assistance» dont il aurait besoin «pour faire réussir ce dessein». D'autre part, Talon fournit d'amples renseignements. Les Anglais de New York et d'Albany obtiennent des Iroquois et de leurs alliés pour plus de 1 200 000 livres de peaux de castor, qui proviennent des «terres de la domination du Roi», c'est-à-dire du territoire français. Des «postes favorables» mettraient fin à cette perte. L'intendant pourrait exécuter cet ouvrage si le roi lui envoyait une centaine de soldats et quinze mille livres; ou bien s'il lui envoyait l'autorisation de lever cinquante hommes du pays et de construire une galère sur le lac Ontario. «...Par ce moyen on assurerait à Sa Majesté le lac Ontario par deux habitations que je ferais faire l'une au nord, et l'autre, au sud du lac...» Ces fortifications protégeraient le passage des Outaouais qui viennent en traite; elles «tiendraient en crainte les cinq nations supérieures... et ouvriraient le chemin de la Floride par l'intérieur des terres». L'intendant juge la situation grave car il demande au roi des mesures d'urgence: «Il est besoin que j'aie un ordre à Monsieur de Courcelles pour qu'il me donne du côté des troupes toute l'assistance dont j'aurais besoin, et un ordre général aux officiers d'agir en ces établissements conformément à ce que je leur dirai...» Tenir en respect par des forts au lac Ontario les tribus iroquoises mal conciliées lui paraît nécessaire: la nation iroquoise «n'a pas oublié sa fierté et si présentement elle ne fait pas la guerre à la colonie française, c'est qu'elle se sent encore sur les bras les Andastes... il serait à mon sens de la prudence de les prévenir, les allant attaquer chez eux». La construction de deux forts pourrait empêcher la guerre. Les Français doivent aussi cultiver l'amitié des Mohicans pour opposer ce peuple à la nation iroquoise, «...d'autant plus, ajoute-t-il, que les Anglais pourraient prendre le parti [ce qu'ils ont essayé de faire] de réconcilier ces peuples opposés pour nous les mettre tous sur les bras». Enfin, en agissant comme il le conseille, le roi arrêterait net le développement de

Surveiller les Iroquois et bloquer le trafic vers Albany.

New York et d'Albany : « Il faut leur barrer le chemin vers le fleuve et assurer à Sa Majesté toutes les ouvertures des Lacs et des rivières qui y communiquent pour faire perdre aux Européens l'envie qu'ils auraient de partager avec Sa Majesté un si beau et si vaste pays s'ils le fréquentaient aisément ».

Barrer la route aux Anglais.

Il faut bien noter que ces arguments seront encore utilisés après Talon. Frontenac, par exemple, les reprendra souvent pendant son second gouvernement, et contre des personnages non moins importants que le roi lui-même, ses ministres et l'intendant de la colonie. Talon voit se développer sous ses yeux des événements qui seront les causes du grand conflit qui partagera plus tard les Anglais et les Français et qui aura pour premier objet le commerce des fourrures de l'Ouest. On connaît assez bien l'histoire du commerce français né sous l'impulsion des Hurons et des Outaouais, traversé par les Iroquois qui l'avaient réduit à presque rien avant 1660. Depuis cette dernière année, il se développe avec rapidité et prend chaque jour de l'ampleur. L'histoire du commerce iroquois avec les nations de l'ouest est, par contre, peu connue. Quelques bribes de phrases fournissent de minces indications. Par astuce et violence, la Confédération obtenait des pelleteries dans l'ouest avant 1660. Maintenant que la paix existe, qu'elle ne peut plus piller en Canada, elle doit soit exploiter ses territoires de chasse, soit obtenir des peaux des tribus du Wisconsin, comme les Français. Quelques-uns des territoires de chasse sont au Canada et dans l'Ontario ; d'autres sont dans l'immense région du lac Érié où foisonnent les animaux à fourrure, mais où viennent déjà et viendront plus tard les tribus de l'ouest. Mais en plus de la chasse, ou à défaut de chasse, les Iroquois veulent être les intermédiaires des tribus du Wisconsin. Et c'est là qu'ils entrent en conflit avec les compagnies françaises et les intérêts français. Laissés à eux-mêmes, les Iroquois se seraient-ils contentés de la production des terrains de chasse du Haut-Canada et du lac Érié ? C'est possible, ils peuvent suffire à leurs besoins. Mais en arrière d'eux, il y a les Anglais et les intérêts que les pelleteries représentent et, ici comme au Canada, poussent les hommes à des concurrences sans fin. Talon, qui les voit se dessiner, veut poser rapidement aux endroits disputés des postes stratégiques qui non seulement protégeront le commerce canadien, mais contiendront aussi l'Iroquoisie toujours dangereuse lorsqu'elle est contrariée et excitée par ses alliés anglais. De plus, ces postes assureront à la France la maîtrise des territoires américains intérieurs. Il ne faut pas oublier cependant, que l'Iroquoisie, pour un certain temps encore, a une espèce de conscience nationale qui la pousse à s'opposer à la France, à développer ses intérêts, à augmenter sa domination, même si les traiteurs de Fort Orange demeurent assez tièdes dans cette lutte.

traverser = se mettre en travers de, s'opposer

Pour poser sur des bases solides les droits de la France dans ces régions, Talon prend des mesures d'urgence. Le 3 septembre, il vient de donner à Saint-Lusson l'ordre d'aller prendre possession du pays des Outaouais, des Nez-Percés, des Illinois, etc., c'est-à-dire du Nord-Ouest. C'est tout le territoire occupé par les alliés de la France, c'est tout le pays que ces Indiens drainent

Simon-François Daumont de Saint-Lusson doit prendre possession du «Nord-Ouest».

de fourrures pour les apporter à Québec. Nicolas Perrot part en même temps que Saint-Lusson. Il connaît bien cette région qu'il fréquente déjà depuis un certain temps. Cavelier de La Salle reçoit une mission identique pour le sud. S'agit-il de l'Iroquoisie dont la France a déjà pris officiellement possession ? Il faut se rappeler que les traités franco-iroquois de 1666-1667 ne couvraient pas le Nord-Ouest, ni le Wisconsin, ni les alliés de la France vivant dans ces régions ; que le gouverneur avait peu le droit d'intervenir, comme Garakonthié l'a signalé. La mission de Saint-Lusson doit corriger cette erreur et donner un fondement juridique à l'intervention des Français contre les Iroquois, dans les luttes militaires et commerciales qui se développent dans cette partie du pays.

Cavelier de La Salle prendra possession du «Sud».

D'autre part, il faut signaler la répercussion qu'ont eue ces actions sur l'Iroquoisie ainsi que sur le commerce anglais d'Albany. Talon, sans doute, ne veut pas interdire la chasse aux Iroquois dans le Haut-Canada. Il désire surtout que les pelleteries restent au Canada. Il veut dériver le courant commercial. Il s'oppose de même au transport à Albany des fourrures que les Iroquois pourraient obtenir des peuplades de l'ouest. Il veut donc obliger les Iroquois à se soumettre à une politique commerciale. En faire des satellites commerciaux de la France, voilà son projet. En même temps, il faut se rappeler aussi que son projet global est de garder l'Iroquoisie sous contrôle, non seulement sur le plan commercial, mais aussi sur un plan politique. Cette nation a été cause de tant de malheurs pour la Nouvelle-France qu'il faut la surveiller. Talon devine aussi que l'Iroquoisie sera rétive et que pour lui imposer une politique commerciale, il aura certainement besoin d'un déploiement le forces.

Tous ces événements le portent à envisager la construction de forts et de postes sur le lac Ontario, ainsi que la construction d'une galère qui patrouillerait sur le lac.

Pour Talon, le court terme, c'est la fourrure, le long terme, c'est un continent.

Si l'enjeu immédiat est le commerce des pelleteries, la possession de certaines régions et l'alliance de certaines tribus, l'enjeu futur, comme le dit Talon, est beaucoup plus grand et plus important : c'est la possession du continent, ou de certaines parties du continent ; c'est la rivalité entre la France et l'Angleterre qui commence à se développer rapidement en Amérique. Officiellement, les deux couronnes sont amies. Mais chacune pousse ses pions sur l'échiquier, sans trop donner l'éveil à l'autre.

Chapitre 116

1670

En automne 1670, alors que Saint-Lusson est en marche pour l'ouest, des Iroquois accompagnés par des Français, se rendent chez les Outaouais. Leur projet est d'offrir des présents pour affermir une paix qui menace chaque jour de se briser. Une fois sur les lieux et leur mission exécutée, ils décident de passer là l'hiver. Pendant ce séjour, les conversations s'égarent sur toutes sortes de sujets. C'est alors que surgit la question dominante de toute cette période : le prix plus élevé offert par les Anglais pour les pelleteries à Albany, que celui de Montréal et de Québec. Le problème semble au premier abord mesquin et dérisoire. En réalité, il est d'une importance capitale et l'on ne peut étudier cette fin de siècle sans l'apercevoir continuellement dissimulé derrière chaque difficulté ou chaque conflit, petit ou grand. Il faut toujours le garder en mémoire pour en comprendre toutes les répercussions. Il est, au fond, la damnation de la politique française.

Une question de prix. Albany offre davantage.

Le premier contact entre Outaouais et Iroquois, pendant l'hiver 1670-1671, fait comprendre toute la portée du problème. Les Iroquois confient rapidement à leurs hôtes le prix qu'ils obtiennent pour leurs fourrures à Albany et c'est avec stupéfaction que ceux-ci apprennent que les marchandises sont moins chères chez les Hollandais de Fort Orange « et qu'on avait chez ceux-là pour un castor ce qu'on ne pouvait avoir ici pour quatre ». Cela signifie que les Français vendent quatre fois plus cher leurs articles de traite que leurs concurrents de l'État de New York. Même si cette déclaration est un peu exagérée, elle comporte un fond de vérité.

Les Outaouais sont donc mécontents des Français qui, croient-ils, les exploitent de belle façon. Leur amertume persistera pendant plusieurs décades. Bien qu'entrecoupée de périodes d'amitié et de luttes en commun, elle se manifeste en toute occasion. Il faudra des manœuvres permanantes pour conserver l'amitié des Indiens alliés. Ils éprouveront continuellement la tentation de se tourner vers Albany, les Iroquois seront toujours là pour les tenter et leur souffler à l'oreille les prix anglais. Des complicités étonnantes se feront constamment entre ces peuples, malgré leur hostilité. Maintes fois, les Français pesteront contre ces Indiens alliés dont l'allégeance est si fragile, la fidélité si douteuse et qui ne voient, disent-ils, que leur propre intérêt. Mais des blancs auraient-ils agi autrement ?

S'ils portent leurs fourrures à Albany, les Indiens alliés deviennent logiquement des alliés et des satellites des Anglais, non seulement pour la paix, mais aussi pour la guerre. Ils deviennent également des alliés des Iroquois. La Nouvelle-France est entourée au sud, à l'ouest, au nord-ouest par des tribus hostiles qui peuvent s'unir contre elle. À quelques reprises, cette éventualité est si proche que les gouverneurs doivent intervenir, énergiquement et rapidement. Un danger très grand naît ainsi d'une différence de prix pratiquée.

Les Outaouais veulent vendre leurs pelleteries à Albany.

Aussitôt après avoir appris la différence des prix, les Outaouais prennent la décision de porter leurs pelleteries à Albany. Les conférences se poursuivant, les Iroquois invitent leurs hôtes à venir les trouver au printemps, ils les conduiront eux-mêmes aux postes anglais. La nation jubile, la jeunesse est enthousiaste. Un beau jour, les Français sont mis au courant de cette entente. La nouvelle arrive à Québec « où on jugea qu'il était de la dernière importance pour le pays d'arrêter ce commerce... » Les autorités désirent que la paix et la bonne entente règnent entre Iroquois et Indiens alliés, entre tribus. En l'occurrence, elles constatent que la paix détourne de la France ses Indiens alliés et écarte d'elle l'important commerce des fourrures. Elles prennent donc une décision énergique. Le gouverneur « écrivit à tous les missionnaires des deux nations de leur faire valoir qu'ils ne pourraient se lier ensemble pour ce commerce sans se mettre en péril de se faire la guerre plus cruelle que devant... » Le mot a été prononcé : la guerre. Inutile de se leurrer : la différence des prix conduit à la guerre pure et simple. Pour garder l'immense commerce de fourrures payées à bas prix, la Nouvelle-France mettra des armées en campagne et dépensera ainsi de la main droite des sommes beaucoup plus élevées que celles qu'elle ne voulait pas verser de la main gauche.

Une erreur de calcul.

Les fourrures vont vers les endroits où les prix sont élevés, comme l'eau coule vers les dépressions. Demander aux Iroquois de disposer au Canada d'une partie de leurs fourrures, c'était leur demander de consentir à un marché désavantageux. Les Français ne l'exigeront pas d'eux ; ils n'en viendront pas à cette extrémité, bien qu'ils y pensent parfois, comme le prouvent les dépêches de Talon. Ils adopteront une solution intermédiaire ; par des postes construits sur le trajet des terrains de chasse, ils tenteront de les intercepter en offrant les marchandises là et où le besoin se fait sentir. Ils remporteront quelque succès. Le commerce iroquois n'aura jamais la tentation de prendre le chemin de Montréal ; l'Iroquoisie restera commercialement liée à Albany, par conséquent associée aux Anglais.

Les missionnaires, porte-parole du gouverneur, dénoncent le commerce avec les Anglais.

Les autorités françaises ont donc l'indélicatesse de s'adresser aux missionnaires pour empêcher les fourrures du nord-ouest d'aller vers Albany. Ceux-ci rappellent aux Indiens alliés que leurs mœurs, leurs coutumes diffèrent de celles des Iroquois : ils ont toujours été des ennemis dangereux, leur ont infligé de sanglantes défaites et ont commis des massacres dans leurs régions. Il ne serait donc pas prudent de recevoir un grand nombre de ces visiteurs qui pourraient étudier à loisir l'emplacement de leurs villages, de leurs territoires de chasse afin de pouvoir les attaquer un jour avec succès. Les Outaouais doivent se rappeler les trahisons et les surprises passées ; s'ils se rendent en grand nombre chez les Iroquois, ils peuvent être cernés et massacrés. On tient des propos semblables en Iroquoisie. Ceux-ci sont si subtilement propagés, ont tant de succès que, pendant l'hiver, les Iroquois sont terrorisés, paniqués, imaginant que les Outaouais vont venir les attaquer. De leur côté, les Outaouais fortifient leurs bourgades contre d'éventuelles attaques iroquoises. C'est ce qui s'appelle maintenir toujours vivante l'hostilité entre tribus et attiser les haines raciales. Jeu à la fois futile et dangereux, car les ruses d'hier ont été depuis percées à jour. Mais tout s'oublie et on aura recourt aux mêmes procédés de temps à autre.

Méfiez-vous des Iroquois, répètent les Français à leurs alliés.

Néanmoins, au printemps 1671, vingt-cinq jeunes Outaouais se présentent en Iroquoisie. Ils apportent des fourrures et veulent se rendre à Albany pour profiter des prix élevés qui sont offerts. Mais ils se heurtent à la stratégie iroquoise qui est de s'opposer au passage des étrangers dans le pays avec des pelleteries destinées à Albany. Les Iroquois veulent acheter les pelleteries eux-mêmes et les revendre aux Anglais, devenir des intermédiaires comme les Hurons avant eux et encaisser les bénéfices que ce rôle entraîne. Les Outaouais reçoivent donc des hardes et des munitions qui, par un hasard heureux pour les Français, sont de mauvaise qualité. Ils partent mécontents. L'entreprise a eu peu de succès. Ils promettent de revenir, mais cette fois ils se rendront chez les Anglais eux-mêmes. Des Français présents en Iroquoisie profèrent des menaces à l'adresse de ceux qui continueront ce commerce malgré la défense du gouverneur de la Nouvelle-France ; la prochaine fois, des personnes seront là pour leur interdire le passage « et les piller ». Mais le pays est vaste, inhabité, et la forêt est dense : comment faire obstacle à un commerce clandestin ? Ces mesures rigoureuses éloignent les amis et empêchent de faire la conquête des ennemis d'hier en les rendant même un peu plus hostiles.

Les Iroquois entendent être des intermédiaires entre les Outaouais et Albany.

Chapitre 117

1670

Réactions des Tsonnontouans à l'ordre de Courcelles de ne pas attaquer les tribus alliées des Français.

Avec le temps, le verdict que M. de Courcelles a rendu pendant l'été, en présence des Indiens alliés et de Garakonthié, arrive chez les Iroquois, en particulier chez les Tsonnontouans. Le gouverneur « était fort mécontent de leur procédé, et que s'ils ne le voulaient voir dans leur pays avec une armée, ils eussent à lui ramener au plus tôt lesdits prisonniers, avec défense expresse de les mutiler, ou exercer envers eux aucun acte de leurs cruautés ordinaires. » Qui parle ainsi ? Le gouverneur d'une colonie encore faible que les Iroquois harcelaient hier avec une impunité presque absolue. Aussi, comme l'ajoutent les *Relations*, « ce commandement parut bien rude à ces esprits superbes » ; et l'indignation de jaillir aussitôt : « Pour qui est-ce que nous prend Onontio ? » L'emportement des Tsonnontouans se justifie assez bien. M. de Courcelles ne veut pas que des Indiens alliés attaquent des Indiens alliés à la France ; mais « qui sont ses alliés ? Comment veut-il que nous les connaissions, puisqu'il prétend prendre sous sa protection tous les peuples que découvrent ceux qui vont porter la parole de Dieu par toutes ces contrées, et que tous les jours, selon que nous l'apprenons de nos gens qui s'échappent de la cruauté des feux, ils font de nouvelles découvertes, et entrent dans des nations qui ne nous ont jamais été qu'ennemies, et qui même tandis qu'on leur intime la paix de la part d'Onontio, partent de leur pays pour nous faire la guerre, et nous venir tuer jusqu'à nos palissades ? Qu'Onontio arrête leur hache, s'il veut que nous retenions la nôtre ». Et c'est là que demeure la véritable difficulté. Depuis la paix, les missionnaires se répandent dans le nord-ouest ; ils visitent des tribus que les Français ignoraient hier ; quelques-unes sont en guerre depuis longtemps avec les Iroquois ; la France les prend sous sa protection soit parce qu'elles reçoivent des missionnaires, soit parce qu'elles peuvent fournir des pelleteries. Elle interdit aux Iroquois de les attaquer, ce qui est en pratique, une interdiction de pénétrer dans le Wisconsin. La défense surprend les Tsonnontouans qui ne manquent pas de courage : « Qu'Onontio arrête leur hache, s'il veut que nous retenions la nôtre. Il nous menace de ruiner nôtre pays : voyons s'il aura les bras assez longs pour enlever la peau et la chevelure de nos têtes, comme nous avons fait autrefois des chevelures des Français. »

Voilà ce que les Tsonnontouans disent sous le coup d'un premier mouvement d'indignation. La réflexion vient ensuite. Ils se souviennent des expéditions conduites contre les Agniers, des trois bourgades rasées par le fer et par le feu. Ils décident de faire preuve de diplomatie. Ils renverront huit des vingt-cinq à trente Outaouais qu'ils ont faits prisonniers. La *Relation* de 1671 dira que ce sont des Potéoutamis. Est-ce une erreur ? S'agit-il des Outagamis capturés en avril 1670 ? Ou les Tsonnontouans avaient-ils des prisonniers de ces deux tribus ? On ne sait. Dans tous les cas, « les Anciens poussèrent particulièrement à cet accommodement, qui fut agréé des guerriers et de toute la jeunesse. » Les Tsonnontouans décident donc d'obéir partiellement à M. de Courcelles, mais les prisonniers renvoyés seront les plus faibles et les moins utiles du groupe. Prévoyant le mécontentement de M. de Courcelles et craignant de recevoir quelque nouvelle injonction en allant eux-mêmes à Québec, ils choisissent, pour ramener les captifs, un Goyogouin, capitaine « de grand mérite et de grand crédit » ; cet homme est un grand ami des Tsonnontouans ; il prend à cœur leurs intérêts et « tout récemment [il] avait fait avec eux ligue offensive et défensive contre les peuples qui leur faisaient la guerre ». Celui-ci accepte d'être leur ambassadeur et il part pour Québec où il ne peut être que le bienvenu ayant des tendances catholiques bien prononcées. C'est dire à quel point les Tsonnontouans calculent bien leurs gestes.

Les Tsonnontouans envoient un Goyogouin en ambassadeur à Québec et ramène quelques prisonniers.

Le Goyogouin arrive à Québec avec les huit prisonniers, probablement au printemps de l'année 1671. Il a des entrevues avec le gouverneur et remet les prisonniers « avec de grandes protestations de la part des Tsonnontouans, de soumission et d'obéissance à tous ses ordres ». M. de Courcelles lui fait, de même qu'à ses compagnons, une excellente réception. Il a été informé de l'estime dont jouit ce messager. Saonchiogoua retrouve en effet à Québec le père Chaumonot ; il l'a autrefois entendu parler avec feu à Onnontaé devant un conseil des cinq tribus, quelques mois avant l'établissement de Sainte-Marie de Gannentaa ; pendant deux heures son attention ne s'était pas relâchée un seul instant. Il avait ensuite résumé avec beaucoup de chaleur le discours du missionnaire. Plus tard, quand les Jésuites sont venus dans son pays, il a voulu les recevoir dans sa propre maison, ayant écouté leur enseignement et discuté avec eux ; il avait suivi leurs travaux. La grâce avait fait lentement son chemin. Il achève maintenant son instruction religieuse. Monseigneur de Laval décide de le baptiser et la cérémonie s'entoure du même éclat et du même apparat qui ont accompagné la conversion de Garakonthié, l'été précédent.

Saonchiogoua, grand capitaine goyogouin, baptisé.

Chapitre 118

1671

Bien que très habile, la conduite des Tsonnontouans ne donne pas pleinement satisfaction à M. de Courcelles. L'an dernier, ils n'ont pas envoyé de députés avec Garakonthié, cette année pas plus avec Saonchiogoua. Leur demi-obéissance, leur réticence, leur attitude presque défiante, les discours rapportés par des personnes officieuses, indiquent qu'ils veulent avoir leur propre ligne de conduite. Obéiront-ils aux instructions de M. de Courcelles au sujet des Outaouais ? L'auteur de la relation du voyage de ce gouverneur dit que les Iroquois faisaient la guerre aux Outaouais tout en observant la paix avec les Français : « La seule terreur qu'ils ont de nos armes, les y peut obliger ; car pour avoir de l'amitié pour nous, ils n'en ont point. » Il affirme ensuite que les Iroquois agissent avec mauvaise foi en remettant les prisonniers : « ...Ils choisirent ceux d'entre les prisonniers qui leur étaient le moins utiles, comme quelques femmes et quelques enfants... » ; bien plus, ils « gardèrent plus de cent bons hommes qu'ils ne voulurent point restituer, disant qu'ils se résoudraient plutôt à faire la guerre aux Français qu'à leur rendre un si grand nombre de gens dont l'absence les affaiblirait notablement. » En 1670, des nouvelles venues de l'Iroquoisie disaient que les Onnontagués et les Tsonnontouans se préparaient à faire la guerre aux Français, pensant que les soldats français ne pourraient remonter les rapides et les chutes de l'immense fleuve qui conduit à leur pays.

Les Iroquois ont besoin de prisonniers pour augmenter leur population.

L'insubordination des Tsonnontouans est donc l'une des grandes causes de la démonstration militaire que le gouverneur veut maintenant entreprendre. Mais il y en a une seconde : le commerce des pelleteries. Ce sont d'abord les fourrures du Haut-Canada que les Iroquois portent aux Hollandais, « nous frustrant ainsi du fruit de nos terres ». Depuis longtemps, les Français cherchent un moyen d'empêcher les Iroquois de se rendre à Albany, « et le meilleur moyen serait assurément d'avancer un poste jusques à l'entrée de l'Ontario, qui occuperait le passage par où ces peuples vont en traite en revenant de leur chasse, et, par ainsi, les Français en seraient les maîtres absolus ». Ils doivent donc reconnaître les lieux, choisir un site, étudier avec soin la route fluviale qui y conduit. D'autre part, les autorités ont appris que les Iroquois veulent conduire à Albany les Outaouais avec leurs fourrures, dérivation qui détruirait un important commerce de la Nouvelle-France. On voit vers quelles complications la France s'engage pour retenir les pelleteries, alors que des prix alléchants offerts à Québec et à Montréal auraient eu avec simplicité et efficacité le même résultat.

Les buts de l'expédition projetée au lac Ontario.

Il aurait été plus simple et moins coûteux d'offrir de meilleurs prix.

Les Français veulent aussi s'emparer du passage naturel qui conduit vers les vastes territoires de l'Ohio et du sud-ouest qu'ont cherché Dollier de Casson, Galinée et La Salle. Ils assureront de cette façon les développements de l'avenir et l'expansion des domaines français. Enfin, à plusieurs reprises, le roi a donné l'ordre à M. de Courcelles de faire des démonstrations militaires pour tenir l'Iroquoisie en respect ; il lui a proposé d'utiliser pour cela toutes les troupes dont il pourrait disposer. Autrement, pensait-il, il serait difficile de maintenir les traités intacts.

Toutes ces raisons incitent M. de Courcelles à entreprendre l'expédition qui calmerait peut-être l'effervescence de l'Iroquoisie. Au printemps, après la débâcle, il monte à Montréal avec des officiers et des gentilshommes du pays. Il ne s'y rend tout d'abord que pour recevoir les prisonniers que les Tsonnontouans doivent lui renvoyer et attendre le convoi de fourrures outaouais. Puis il annonce qu'il a décidé d'aller jusqu'au lac Ontario, non pas en canot d'écorce comme on le faisait, mais en barque. Il fait aussi construire un bateau à fond plat, d'une jauge de deux à trois tonneaux, dont il donnera le commandement à Champagne, sergent de la compagnie de M. Perrot. Huit soldats constitueront l'équipage. Les Canadiens expriment des doutes sur le succès de cette entreprise. C'est la première du genre. Jusqu'à ce jour, on ne s'est servi que de canots d'écorce qui ne peuvent évidemment pas transporter de pièces de campagne ni de grande quantités de munitions ou de provisions et jamais, sauf à l'époque de Sainte-Marie de Gannentaa, autant de personnes ne se sont mises en route ensemble. Toutefois, M. de Courcelles s'est bien renseigné. Il n'hésite pas, ne tenant pas compte des objections de certains. Cinquante-six personnes, le gouverneur lui-même en tête, partent le 2 juin 1671. M. Perrot, gouverneur de Montréal est présent, de même que M. de Varennes, gouverneur des Trois-Rivières, M. de la Vallière, le fils de Jacques Leneuf de la Potherie, Charles Le Moyne de Longueuil et plusieurs gentilshommes. L'aumônier est Dollier de Casson qui, sous un autre rôle, reprend la vie des camps qu'il connaît si bien. Cette brillante compagnie et les soldats s'entassent dans treize canots d'écorce et dans le bateau plat.

Est-il possible d'aller de Montréal au lac Ontario en barque ?

L'armada ne remonte pas le Richelieu pour se rendre en Anniéjé, comme au temps de M. de Tracy. Cette route offrait de nombreux obstacles, mais ils ne se comparent pas à ceux de la route du Saint-Laurent qu'il faut maintenant remonter jusqu'au lac Ontario. Cascades et rapides majestueux s'échelonnent sur une centaine de milles dans la forêt sauvage. Le soir, au bivouac, on dresse sur la rive des tentes d'écorce de bouleau à l'indienne ; on se repose au bord de la forêt dans une nuée de moustiques et de maringouins. Ceux-ci deviennent très vite un fléau épouvantable quand il pleut, que le temps est humide, le ciel nuageux, quand il ne vente pas ou qu'il fait chaud. Ils ont tous ramé toute la journée, ils ont tous besoin d'un repos qu'ils ne peuvent pas trouver. Le gouverneur fait assembler une tonnelle de branches d'arbre ; on la couvre de couvertures qui descendent jusqu'au sol. Il s'introduit là-dessous comme sous une moustiquaire pour dormir en paix. Les officiers l'imitent rapidement. Le soldat souffre, a recours à la fumée. Le convoi avancerait plus vite s'il n'y avait pas le bateau à fond plat. C'est une expérience que l'on tente pour le futur. Réussira-t-on à le hisser jusqu'au lac Ontario sur le dos de ces rapides déchaînés ? L'insuccès signifierait que la Nouvelle-France serait impuissante contre l'Iroquoisie centrale et l'Iroquoisie occidentale. M. de Courcelles stimule l'ardeur de ses hommes ; ceux-ci rament, tirent à la cordelle et poussent, de l'eau jusqu'aux épaules, déplacent des pierres le long du rivage pour se frayer une route. Ils progressent tout de même avec une vitesse satisfaisante. Le 6 juin, la flottille atteint le lac Saint-François. Un épais brouillard le couvre ; le canot du gouverneur s'élance en avant ; il se dirige à la boussole, les clairons qui sont à bord sonnent de la trompette pour rallier les autres embarcations. Enfin, le 10 juin, à peine huit jours après leur départ, ils arrivent à Otondiata, le dernier sault franchi ; ce lieu deviendra célèbre comme terminus de la section du fleuve interrompue par les rapides ; en amont, il y a encore du courant, mais pas de cascades. Le bateau est laissé là sous bonne garde. L'expérience est concluante et décisive : des embarcations lourdes peuvent remonter le fleuve, mais au prix de grandes peines et avec d'immenses difficultés. Le voyage, cette fois, a été rapide parce qu'il n'y avait qu'un bateau et une cinquantaine de soldats pour le pousser. Les canots progressent rapidement. Le 11, ils atteignent le lieu dit Pêche-des-Anguilles. Des Iroquois s'y trouvent. Charles Le Moyne leur parle au nom du gouverneur ; il leur assure que « son dessein n'était point de rompre la paix avec eux ». L'interprète ajoute que le gouverneur connaît leurs propos relatifs à la guerre contre les Français et contre les Indiens alliés et qu'il a remonté lui-même le Saint-Laurent pour « leur faire voir que s'il venait bien en leur pays pour se promener, il pourrait bien venir pour les détruire, s'ils sortaient de leur devoir ». L'admonestation est brutale. M. de Courcelles régale ensuite les Iroquois qui se mettent à suivre le convoi. Dix jours après son départ, le 12 juin, il entre dans le lac Ontario. Il congédie les Iroquois en leur donnant des lettres pour les missionnaires de l'Iroquoisie. Il désire que ces derniers fassent savoir aux autres tribus l'exploit que les Français viennent d'accomplir et qu'elles connaissent ses intentions et ses volontés. Puis, il poursuit sa route et il arrive « heureusement à Quinté, qui est une habitation d'Iroquois » au nord du lac Ontario. Les Goyogouins sont très surpris de l'arrivée de cette flottille ; et le gouverneur continue à parler énergiquement en leur affirmant « qu'il prendrait et détruirait leur pays quand il le voudrait ». Nicolas Perrot fournit d'autres renseignements sur le séjour de M. de Courcelles à Quinté. Les Iroquois ayant reçu l'ordre de se rassembler en grand nombre, l'interprète leur expose le projet formé par les Français de construire un fort à Quinté ; les Indiens donnent tout de suite leur assentiment. Ainsi, le projet de Talon prend corps.

Otondiata, sur le Saint-Laurent, entre Montréal et le lac Ontario

Quinté - Kenté

La flottille prend la route du retour. Le 13 juin, elle est déjà revenue à Otondiata où elle a laissé le bateau plat. Là, elle retrouve un missionnaire et quelques Iroquois qui sont venus en ambassade à l'automne 1670, qui sont partis de Montréal une journée avant le convoi de M. de Courcelles, et que celui-ci avait dépassés. Ils sont arrivés à Otondiata trois jours après les Français. Ils étaient convaincus que le bateau plat ne remonterait pas les rapides et l'avaient cherché soigneusement le long des rivages et au fond des anses. L'habileté des Français les confond.

Succès de l'expédition au lac Ontario.

Le 14 juin, la flottille recommence à descendre au courant rapide du fleuve. En trois jours elle atteint Montréal. Le voyage a duré exactement quinze jours. C'est un succès complet. Les Iroquois supérieurs savent maintenant que les rapides du Saint-Laurent et les distances ne les protégeront pas, le cas échéant, contre les Français ; comme celui des Agniers, leur pays est ouvert aux attaques qui peuvent venir de la Nouvelle-France ; la ruine de leurs bourgades peut être une conséquence de leur révolte ou de leur insubordination ; leurs protecteurs, les Anglais, le savent maintenant aussi : « Tous les Iroquois sont si petits et si humiliés depuis que les Français les ont brûlés, que dans la crainte qu'ils ne le fassent encore, ils sont doux comme des agneaux, et se laissent instruire comme des enfants. » Quinze jours après le retour du gouverneur, la flotte outaouaise arrive à Montréal avec sa cargaison de pelleteries. Les Indiens alliés « apprirent avec joie ce que M. le Gouverneur avait fait pour leur maintenir la paix avec les Iroquois ». Des missionnaires reviennent de l'Iroquoisie : ils disent que le voyage de M. de Courcelles « avait tellement épouvanté » les Iroquois que ceux qui habitaient de petites bourgades avaient voulu les abandonner ; ceux qui habitaient les grandes, avaient retenu leurs guerriers en route pour le pays des Andastes et rappelé ceux qui étaient partis. Enfin, ils avaient décidé la préparation d'une ambassade pour le printemps prochain afin de demander les raisons de cette expédition. L'auteur de la relation du voyage et Marie de l'Incarnation affirment tous deux que le geste surprend tellement les Tsonnontouans, qu'ils sont prêts à obéir aux Français et leur obéissent maintenant dans l'affaire des pelleteries : « ...Pour ne pas déplaire aux Français, ils n'allèrent plus en traite chez les Hollandais. » Et l'auteur de la relation dit que l'un des buts du gouverneur « était d'empêcher les Outaouais d'aller traiter leurs pelleteries aux Hollandais ». Toutefois, on croit d'avantage deviner dans cette affirmation le panégyrique que l'expression de la vérité. Il est probable qu'Iroquois et Outaouais qui projetaient d'ouvrir un commerce de fourrures avec Albany, vont y penser à deux fois avant de s'engager plus avant dans cette affaire ; il semble que le voyage du gouverneur « dont la présence fit prendre la résolution, aux uns et aux autres, d'obéir à ses ordres » ait vraiment eu ce résultat. Mais les fourrures des Iroquois n'arrivent pas pour autant à Montréal.

Il est donc possible de franchir les rapides du Saint-Laurent en barque.

En ce qui concerne le conflit entre Tsonnontouans et Indiens alliés, il prend fin immédiatement. Voici ce qu'écrit Marie de l'Incarnation : « ...Les Tsonnontouans ont remué pour faire la guerre aux Outaouais. M. notre Gouverneur a tellement intimidé les uns et les autres, qu'il les a rendus amis... Afin de leur faire voir qu'on les pourra humilier quand on voudra... », il a fait

Katarakouy = Cataracoui (aujourd'hui Kingston)

le voyage de Katarakouy. Enfin, « M. le Gouverneur leur dit qu'il perdrait tous ceux qui feraient révolte et détruirait leur pays quand il voudrait. » Le 2 novembre 1671, Talon fera le rapport suivant : « La paix est également profonde au dedans et au dehors de cette colonie. Les Iroquois après avoir un peu grondé contre les sauvages qui se sont mis sous la protection du Roi et auxquels ils faisaient la guerre, ce sont enfin contenus dans leur devoir... il y a lieu de croire que la communauté préférera toujours la paix à la guerre. » Il ajoutera aussi : « ...Le nom du Roi est si répandu dans toutes ces contrées parmi les sauvages que seul il y est regardé par elles comme l'arbitre de la paix et de la guerre, toutes se détachent insensiblement des autres Européens, et à l'exception des Iroquois, dont je ne suis pas encore assuré, on peut presque se promettre de faire prendre les armes aux autres quand on le désirera. »

Commotion chez les Anglais d'Albany.

Les Anglais ont entendu parler d'une expédition canadienne. Au cours d'une séance spéciale du tribunal d'Albany, Rensselaerswyck et Shenectady, le 8 juin 1671, les magistrats sont informés que des rumeurs alarmantes circulent au sujet d'une invasion française. Un individu du nom de Jean La Rose, une sorte de transfuge, ainsi que des Agniers les auraient répandues. Interrogé, le premier se contente d'affirmer que des Français sont venus avec des castors pour détourner le commerce des fourrures et pour examiner l'endroit. Un chef des Iroquois du Canada fournit des précisions : les Français, dit-il, construisent deux cents canots pour traverser le lac ; un missionnaire d'Anniéjé aurait aussi reçu une lettre disant que les Français demandent aux Anglais d'établir la paix entre les Agniers et les Mohicans, comme eux l'ont faite entre toutes les tribus canadiennes ; que si les Anglais n'obéissent pas, les Français les attaqueront.

Cavelier de La Salle interrogé par le Tribunal d'Albany.

Il est alors résolu de lire ces déclarations à un certain « *Robertus Renatus de la Salle, a certain Frenchman who came here from the Maqua country and to examine him about it.* » Il s'agit probablement de René-Robert Cavalier de La Salle qui, de fait, subit un interrogatoire. Celui-ci déclare que le nommé La Rose est un scélérat, qu'il a parlé sous l'emprise de la haine et par méchanceté, et qu'il devrait être puni. Il ajoute que l'on ne doit pas croire les déclarations des Indiens, qu'elles sont contraires à toute raison et à tout bon sens. Il lit certaines instructions des autorités de la Nouvelle-France, disant que l'on doit faire une bonne réception aux Anglais qui viendront, que des navires se construisent en effet à Québec, non pour traverser le lac Champlain, mais dans le but de conduire le commerce. Enfin, après divers interrogatoires, le tribunal conclut qu'il n'y a aucune faute « de la part dudit Robertus Renatus et de ses compagnons et qu'ils peuvent continuer leur voyage ». Mais les rumeurs continuent à circuler et le 28 juin, soit une vingtaine de jours plus tard, les magistrats décident d'envoyer un délégué avec trois ou quatre volontaires au pays des Agniers pour y demeurer sept ou huit jours, faire une inspection et envoyer quelques Indiens sur les sentiers pour espionner et apprendre quelque chose. C'est le jeudi. Le lundi suivant, des colons et des habitants doivent venir au tribunal armés au complet et prêts à se mettre en marche. Un ordre, daté du 15 juillet 1671, obligera les habitants à se pourvoir en armes et en munitions dans un délai de deux semaines. Un ordre semblable sera donné en 1672. L'affaire n'a pas d'autres développements. Il semble que toutes ces rumeurs proviennent d'un événement précis : les préparatifs de M. de Courcelles pour se rendre au lac Ontario. Ils sont enregistrés dans *Minutes of the Court of Albany, Rensselaerswyck and Shenectady*, et dans *Early Records of Albany*.

L'exploit du gouverneur Courcelles inquiète autant les Anglais que les Iroquois.

Dollier de Casson signale à son tour d'autres réactions : « Les Iroquois furent si intimidés du voyage de M. de Courcelles et leur audace en fut tellement rabattue, qu'ils firent passer chez les Européens, leurs voisins, la frayeur que cette entreprise leur avait inspirée à eux mêmes, donnant à craindre à ceux-ci l'arrivée de M. de Courcelles, avec une multitude de gens de guerre, que l'épouvante des Iroquois leur faisait imaginer. » Il y a peut-être une certaine exagération dans les termes, mais la France, la nation la plus puissante de l'Europe, devenait peu à peu une puissante nation en Amérique. Marie de l'Incarnation présente aussi ses commentaires : « ...Les Tsonnontouans ont remué pour faire la guerre aux Outaouais. M. nôtre Gouverneur a tellement intimidé les uns et les autres, qu'il les a rendus amis. Néanmoins, comme l'on ne peut se fier entièrement aux sauvages, afin de leur faire voir qu'on les pourra humilier quand on voudra, il a pris sans faire bruit une troupe de Français, et s'est embarqué avec eux en des bateaux et en des canots... » Il arriva heureusement à Quinté, qui est une habitation d'Iroquois, ce dont ces barbares furent tellement effrayés, qu'après avoir longtemps tenu la main sur la bouche pour marque de leur étonnement, ils s'écrièrent que les Français étaient des diables qui venaient à bout de tout ce qu'ils voulaient... M. le Gouverneur leur dit qu'il perdrait tous ceux qui feraient révolte, et qu'il prendrait et détruirait leur pays quand il voudrait. Vous remarquerez qu'avant ces troubles, les Tsonnontouans étaient d'intelligence avec les Anglais pour leur mener les Outaouais, afin de frustrer la traite des Français, ce qui eut perdu tout le commerce. Mais les Anglais ayant appris ce voyage de M. le Gouverneur chez les sauvages, ne furent pas moins effrayés que les sauvages mêmes, et eurent crainte qu'on n'allât les attaquer pour les chasser de leur lieu. Les Iroquois conservent un cuisant souvenir de l'expédition conduite par Tracy en 1666. Ils choisissent, selon l'expression de Marie de l'Incarnation, de se faire « doux comme des agneaux ».

Le père Julien Garnier accusé d'espionnage par les Tsonnontouans.

Cette expédition a eu aussi d'autres effets qu'il faut signaler. Le père Julien Garnier évangélise les Tsonnontouans lorsqu'arrivent les premières nouvelles de la marche de M. de Courcelles. Tous croient que c'est la guerre, le nombre des conversions se multiplie, « mais les bruits d'une armée française renversèrent bientôt ces petits commencements ». Le missionnaire est accusé d'espionnage : « Je sais avec assurance qu'on a délibéré de ma mort en qualité d'espion... » Après avoir fait remarquer qu'il est exposé à la mort, le père ajoute : « Il y aurait encore autant à craindre pour moi, si on apportait une nouvelle probable de la marche d'une armée française en ce pays ; plusieurs m'ont assuré par avance, que si cela arrivait, infailliblement ils me casseraient la tête». Comme la Nouvelle-France n'a pas de représentants laïques en Iroquoisie mais seulement des missionnaires, on rend ceux-ci responsables des renseignements qu'ils peuvent donner sur l'état d'esprit des Iroquois.

Il y a encore deux points à souligner. D'abord, la réaction des Tsonnontouans et des Iroquois en général indique très nettement la portée de la campagne de M. de Tracy. La destruction des bourgades, des réserves de maïs, le déracinement brutal et momentané de toute une tribu sont de grands malheurs pour des peuplades sédentaires; ils signifient la misère, la famine et la mort. C'est pourquoi les Iroquois supérieurs reculent devant des désastres qu'ils imaginent lorsque M. de Courcelles arrive sur les eaux du lac Ontario. Ensuite, le projet d'un fort au lac Ontario lancé par l'intendant Talon franchit une nouvelle étape. Talon n'a pas obtenu l'assentiment total des autorités royales. Le 11 février 1671, Colbert lui a répondu: «...Le Roi n'a pas estimé qu'il fut nécessaire de nouvelles troupes pour cela; et Sa Majesté désire seulement que vous communiquiez cette pensée à M. de Courcelles et qu'il l'exécute, si vous trouvez en effet qu'il en puisse revenir quelque avantage au service du Roi et aux nations sauvages auxquelles sa Majesté a accordé la paix.» Ce n'est pas une fin de non-recevoir. Le gouverneur de la Nouvelle-France décidera en somme de la nécessité de l'entreprise et il devra l'exécuter avec les ressources du pays. Un écrit de 1670 probablement, qui est resté anonyme, vient singulièrement renforcer la position de Talon. Il décrit fidèlement l'état du commerce des fourrures dans le Haut-Canada. Les Iroquois, affirme-t-il, «n'ayant que fort peu de castors et autres bêtes dans leur pays...», doivent chercher des pelleteries ailleurs; «ils sont contraints d'aller chasser bien avant dans les pays du nord...» et il se produit que «les familles de ces sauvages sont sédentaires et que les hommes sont contraints d'abandonner leurs femmes et leurs enfants dans les villages tous les ans, pour aller chasser fort loin. Ils partent vers la fin de novembre et ne reviennent qu'à la fin de juin, pendant quoi leurs femmes cultivent les terres et font leurs semences...»; et «il faut nécessairement qu'ils chassent dans les pays fort éloignés...» Comme les meilleures pelleteries se trouvent dans les territoires nordiques, les chasseurs iroquois vont naturellement dans le Haut-Canada, au nord de l'Outaouais; «...Et comme ils n'osent le passer dans le milieu [le lac Ontario] avec leurs canots d'écorce, parce qu'il a vingt et cinq lieues de large, ils descendent le long des bords jusques à ce qu'ils sont au bout, où il est étroit et où il y a des îles qu'ils gagnent successivement l'une après l'autre, en faisant leur traverse, après quoi chacun prend son chemin, les uns remontant le long du lac, et les autres coupant tout droit dans les terres». D'autres chasseurs vont contourner le lac à son extrémité occidentale. Donc deux endroits s'imposent comme futurs emplacements de postes: l'un à l'est du lac Ontario, là où il débouche dans le Saint-Laurent, l'autre à l'ouest, à l'embouchure de la rivière Niagara. Des forts placés sur ces deux passages permettront à la fois de retenir une partie ou la totalité des fourrures amassées pendant l'hiver, et de surveiller les mouvements des Iroquois. M. de Courcelles vient de visiter la première de ces deux régions ; il devient alors possible de se mettre à l'ouvrage et de commencer cette grande entreprise qui portera toujours l'empreinte de Talon, son concepteur.

D'autres facteurs s'ajoutent aux précédents pour obliger les Iroquois supérieurs, en particulier les Tsonnontouans, à maintenir la paix. La guerre avec les Andastes d'abord. Elle continue à sévir avec violence. Maintenant, même les femmes subissent le supplice du feu tant la cruauté est exacerbée. Puis une guerre contre les Chouanons vient de naître dans le sud-ouest de l'Iroquoisie, pour on ne sait quelle raison. On ne possède pas d'informations sur ce conflit. On peut supposer que les fourrures en sont encore ici la cause, mais on n'en a pas la preuve. Il s'agit peut-être aussi de contestations à propos de territoires de chasse, bien que les Iroquois n'en manquent pas. Les Chouanons occupent alors la vallée de l'Ohio. Ils habitent environ vingt-cinq villages. Voici ce que le père Marquette écrit à leur sujet : « Ils ne sont nullement guerriers, et ce sont ces peuples que les Iroquois vont chercher si loin pour leur faire la guerre sans aucun sujet. » D'après le père Charlevoix, les Iroquois massacrent et dispersent en 1671, après de nombreuses années de guerre, cette peuplade inoffensive qui occupait une belle région. La date ne semble pas exacte ; il faut probablement reporter cet événement quelques années plus tard. Nombre de Chouanons seront intégrés à la nation iroquoise et s'y fondront peu à peu. Quelques petites bandes survivront. Les Iroquois continuent à faire le vide autour d'eux ; beaucoup mieux armés et aguerris que les tribus intérieures, après les Chouanons, ils détruisent les Ériés, les Neutres, les Hurons et les Algonquins.

Jacques Marquette (1637-1675), jésuite, à la mission Saint-Ignace (sur la rive nord du détroit de Michillimakinac) de 1671 à 1673.

En 1671, une accalmie relative règne dans l'est de l'Iroquoisie : les Agniers concluent la paix avec les Mohicans. Le 15 novembre 1671, Jeremiah van Rensselaer écrit en effet : « Le 8 novembre passé, nous avons conclu une paix ferme ici entre les Agniers et les Mohicans en général, et entre tous ceux qui faisaient la guerre. J'espère que cette paix durera. Les habitants d'Albany et de la colonie de Rensselaerswyck ont dépensé plus de cent castors à cette fin. Nous nous attendons à ce que le commerce soit maintenant meilleur, parce que les Indiens sont allés à la chasse... » Le gouverneur Lovelace et les Agniers ont ainsi atteint leurs objectifs. Les *Relations des Jésuites* signalent aussi cet événement, lorsqu'elles parlent de nouveau de Garakonthié. À son retour à Onnontaé, après son baptême, le nouveau converti a annoncé qu'il n'exercerait plus sa haute fonction de sachem sauf si celle-ci était compatible avec les commandements de sa foi nouvelle : « Il fit encore cette déclaration d'une manière plus généreuse en la Nouvelle-Hollande, en présence des Européens qui commandaient en ce pays, et des notables de toutes les cinq nations iroquoises, qui avaient été appelés pour conclure la paix avec les Nations du Loup... » Agniers et Mohicans, ces vieux ennemis, s'accordent donc mutuellement un nouveau répit. Leur conflit avait été d'une grande utilité à Nouvelle-

Les Agniers et les Mohicans font la paix en 1671.

France ; entre 1663 et 1665, il avait diminué l'intensité des attaques iroquoises contre celle-ci. Il avait ensuite rendu la paix possible et l'avait fortifiée en tenant occupée la jeunesse d'Anniéjé. On craint maintenant que cette jeunesse ne regarde vers le nord.

Somme toute, la situation reste excellente à la fin de l'année. Le 7 avril 1672, le roi écrit à M. de Courcelles : « J'ai appris par votre lettre du 10 novembre dernier, le voyage que vous avez fait l'année passée au lac Ontario, tant pour reconnaître le pays que pour imprimer toujours dans l'esprit de toutes les nations sauvages, la crainte de mes armes, afin de maintenir la paix et le repos parmi mes sujets de la Nouvelle-France. » L'expédition avait précisément produit ce résultat. Une agitation dangereuse s'était calmée, des velléités de guerre s'étaient éteintes et les mouvements dangereux avaient cessé.

Les Indiens alliés deviennent sujets français.

À partir de 1671, le statut des Indiens alliés et du territoire qu'ils habitent change totalement. Les Indiens deviennent sujets français et leurs territoires, terre française. Les Iroquois ne peuvent attaquer ces Indiens ni pénétrer dans leur pays, sans faire un affront et poser un *casus belli* à la France. Les Indiens alliés jouiront à partir de maintenant, au même titre que les Algonquins, de la protection du gouverneur de Québec.

Cavelier de La Salle, on l'a mentionné, s'est vu confier une mission identique à celle de M. de Saint-Lusson, mais dans le sud. Celle-ci est restée imprécise aussi bien dans son but que dans son résultat.

Pendant que les limites de la Nouvelle-France se précisent et reculent vers l'ouest, l'arrivée de six compagnies en 1671 contribue à affermir la paix. Elle a le même résultat que l'expédition de M. de Courcelles au lac Ontario, c'est-à-dire faire retomber les bouillonnements belliqueux, répandre la crainte, faire prévaloir la modération dans les conseils. En plus, elle active le développement économique de la Nouvelle-France et la rend plus dangereuse aux yeux des Iroquois. De nouveaux officiers s'établissent dans des seigneuries, de nouveaux soldats se marient et prennent des concessions. Les deux rives du fleuve se peuplent entre les postes de Québec, des Trois-Rivières, de Montréal. C'est une colonisation militaire, à la romaine. Ceux qui ont défendu le pays le défrichent maintenant. Quand ils manient la hache, le fusil est à leurs pieds, sur une souche, et ils peuvent facilement le saisir pour se défendre. Ainsi l'a voulu le roi. La situation particulière de la Nouvelle-France lui a valu cette formule de développement économique. L'Iroquoisie est toujours présente dans les esprits. En quelques jours le pays peut avoir à se défendre contre des attaques féroces, mais il y aura sur les lieux un corps de vieilles troupes capables d'en supporter le choc et de porter la guerre chez l'ennemi ; étant propriétaires du sol qu'elles auront à défendre, elles y mettront plus d'ardeur.

Talon n'oublie pas l'île située en amont de Montréal, l'île Jésus, qui lui semble particulièrement importante : « J'ai distribué... des terres en fief pour y faire des bourgades, villages et hameaux afin de la fortifier et par elle la tête de toutes les habitations à laquelle elle se trouve avec celle de Montréal, qui regarde particulièrement la descente des Iroquois».

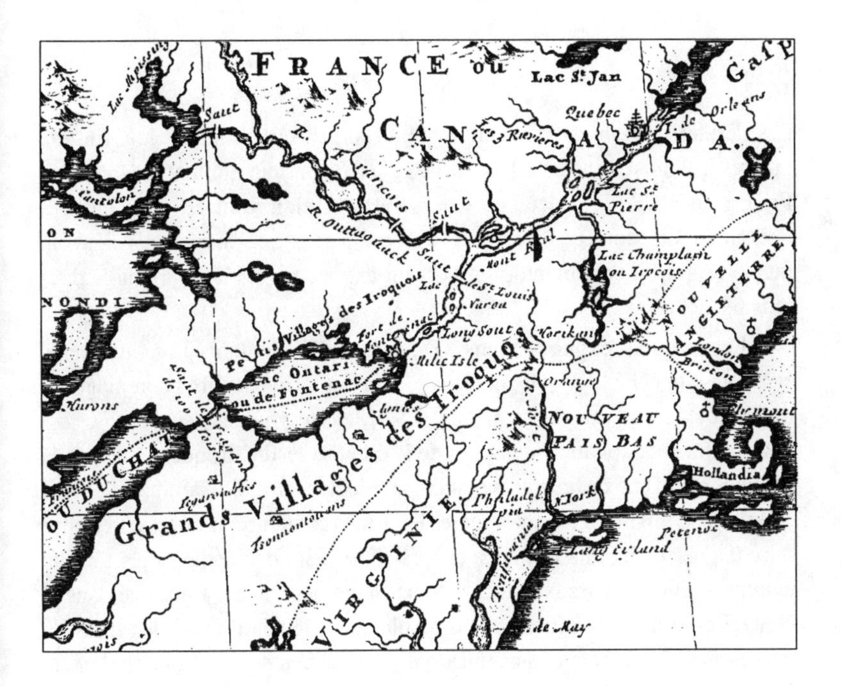

Chapitre 119

1672

Le départ de M. de Courcelles et de Talon. L'arrivée de Louis de Buade de Frontenac et de Palluau (1622-1698), gouverneur général de la Nouvelle-France.

Les derniers membres de l'équipe qui a réorganisé la colonie, mis fin aux guerres iroquoises, instauré la sécurité et la paix partout quittent la Nouvelle-France en 1672. Monsieur de Courcelles et Talon vont en effet partir à l'automne. Le comte de Frontenac va les remplacer. Le 7 avril, le roi signe un mémoire qui lui sera bientôt remis et lui expose le problème iroquois dans tous ses détails.

Les Iroquois, explique Louis XIV, ont retardé la colonisation du Canada et en ont empêché le développement ; ils lui ont infligé de gros dommages et de nombreuses pertes de vie. Alors, « Sa Majesté voulant délivrer une fois pour toutes les habitants dudit pays de la cruauté desdits Iroquois, elle prit la résolution en 1665 de faire passer audit pays le Régiment de Carignan-Salières composé de mil hommes, avec toutes les armes et munitions nécessaires pour faire la guerre aux dits Iroquois, et les obliger à lui demander la paix. Cette entreprise eut un heureux succès ». Subséquemment, le roi a licencié dans la Nouvelle-France des officiers et des soldats ; il leur a délivré des titres de concession. Six autres compagnies qui sont venues en 1670 ont également fourni des colons. Une population aguerrie, habile au maniement des armes s'est « habituée » au pays. Tout comme ses prédécesseurs, Frontenac devra assembler périodiquement ces anciens soldats, les soumettre aux exercices militaires et aux revues « afin de les tenir non seulement en état de repousser les injures qui leur pourront être faites par lesdits Iroquois, mais même de les attaquer toutes les fois qu'il importera au service de Sa Majesté et au repos des dites colonies ». Alors qu'avant 1665, la Nouvelle-France n'avait aucune force militaire, elle possède maintenant une milice peu nombreuse mais digne de confiance. Frontenac se rendra vite compte qu'il faut l'exercer, car il n'y a pratiquement plus de troupes régulières au pays. Il n'aura pas tout d'abord une opinion très favorable de ces miliciens qui n'ont pas des allures de soldat, ont femme et enfants, sont obligés d'exécuter les travaux des champs toujours urgents et ne pensent qu'aux semences et aux récoltes. Le nouveau gouverneur doit pourtant s'en contenter ; au mois de novembre 1673, il écrira : « ...J'ai commencé de régler toutes les milices du pays. J'ai mis des capitaines et des officiers dans toutes les côtes où il n'y en avait point, auxquels j'ai ordonné de faire l'exercice tous les huit ou quinze jours au plus tard... ; j'ai composé quelques régiments de huit ou dix côtes les plus voisines afin que le colonel... put faire faire l'exercice à toutes ces compagnies ensemble... ». Les difficultés

Une milice sur laquelle on peut compter.

régler = donner des règles

de cette politique sont les suivantes : la neige, l'hiver, interdit les manœuvres ; la plupart des habitants n'ont pas d'armes et sont si pauvres qu'ils ne peuvent en acheter. Il faut ajouter aussi que ces anciens soldats exécutent la plus harassante, la plus absorbante des tâches : le défrichement, et qu'ils ont besoin de tout leur temps pour préparer la terre aux récoltes dont ils ont besoin. Le gouverneur les oblige à prendre des terres les uns à côté des autres pour former des noyaux de population dense, capables de se défendre facilement contre tous les ennemis et en particulier contre les Iroquois. En cas d'attaque, ils pourront se porter assistance et ils offriront moins de prise à une agression éventuelle.

Déclaration de guerre entre la France et la Hollande.

Frontenac apporte en même temps que ces fermes directives, la déclaration de guerre de la France à la Hollande. Pour cette guerre, Louis XIV a besoin de toute son armée et de toutes ses ressources. La grande politique de colonisation inaugurée en 1660 par Talon, si ingénieuse et si excitante, prend brusquement fin. Le flot des colons s'interrompt ; il n'y a plus d'argent pour le Canada. Toute assistance financière ou autre cesse, mais trop tôt, car sur le plan industriel, agricole, commercial, ses intentions pour la population et l'armée, la Nouvelle-France n'est pas encore assez forte pour se développer seule et devenir la concurrente des colonies anglaises de l'Amérique ; elle n'est même pas assez puissante pour faire face à l'Iroquoisie et empêcher les attaques en montrant une population importante. Talon avait l'âme impérialiste, il avait eu l'idée d'une grande œuvre française à commencer en Amérique, et s'était fait vivement rabrouer. Frontenac a les mêmes objectifs dès son arrivée, mais il les exprime peut-être avec plus de force et d'énergie que ses prédécesseurs. Dans une dépêche du mois de novembre, il écrit : « Si le Roi, voulait nullement faire, pour la conservation de ce pays, ce qu'il fait pour la moindre des villes qu'il a prises sur les Hollandais, et envoyer pour le Canada et l'Acadie, ce qu'il y a de garnison dans la moindre de ces places, nous serions à couvert de toutes sortes d'insultes et en état de faire des choses très avantageuses pour l'augmentation d'un pays qui peut devenir un jour un royaume très considérable... L'on aurait plus à craindre l'incursion des Iroquois... qui peuvent fort bien, s'apercevant de nôtre faiblesse... rompre la paix qu'ils ont avec nous... » Le blâme, l'avis et le conseil sont ici liés. Frontenac est aussi rapidement rabroué que Talon. Voici la réponse qu'il recevra le 13 juin 1673 : « À l'égard des Iroquois, comme la colonie est fort nombreuse, Sa Majesté ne redoute pas que vous les conteniez facilement dans leur devoir..., mais vous ne devez pas attendre que Sa Majesté puisse vous envoyer des troupes d'ici, vu qu'elle n'a pas jugé que cela fut nécessaire et qu'elle désire que vous exécutiez ponctuellement ce qui est contenu dans votre instruction pour aguerrir les habitants de ce pays, en les rangeant sous des compagnies, et en leur faisant faire l'exercice le plus souvent qu'il se pourra, en telle sorte que vous puissiez vous en servir dans toutes les occasions où vous pourrez en avoir besoin. »

Il n'y a plus d'argent pour le Canada.

Du même souffle, Frontenac livre blâme, avis et conseil !

Monsieur de Courcelles et Talon partent à la mi-novembre, après avoir passé un mois et demi environ avec le nouveau gouverneur. Ils ont pu le mettre au courant de tous les problèmes canadiens et lui exposer les plans, les projets qu'ils ont à l'esprit et qui assurent la continuité de la politique française. Dès son arrivée, le gouverneur est aussi saisi du problème iroquois, car il doit se rendre aux Trois-Rivières « sur avis qu'on m'avait donné de quelque incursion des Iroquois contre les Sokokis, qui ne se trouva point véritable ». La paix semble durer. Le gouverneur, qui n'y croit pas, ose demander de nouveaux soldats car c'est nécessaire « si l'on veut contenir les Iroquois et les autres sauvages dans le devoir ». Mais il veut en même temps exécuter le projet que Talon et M. de Courcelles ont formé depuis quelques années. Voici les phrases qu'il écrira dans sa première dépêche du 2 novembre : « M. de Courcelles vous parlera d'un poste qu'il avait projeté sur le lac Ontario, qu'il croit être de la dernière nécessité pour empêcher les Iroquois de porter aux Hollandais les pelleteries qu'ils vont chercher chez les Outaouais, et les obliger, comme il est juste, de nous les apporter, puisqu'ils viennent faire leur chasse sur nos terres. Je tâcherai à aller le printemps sur les lieux pour en mieux connaître l'assiette et l'importance, et voir si nonobstant la faiblesse où nous sommes on n'y pourrait point commencer quelque établissement ». Des rapports d'autres conversations, entre M. de Courcelles et Talon se retrouvent plus loin : « Vous vous souviendrez, Monseigneur, qu'il y a plusieurs années qu'on vous avait donné avis que les Anglais et les Hollandais faisaient tous les efforts imaginables pour détourner les Outaouais qui sont les nations d'où nous tirons toutes nos pelleteries, de nous les apporter et qu'ils voulaient les engager à venir à Ganacheskiagon, sur les bords du lac Ontario, où ils offraient de leur faire porter toutes les marchandises dont ils auraient besoin ». Il ajoutera ce qui suit : « L'appréhension qu'avaient les gouverneurs qui m'ont précédé que cela ne détruisît entièrement notre traite et l'envie d'ôter à nos voisins le grand profit qu'ils retiraient de celle qu'ils faisaient avec les Outaouais par le moyen des Iroquois, les avait fait songer à occuper quelque poste sur les bords de ce lac qui nous en pût rendre les maîtres... » ; la distance et les difficultés des chemins les ont empêchés d'exécuter ce projet. Ici, Frontenac suit Talon qui le premier a exposé ces faits à la Cour. Il est donc au fait du problème. Avec son caractère énergique et résolu, il prend vite une décision. D'autant plus qu'il reçoit des nouvelles qui sont peut-être graves. L'auteur de la relation du voyage de M. de Frontenac dit que, dès son arrivée, le gouverneur est mis au courant « du traité que les Iroquois négociaient avec les Outaouais » ; et les articles en « étaient d'une trop grande conséquence au commerce du pays pour ne le pas obliger à en empêcher la conclusion... Par ce traité, où les Iroquois étaient principalement portés par leurs voisins, ils offraient aux Outaouais toutes les marchandises dont ils auraient besoin, et l'échange devait s'en faire sur le lac Ontario ». Plus tard, le 29 mai 1673, le père Nouvel, supérieur de la mission des Outaouais, adressera à Frontenac une lettre au sujet des Indiens, ses ouailles :

Les Sokokis, ou Socoquis, une tribu apparentée aux Abénaquis et vivant dans le Maine.

Assiette = emplacement

« Nous tâchons... de les porter à continuer leur commerce avec les Français » ; toutefois, les postes de la baie d'Hudson, au nord et au sud, « la proximité des Iroquois avec lesquels les Missakés ont fait leur chasse d'hiver, causent un notable préjudice à la colonie... Et les Iroquois ont envoyé des présents fort considérables dans toutes ces nations, pour confirmer, disent-ils, la paix qu'Onontio a faite ; mais plutôt pour avoir leurs pelleteries avec lesquelles ils attendent qu'on réponde à leurs présents ». Les Tsonnontouans ont apporté vingt présents et ramené deux Outaouaises captives. Pendant l'hiver, le gouverneur recevra aussi des renseignements qui viendront de l'Iroquoisie ; il écrira au ministre qu'il a été avisé par La Salle « qui était chez les Iroquois et par les Pères Jésuites dont je vous envoie les lettres côtées que les Anglais faisaient sous main ce qu'ils pouvaient pour les obliger à conclure ce traité avec les Outaouais et pour les engager à rompre la paix avec nous en leur représentant qu'ils n'en trouveraient jamais une occasion plus favorable ». L'occasion favorable est le départ de M. de Courcelles et l'arrivée d'un gouverneur qui manque d'expérience et ne connaît pas les affaires canadiennes. Cavelier de La Salle parlera des Indiens alliés « auxquels les Iroquois menaçaient de faire la guerre, à moins qu'ils ne portassent le castor chez eux par le lac Ontario, et ensuite à la Nouvelle-York ». Naturellement, les écarts de prix sont à l'origine de toute cette affaire. Si les prix versés pour les pelleteries à Montréal ou à Québec avaient été supérieurs ou égaux que ceux versés à Albany, les intrigues et les négociations des Iroquois auraient été vaines, les Français auraient pu dormir en paix. Mais la situation étant ce qu'elle est, la paix permettant aux tribus de se rendre visite, on peut craindre que les fourrures ne prennent la route d'Albany. Les coureurs des bois eux-mêmes, groupe qui se multiplie depuis quelques années, sont sensibles à l'attrait que représente des prix plus élevés : « leur insolence devient grande, menaçant de faire des forts et d'aller du côté de Manathe et d'Orange où ils se vantent qu'ils seront reçus et auront toute protection. Ils ont commencé de leur porter des peaux dès l'année passée, ce qui causerait un notable préjudice à la colonie ; mais j'irai dès le printemps à Montréal pour les observer de plus près... »

Henri Nouvel (v. 1621-v. 1701), jésuite, supérieur des missions outaouaises de 1672 à 1681 et de 1688 à 1695.

Missakés, sans doute des Missassaguas, de la famille algonquienne (proche des Saulteux).

Les coureurs des bois sont eux-mêmes sensibles aux prix offerts à Albany.

Les raisons qui ont incité Talon à demander la construction d'un poste au lac Ontario existent toujours, mais elles sont encore plus graves. Il faut trouver une solution. Quelle sera-t-elle ? De Courcelles et Talon ne se sont jamais entendus sur ce point. Dans un ouvrage intitulé *The Jolliet-Marquette Expédition, l673*, l'auteur, le père Francis Borgia, O.F.M. soutient avec assez de justesse que dans un mémoire du 10 octobre 1670, Talon favorise la fondation d'un poste au lac Ontario ; mais qu'un mois plus tard, le 10 novembre, il préconise une invasion de l'Iroquoisie ou une nouvelle guerre contre l'Iroquoisie. Quels sont les raisons qui l'on fait changer d'avis entre ces deux dates ? Tout simplement que M. de Courcelles ayant manifesté son intention de collaborer à l'entreprise d'un poste au lac Ontario, Talon, qui ne s'entend pas bien avec le gouverneur, aurait, par dépit, modifié son projet. Le même

Francis Borgia Steck, Essays relating to the Jolliet-Marquette expedition, 1673. *Ed. August Reyling, Quiney, Illinois, 1953.*

auteur ajoute que M. de Courcelles a des intentions bien particulières : ce n'est pas un fort, mais une factorerie, un poste de traite, qu'il veut construire au lac Ontario. Mais l'un le voulait au sud du lac et l'autre au nord. Incapable de s'entendre avec l'intendant, le gouverneur n'aurait fait en 1671 que la démonstration militaire dont on a lu le récit.

Munitions de bouche = vivres

C'est donc à Frontenac de prendre une décision. Dès le début, il se croit empêché par le manque de soldats. Le 2 novembre 1672, parlant du Canada, il écrit ce qui suit : « ...J'y suis sans troupes, dans aucunes munitions de guerre ni de bouche... Il n'y a pas une seule arme dans le magasin ». Pas de poudre non plus, de canots, de bateaux plats, de raquettes, rien, à peine quelques fusils rouillés en cherchant bien. Les compagnies revenues en 1670 ont donné des colons qui ont vendu leurs armes contre des fourrures. Mais, après avoir reçu les dépêches des missionnaires en Iroquoisie et celles de La Salle, il considère cette affaire comme très urgente et il décide la construction d'un poste au lac Ontario. De cette façon il croit, comme Talon, empêcher les communications entre les tribus algonquines du nord et les Iroquois, obliger les Indiens alliés à porter leurs pelleteries en Nouvelle-France et contraindre les Iroquois à laisser au Canada les fourrures du Canada. Le poste doit jouer le rôle des tarifs douaniers actuels : empêcher les produits d'aller naturellement là où se trouvent les meilleurs prix. Frontenac ne met personne dans la confidence et ne rend pas sa décision publique ; il annonce simplement qu'il visitera son gouvernement au printemps, qu'il se rendra à Kenté comme son prédécesseur pour examiner la mission des Sulpiciens et rencontrer les députés des tribus iroquoises. En même temps, il déclare qu'il sera heureux d'être suivi par des officiers habitués au pays, aura besoin de canots et d'habitants. À la place d'une seule embarcation, comme en 1671, il désire que deux bateaux soient construits, qui serviront à transporter un canon « afin de faire quelque chose de nouveau qui put inspirer plus de respect et de crainte aux Sauvages ». Il commande des canots et des bateaux plats, qui pourront transporter seize hommes et de grandes quantités de vivres. Frontenac fait amasser des provisions et des matériaux en secret et il donne des ordres pour les hommes. Considérant que son expédition ne doit pas avoir un caractère de provocation, il choisit Cavelier de La Salle pour avertir les tribus iroquoises et pour les convoquer à Kenté. C'est ainsi que La Salle entre dans la carrière qui sera la sienne au Canada. Cette mission semble assez importante ; celui qui s'en charge s'est familiarisé avec l'Iroquoisie pendant les cinq dernières années et il parle probablement l'iroquois maintenant avec aisance. Chargé de présents considérables, il quitte Montréal dès que la navigation est possible, au printemps 1673, pour se rendre à Onnontaé. Là, il rencontre les sachems, leur transmet l'invitation de Frontenac de se rendre à Kenté ; celui-ci, leur dit-il, veut les y rencontrer pour les assurer de la protection du roi. La Salle visite-t-il d'autres tribus ? On l'ignore. Il semble que les missionnaires travaillent dans le même sens. Par exemple, le père Garnier racontera le succès qu'il a obtenu chez les

Frontenac croit le temps venu de construire un fort au lac Ontario.

Sur le rôle des tarifs douaniers !

Frontenac délègue Cavelier de La Salle pour convoquer les tribus iroquoises à Kenté.

Tsonnontouans : « Les principaux de chaque bourg, ont été députés pour vous aller trouver au lieu que vous leur avez marqué ; ils sont en bonne disposition de recevoir vos ordres et de vous contenter en tout. »

Frontenac a d'abord fixé au 1er juin 1673 la date de son arrivée à Montréal. Malheureusement, cette année-là, l'hiver se prolonge, le printemps est tardif, les semailles battent leur plein au moment où il faudrait partir. Le gouverneur doit reporter le départ de Montréal au 25 juin. Le 3 juin, il quitte Québec avec la garnison du château, ses gardes et sa maison. Il remonte lentement le fleuve ; sur la route, il rend visite à d'anciens officiers qui sont devenus des seigneurs et qui se joignent à lui pour cette expédition, ainsi qu'un grand nombre de particuliers. On commence à se douter des intentions du gouverneur. Des rumeurs circulent. Certaines personnes voudraient empêcher le voyage. Au Cap de la Madeleine, le père Dablon lui dit que les Hollandais ont repris possession de Manate ou New York, ce qui ne s'est pas encore produit, mais qui sera fait quelques semaines plus tard ; par conséquent, il faut craindre que les Hollandais, qui ont exécuté ce fait d'armes et dont les navires forment une escadre très active, se rendent jusqu'au golfe Saint-Laurent pour intercepter les navires français venant à Québec cette année ou remontent le fleuve pour venir à Québec, surtout si les équipages apprennent que la ville manque de troupes. Frontenac n'y croit pas et il demande au missionnaire de calmer les esprits. Pour ne pas s'exposer à d'éventuels reproches, il expédie des ordres au sieur de Tilly qui commande en son absence à Québec, pour qu'il se tienne prêt à repousser une attaque, prépare les milices et soit en mesure de marcher au premier signal. Des instructions précises accompagnent ces ordres : deux canots doivent être postés à Tadoussac pour porter rapidement à Québec l'avis de l'arrivée de la flotte hollandaise ; les charpentiers construiront des affûts pour les canons de la citadelle, etc. D'autres rumeurs voudront que les Iroquois attendent l'expédition à la tête des rapides du Saint-Laurent pour l'écraser.

Sa maison = son personnel

Claude Dablon (1619-1697), supérieur des missions des Jésuites de 1671 à 1688 et de 1686 à 1693.

Charles Legardeur de Tilly (v. 1614-1695), membre du conseil souverain

Le 15 juin, le gouverneur est à Montréal. Répercuté par les échos, le canon et la mousqueterie résonnent. Les officiers de justice et le syndic des habitants sont sur la grève ; le clergé lui-même est à la porte de l'église. Le gouverneur séjourne dans l'île pendant une douzaine de jours. Il organise son détachement, sa flottille, trouve les outils et les matériaux pour construire rapidement un fort là-bas. Il a envoyé un second ambassadeur aux Iroquois, M. de Hautmesnil, pour lui annoncer son retard et pour convoquer les chefs à Kenté entre le 15 et le 20 juillet. En même temps, pour faciliter le mouvement des troupes et des marchandises, il fait aménager un chemin pour les charrettes entre Montréal et Lachine, soit sur une distance de trois à quatre lieues.

Le 25 et le 26 juin, presque toutes les troupes sont arrivées ; le 27, elles défilent sur cette nouvelle route qui les conduit à la tête des rapides où aura lieu l'embarquement. Le 29 juin, elles embarquent dans 120 canots et deux bateaux plats qui transportent, en particulier, six petits canons de fonte. On compte environ quatre cents hommes, soldats réguliers, miliciens ou volontaires, qui ont été choisis parmi les plus habiles et les plus vigoureux. Quelques Hurons accompagnent le convoi.

Frontenac sur les pas de Courcelles.

Remonter le fleuve dans cette section coupée de chutes et de rapides, n'est pas devenu plus facile depuis le voyage de M. de Courcelles, deux années plus tôt. Les bateaux surtout rencontrent des difficultés insurmontables. Parfois, une cinquantaine d'hommes doivent se mettre à l'eau pour les traîner, les pousser ou franchir un pas difficile. Et les légers canots d'écorce jouent autour de ces lourds vaisseaux. Le 2 juillet, la flottille atteint le lac Saint-François où elle trouve un vent favorable; le 4, elle longe des côtes agréables et des îlots boisés de chênes et d'autres « bois francs » ; les futaies sont superbes, aérées, des prairies s'échelonnent le long du fleuve. Au Long-Sault, des efforts incroyables seront nécessaires pour empêcher le naufrage de l'un des bateaux. Les hommes ont parfois les pieds et les jambes en sang. Frontenac s'inquiète de leur sort et des provisions de la troupe, car des orages éclatent. Le 9 juillet, le corps principal rencontre un détachement qui a navigué rapidement pour établir un dépôt de vivres au-dessus des rapides et qui retourne à Montréal pour revenir avec un second chargement. Le soir venu, le convoi atteint une belle pointe. Frontenac voit arriver deux canots iroquois qui lui apportent des nouvelles de La Salle; elles sont bonnes. Tout d'abord, les Iroquois ont eu quelques appréhensions, puis ils ont décidé d'aller au rendez-vous; plus de deux cents d'entre eux sont maintenant rassemblés à Kenté et parmi eux, il y a des anciens et des hommes considérables. Puis Frontenac prie les abbés de Fénélon et d'Urfé de se rendre rapidement à Kenté pour inviter tous les Iroquois à aller à Katarakouy, vingt lieues en aval, « ayant jugé sur la carte... que ce serait un lieu fort propre pour y faire l'établissement qu'il méditait ». L'emplacement du poste n'ayant jamais été déterminé, personne ne connaissait le district à fond. Les uns favorisant Kenté, les autres, un endroit nommé Onneyout, d'autres La Famine sur la rive sud. Frontenac a rapidement décidé la construction d'un fort, et n'hésite pas longtemps sur l'emplacement à choisir: « Néanmoins, dira-t-il, après avoir bien rêvé sur une carte que le sieur de La Salle m'avait envoyée de tout le lac, je pris résolution de m'aller poster à la rivière de Katarakouy, supposé que j'y trouvasse les terres bonnes et le lieu commode pour un établissement ». Il n'y a pas de meilleur poste pour observer les Indiens qui se dirigent vers l'Iroquoisie, les Iroquois qui viennent dans le Haut-Canada pour chasser ou pour intercepter au retour les fourrures qu'ils rapportent. La garnison pourrait suivre et contrôler ces allées et venues, une factorerie au même endroit échangerait des marchandises contre des fourrures. Ce passage, cette route, se trouve à Katarakouy. Kenté est trop éloigné, la traversée du lac ne se fait pas là. Frontenac ne pense pas non plus à construire sur la rive sud, à La Famine, c'est-à-dire en Iroquoisie, par crainte de mécontenter gravement les Iroquois, d'ameuter les Anglais et en cas de guerre, La Famine serait très difficile à défendre.

Un fleuve très difficile

François-Saturnin Lascaris d'Urfé (1641-1701), sulpicien, missionnaire à Kenté, cousin de l'abbé de Fénélon.

La Famine, Onneyout, Kenté ou Katarakouy?

Katarakouy, le site idéal

Frontenac désire visiter Katarakouy avant que les Iroquois ne s'y présentent ; il envoie d'autres messagers pour les retenir un moment à Kenté. Mais les messagers rencontrent des Iroquois qui traversent le lac à Katarakouy. Les Français sont à une demi-lieue. Les Iroquois leur envoient les capitaines de chaque tribu et leur orateur nommé Tarontishati, pour les saluer poliment. Frontenac profite de l'occasion pour leur offrir un spectacle impressionnant, car il a l'art de la mise en scène : la flottille se divise ; quatre escadrilles de canots, sur une même ligne, ouvrent la marche ; les deux bateaux plats viennent ensuite, Frontenac les suit, accompagné des embarcations montées par ses gardes, sa maison et des volontaires ; à droite, il y a l'escadrille des Trois-Rivières, à sa gauche, celle des Hurons et des Algonquins ; enfin, deux autres escadrilles sur une même ligne forment l'arrière-garde. Nous sommes le 22 juin. Depuis le 9, la flottille navigue par beau temps ; les îles se sont succédé ; chaque jour, elle a progressé de plusieurs lieues ; elle s'arrête alors que l'abbé d'Urfé arrive avec les capitaines des Cinq Nations et accoste. Les Iroquois présentent leurs compliments. Ils prennent pour acquis que Katarakouy est choisi et ils en sont contents. Kenté ne leur plaisait pas, ils craignaient que Frontenac ne le choisit. D'après leur interprétation, ce choix aurait impliqué que Frontenac mettait au-dessus d'eux les Indiens de Kenté, les préférant à eux. Le gouverneur répond aux premières harangues. Les Iroquois offrent de le conduire. Bientôt, ils dirigent la flottille « dans un bassin le plus agréable qui se puisse voir... Une pointe qui est à son entrée met le bassin... tellement à couvert de tous les vents que les bâtiments y demeureraient presque sans amarre... ». L'eau est suffisamment profonde, le fond est bon. Pendant deux ou trois heures, Frontenac fait l'examen de la forêt adjacente et du sol, saute dans un canot, remonte la rivière sur une certaine distance, revient à huit heures le soir : « ...Je trouvai, écrit-il laconiquement, tout ce que je cherchais. On y trouve au bout des prairies d'une demi-lieue de large et de près de trois de long dont l'herbe est si bonne et si fine qu'il n'y en a pas de meilleure en France ». Sa décision est rapidement prise : « Je résolus dès le lendemain de commencer à faire les abatis et distribuai dès le soir le travail à toutes les brigades ». Le succès de toutes ces expéditions lointaines, celle de M. de Tracy en 1666, de M. de Courcelles en 1667, dépend de la rapidité avec laquelle elles sont exécutées : on ne peut apporter qu'une quantité limitée de vivres et il faut être rentré avant qu'elles ne soient épuisées sinon on risque un échec.

Tarontishaty, grand chef iroquois

Le 12 juillet au soir, les Iroquois attendent Frontenac à son retour. Mais il les remet au lendemain. Le 13, dès l'aube, la diane bat aux champs. À sept heures, les Français sont sous les armes. Ils se forment sur deux lignes qui entourent la tente de Frontenac, se déploient jusqu'aux wigwams des Iroquois. De grandes toiles sont étendues sur l'herbe, Iroquois et Français s'y assoiront. Choisis parmi les plus influents et les plus considérables, soixante chefs iroquois passent entre les deux rangées de soldats, s'assoient, commencent à pétuner. Le décor imprévu les étonne. L'homme dont le prestige couvre maintenant

La diane : sonnerie de clairon ou de trompette, ou encore batterie de tambour pour appeler les soldats.

pétuner = fumer

toute l'Iroquoisie, Garakonthié, se lève et parle le premier. Il exprime la joie de tous ses compatriotes. Il sait que la paix sera maintenue, malgré certains esprits malintentionnés. L'Iroquoisie croit que Frontenac la protégera contre ses ennemis et elle l'assure de son obéissance. Après Garakonthié, les orateurs de chaque tribu parlent à tour de rôle.

Onontio se déclare le «père» des Indiens

Frontenac répond brièvement à ces premiers souhaits. Son discours est écrit, il le lit en français et Charles Le Moyne le traduit. Le gouverneur n'est venu que pour régler les affaires de la paix, « il est le père, et eux, ils sont les enfants ». C'est sur cette formule qu'il établit les relations franco-iroquoises. L'expression reviendra continuellement sur ses lèvres pendant ses deux administrations au Canada ; les autres gouverneurs l'imiteront. Il écoutera attentivement ses enfants, il saura leur rendre justice, il les remerciera ou les réprimandera selon l'occasion, il les félicitera ou les châtiera. De prime abord, il se met au-dessus d'eux, comme personne, avec l'autorité de celui qui a la force pour lui, le bon droit, les intentions charitables, la bonté, l'affection et la droiture. Le choix de Charles Le Moyne comme interprète a plu aux Iroquois. Ceux-ci l'estiment pour la franchise de son caractère et la fermeté de sa parole. Ensuite, Frontenac demande pour Le Moyne quelque faveur « n'y ayant point eu d'occasion où il ne [se] soit signalé contre les Iroquois et point de négociations et de traités où il n'ait été employé, parce qu'il sait parfaitement bien la langue, et que les sauvages ont créance en lui et l'ont en grande admiration... » L'habileté de Frontenac, son bon sens, sa diplomatie se marquent de bien d'autres façons encore, dès le premier contact. Cette première cérémonie se termine par l'offre de nombreux présents. Le gouverneur donne du pétun, des fusils, des rassades, des raisins, des pruneaux, du vin, de l'eau-de-vie, des biscuits. Ses hôtes sont très contents, leurs visages se déridentt, leur sourire remplace leur morosité. Un grand chef, Tarontishati, par exemple, cesse d'être triste. Il a toujours été l'ennemi des Français et l'ami des Hollandais. Frontenac « n'épargne rien pour le gagner à sa cause : il a des conversations particulières avec lui, le reçoit à sa table, multiplie les égards et les intentions ». Il suppose que les Iroquois sont des hommes comme les autres, qu'ils sont accessibles aux mêmes sentiments, ont les mêmes faiblesses et il remporte de grands succès. Il n'a pas peur et devine qu'avec son esprit affiné d'Européen, il peut manœuvrer ces primitifs. C'est une grande nouveauté introduite dans les rapports franco-iroquois. Les Hollandais et les Anglais ont déjà remporté de nombreux succès dans ce domaine, il était temps qu'un gouverneur français s'y emploie.

Rassades = perles

Pour Frontenac, les Iroquois sont des hommes comme les autres. Mêmes sentiments, mêmes faiblesses !

Hugues Randin (1628-v. 1680), soldat, ingénieur et cartographe au service du gouverneur Frontenac. Trace le plan du nouveau port.

Le jour même, les soldats se mettent au travail sur l'emplacement que Frontenac a choisi et d'après le plan que M. Randin a dessiné sous sa surveillance ; après le dîner, ils ouvrent la tranchée où ils planteront plus tard les pieux ; ils posent des manches à tous les outils apportés. Frontenac embarque de nouveau dans son canot, il visite les alentours, il découvre une grasse prairie d'une lieue de superficie, unie, fertile, que la rivière fend par le milieu. Pendant cette inspection, la troupe, très bien disposée, travaille vite. Dès le soir, elle commence les abattis et travaille jusqu'à la nuit ; le lendemain, elle recommence dès l'aube ; et pendant la journée, nettoie l'emplacement du fort. Pour chaque repas, Charles Le Moyne invite deux ou trois des chefs iroquois les plus influents à la table de Frontenac. Celui-ci multiplie les attentions à tous les membres de la tribu. Il caresse les enfants, leur fait distribuer du pain, des raisins, des pruneaux ; le soir, il offre des présents aux femmes pour les inciter à danser. La journée du 15 est également bien employée. Le 16, il pleut un peu dans la matinée. Les hommes abattent des arbres, équarrissent, construisent, remuent la terre devant les Indiens qui s'étonnent d'une telle activité et d'une organisation si parfaite du travail. Enfin, le 17, a lieu le grand conseil. Frontenac répond aux sachems iroquois. Ses présents sont déposés. Ils sont nombreux et magnifiques. Il explique leur signification symbolique. En premier, il incite les Iroquois à devenir chrétiens, à ne pas insulter, offenser ou mépriser les missionnaires établis en Iroquoisie, comme ils le font parfois sous l'influence de l'eau-de-vie ou d'autres passions. Puis, les Iroquois doivent étudier attentivement et prendre en considération le voyage qu'il vient de faire avec ses troupes. Il a remonté les rapides et les cataractes, a transporté des canons, a franchi facilement de grandes distances. « Jugez après de ce qu'il pourrait faire s'il avait envie de faire la guerre... qu'il est l'arbitre absolu de la paix et de la guerre ».

Un grand conseil à Katarakouy le 17 juillet 1673.

Mais il n'est pas venu dans un dessein belliqueux ; il veut confirmer la paix, et c'est ce qu'il fera à condition que « tous les sauvages qui sont sous la protection du Roy, mon maître et ses alliés, jouissent de cette même paix, et que le premier qui la rompra sera pendu ». Si les Iroquois s'attaquent aux Indiens alliés, c'est comme s'ils s'attaquaient à lui-même. Puis Frontenac dépose son premier présent qui se compose de poudre, de plomb et de pierre à fusil.

Frontenac désire une paix solide.

Ensuite, il parle de l'établissement du poste de Katarakouy. Des esprits malveillants ont répandu des rumeurs ; des soupçons sont même entretenus par de brillants esprits. Frontenac met les Iroquois en garde contre les intrigants. Il construit ce poste parce qu'il désire une paix solide. Des marchandises seront apportées « afin que vous n'ayez pas la peine de porter vos pelleteries si loin... » ; une factorerie à portée de leurs bourgades leur évitera les difficultés et les fatigues des voyages qu'ils doivent faire aujourd'hui. Les Français offriront également un bon prix pour les pelleteries. Le gouverneur offre le deuxième présent qui est de vingt-cinq capots.

Les Français offriront un bon prix pour les pelleteries.

Puis Frontenac demande pour les Hurons le droit de visiter leurs parents qui sont en Iroquoisie : Hurons et Iroquois doivent maintenant vivre comme des frères. Français et Iroquois doivent avoir aussi des relations plus suivies afin de mieux se connaître et d'apprendre à s'estimer. Ainsi les enfants iroquois devraient étudier le français. Frontenac demande directement que quatre fillettes iroquoises de sept à huit ans et deux garçons du même âge soient envoyés à Québec. Religieux et religieuses les instruiront, leur apprendront à lire et à

Que les Hurons puissent visiter leurs parents en Iroquoisie, que Français et Iroquois apprennent à se mieux connaître, que les enfants iroquois apprennent le français...

écrire. C'est un point sur lequel le gouverneur insiste, car il lui semble que les futures relations entre les deux races dépendent d'un contact plus suivi, de visites plus nombreuses et un effort de compréhension de part et d'autre ; ces enfants élevés en Nouvelle-France faciliteront cette entente. Le présent, cette fois, est de 25 chemises, vingt-cinq paires de bas, cinq capots et cinq paquets de rassades.

Les Iroquois se disaient frères...

Des orateurs hurons parlent après Frontenac. Ils appuient les propositions précédentes. Des Iroquois prononcent de courtes allocutions pour le remercier temporairement. La suite du conseil est remise au lendemain. Tous les assistants s'entretiennent du nouveau nom que le gouverneur a donné aux Iroquois : ceux-ci exigeaient autrefois qu'on leur donne le nom de frères. Frontenac leur a donné le nom d'enfants. La nouveauté n'est pas passée inaperçue. Pendant ce temps, les soldats ont commencé à planter les pieux ; ils terminent l'un des flancs du bâtiment le jour même. Le lendemain, 18 juillet, les Iroquois répondent aux discours de la veille. D'une façon générale, ils acceptent les propositions françaises. Mais, ils soulèvent le problème du prix des marchandises qu'ils ont à cœur, tout comme les Outaouais : « ...Ils insistèrent fort là-dessus... » Un capitaine goyogouin dit « qu'il ne doutait point qu'il ne mît un prix si raisonnable à toutes les marchandises... qu'ils n'eussent sujet d'être satisfaits ». Leur insistance montre le point précis où le bât blesse et que c'est un sujet dont il faut s'occuper. Les Iroquois offrent ensuite un présent pour obtenir l'assistance des Français contre les Andastes « qui étaient les seuls ennemis qui leur restaient sur les bras ». S'ils sont maintenant les enfants du gouverneur, sa protection leur sera-t-elle refusée lorsqu'ils la demanderont ? Ils exagèrent leur faiblesse, signalent que les Andastes ont des canons pour se défendre, que leurs guerriers sont nombreux. Ils accordent aux Hurons le droit de visiter leurs parents en Iroquoisie et étudieront dans leurs conseils le fait d'envoyer des enfants à Québec.

S'ils sont maintenant les enfants du gouverneur, pourront-ils compter sur sa protection ?

Un problème de taille : le prix des marchandises

Frontenac répond qu'il comprend bien de prime abord l'importance du prix des fourrures : « ...Il les assura qu'ils seraient contents des ordres qu'il donnerait pour l'établissement de Katarakouy et du prix qu'il ferait mettre aux marchandises, qu'il ne pouvait pour le présent fixer, parce qu'il ne savait pas encore au juste à combien en pourrait monter le fret qui serait plus haut dans un lieu si éloigné... ; mais que par avance il les assurait qu'on les soulagerait autant qu'il se pourrait ». De fait, il s'occupera activement du problème et demandera des privilèges particuliers pour que les marchandises envoyées à Katarakouy puissent se vendre moins cher. Il fait aussi preuve de beaucoup de sympathie au sujet des attaques des Andastes. Les Iroquois sont bien ses enfants, mais la saison est trop avancée, il ne pourrait entreprendre cette année une expédition de cette sorte, il faudrait se concerter longuement. L'occasion propice pour s'entendre pourrait se présenter si les Iroquois viennent à Québec pour régler le problème des enfants iroquois à instruire ; s'il a conçu ce dernier projet, c'est « par pure amitié et par envie d'unir davantage les deux nations » ;

les enfants ne seraient pas des otages. Enfin, Frontenac leur donne congé, les Iroquois peuvent partir ou rester, selon la fantaisie de chacun.

Pendant que les harangues se succèdent, les hommes travaillent avec énergie. Frontenac renvoie les deux bateaux plats. Le 19 juillet, les hommes achèvent de clore l'emplacement du fort; ils commencent des abatis pour que les garnisons fassent un peu de culture. Le 20, les Iroquois commencent à partir, les uns retournant dans leurs bourgades, les autres se rendant à Montréal ou se dirigeant vers Ganeious ou Kenté. Frontenac trouve encore le temps de conférer de nouveau avec les chefs et les notables, de leur offrir, de même qu'à leurs enfants, de nouveaux cadeaux. Ils partent apparemment satisfaits. Le soir, le gouverneur est avisé par l'abbé de Fénélon que les députations des bourgades du nord du lac Ontario, — Ganeraske, Ganeous, Ganatabeskiagon —, soit une centaine d'hommes, sont en route et arriveront sous peu. Les détachements des Trois-Rivières, Sorel, Contrecœur, Berthier partent le 21. D'autres hommes continuent à mettre en état le sol à l'intérieur des palissades et construisent des logements. Celui que l'on appelle le Capitaine Général des Cinq tribus revient pour présenter d'autres ambassadeurs; le soir, les Iroquois du nord du lac Ontario arrivent et prononcent immédiatement les harangues préliminaires. Le 22, partent à leur tour les détachements Dugué, Saint-Ours, de La Durantaye. Le 23, les deux bateaux reviennent avec tout un chargement qu'ils ont pris à La Galette, au-dessus des rapides du Saint-Laurent. À dix heures, le gouverneur donne audience aux nouveaux ambassadeurs qui parlent à peu près dans les mêmes termes que leurs prédécesseurs. Frontenac ne dit rien de bien nouveau non plus; il exhorte ses hôtes à «entretenir une bonne paix et une bonne intelligence avec les Français». Le 24 et le 25, divers groupes d'hommes continuent les travaux. Frontenac choisit une garnison et donne ses ordres. Le 26, provisions et munitions sont placées dans les magasins. Frontenac quitte le fort le 27, s'embarquant à huit heures du matin; il passe la nuit à Otondiata. Le 28, il rencontre un convoi de 25 canots qui remonte le fleuve pour se rendre à Katarakouy, y déposer des vivres et des marchandises pour une année. Le soir, il arrive à La Galette. Le 29, au cours d'une journée très chaude, il atteint les îles de l'entrée du lac Saint-François, parmi lesquelles se trouve la fameuse île du Massacre. Après une journée de repos, il arrive à Lachine le 31 juillet et le lendemain il est à Montréal.

La Galette, à 150 milles environ de Montréal. (Oswegatchie, La Présentation)

Ce récit donne une bien pâle description des événements qui viennent de se dérouler. Quatre à cinq cents Iroquois s'étaient rassemblés à Katarakouy et campaient autour des troupes françaises. Le Moyne choisissait les convives iroquois qui, à tour de rôle, mangeaient à la table du gouverneur. L'Iroquoisie a assisté à une expédition française, rapide, efficace, réglée comme du papier à musique, qui a donné une idée de sa force et du danger qu'elle peut représenter. Elle a aussi été témoin de la prompte construction d'un fort, de la rapidité des défrichements qui couvriront bientôt 21 arpents, de la construction des maisons. Tout ceci ne peut que donner une haute estime du peuple français. «On ne saurait concevoir, dit Frontenac, l'ardeur et la diligence avec laquelle tout le monde s'employa pour faire le fort que je fis tracer, puisqu'en six jours, il fut entièrement fermé et en défense et qu'on fit plus de 20 arpents de désert». Voilà ce que peut faire «la vigoureuse industrie des Français».

Telle est la construction du fort Katarakouy, qui prendra bientôt le nom de Frontenac. Conçu par Talon, le grand intendant, adopté par M. de Courcelles, prôné par l'abbé de Fénélon, exécuté par Frontenac avec une vigueur incomparable, il deviendra rapidement et demeurera pendant quarante ans l'objet des controverses les plus amères, les plus déplaisantes et les plus injustes. Ferme comme un roc, Frontenac le défendra toujours. Ni la tiédeur ni l'opposition du roi et de ses ministres n'auront raison de sa résolution. Pour défendre son œuvre, il courra pratiquement tous les risques, même celui de la destitution. Parmi ses adversaires, se trouve l'intendant, qui s'opposera toujours à lui; cet homme à courte vue qui, après le départ de Talon, devient l'âme damnée de la politique canadienne, sera le chef de file de la partie adverse, montrant continuellement le peu d'envergure de son point de vue et son ignorance de la situation. Les dépêches des uns et des autres seront remplies de discussions et de disputes.

Dès son retour, Frontenac énonce dans un style dense les raisons qui l'ont poussé à construire Katarakouy. Son initiative, dit-il, «met tout le pays à couvert, elle oblige encore les Iroquois, malgré eux, à maintenir la paix, donne une pleine liberté aux missionnaires de continuer leurs missions sans crainte, et assure le commerce, qui s'en allait entièrement perdu». Il affirmera que «tout le monde tombe d'accord ici que c'est la plus grande affaire que l'on pouvait jamais faire pour l'avancement de la religion, pour la sûreté du pays et l'augmentation du commerce...». Ici et là dans ses dépêches, se trouvent des phrases qu'il faut rassembler: «Je suis assuré... que plus vous songerez à cette affaire et plus vous la trouverez d'une très grande conséquence pour ce pays...»

Un fort et une barque permettront le contrôle du lac Ontario.

L'entreprise est hardie, profitable et utile. «Ce fort que j'ai fait, les [Iroquois] obligera encore de persévérer dans ces bons sentiments, malgré qu'ils en aient, puisque vous pouvez aisément remarquer qu'on sera maître de tout le lac... en faisant bâtir une barque pour naviguer dessus pour la construction de laquelle j'ai déjà envoyé des charpentiers et par conséquent de tout le commerce que faisaient les Anglais et les Hollandais par le moyen des Outaouais». Le fort a inspiré «beaucoup de respect, de crainte, d'amitié...» «Il a assuré la paix, conservé le commerce qui s'en allait perdre et donné une si haute idée aux Iroquois de la puissance du Roi et de ce que les Français sont capables de faire que de longtemps ils ne songeront à rien entreprendre contre eux».

Importance stratégique du poste de Katarakouy.

Il faut noter que Frontenac envisage dès le début la construction du poste de Katarakouy de façon plus large que Talon, qui n'en voyait que ses aspects commerciaux, alors que le nouveau gouverneur, visant plus haut, le considère en plus sous des aspects militaires et nationaux, et en prévoit tous les avantages futurs. Au fond, cette affaire est d'une extrême simplicité et ne prête pas à controverse pour un esprit sincère. Avant 1665, le danger pour la Nouvelle-France provient des Agniers et du pays d'Anniéjé qu'ils occupent ; la construction des forts du Richelieu les rend vulnérables à des attaques françaises. Après 1665, le danger se déplace vers l'ouest ; ce sont les quatre tribus de l'ouest, particulièrement les Tsonnontouans qui créent des problèmes, attaquant les Indiens alliés, les Outaouais, qui sont les ouailles des missionnaires et les pourvoyeurs de fourrures et qui sont maintenant des sujets français. Par le Richelieu, il est pratiquement impossible de les atteindre. Il faut remonter le Saint-Laurent et ce fleuve est ponctué de rapides jusqu'au lac Ontario ; il faut un dépôt de munitions et de vivres, un point de départ, de ralliement, à portée de l'Iroquoisie supérieure ; sans cela, la Nouvelle-France est impuissante face à l'Iroquoisie supérieure et celle-ci le sait parfaitement ; la distance est trop grande, les difficultés sur la route trop nombreuses. Ce dépôt de vivres, de munitions, ce point de départ et de ralliement, Frontenac vient de le créer. On pourra y entasser des farines, des poudres et du plomb pour les attaques. De là, on peut menacer les quatre tribus supérieures, on est à portée du cœur de l'Iroquoisie sur une carte. Ces atouts se comprennent à première vue. Katarakouy est plus nécessaire à une expédition contre l'Iroquoisie supérieure que ne le sont les forts du Richelieu contre Anniéjé. C'est un poignard dressé contre l'Iroquoisie. La Confédération ne peut plus vivre dans l'ancienne sécurité, dans l'ancienne impunité ; elle doit calculer étroitement les conséquences de ses actes, car offenser ou attaquer la France peut maintenant attirer des représailles rapides. De plus, Katarakouy protège l'arrière pays et, en particulier, l'Outaouais, la route des fourrures. Sans doute, les partis iroquois peuvent passer à côté du fort et s'avancer dans le nord ; mais ils ne seront jamais tranquilles et ils ne s'aventureront pas, sachant qu'ils laisseraient derrière eux une garnison active. Après l'expédition de M. de Courcelles et de Tracy en Anniéjé, tous ces mots prennent leur véritable sens. Les Iroquois supérieurs savent exactement à quoi ils s'exposent s'ils passent outre les volontés françaises.

Du point du vue militaire.

Du point de vue commercial, Katarakouy occupe un emplacement stratégique. Les Iroquois qui vont chasser dans le Haut-Canada passeront sous ses murs à l'aller et au retour. La garnison ne les contraindra pas à y abandonner leurs pelleteries. Mais une factorerie bien fournie interceptera évidemment une plus grande quantité de fourrures. Nombre de chasseurs s'arrêteront là pour acheter des munitions ou vendre le produit de leurs chasses, au lieu de revenir dans leur pays et de se rendre ensuite à Albany. Le poste est excellent, et même, il attirera une partie des fourrures de l'Iroquoisie occidentale qui d'ordinaire allaient chez les Anglais. Un peu plus tard, les membres de la colonie de Katarakouy pourront aller en Iroquoisie même pour y acheter des fourrures. Une politique plus favorable aurait pu créer une grosse diversion commerciale, car à Katarakouy on peut apporter les pelleteries en canot, au lieu de les porter sur le dos. Et aussi, grâce à la construction d'une barque que Frontenac entreprend aussitôt, les Français pourront surveiller le littoral du

Du point du vue commercial.

Une barque pour patrouiller le lac Ontario.

lac, et empêcher les tribus algonquines du nord de se rendre en Iroquoisie ou à Albany avec leurs fourrures. Les Français éprouvent des craintes de ce côté-là. Toutefois, la mesure n'est pas efficace ; patrouiller ces rivages aurait donné des résultats si un autre facteur n'avait pas joué ; le champ de surveillance est trop étendu. Enfin, la factorerie de Katarakouy couvrira pratiquement tous les besoins des bourgades iroquoises de la rive septentrionale du lac Ontario si les prix sont raisonnables. Dès le début, Frontenac dit « qu'il est impossible à cause de la cherté et de la difficulté du transport de pouvoir donner en ce lieu aux Sauvages les marchandises au même prix que leur donnent les Flamands, sans quoi néanmoins on aura bien de la peine à les y attirer dans les commencements... » Les océaniques de l'époque peuvent se rendre directement à Albany ; il n'y a pas de rapides infranchissables sur l'Hudson jusqu'à cet endroit ; au nord, ils ne se rendent qu'à Québec et, surtout de Montréal à Katarakouy, le transport est particulièrement difficile. Pour remédier à ce mal, Frontenac propose « d'exempter les pelleteries du droit que les autres paient à Messieurs de la Compagnie ». N'ayant pas ce montant à verser sur chaque peau, les négociants pourront les acheter plus cher aux Indiens. La Compagnie, pense Frontenac, ne peut s'en formaliser, car il s'agit d'un surplus de fourrures dû à une initiative de l'État.

Note : Établie en 1664, la Compagnie des Indes prélève, à cette époque, un droit de 25 % sur le castor et de 10 % sur les peaux d'orignal.

Une stratégie continentale.

Enfin, la construction de Katarakouy est un autre jalon au bout de la route française qui s'enfonce dans le continent. Elle marque une nouvelle profondeur dans la pénétration française. L'empire français s'étend. La construction d'un poste signifie une possession effective plutôt qu'un droit d'exploitation seulement. Ces nouvelles régions sont belles, Frontenac le note en remontant le fleuve. Il signale les « futaies toutes de chênes blancs et claires comme en France, en sorte qu'on y courrait le cerf... », les prairies naturelles, le sol fertile et riche, il constate que l'on peut défricher ces districts et en faire de belles campagnes hospitalières. La France devrait établir tout de suite des colons sur ces rives. Katarakouy est une étape, car un second jalon doit être planté à Niagara. De là, on dominera l'autre extrémité du lac Ontario par un passage et un portage beaucoup plus importants que ceux de Katarakouy. À partir de Niagara, une barque peut circuler sur le lac Érié, le lac Huron et le lac Michigan. Le cœur du vaste continent et de l'immense royaume est ainsi couvert. Pour le moment, le gouverneur ne voit pas plus loin. Ce programme, esquissé l'année de son arrivée, sera exécuté pendant sa première administration, mais sans jamais gagner à ses idées le cabinet français.

Prochain jalon : Niagara à l'autre extrémité du lac Ontario.

Naturellement, l'entreprise de Katarakouy a des points faibles. Le fort est à une bonne distance de Montréal, la route est difficile, le ravitailler présentera des obstacles importants et coûtera cher. Un poste perdu au loin peut être facilement bloqué, investi par l'ennemi ; dans ces immenses forêts, la garnison peut être réduite pendant de longs mois à rester à l'intérieur des palissades.

Tous ces arguments reviendront sous la plume des gouverneurs et des intendants. Mais la preuve la plus grande que la construction de Katarakouy était une œuvre de génie, se trouvera plus tard dans les documents anglais, quand Frontenac reconstruira le poste malgré rois, ministres et intendants. Le gouvernement de New York et l'Iroquoisie seront atterrés quand ils apprendront que les Français ont réoccupé les vieux murs ; ils devineront alors que la bataille est perdue, que Frontenac l'a gagnée. Toute cette polémique montre bien de quelle façon des esprits de force inégale, peuvent envisager différemment un même problème.

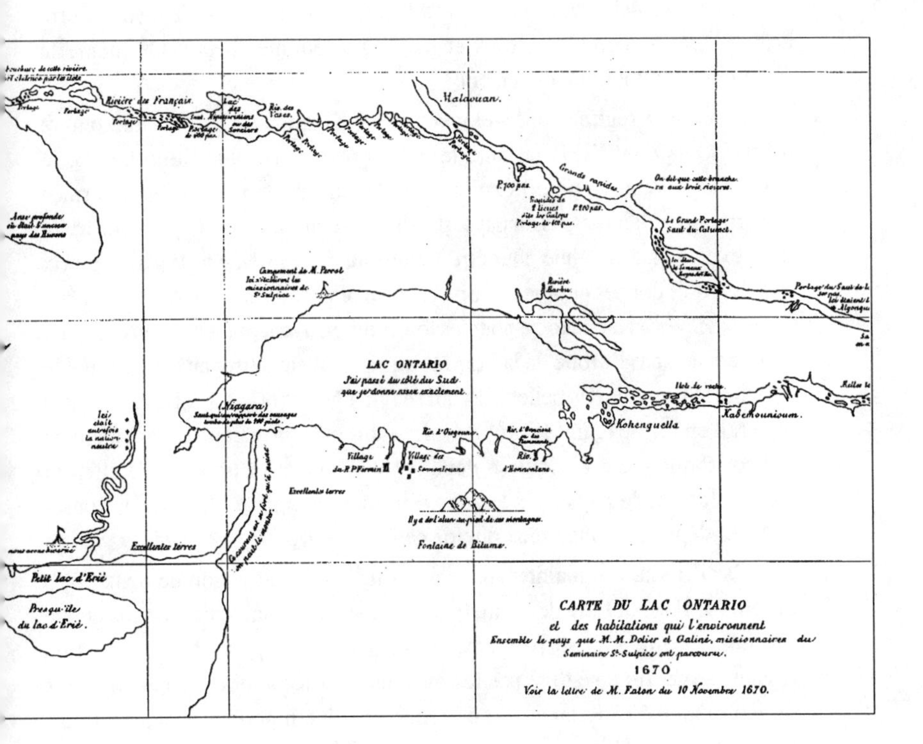

Chapitre 120

1673

Frontenac laisse une garnison de trente hommes à Katarakouy où se fait tout de suite une tentative de colonisation. On y transporte des vaches, des cochons, des poules. Au début, il n'y aura pas de grands résultats, mais le district verra croître ses premières moissons et paître son premier bétail. De même la factorerie s'ouvre immédiatement.

Sous quel régime se développera Fort Katarakouy ? C'est une œuvre d'État. Mais dont l'État redoute le coût. Prévoyant l'opposition du roi, le gouverneur organise, pour l'exploiter et le maintenir, une compagnie formée des principaux négociants du pays. Il rédige en conséquence un projet de traité qu'il expédie à l'automne pour être soumis au gouvernement. Il parle du prix que l'on doit donner pour les fourrures. Il se rend compte à ce moment-là que des prix élevés à Katarakouy, pour les fourrures, peuvent pratiquement entraîner l'Iroquoisie dans l'orbite de la France ; qu'ils peuvent attirer au Canada tout le commerce iroquois des pelleteries qui se fait à New York et à Albany, que cela réglerait en même temps le problème iroquois et assurerait un rapprochement franco-iroquois qui s'esquisse depuis 1666. Des prix trop bas rejetteront inévitablement ce pays dans le zone d'influence anglaise. De graves conséquences dépendent pour ainsi dire de ce fait.

Les Iroquois charmés par Frontenac

Car l'Iroquoisie maintenant hésite. Elle subit l'attraction de deux pôles différents. Il serait faux de croire que la France n'y compte pas d'amis et que son influence ne s'y fait pas sentir. Frontenac le comprend bien ; et tout en restant ferme, il ne néglige pas les moyens d'attirer à lui cette nation. Ceux qu'il a employés à Katarakouy, de prime abord, remportent quelque succès. La Salle est sans doute trop élogieux lorsqu'il lui écrit que les ambassadeurs « font bien connaître ici que vous les avez entièrement gagnés » ; ils proclament qu'ils n'ont jamais encore reçu d'aussi beaux présents ; ils s'excusent des leurs qui étaient bien inférieurs en valeur. En compensation, ils enverront peut-être les enfants que le gouverneur a demandés. Le père de Lamberville ne sera pas moins optimiste que La Salle. Il dira que les Iroquois ont été conquis par Frontenac et par ses présents, que la seconde expédition au lac Ontario a produit le même effet que la première. Garakonthié se charge d'une mission en Nouvelle-France où il viendra l'hiver prochain ; avant de partir, il se rendra chez chacune des tribus iroquoises pour leur demander d'envoyer les enfants demandés. Il remercie le gouverneur pour la protection qu'il veut bien accorder aux missionnaires. Un peu plus tôt, le 10 juillet 1673, le père Garnier, qui

Jean de Lamberville (1633-1714), jésuite, missionnaire, en particulier chez les Onnontagués. Frère de Jacques, également missionnaire jésuite.

évangélise le pays des Tsonnontouans, avait envoyé de bonnes nouvelles à Frontenac en lui annonçant le départ des députés pour Katarakouy ; « ...Ils ont fait, disait-il, la paix avec toutes les nations à qui M. de Courcelles leur avait défendu de faire la guerre... ; ils ont bien recommandé à toute leur jeunesse de ne jamais tourner leurs armes de ce côté-là. Leur plus forte pensée est maintenant pour le commerce vers Montréal, où ils porteront volontiers leurs pelleteries si les denrées s'y donnaient à meilleur marché qu'à Orange, où elles ont renchéri cette année ».

Un ou deux missionnaires travaillent énergiquement dans chaque tribu. Une maison centrale à Onnontaé concentre et organise leurs efforts, qui ne donnent pas de très bons résultats. Aucune peuplade indienne de l'Amérique n'est facile à convertir et les Iroquois moins que les autres.

Les obstacles à l'évangélisation en Iroquoisie.

D'abord : l'eau-de-vie

Batterie = querelle violente, bagarre.

Le travail d'évangélisation en Iroquoisie fait face à deux difficultés presque insurmontables. Tout d'abord, les boissons alcoolisées. Dès le début, les missionnaires avaient signalé les aspects du problème. Ils reviennent continuellement sur le sujet ; Marie de l'Incarnation leur fera écho : « ...C'est que les Anglais et les Hollandais traitent à ces peuples une prodigieuse quantité d'eau-de-vie et de vin dont ils s'enivrent sans cesse. Il s'ensuit de là des batteries et des meurtres continuels... en sorte que les Pères même... en souffrent de grandes insolences. Ces insultes... donnent bien de la peine aux anciens qui craignent qu'on ne les quitte, et qu'on ne prenne de l'occasion de rompre la paix... » Ces beuveries fournissent aux Iroquois mal disposés l'occasion d'insulter les missionnaires : « On nous a jeté des tisons à la tête, on a mis nos papiers au feu, on a forcé notre chapelle, on nous a souvent menacés de mort... il faut souffrir mille insolences sans se plaindre... ces furieux renversent tout ce qu'ils rencontrent, et même se massacrent les uns les autres... les choses vont quelquefois à un tel accès, qu'il nous semble que la place n'est plus tenable... quand l'orage est passé, nous ne laissons pas de faire nos fonctions assez paisiblement ». Les Iroquois obtiennent à certaines dates des quantités formidables d'eau-de-vie ; pendant quelques jours, l'existence n'est plus possible dans les bourgades, et la partie saine de la population va parfois vivre en dehors des palis. Mais comme il n'y a pas de factorerie dans l'Iroquoisie même, qu'il faut tout un voyage pour se rendre à Albany, ces excès sont épisodiques. Mais ils tendent à neutraliser les efforts des missionnaires et à créer des incidents. En 1673, la même situation sévit et Frontenac, à Katarakouy, demande aux députés iroquois de respecter les Jésuites. En second lieu, les Hollandais ou les Anglais d'Albany contrecarrent la propagande religieuse catholique par une propagande inverse. Ils tournent en dérision les enseignements des missionnaires. Et dans cette peuplade difficile à convertir, une opposition de ce genre est souvent suffisante pour empêcher la foi de germer et de croître. Si les Européens ne sont pas du même avis et se combattent, comment les croire ? Mais le principal obstacle sera sans doute le conflit politique et commercial, le conflit national qui s'est élevé dès la première heure entre la Nouvelle-

En second lieu, le travail de sape des Hollandais et des Anglais.

France et l'Iroquoisie. La première empêche la seconde d'attaquer les Indiens alliés, de manœuvrer par la guerre ou par la paix pour obtenir les fourrures du nord-ouest, d'étendre sa zone d'influence ou d'hégémonie par un déploiement de forces, par le rappel des victoires passées, elle impose sa propre politique et ainsi naissent des frictions qui maintiennent l'animosité ancienne et empêchent une franche amitié de naître. Les ressentiments ne s'éteignent pas. Et l'œuvre des missionnaires, déjà difficile, devient presque impossible.

Les chrétiens iroquois vont vivre près de Montréal.

Il ne faut pas oublier non plus certains facteurs favorables. Presque toutes les personnes baptisées en Iroquoisie, ou qui le seront demain, sont des enfants, des vieillards, des malades. Toutefois, un certain nombre d'adultes se convertiront. Ceux-là émigreront presque tous à Montréal. Le mouvement est déjà commencé. Ils formeront une colonie, pas très nombreuse mais puissante qui, plus tard, sera d'un immense secours pour la France. Les missionnaires veulent ainsi éviter que les convertis ne retombent dans leurs anciens errements, ils jugent le milieu trop défavorable à des chrétiens de fraîche date ; sans doute ont-ils raison, mais cette émigration empêchera la formation de noyaux francophiles et catholiques en Iroquoisie. Il ne restera pour ainsi dire jamais en Iroquoisie que des païens. Les missionnaires deviendront souvent leurs amis, quelques-uns se créeront de grandes relations et exerceront une vaste influence, ils travailleront habilement à un rapprochement sincère, atténueront les chocs.

Bipolarité de la politique iroquoise.

La situation restera donc toujours trouble. Deux partis se développent en Iroquoisie : le parti favorable aux Anglais, le parti favorable aux Français. Plus le temps passe et plus cette opposition se révèle. Les événements demandent beaucoup de doigté au gouverneur de la Nouvelle-France. Dès le début, Frontenac fait preuve de dons exceptionnels. Il est résolu et habile. Il veut maintenir la paix par un mélange de force et de douceur. Il a de l'admiration pour les sachems qu'il compare à des sénateurs romains. Il ne méprise pas ceux dont il veut l'amitié. Il les comprend. Il veut sincèrement la paix. Il est important de le faire remarquer. Sa tâche est difficile, mais elle ne lui semble pas au-dessus de ses forces. Il sait quels moyens employer. Il n'aboutira jamais à la guerre pendant sa première administration. Il aura une solution pacifique pour les problèmes les plus difficiles. Pense-t-il que seuls des esprits bornés recourent à ce moyen ultime ? Sa compréhension magnifique des Indiens, en particulier des Iroquois, lui inspirera toujours l'acte précis qui sauvegardera la paix. En somme, la paix de M. de Tracy est entre des bonnes mains.

Frontenac compare les sachems à des sénateurs romains.

Chapitre 121

1673

Changement de maîtres à New York

Le 1er septembre, le père Bruyas, missionnaire des Agniers, écrit à Frontenac pour lui annoncer d'importantes nouvelles. Il y a huit jours, dit-il, les Hollandais se sont emparés de la ville de New York ; ils ont reconquis leur ancienne colonie. Ils y ont laissé 4 000 soldats. Ils se sont aussi rendus à Boston, leur puissante flotte doit venir en Acadie et même à Québec. « On nous mande de nous chasser d'ici ». Il annonce que si les missionnaires ne peuvent demeurer en Anniéjé, ils se retireront chez les Onneyouts. La nouvelle est exacte. Les Hollandais se sont emparés de New York le 6 août. Ils sont venus dans douze navires de guerre qui ont fait bien des victimes parmi les navires anglais rencontrés le long de la côte américaine. La ville a capitulé sans résistance : depuis des mois, ni marchandises, ni munitions, ni soldats ne venaient plus. Cette conquête pose de gros problèmes. Les Hollandais attaqueront-ils la Nouvelle-France, se posteront-ils dans le golfe pour capturer des navires français ? Un peu plus tard, en septembre, Albany retombera entre leurs mains. Voudront-ils utiliser l'Iroquoisie dans une guerre contre la Nouvelle-France ? Travailleront-ils énergiquement à détruire l'influence française dans ce pays et à miner la situation que les Français se sont acquise depuis leur départ ? Les guerres iroquoises vont-elles recommencer, attisées par les anciens possesseurs du pays ? Ceux-ci ont vécu de longues années en bons termes avec les Iroquois, leurs compatriotes ont continué à peupler Albany malgré la conquête anglaise et c'est toujours eux qui, sous le nouveau régime, ont entretenu les relations de New York avec l'Iroquoisie. Les Anglais sont maintenant les alliés de la France, tandis que les Hollandais sont leurs ennemis depuis 1672. La nouvelle cause donc toute une commotion dans la Nouvelle-France.

Plutôt le 8 août 1672.

Esopus et Albany auraient été occupés le 15 août.

Anglais et Hollandais entrent en guerre en mars 1672.

Peu après la réception de la nouvelle, semble-t-il, Frontenac envoie Charles Le Moyne passer l'hiver à Katarakouy. « J'espère néanmoins, dit-il, qu'à cette heure que le Sr Le Moyne hivernera sur les lieux, je pourrai débrouiller toutes choses et savoir les véritables dispositions où sont les Hollandais et les sauvages... » Cette décision est excellente, car Le Moyne compte de grands amis chez les Iroquois. Mais ce n'est pas tout : « Je fais état dès que la navigation sera libre d'aller faire un tour au fort afin d'y confirmer les Sauvages dans les bons sentiments où ils sont, et d'empêcher par ma présence que l'artifice des Hollandais ne prévale sur les caresses et les bons traitements que je leur continuerai ». En outre, il prend des mesures immédiates pour savoir si les nouvelles qui lui viennent d'Anniéjé sont exactes. Il s'occupe des milices pour qu'elles soient prêtes à temps en cas de besoin. Enfin, coïncidence curieuse, il se souvient qu'en juin, au moment de son départ, une rumeur au sujet de la prise de New York avait couru en Nouvelle-France et lui avait été communiquée. Toutefois, à ce moment-là, il ne peut compter sur aucunes nouvelles troupes ; le 13 juin 1673, le ministre lui a répondu de la façon suivante : « À l'égard des Iroquois, comme la colonie est fort nombreuse, Sa Majesté ne doute pas que vous ne les conteniez facilement dans leur devoir ». La tâche ne semble certainement pas aussi facile au gouverneur que le ministre veut bien le croire. Le 18 septembre, les Hollandais renouvelleront en effet leur traité d'alliance avec les Agniers.

Les Hollandais poussent les Iroquois (c'est-à-dire les Angiers) contre les Français.

En fait, comme le prouvent les documents français et hollandais, ils tenteront pendant l'hiver 1673-1674 de jeter de nouveau les Iroquois dans la lutte contre la Nouvelle-France. Frontenac en parlera dans deux dépêches, l'une du 15 février et l'autre du 14 novembre 1674. Dans la première il signale « que les Hollandais font tous leurs efforts pour obliger les Iroquois à rompre avec nous, mais inutilement jusques ici... » Les Iroquois auraient répondu qu'ils ne voulaient pas participer à des conflits entre Européens, vu que ceux-ci ne les assistent pas dans leurs guerres contre d'autres tribus indiennes. Frontenac écrira plus tard que les Hollandais ont envoyé vingt ambassadeurs aux Iroquois pour les inciter à recommencer la guerre ancienne contre les Français, mais qu'ils ont essuyé un refus. Il semble qu'une fois de plus, on ait écrit le nom Iroquois, lorsqu'il fallait écrire le nom Agniers. Le document hollandais qui porte sur le même point dit simplement que les Hollandais et les Agniers ont tenu un conseil, qu'ils ont renouvelé leur traité d'alliance selon la coutume ancienne. Et la décision prise aurait été la suivante : « ...Si les Français, comme le voulait la rumeur, venaient pour attaquer les Hollandais, ils [les Agniers] se rangeraient du côté des Hollandais et vivraient ou mourraient avec eux ». Ce geste prolonge une politique traditionnelle. Au moment où les Français du Canada s'attendent à une attaque venant de la Nouvelle-Hollande, les Hollandais s'attendent à une attaque venant du Canada. Et les Agniers s'engagent à combattre avec les Hollandais, mais dans le seul cas d'une offensive des Français. Il n'est pas question des autres tribus. Il faut noter que les Agniers, qui vivent à proximité de la Nouvelle-Hollande, doivent être souples dans leur politique sous peine de s'attirer des mesures désagréables et même dangereuses. Dans cette décision, ou dans celle de toute la nation iroquoise, la présence d'un fort sur la rive nord du lac Ontario, aurait joué un grand rôle. Voici ce que dit Frontenac : « Les Pères [qui sont en Iroquoisie] ajoutent qu'il semble que c'est la Providence divine qui m'a porté à faire le voyage que je fis l'année passée et à construire un fort sur le lac Ontario, puisque la crainte et l'amitié que tous les sauvages en ont conçues pour les Français sont les seules causes qui les empêchent d'adhérer aux sollicitations et aux instances pressantes que leur font les Hollandais... » Le père de Lamberville lui a écrit à cet effet. Frontenac est heureux de ce témoignage qui justifie la construction du fort. Dans sa dépêche du 14 novembre 1674 à Colbert, il abordera de nouveau le sujet : « ...La manière dont j'en usai avec les Sauvages et le poste que j'y pris sont les seules causes qui ont empêché les Iroquois d'adhérer aux persuasions des Hollandais qui leur avaient cet hiver envoyé vingt ambassadeurs pour les engager à recommencer la guerre avec nous, mais ils sont demeurés fermes dans les paroles qu'ils m'avaient données... » Un autre fait l'a aussi rassuré ; parlant de La Prairie de la Magdeleine, il signale « une augmentation considérable d'Iroquois qui y sont venus habiter l'année dernière et qui sont résolus d'y faire un séjour fixe et arrêté... » Frontenac est heureux de donner ces nouvelles à l'automne 1674, car précédemment, le 17 mai, Colbert lui avait écrit pour lui exposer le danger dans lequel se trouverait la Nouvelle-France. Maîtres de la mer, les Hollandais pouvaient organiser une expédition contre elle ; il en était question ; Frontenac devait se préparer et veiller, soumettre les Canadiens aux exercices et aux manœuvres, le roi ne pouvant envoyer de nouvelles troupes. Le gouverneur propose à son tour une solution pour mettre fin au danger hollandais et au danger iroquois ; il ajoute son nom à la liste déjà longue des coloniaux qui conseillent la conquête de New York : « ...Je crois qu'il serait bien avantageux pour le Roi que dans les différents intérêts qu'il y aura à démêler dans le traité de paix avec ces deux nations, on put trouver moyen de joindre toute la Nouvelle-Hollande au Canada qui deviendrait par là un pays très considérable ». Et surtout un pays qui serait à l'abri des guerres iroquoises. C'est l'ancienne solution, la solution radicale qui revient devant le cabinet français.

Des Iroquois s'établissent à la Prairie de la Magdeleine (en face de Montréal).

Profiter du prochain traité de paix pour « joindre toute la Nouvelle-Hollande au Canada ».

Les menées des Hollandais ne remportent aucun succès. Quand l'été survient, les Iroquois envoient en effet une ambassade représentative en Nouvelle-France. Elle y amène les huit petits iroquois que le gouverneur a demandés l'année précédente et qui doivent être placés dans les institutions éducatives de la Nouvelle-France ; ils doivent être pour ainsi dire les hôtes de la nation. De plus, ils appartiennent aux « principales et meilleures familles de leurs bourgades ». Ce ne sont pas des otages, mais leur présence dans le pays pendant ces heures incertaines est une solide garantie de la paix. L'Iroquoisie ne se joindra pas à la Nouvelle-Hollande pour attaquer la Nouvelle-France. De plus, les députés ratifient les propositions de paix exposées en 1673 à Katarakouy l'année précédente. La construction du fort est donc acceptée sans résistance. Puis, ils promettent d'empêcher leurs alliés, les Loups, ou Mohicans, de poursuivre les hostilités contre les Outaouais. Ils s'engagent à ne plus continuer le commerce des pelleteries « qu'ils avaient commencé d'établir à Gardeschekiagon [proche de Fort Hope] avec les Outaouais, qui aurait ruiné tout le nôtre par le transport des pelleteries qu'ils auraient fait aux Hollandais... » Enfin, de façon générale, « ils ont paru dans une si grande soumission, si touchés du bon traitement, des présents et des régals que je leur ai faits, qu'il n'y a personne en ce pays qui ne soit surpris de les voir dans ces bons sentiments ». Même après avoir brûlé leurs bourgades, Tracy et de Courcelles n'avaient pas

Des enfants iroquois arrivent en Nouvelle-France.

obtenu des Iroquois des concessions aussi importantes. Les Jésuites sont infiniment surpris de voir les Iroquois conduire huit enfants à Québec, c'est une chose qu'on leur demandait inutilement depuis une quinzaine d'années. Les lettres du père de Lamberville confirment les assertions du gouverneur.

La grande traite de 1674 à Montréal.

Puis, la grande traite a lieu à Montréal au milieu d'un nombre extraordinaire d'Indiens : « ...On n'a jamais vu tant de Sauvages descendre à Montréal qu'il y en a eu cette année ». Des groupes iroquois passent l'hiver et l'été à Montréal. Les ambassadeurs sont venus avec une nombreuse compagnie. Ils se mêlent aux huit cents Outaouais qui sont descendus de Michillimakinac. Tous observent les règlements que le gouverneur a imposés pour le maintien de l'ordre. Les Iroquois semblent satisfaits des prix. Frontenac leur offre des présents, des festins où plus de huit cents convives sont présents. Il invite les sachems à sa table. Il fait grand cas des visiteurs, il n'épargne ni les égards ni les amabilités. Il veut être le maître, mais un maître cordial et amical, plein de compréhension, de prévenance et d'attentions.

La récupération de l'État de New York par les Hollandais n'a ainsi aucun mauvais effet sur le rapprochement franco-iroquois. Le gouverneur se tire du danger avec beaucoup de brio. Malheureusement, pendant l'été 1674, la Hollande et l'Angleterre font la paix. La Nouvelle-Hollande redevient à nouveau une possession anglaise et elle le demeurera. Le 1er juillet, Edmund Andros est nommé gouverneur de l'État de New York. Le 31 octobre, par une proclamation on annonce cet événement à la population anglo-hollandaise. Et se referme en même temps la brèche un moment ouverte dans les colonies anglaises qui s'étendent rapidement sur tout le littoral de l'Atlantique. L'Iroquoisie voit se développer cette puissance, bien autrement dangereuse que la puissance hollandaise, qui la domine par le nombre, la force et la taille. En même temps les circonstances qui ont favorisé le jeu des influences françaises vont disparaître peu à peu.

On change de maîtres à nouveau.

Edmund Andros

Chapitre 122

1674

Louis XIV et ses grands ministres ne voient pas le potentiel et les possibilités de l'Amérique. Tout l'immense continent américain leur est offert par les coloniaux. Ils peuvent le prendre. Chaque fois, ils s'en détournent avec mépris. Ils n'ont de regards que pour l'Europe. Engagés dans une guerre difficile, ils rabrouent aussi froidement, aussi définitivement Frontenac, qu'ils ont rabroué Talon. Ils considèrent que depuis deux ans ils ont assez fait pour la Nouvelle-France, que celle-ci doit vivre sur son fonds, sur ses ressources et ne plus rien demander à la France.

La France se désintéresse de la Nouvelle-France.

La construction de Katarakouy, les projets de colonisation le long du fleuve sont très mal accueillis. La réaction est mauvaise à Paris. Frontenac n'avait pas d'argent, il a puisé dans sa cassette particulière les dix mille livres nécessaires à l'entreprise. Il demande le remboursement de cet argent. Il ne veut pas que Katarakouy soit abandonné. Il rencontre peu de sympathie. Le 17 mai 1674, Colbert lui écrit que l'état des affaires en Europe ne permet pas « que vous fassiez de grands voyages en remontant le fleuve Saint-Laurent, ni même qu'à l'avenir les habitations s'étendent autant qu'elles ont fait par le passé... » Et Sa Majesté « estime bien plus convenable au bien de son service de vous appliquer à bien faire défricher et bien habiter les endroits les plus fertiles, les plus proches des côtes de la mer et de la communication avec la France, que non pas de pousser au loin des découvertes... » ; c'est l'année précédente que Frontenac a construit Katarakouy et que Jolliet a descendu le Mississipi sur une bonne distance. Le ministre décide que les nouveaux établissements ne seront tolérés que dans deux cas exceptionnels : si les régions où ils se font sont nécessaires aux traites et au commerce des Français et qu'une autre nation peut s'en emparer ou si ces régions sont situées au sud et peuvent faciliter les communications avec la France. Frontenac se hâte de pénétrer par cette porte laissée ouverte et de soutenir que Katarakouy entre dans ces deux catégories, ce qui est un peu exagéré. Au fond, il désobéit sans remords au roi et aux ministres pour se rembourser et établir un régime pour le fort Katarakouy, il agit donc seul. Il parle tout d'abord des « instances que m'ont faites les Srs Bazire et Leber qui sont persuadés, avec les principaux du pays, que la sûreté et la conservation du commerce dépendent de celle de ce poste... » ; il ajoute que le roi ne voulant faire aucune dépense extraordinaire, il a décidé de conserver le poste sans qu'il en coûte rien au roi ; « ...Et comme je ne le pouvais plus soutenir à mes dépens ainsi que j'ai fait depuis un an, je leur ai remis

On freine l'ardeur des coloniaux.

Louis Jolliet (1645-1700) a atteint le Mississipi en 1673.

Charles Bazire (1624-1677), seigneur et négociant important.

Jacques Le Ber (v. 1633-1706), marchand et seigneur, anobli en 1696, beau-frère de Charles Le Moyne.

entre les mains, suivant les conventions que vous verrez dans le traité que j'en ai fait avec eux... » Si le roi ratifie cette convention de même que les privilèges qu'elle comporte, qui ne lui coûteront rien pas plus qu'au pays, Bazire et Leber assureront l'existence du poste. Pourtant, la désapprobation a été telle que le gouverneur dit que si le roi l'exige absolument, il abandonnera le fort. N'écrit-il ces mots que parce qu'il est pratiquement certain que l'ordre ne viendra pas ? Il se peut. Car dans les mêmes dépêches, Frontenac démontre que Katarakouy vient d'être d'une utilité incontestable pour maintenir la paix et il recommande Robert Cavelier de La Salle dont la destinée va se lier incessamment à celle du fort Frontenac. Voici la phrase qui servira d'étrier au grand explorateur : « ...Je vous recommande le Sr de La Salle qui passe en France et qui est un homme d'esprit et d'intelligence et le plus capable que je connaisse ici pour toutes les entreprises et découvertes qu'on voudra bien lui confier, ayant une connaissance très parfaite de l'état de ce pays, ainsi qu'il vous paraîtra, si vous avez agréable de lui donner quelques moments d'audience... » Il n'y a pas lieu, ici, d'entrer dans les controverses auxquelles ont été mêlés à cette époque les noms de Jolliet, de La Salle, de Bernou, de Renaudot, de Margry, etc. ; qu'il suffise de regarder de façon raisonnable les événements qui se sont déroulés, sans prendre parti trop passionnément. La destinée de La Salle est liée à l'Iroquoisie peu après la conclusion des traités de paix. À l'automne 1668, des Tsonnontouans viennent à Montréal pour la traite et pour la chasse ; ils y séjournent longtemps, habitant la résidence de Cavelier de La Salle ; quand l'un des leurs est assassiné, c'est ce dernier qui produit devant le tribunal une déclaration judiciaire. Ces Iroquois lui racontent maintes merveilles de la région de l'Ohio et ils lui inspirent le désir de la connaître ; la rivière du même nom a sa source à trois journées de marche de leur pays. Dollier de Casson apprend les mêmes faits d'une autre source et il conçoit lui aussi le désir de découvrir et d'évangéliser ce pays. Les uns et les autres communiquent les renseignements à M. de Courcelles qui leur demande de s'unir pour conduire une expédition sur les lieux. La Salle possède également des détails précis sur le Mississipi qu'il veut découvrir. L'expédition quitte Montréal le 6 juillet 1669. Au pays des Tsonnontouans, des différends se produisent entre La Salle et Dollier de Casson ; ils portent sur la route à suivre. Les Sulpiciens affirment que La Salle ne connaît pas du tout la langue iroquoise bien qu'ils aient dit précédemment que les Tsonnontouans ont passé un bon moment avec lui l'hiver précédent et lui ont parlé des merveilles de l'Ohio, et qu'il ait agi pour les Tsonnontouans dans l'affaire du meurtre d'un chef. Les Français vont-ils maintenant se diriger directement vers le sud-ouest à travers les terres ou revenir au lac Ontario, se rendre au lac Érié et, des rives de ce lac, descendre vers l'Ohio ? Les Sulpiciens décident d'adopter ce dernier itinéraire. L'expédition revient donc sur ses pas, traverse la rivière Niagara en aval des chutes et atteint un village iroquois, Tinawatawa, à la fin du mois de septembre. Là, elle se divise. La Salle décide avec ses hommes de l'abandonner. Ni les

Les abbés Claude Bernou et Eusèbe Renaudot se font les propagandistes de La Salle. Pierre Margry, archiviste, était pour sa part un admirateur de La Salle.

L'expédition de La Salle et de Dollier de Casson en 1669.

uns ni les autres ne se rendront dans l'Ohio, c'est un voyage manqué. Il s'agit évidemment d'une divergence d'opinion au cours de l'exécution d'une entreprise officielle très difficile et insuffisamment mûrie. Seuls, les Sulpiciens laisseront un récit de l'affaire. Elle met en doute le courage et la fermeté de La Salle. La carrière subséquente de La Salle ne justifie ni de près ni de loin une accusation de ce genre. Il donne, d'après les Sulpiciens, le prétexte d'une maladie. Que ce ne soit qu'un prétexte semble évident. Croit-il que les Sulpiciens s'engagent sur une fausse route et que l'expédition est vouée à l'échec ? C'est fort possible. Ou bien le différend tient-il a une différence d'humeur ? C'est un point impossible à élucider. Il vient de rencontrer Adrien Jolliet, le frère de l'explorateur, qui se rend probablement au pays des Tsonnontouans pour aider à la réconciliation entre cette tribu et les Outaouais. Le suit-il ? Se joint-il ensuite à un de ces partis de chasseurs qui contournent le lac Ontario par l'ouest et vont chasser dans le Haut-Canada ? C'est assez probable et en accord avec les coutumes iroquoises. À l'été 1670, Nicolas Perrot le rencontre sur l'Outaouais en aval des rapides des Chats, chassant en compagnie de cinq ou six Français et de dix à douze Iroquois. La Salle revient ensuite en Nouvelle-France. Talon, de son côté, y est revenu dès le mois de mai. Les deux hommes s'y rencontrent. La Salle est-il mis de côté pour avoir abandonné Dollier de Casson et Galinée dans des circonstances douteuses ? Non. L'intendant lui confie aussitôt une autre mission. Le 10 novembre, il écrira à Colbert qu'il a confié des missions d'exploration et de prises de possession à Saint-Lusson et à La Salle. La phrase est peu claire. Par des commentaires de Colbert, on comprend que l'un va au nord, l'autre au sud, et l'expression est encore ici trop générale pour en tirer des conclusions certaines. Les deux hommes doivent tenir un journal, raconter les principaux événements de leur marche et, à leur retour, fournir des réponses en rapport avec les instructions reçues ; ils doivent prendre possession des pays, arborer les armes du roi, dresser des procès-verbaux.

La Salle part-il à l'automne comme son compagnon ? Très probablement. Où va-t-il ? C'est un mystère. Les suppositions que l'on a pu faire ne tiennent pas compte de deux faits importants : de 1667 à 1670, les Iroquois sont en guerre avec les Andastes au sud et avec les Chouanons au sud-ouest. Les Tsonnontouans semblent particulièrement engagés dans le conflit, car c'est la tribu iroquoise la plus rapprochée de l'ennemi. Or les Chouanons vivent sur l'Ohio ; ils sont décimés et dispersés en 1670. D'où il suit que La Salle, pas plus que Dollier de Casson et Galinée, ne peut voyager facilement dans le sud-ouest, sauf avec des partis de guerre, pendant les années 1669-1670 et probablement aussi pendant l'année 1671. Si La Salle doit aller au sud, n'est-ce pas simplement en Iroquoisie ? C'est d'ailleurs là qu'on le trouve aux premiers jours de juin de l'année 1671. Il est à Albany et il arrive du pays des Agniers. Il fait de son mieux pour calmer les Anglais qui ont entendu parler, par des Iroquois, des préparatifs du voyage de M. de Courcelles au lac Ontario.

Destruction des Chouanons.

On leur a dit que des troupes se dirigeraient vers le sud et attaqueraient Albany. Les magistrats l'interrogent et ses réponses suppriment la jalousie et les craintes que les Anglais avaient pour eux-mêmes ou pour les Agniers ; il facilite ainsi l'expédition du gouverneur. Au mois d'août, La Salle est à Montréal où il emprunte de l'argent. On ne peut pas savoir s'il a fait à ce moment-là un rapport à l'intendant ; et même, en novembre, celui-ci écrira que Saint-Lusson est revenu, mais pas La Salle. Est-il possible que Talon n'ait pas appris en novembre que La Salle est venu à Montréal ? C'est très improbable. Dans des petites communautés comme Montréal, Québec ou les Trois-Rivières, le passage d'un homme comme La Salle, qui est chargé d'une mission officielle, passe difficilement inaperçu, en fait, c'est un événement. Talon a probablement été mis au courant. La Salle retourne-t-il tout de suite en Iroquoisie ? C'est encore probable. Désobéit-il aux instructions qui lui ont été données ? Les archives n'ont conservé à son sujet aucune plainte, comme dans le cas de Péré qui a failli à une mission qu'on lui avait confiée. Pendant l'été 1672, Jolliet part pour le Mississipi avec l'autorisation des mêmes autorités qui ont chargé La Salle d'explorer le sud. S'agit-il d'une expédition identique ? Non, probablement pas, car dans l'affirmative, La Salle serait tombé en disgrâce, ce que contredit l'événement qui suit. Frontenac arrive en effet en Nouvelle-France comme gouverneur ; il y rencontre M. de Courcelles et Talon qui, pendant une couple de mois, pourront lui expliquer à loisir toutes les affaires du pays et le mettre au courant de tout. Est-il plausible qu'ils ne lui aient rien dit de La Salle qui était chargé de mission officielle, surtout si ce dernier avait manqué à ses devoirs ? Évidemment non. La Salle n'est pas individu obscur à qui l'on ne pense guère. Frontenac, après des entretiens avec ses prédécesseurs, confie immédiatement à La Salle une troisième mission officielle. Ce dernier est à Montréal en décembre 1672 ; pendant le même mois ou en janvier 1673, il reçoit comme mission de se rendre en Iroquoisie pour y préparer les esprits à la construction du fort Frontenac que le gouverneur a déjà décidé d'entreprendre et qui peut provoquer des réactions dangereuses. Le choix se fixe sur lui parce qu'il a fait déjà plusieurs voyages en Iroquoisie et qu'il y compte de nombreuses connaissances. Ces voyages ne lui attirent aucun blâme de la part des autorités et tout se passe comme s'il avait fait exactement ce qu'on lui avait demandé. Alors, on se demande si toutes les missions de La Salle, sauf peut-être la première, n'étaient pas au fond purement et simplement des missions en Iroquoisie, sans plus. Le très large cadre de son action pendant ces premières années est le suivant : Talon croit et répète que la France a droit à une large part du commerce des fourrures que l'Iroquoisie conduit avec les Anglais à Albany ; il est tellement intéressé par cette question qu'il en parle longuement dans ses dépêches et pour l'obtenir, il propose à plusieurs reprises la construction de forts au nord et au sud du lac Ontario. Il veut dériver tout ou partie de ce commerce vers le Canada. De plus, l'Iroquoisie continue à donner des inquiétudes malgré des traités encore récents ; les Tsonnontouans, en

Jean Péré, explorateur et coureur de bois, s'était vu confier par Talon la mission de repérer une mine de cuivre au nord du lac Ontario.

On croit cependant que Courcelles avait déjà quitté la colonie à l'arrivée de Frontenac.

Le Canada, c'est-à-dire Montréal et Québec.

particulier, agissent de façon à augmenter le volume des pelleteries (destinées à Montréal) qui échouent à Albany. Ils sont indociles, ils attaquent les alliés des Français, les guerres terribles d'autrefois peuvent renaître. Puis les prises de possession n'ont pas donné de grands résultats et l'Iroquoisie s'enfonce dans un régime hybride où se combattent assez âprement l'influence anglaise et l'influence française ; les commerçants hollandais à Albany se moquent, on l'a vu, des pratiques religieuses que les missionnaires ont inculquées à leurs prosélytes. L'Angleterre étant une alliée de la France, toute action française dans le pays iroquois doit être discrète et subtile. Enfin, les *Provinciales* de Pascal ont été publiées en 1656 ; bien qu'en général opposé au jansénisme, le milieu officiel français a conçu des soupçons sur les motifs des Jésuites et tout se passe comme s'il croyait à l'accusation portée contre cet ordre, de vouloir dominer les rois, les gouvernements, les pays ; alors il donne à ses mandataires en Nouvelle-France des instructions qui imposeront pendant plusieurs années aux gouverneurs et aux intendants, des enquêtes sur les buts des Jésuites canadiens. Cette défiance et ces soupçons se traduiront par toute une série d'actes qui sont peu honorables. Or, les Jésuites sont pendant cette période les seuls représentants de la France en Iroquoisie ; il est assez plausible qu'on ait voulu les contrôler de Québec, les observer par l'intermédiaire de La Salle. Il est assez étrange que peu après le départ de M. de Tracy, La Salle apparaisse soudainement comme un familier des Tsonnontouans. Il semble que pour pénétrer le mystère La Salle, il faille regarder uniquement du côté de l'Iroquoisie. Il y voyage et y circule. S'il ne sait pas parfaitement la langue au début, il l'apprend subséquemment ; s'il n'exerce pas tout d'abord une grande influence, il en acquiert une peu à peu. Il devient vite un spécialiste de l'Iroquoisie et c'est le seul laïc éminent qui soit devenu rapidement un familier de ce pays et qui y contracte des amitiés et des relations précieuses. Charles Le Moyne lui aurait peut-être été supérieur dans cette tâche, mais il n'a pas abandonné sa carrière pour s'y consacrer. Ce bref commentaire aide à comprendre les événements qui vont se dérouler maintenant. Au moment de voir La Salle s'installer à Katarakouy, il faut se rappeler les dépêches de Talon au sujet du commerce des fourrures de l'Iroquoisie, le mémoire de l'abbé de Fénélon sur le même sujet, le besoin de tenir sous observation et sous contrôle une Iroquoisie remuante, dangereuse, incertaine. Talon, Frontenac, La Salle construisent sur la même assise.

Les jésuites suspects aux yeux des autorités françaises.

Au printemps 1675 à Paris, La Salle émerge de ses années d'obscurité en qualité de promoteur d'un vaste plan qu'il a sans aucun doute mis au point dans tous ses détails avec Frontenac avant son départ du Canada. Il voit les ministres. Il leur présente un mémoire. Il propose d'entretenir le fort actuel de Katarakouy, de le munir d'artillerie, d'armes et de munitions ; d'y placer une garnison aussi nombreuse que celle de Montréal, d'y transporter de quinze à vingt hommes pour commencer les défrichements, de rembourser Frontenac des douze à treize mille livres que celui-ci a dépensées pour la construction du

Le plan de La Salle pour Katarakouy.

poste ; concéder des terres aux alentours ; attirer des Indiens et les inviter à se fixer à Katarakouy ; construire une église aussitôt qu'une centaine de personnes y vivront ; et dès maintenant, y conduire trois récollets. En compensation, La Salle demande au roi de lui concéder une seigneurie qui portera le nom de Katarakouy, comprendra quatre lieues de pays, aura front sur le lac, enserrera îles et îlots, comportera le droit de pêche, donnera droit à un titre de noblesse et comprendra les mêmes privilèges que les concessions de la Nouvelle-France.

Colbert accepte les propositions de La Salle.

C'est Colbert lui-même qui examine ce mémoire et qui en fait le rapport aux ministres. Le 13 mai 1675 est rédigé l'arrêt qui accepte ces propositions. Les lettres patentes de la concession et les lettres de noblesse sont du même jour. Le conseil du roi a imposé quelques modifications au plan : La Salle devra transporter immédiatement au fort des marchandises d'une valeur de 10 000 livres ; il remettra 10 000 livres à Frontenac, vingt hommes exécuteront pendant deux ans des défrichements autour du poste ; l'église se bâtira dans un délai de six ans. Les Français qui s'établiront sur la seigneurie auront le droit d'y faire la traite. Le même jour, Colbert annonce par dépêche à Frontenac que Sa Majesté « a accepté les propositions du sieur de La Salle pour la conservation du fort que vous avez fait construire sur le lac Ontario et pour le remboursement des avances que vous avez faites ».

Cet arrangement apporte une solution aux principaux problèmes : rembourser Frontenac et maintenir le poste sans qu'il en coûte rien au roi qui est engagé dans une guerre en Europe et ne veut pas en assumer les frais d'entretien. On peut critiquer cet arrangement, mais il faut se rappeler que si le gouverneur et La Salle sont arrivés à de telles propositions, c'est parce que le roi s'est dérobé à ses devoirs et que le poste est absolument nécessaire à la Nouvelle-France. Ils ne l'avaient pas décidé dès le début ; ils y ont été acculés. Peu importe de quelle façon tournera l'aventure, le plus important est que Katarakouy subsiste.

La Salle ayant pris des engagements importants, il tente maintenant de les exécuter. Il obtient de sa famille des fonds substantiels. Le 10 octobre 1675, il remet au gouverneur les 10 000 livres que celui-ci à dépensées ; le 12, Frontenac lui transmet ses pouvoirs sur Katarakouy et il donne ordre à la garnison de lui obéir désormais. En décembre, La Salle prêtera serment. Il envoie ensuite au poste quarante-quatre hommes parmi lesquels se trouve un chirurgien, onze soldats, divers artisans, un forgeron, un charpentier, un tonnelier et des boulangers. Il a bientôt un entrepôt à Montréal, il fait des achats de blé, il se procure des canots. L'entreprise à monter est fort vaste.

La Salle s'installe à Katarakouy.

Du fait de l'acte du roi, Katarakouy devient donc en bonne partie une propriété privée et cesse d'être entreprise d'État. Le particulier qui l'acquiert est un grand ami des Iroquois, c'est l'un de leurs familiers, il les a fréquentés. Ceux-ci s'opposeront moins au poste pour cette raison et pourront y venir en plus grand nombre, les Anglais en prendront moins ombrage, la France pourra peut-être pénétrer plus facilement en Iroquoisie ou dans le continent par l'intermédiaire de La Salle. Ce que l'on a appelé l'empire commercial de La Salle se forme maintenant. Celui-ci assume de lourdes responsabilités ; le roi lui a abandonné le commerce des pelleteries du lac Ontario, qui est celui des pelleteries iroquoises qui s'en allait à Albany et dont il pourra prendre le contrôle si il en est capable. Ce commerce a son origine soit dans l'Iroquoisie même, soit dans les bourgs du nord du lac Ontario, soit dans les chasses iroquoises qui ont pour théâtre le Haut-Canada ou la région du lac Érié. Katarakouy, en plus d'être un fort, devient une véritable factorerie à portée de l'Iroquoisie et des bandes de chasseurs qui circulent entre leur pays et le Haut-Canada. Les Iroquois pourront obtenir des marchandises en tout temps sans se rendre à Albany, faire réparer leurs armes, trouver des munitions. Ils seront souvent tentés de s'y arrêter. Katarakouy sera surtout une tentation pour les quatre tribus supérieures qui se rendent si difficilement à Albany où les Agniers continueront à aller. La Nouvelle-France, qui détient des titres de possession sur l'Iroquoisie, tente donc actuellement d'obtenir d'elle une allégeance commerciale, de la soustraire à l'emprise commerciale de l'Angleterre, de la placer complètement ou peu s'en faut dans sa zone d'influence. Des Iroquois qui viendraient à Katarakouy et qui cesseraient d'aller à Albany porter le produit de leurs chasses deviendraient rapidement des alliés intimes de la France. La construction du poste peut ainsi parachever l'œuvre des traités de 1665-1666 et faire de l'Iroquoisie, cette ancienne ennemie, à tout jamais une alliée. Ce sont toutes ces grandes questions qui sont impliquées dans l'entreprise de La Salle et qu'il ne faut pas perdre de vue sous peine de ne rien comprendre des événements qui vont se dérouler maintenant. Plût au ciel que le roi et ses ministres eussent mieux compris ces problèmes et y aient consacré quelques-unes des ressources de l'État. Car La Salle peut obtenir facilement une petite partie du commerce des fourrures de l'Iroquoisie, celle qui passe à la porte du fort ; mais pour en obtenir une part plus large, il faudra que le prix de ses marchandises soit peu élevé et se compare avantageusement à celui d'Albany ; ce ne sera pas facile car les frais de transport sont considérables entre Montréal et le lac Ontario. Il faudra aussi que la politique de la Nouvelle-France ne s'oppose pas trop à celle de l'Iroquoisie, sinon les Iroquois seront mécontents et ne viendront plus à Katarakouy. La Salle n'a pas une tâche facile ; mais il est préparé pour cette grande entreprise et il est très courageux.

L'importance de Katarakouy

Chapitre 123

1675

La colonie de New York est rendue à l'Angleterre par le traité de Westminster du 19 janvier 1674.

Le 31 octobre 1674, une proclamation publique annonce la nomination de sir Edmund Andros en tant que gouverneur de la Nouvelle-Hollande, redevenue l'État de New York. Son prédécesseur, Nicolls, a eu des velléités de s'occuper des affaires iroquoises, mais au fond, il a laissé les affaires commerciales suivre leur cours. Les Français envoient des missionnaires, des affidés en Iroquoisie, ils renouvellent leurs traités, imposent aux Iroquois leur politique quant aux Indiens alliés et quant au commerce de fourrures des Outaouais. Ils construisent et exploitent Katarakouy sans provoquer la moindre réaction dangereuse. Les Anglais réclament cependant la possession d'Anniéjé dont M. de Tracy a pris possession dans toutes les formes. Leurs amis, les Agniers, sont très faibles ; ils connaissent mal les Sénèkes qui vivent très loin d'eux. Pendant ce temps, ils consolident leur domination précaire sur la Nouvelle-Hollande. Maintenant qu'ils se réinstallent, c'est le roi indien Philippe qui menace et harasse les colonies anglaises et qui alarme gravement à maintes reprises la ville d'Albany, de Shenectady et l'État de New York.

Pometacom ou Metacomet, surnommé le roi Philippe (King Philip), chef des Wampanoags, vivant au nord de la baie de Narragansett.

En 1675, s'esquissent les mouvements de l'avenir. Quand les Iroquois seront trop pressés par les Français, ils se tourneront vers Albany et vers l'État de New York pour en obtenir l'assistance nécessaire contre les gouverneurs canadiens ; l'État de New York accordera cet appui, tant pour contrecarrer la politique française que pour gagner les faveurs de l'Iroquoisie et s'attirer son allégeance. Et ce jeu sera complété de la façon suivante : l'Iroquoisie s'appuiera sur la Nouvelle-France pour résister à l'État de New York. Politique de bascule qu'elle conduira avec une habileté consommée pour n'être asservie ni par les Français au nord ni par les Anglais au sud et conserver son identité nationale. Naturellement, ni les Français ni les Anglais n'aimeront cette diplomatie fuyante, mais qui peut vraiment blâmer les Iroquois de la poursuivre ? Ils agissent au mieux de leurs propres intérêts.

Diplomatie iroquoise adaptée aux circonstances.

Appui des Anglais de l'État de New York aux Agniers en 1675.

Cette stratégie débute le 16 avril 1675, soit un mois environ avant que La Salle n'obtienne à Paris la possession de Fort Katarakouy. Le conseil de l'État de New York vient de recevoir d'Albany des lettres que l'on n'a pas retrouvées ; il adopte l'importante résolution suivante : « Résolu, – Que les Agniers soient encouragés dans leur loyauté et dans leur amitié envers les Anglais ; que les Français soient avisés de ne les pas molester sans raison et de libérer immédiatement tout otage agnier qu'ils peuvent détenir ; nous engageant à nous interposer, ou à fournir nôtre assistance pour que des satisfactions soient accordées par les Agniers aux Français dans toutes les occasions justes qui l'exigeront ; le gouverneur français prenant le même engagement pour les Indiens qui vivent en Nouvelle-France.

« Que l'on envoie chercher, pour comparaître devant le Gouverneur à son arrivée à Albany, le Jésuite et les autres Français qui vivent chez les Agniers, afin qu'ils donnent un compte rendu de leurs actions dans cette région, et s'ils doivent y demeurer, des assurances quant à leur futur comportement ».

On trouve mention de la même affaire dans une lettre écrite huit jours plus tard, le 24 avril, par un individu du nom de Nicolls au capitaine Chambers et à George Hall ; en voici un extrait : « Quant au message que vous pouvez avoir reçu d'Albany, au sujet des Français qui menacent vos Indiens, le gouverneur a écrit à Albany qu'il ne souffrira pas que soient persécutés, tant qu'ils demeureront sous la protection de ce gouvernement, des Indiens qui vivent dans les limites des territoires de son Altesse Royale. Et si l'occasion se présente, il sera prêt à intervenir dans toute affaire juste ».

Les Anglais sont prêts à assurer la protection des Indiens vivant dans les limites des territoires de son Altesse Royale.

On connaît mal les conditions dans lesquelles agit ainsi le conseil de l'État de New York. Les otages dont il parle sont-ils les enfants iroquois placés dans les institutions de la Nouvelle-France ? C'est possible ; Frontenac a peut-être forcé la note pour les obtenir et les garder afin de protéger l'existence des missionnaires qui vivent en Iroquoisie et empêcher qu'on ne les maltraite trop.

Cette résolution est d'une extrême importance. Plus tard, elle sera élargie, modifiée et deviendra l'un des principes fondamentaux de l'État de New York. Un gouverneur comme Dongan la montera en épingle et fondera sur elle toute la politique anglaise à l'endroit de l'Iroquoisie et de la Nouvelle-France. Elle deviendra une formule quand elle aura cessé d'être comme aujourd'hui à l'état embryonnaire.

Thomas Dongan (1634-1715), un catholique irlandais

Une importante résolution.

En apparence, la résolution est sans conséquences graves. On encourage les Agniers dans leur amitié envers les Anglais ; on demande aux Français de libérer tout otage agnier. Mais pourquoi ? Parce que si les Agniers commettent quelque action outrageante contre les Français, les Anglais les forceront a donner une réparation juste ; à condition que le gouverneur de la Nouvelle-France s'engage aussi à obliger les Indiens de la Nouvelle-France à accorder réparation aux Anglais si ces Indiens commettent quelque action outrageante contre les Anglais. Cet arrangement semble assez anodin ; mais il implique au fond que les Agniers sont sous la juridiction, sous l'influence des Anglais et non des Français ; que seuls les Indiens du Canada sont sous la juridiction des Français ; que Anniéjé est donc pays anglais ; que les Agniers sont sujets anglais et que les Indiens du Canada actuel sont sujets français ; que si la Nouvelle-France est victime de quelque expédition de guerre de la part des Agniers, elle doit, au lieu de faire justice elle-même, s'adresser à l'État de New York pour obtenir satisfaction. On remarque donc tout le sens caché dans la résolution que le conseil de l'État de New York a adopté en 1675. Il faut noter cependant que depuis les traités de paix signés par M. de Tracy, New York ne réclame que la possession du pays des Agniers, d'Anniéjé comme disent les missionnaires. Il n'est pas question du pays des quatre tribus supérieures, les Sénèkes. Il faudra attendre encore quelques années pour voir les prétentions des Anglais s'élargir jusqu'à embrasser toute l'Iroquoisie. Il faut remarquer aussi de quelle façon exacte et précise M. de Tracy avait pris possession du pays des Agniers après la destruction des bourgades. Mais celle-ci n'avait été suivie que de l'envoi de quelques missionnaires, de La Salle, et non pas de colons.

À qui appartiendra l'Iroquoisie ?

La question se pose donc timidement entre les Français et les Anglais : à qui appartiendra l'Iroquoisie ? Ni les Français ni Frontenac ne sont prêts à accepter l'arrangement proposé par New York : abandonner Anniéjé entre les mains de l'Angleterre c'est lui abandonner une arme dangereuse contre la Nouvelle-France ; elle pourra s'en servir quand elle le voudra, et le passé prouve à quel point cette arme est terrible. L'ancien danger auquel avait mis fin M. de Tracy renaîtrait sous une forme plus dangereuse encore. Puis la France a des droits qui peuvent se comparer à ceux de l'Angleterre ; elle a conclu avec l'Iroquoisie un premier traité en 1624 ; Arent van Corlaer a conclu le second traité en 1643 ; la France a négocié son second accord en1654, accord suivi de l'établissement de Sainte-Marie de Gannentaa et de la concession par le gouverneur de Québec d'une seigneurie près de la capitale iroquoise ; les Sénèkes signent leur premier traité avec les Hollandais en 1657 ou en 1658 ; mais en 1662, ils se lieront aussi avec les Français ; enfin viennent les traités de M. de Tracy avec toutes les tribus iroquoises et les procès-verbaux de prises de possession ; des juristes sont maintenant à l'œuvre et des actes sont rédigés expressément de façon à accorder la possession de l'Iroquoisie à la France et à faire de tous les Iroquois des sujets français. Plus tard, l'État de New York ne réclamera que la possession d'Anniéjé. Des régimes opposés s'établissent en Iroquoisie ; les missionnaires français travaillent en Iroquoisie, le commerce iroquois prend toujours la route d'Albany. Les seuls Européens qui vivent en Iroquoisie sont cependant des Français, car les Anglais, pas plus que les Hollandais, ne s'établissent et ne vivent au milieu des Iroquois. Le statut de l'Iroquoisie est donc suffisamment compliqué, mal connu des contemporains, pour fournir les aliments d'une controverse diplomatique et d'une guerre. En attendant qu'il se règle, une lutte d'influence va commencer dans ce pays sauvage entre deux nations européennes qui sont maintenant amies, mais qui ne le seront pas toujours. On vient d'assister à la première passe d'arme. L'Angleterre et la France manœuvrant pour s'assurer la possession de ce pays tandis que l'Iroquoisie joue France contre Angleterre ou vice-versa pour rester indépendante et maîtresse de ses mouvements.

L'Iroquoisie joue France contre Angleterre pour rester indépendante.

Le grand conseil d'Albany en 1675.

Cette résolution n'est qu'un premier coup de feu dans la bataille. Un grand conseil a lieu à Albany au mois d'août. Andros lui même s'y rend ; les sachems de toutes ou bien de quelques tribus iroquoises sont aussi présents ; les Sénèkes ont envoyé des députés. « ...Les Indiens les plus belliqueux qui résident à près de cent milles au-delà d'Albany et leurs Alliés qui habitent jusqu'à quatre cent milles plus loin, s'y rendirent, ils déclarèrent leur alliance antérieure, et ils se soumirent maintenant de la façon la plus extraordinaire, et firent des promesses réitérées... » Ces termes semblent bien indiquer les Agniers, et les Sénèkes que l'on désigne sous le nom d'alliés des premiers. Les termes de leur proposition ne sont pas très clairs, ni ceux de leur alliance. D'autres documents parlent du même conseil. En voici un qui vient de Londres et qui est une réponse à Andros : « J'ai montré à Son Altesse Royale les propositions des Agniers à Albany, et elle souhaite que vous réussissiez bien lorsque vous vous rendrez à cet endroit pour régler cette affaire entre eux et les Français. Si l'on peut en arriver à une bonne entente entre eux et vous, elle sera très utile aux deux parties, car les Français ne peuvent venir de vôtre côté du Lac ou du Fleuve du Canada pour divertir le commerce ou ennuyer les Mohicans ; et son Altesse Royale désire que vous employiez tous vos soins et votre attention dans la négociation d'une affaire de si grande importance pour son service... » Le problème de fond semble être ici de nouveau le commerce des fourrures. En Angleterre, en juge donc que Anniéjé, si ce n'est toute l'Iroquoisie, appartient aux Anglais puisque les Français n'y peuvent faire des opérations commerciales. Toutefois, la crise de 1675 demeure fort obscure. Elle semble surtout vive entre les Agniers et les Français.

Il s'agit du lac Champlain.

Un autre événement important se produit en 1675 ou pendant l'hiver 1675-1676. Malgré toutes les recherches, il baigne dans le mystère et l'obscurité. Les historiens américains ne s'entendent pas et chacun propose des théories contradictoires. C'est la destruction d'une autre peuplade de souche iroquoise : les Andastes. Dès les premières pages de l'histoire du Canada, ces Indiens apparaissent comme les alliés des Hurons, donc des Français. Les documents canadiens les nomment à plusieurs reprises. En 1615, Brûlé se rend chez eux pour ramener un fort parti de guerre qui doit se joindre à un détachement huron pour détruire une bourgade iroquoise. Avant la destruction de la Huronie, il sera question d'une coalition entre Hurons, Neutres, Onnontagués et Andastes pour empêcher la destruction de la Huronie par les Agniers et les Tsonnontouans. Plus tard, on verra les Andastes se poster le long de la grande piste qui traverse l'Iroquoisie pour piller au passage les Sénèkes qui se rendent à Albany avec de lourds colis de fourrures : ceux-ci doivent bientôt former des caravanes de six à sept cents guerriers pour se protéger. Ils harcèlent tantôt l'une des tribus iroquoises, tantôt l'autre, mais surtout les trois tribus occidentales ; ils les forcent parfois à se tourner vers la Nouvelle-France pour obtenir des munitions, réparer leurs armes, construire des forts, obtenir un marché moins dangereux pour leurs pelleteries, demander la paix afin de consacrer toutes leurs forces à cette guerre dans le sud. Les Andastes combattent donc les Iroquois tout comme les Français. Mais après la destruction des Hurons, les uns et les autres ne communiquent pas, bien que les premiers soient fort utiles aux seconds. À plusieurs reprises, les Iroquois viennent demander la

La destruction des Andastes, 1675-1676.

Étienne Brûlé (v. 1592-1633), interprète, explorateur, premier Blanc à se rendre en Huronie.

paix à Québec, sont plus conciliants ou ralentissent leurs attaques en Nouvelle-France parce que les Andastes les attaquent et qu'ils craignent un revers. Leur rôle est particulièrement bénéfique à la France après 1660. En 1663, la guerre entre Iroquois et Andastes devient si virulente que l'Iroquoisie tente de détruire la grande et unique bourgade des Andastes et elle échoue misérablement. Les Andastes concentrent alors leurs efforts contre les Goyogouins qui, après les traités de M. de Tracy, immigrent en nombre au nord du lac Ontario. Ils déciment les Onnontagués comme les rapports des missionnaires en font foi. Une couple de gros détachements tsonnontouans subissent des défaites. Cette guerre rend les Iroquois de l'ouest plus accessibles aux directives de Courcelles et de Frontenac. Menacés gravement au sud, ils ne veulent pas que les Français les attaquent au nord. Toutefois, vers 1670, les Iroquois de l'ouest détruisent les Chouanons sur la rivière Ohio, qui sont des alliés des Andastes et qui, semble-t-il, les gênent dans leurs chasses ou dans leur commerce de pelleteries ; les missionnaires signalent quelques-uns de leur partis de guerre et leur retour avec des prisonniers. Cette guerre est probablement la vraie raison pour laquelle ni Dollier de Casson ni Galinée n'atteindront l'Ohio par le pays des Sénèkes. En 1673, quand Frontenac se rend à Katarakouy, les sachems iroquois sollicitent son assistance contre les Andastes qui, à leur avis, leur sont supérieurs en nombre, en canots, en armements. Le gouverneur leur donne une réponse évasive ; il les renvoie à l'année suivante, disant qu'il ne supportera pas que les Iroquois soient opprimés. Puis la législature du Maryland lève « 6 000 livres de tabac aux fins de fournir et de donner de la poudre aux Andastes pour usage ordinaire et pour se défendre ». Quelques coureurs des bois échappés à la garnison de Katarakouy se joignent à un détachement iroquois qui veut attaquer les Andastes. Le conflit s'envenime tellement que les Iroquois brûlent même les femmes andastes qu'ils capturent.

Les Ériés, de la famille huronne-iroquoise, avaient été décimés en 1654 et 1657.

En 1675, il reste trois peuples iroquoiens : la Confédération des Cinq Nations, les Andastes et les Tuscaroras.

En 1675, il reste trois peuples iroquois. La Confédération tout d'abord, qui a déjà détruit les Hurons, les Neutres, les Ériés, leurs frères par le sang et par l'origine ; puis les Andastes qui sont en guerre avec elle et qui paraissent capables de soutenir la lutte longtemps ; ils n'ont encore donné aucun signe d'affaiblissement ; des Européens les dirigent dans la construction de leurs ouvrages militaires et leur fournissent des munitions. Ils ont du sang-froid ; ils rendent coup pour coup. Enfin, il reste encore les Tuscaroras au sud.

Et soudain, voilà qu'en 1675, les Andastes disparaissent brusquement, soudainement, et de façon si mystérieuse que les historiens ne peuvent donner la date précise de leur destruction, désigner clairement les ennemis qui les ont abattus ou relater les circonstances de cette défaite. Les Iroquois, pour leur part, conservent l'amitié des Anglais de l'État de New York. Le 20 octobre 1675, Andros écrira la phrase suivante : « Que défense soit faite à cette occasion de vendre de la poudre et du plomb à des Indiens d'Albany, sauf aux Agniers et aux Sénèkes ». Cet ordre est mis en vigueur. Un peu plus tard, en novembre ou en décembre, les Iroquois récompensent les Anglais de cette préférence ;

ils poursuivent et battent près d'Albany, le roi Philippe et un fort détachement de guerriers, le fameux chef indien qui poursuit une guerre sanglante, longue, tenace, contre les colonies anglaises ; ils prennent partie pour les blancs contre leur race, comme ils le font continuellement depuis l'arrivée des Hollandais, obtenant ainsi faveurs et protection. Pour leur part, les Andastes ne sont pas aussi heureux. On sait qu'au conseil qui a eu lieu à Albany, à la fin de l'été 1675 entre Anglais et Iroquois, il a été question d'eux. Le 21 octobre, Andros écrira en effet au gouverneur du Maryland qui est leur protecteur. Il revient d'Albany, écrit-il, il a engagé les Agniers et les Sénèkes à ne pas attaquer les blancs au cours de la guerre qu'ils poursuivent contre les Andastes. Les Agniers seraient favorables à la paix entre l'Iroquoisie et Andastogué ; ils n'auraient jamais fait la guerre aux Andastes ; mais, ajoute Andros, « je trouve que les Senèkes y sont complètement opposés et désirent leur extermination ». Les Sénèkes savent que les Anglais du Maryland assistent les Andastes. La situation est donc la suivante : au cours de leurs expéditions contre les Andastes, les Iroquois supérieurs s'en prennent souvent aux Anglais du Maryland qui protègent ces ennemis, leur fournissent des munitions, les assistent ; en 1675, une tentative de pacification a lieu à Albany : Andros veut négocier la paix entre Iroquois et Andastes pour mettre fin à tous ces incidents sanglants. Les Iroquois supérieurs refusent. Alors les Anglais du Maryland continueront à être exposés aux mêmes massacres. Que se produit-il ensuite ? Une première grande défaite des Andastes. D'après un historien américain qui a étudié le problème, la conclusion suivante s'imposerait : « Les détails de la défaite et les raisons qui l'ont motivée, sont difficiles à extraire d'une masse de témoignages apparemment contradictoires. L'opinion générale est qu'ils ont été d'abord attaqués par une troupe ordinaire de blancs levée dans le Maryland et dans la Virginie... » Et, « une bonne partie de la nation aurait été dispersée et une autre partie incorporée dans la tribu des Tsonnontouans ». Les Anglais des deux États, c'est-à-dire les colons, auraient conduit cette attaque, parce qu'ils en avaient assez des massacres qu'occasionnaient parmi eux les expéditions continuelles de Sénèkes. Hunt ajoute encore que d'autres témoignages « rendent virtuellement certain que ce sont les hommes blancs, longtemps les amis des Andastes, qui se sont d'abord tournés contre eux dans un excès de fureur folle ». Mais la date de cette attaque est incertaine. Ainsi, le 2 juin 1676, Andros tentera de nouveau de concilier les Andastes et les Iroquois. N'est-il pas au courant de ce qui s'est passé ou la défaite des Andastes a-t-elle lieu immédiatement après ? Le 6 juin 1677, le colonel Henry Coursey du Maryland est à New York dans le but de faire la paix entre les tribus. Les Onneyouts « sont disposés et sont prêts à obéir au commandement du grand Roi Charles qui vit de l'autre côté du grand lac... » Le 15 janvier 1678 toutefois, il est question d'une attaque conduite par un « parti de Senèkes et d'Onneyouts qui sont tombés sur les Andastes en arrière de la Virginie ». Ceux-ci ont déjà quitté leur habitation et retraitent probablement vers une région plus sûre. Ce serait

Andastogué = pays des Andastes

Les causes de la destruction des Andastes

Sans doute, George T. Hunt, The Wars of the Iroquois, *University of Wisconsin Press, 1940.*

Charles II (1630-1685), roi d'Angleterre, d'Écosse et d'Irlande (1660-1685).

au cours de cette migration qu'ils auraient subi les derniers assauts ; la nation n'aurait pas été complètement détruite par l'offensive antérieure des blancs ; il en resterait des parties qui cherchent un refuge.

En 1675, une situation avantageuse à la France, en Iroquoisie, se modifie insensiblement. Les Agniers ont rendu de grands services aux colonies anglaises en infligeant une défaite au roi Philippe ; ils se montrent des alliés précieux dans une guerre. L'État de New York s'intéresse vivement à eux et tente de les prendre à jamais sous sa protection. Puis les Andastes, soit à ce moment, soit un peu plus tard, sont détruits et, débarrassés enfin de cet ennemi acharné, les Iroquois deviennent plus insolents et plus indépendants envers la France. Les missionnaires en Iroquoisie signalent immédiatement cette répercussion profonde : « Depuis, en effet, que les Tsonnontouans ont entièrement défait les Andastes qui étaient leurs anciens et plus redoutables ennemis, leur insolence ne connaît plus de bornes ; ils ne parlent plus que de renouveler la guerre contre nos alliés et même contre les Français, et de commencer par la destruction du fort de Katarakouy. Il n'y a pas longtemps qu'ils avaient résolu de casser la tête au P. Garnier... » Les pères Pierron, Raffeix et Garnier « sont pour ainsi dire obligés de porter toujours leurs âmes entre leurs mains, car ils sont presque habituellement en danger d'être massacrés par ces barbares ». Le père de Carheil vit les mêmes dangers chez les Goyogouins : « Ils sont devenus si superbes et si insolents, qu'ils l'ont rudement maltraité quand ils étaient en état d'ivrognerie, ils ont même renversé une partie de la chapelle... » Les Jésuites, comme on le voit, attribuent la défaite des Andastes aux Tsonnontouans. Sans doute étaient-ils mal placés pour connaître exactement la vérité. Ils constatent qu'elle a un effet néfaste sur leur entreprise évangélique.

Les missions en Iroquoisie.

Car ils travaillent toujours assidûment à cette œuvre d'évangélisation, qui est en même temps une œuvre de rapprochement avec la France. L'histoire détaillée de ces missions n'est pas écrite et elle éclairerait plus d'un problème historique. Toutefois, jusqu'à l'année 1678, les missionnaires ont laissé des *Relations* écrites qui permettent de connaître le gros de l'aventure. Ainsi, pendant un temps, les Agniers donnent de très belles espérances. La mission de Saint-François-Xavier des Prés, qui a précédé Caughnawaga, est fondée en 1667 par le père Raffeix et un groupe de sept Agniers. D'autres viennent les rejoindre. Anniéjé semble s'ouvrir aux enseignements chrétiens. En 1672, Mohicans et Agniers concluent la paix. À partir de ce moment-là, les Agniers peuvent de nouveau se rendre à Albany sans danger ; ils y font des voyages continuels. Là, les Hollandais et les Anglais s'attaquent à leur foi naissante. Garakonthié lui-même doit passer par cette épreuve : « Il ne faut pas maintenant s'étonner si la Foi a fait si peu de progrès depuis ce temps-là et si nous avons vu malheureusement avorter les belles espérances que nous avons conçues de la conversion des Agniers de Tionnontaguen ou de Ste-Marie ». Pourtant, dans les deux plus petites bourgades, celles qui sont proches d'Albany, on trouvait « plus d'âmes vraiment chrétiennes que dans tous les autres bourgs des

La mission de Saint-François-Xavier à La Prarie de la Magdeleine, sur la rive sud, vis-à-vis Montréal, sera plus tard déplacée à Saint-Louis.

Iroquois ». En 1672, aura lieu le baptême d'une trentaine d'adultes, résultat remarquable que les Jésuites attribuent aux premiers martyrs canadiens. Noël est célébré comme dans les pays chrétiens, le pain bénit est distribué. Un Agnier rend visite au père Frémin à La Prairie de la Magdeleine ; de retour à Gandouagué, il annonce qu'il se convertit et qu'il partira bientôt « pour se ranger avec les chrétiens Agniers qui sont établis à la prairie de la Magdelaine... » Plusieurs de ses compatriotes le suivent. C'est une petite migration. Les Iroquois de Tionnontoguen qui sont mécontents de cet exode, disent leur sentiment au père Bruyas et en donnent les raisons « qu'ils avaient de se plaindre des Robes Noires, qui semblaient vouloir faire un désert de leur pays et ruiner entièrement leurs bourgades ». Le missionnaire apaise « l'orage qui s'élevait ». Des rapports favorables suivront en 1673-1674. Les Jésuites répéteront que « les Agniers, qui, entre tous les Iroquois, avaient fait une guerre plus cruelle aux Français, ont été aussi, parmi ces nations sauvages, ceux qui ont embrassé le christianisme en plus grand nombre et avec le plus de fermeté » ; en conséquence, « leurs bourgades ont singulièrement diminué, par le départ des leurs qui se sont rendus à la Prairie de la Magdelaine ou à Notre-Dame de Foye pour y vivre en véritables chrétiens... » ; il reste toutefois des chrétiens dans les hameaux, des néophytes se préparent au baptême, le père Bruyas demande de l'assistance. Un illustre sachem, chef de l'une des principales familles, se convertit après avoir entendu Frontenac exhorter les Iroquois à se convertir en 1673. Il devient l'un des piliers de l'Église, c'est une grande victoire, « le démon se servait particulièrement des anciens pour maintenir les superstitions... » Cette conversion ne supprime pas les difficultés, car les païens insultent le missionnaire, l'accusent de ruiner le pays, menacent de le chasser du bourg. Ils sont anglophiles. Rudes et violents, ils mettent en danger la vie du missionnaire quand ils sont sous l'influence de la boisson : « Si l'eau de vie était bannie de ces quartiers, l'on verrait bientôt tout ce bourg devenir chrétien ».

Les Iroquois convertis ont tendance à s'installer à La Prairie de la Magdeleine.

Les Onneyouts écoutent les missionnaires avec assez d'attention. Ici comme ailleurs, ce sont les déshérités, les humbles, les estropiés, les malades qui écoutent tout d'abord les paroles de l'évangile. Des adultes se convertissent aussi ; en 1674, les progrès sont plus grands que ne l'espérait le père Millet, « vu les efforts qu'ont fait contre nous les Hollandais depuis qu'ils ont repris Manathe et Orange... » Ici aussi, le discours de Frontenac a eu des échos ; le sachem de la bourgade en a parlé avec bienveillance à son retour : « ...Il a raconté aussi agréablement qu'avantageusement pour les Français tout ce qui s'était passé entre les Iroquois et M. le Gouverneur » ; il s'est déclaré tout de suite favorable au catholicisme et, à l'heure des restrictions, c'est lui qui crie par les rues : « Rendez-vous, mes neveux, rendez-vous promptement chez la Robe Noire ». Le père Millet contracte des amitiés précieuses ; il profite de son séjour pour étudier les mœurs iroquoises : « Les nations Iroquoises, écrira-t-il, pour entretenir la paix et l'union entre elles, et pour réparer les fautes que les particuliers pourraient faire, ont institué de certaines ambassades qu'elles

Les mœurs iroquoises telles qu'observées par Pierre Millet.

s'envoient réciproquement les unes aux autres». Les nobles du pays, les Agoiandères, fournissent les colliers de grains de nacre que l'on s'offre en ces occasions ; ils les exhibent d'abord aux assemblées des membres de leur famille ou clan ; ensuite, chaque clan les présente aux autres clans. À chaque réunion, le plus ancien ou le plus éloquent pérore à son aise ; son discours est sévère ou gai, il chante des chansons que l'auditoire répète ; puis un festin a lieu. Les présents sont remis ensuite aux anciens, puis enfin aux ambassadeurs. Avant leur départ, la tribu envoie un présent à l'autre tribu pour annoncer l'heure de l'arrivée de ceux-ci et demander une natte où ils pourront s'asseoir. À l'arrivée de ce messager, l'autre tribu envoie ses jeunes gens à la chasse pour les provisions de bouche et chacun apporte sa contribution en vivres. Un feu s'allume à portée de mousquet de la bourgade, les anciens se placent autour et ils attendent les ambassadeurs. Ceux-ci pétunent, écoutent des harangues préliminaires, se rendent à la cabane qui leur est assignée en marchant gravement, à la file, le plus important prononçant des paroles traditionnelles ; l'orateur marche le dernier en chantant. Une fois arrivés dans la cabane, les députés offrent les présents préliminaires ; un premier repas a lieu, puis ils donnent des nouvelles de leur nation. On parle presque toute la nuit. Le second jour est consacré au repas et le troisième au conseil. Ces scènes ne manquent pas de pittoresque, les ambassadeurs défilent gravement de cette façon dans les villes françaises.

Il s'agit de Taondechoren (c.1600-après 1677). Combattant aux côtés de Dollard des Ormeaux au Long-Sault, fait prisonnier, Louis s'échappa et revint raconter le fameux combat.

Le père Millet est optimiste. Un Huron de Québec, nommé Louis, accompagne Frontenac à Katarakouy ; il voyage ensuite en Iroquoisie, passant chez les Onnontagués, les Onneyouts et les Agniers. Son projet est de rendre visite aux Hurons naturalisés ou prisonniers. Il ne perd pas une occasion de parler avec éloge du catholicisme au cours des conseils et des festins ; il prononce également des discours dans les assemblées de chrétiens. Cette mission volante remporte un grand succès. L'opposition des chefs diminue ; des individus interrogent et se renseignent avec sympathie ; les mariages deviennent plus stables. « Ces bonnes dispositions me font espérer de voir dans peu d'années les Iroquois d'Onneyout, pour la plupart, embrasser le christianisme ». Vers 1675, plusieurs capitaines et plusieurs particuliers se sont convertis. Il existe une Confrérie de la Sainte Famille.

Les Onontagués résistent plus au christianisme.

Toutefois, vers l'ouest le terrain devient plus aride. Les Jésuites désespèrent des Onnontagués. En 1672, « le démon de la guerre, de l'orgueil et de l'ivrognerie possède entièrement les esprits ». Le catholicisme se heurte à des traits de caractère fondamentaux : « ...L'Iroquois ne peut souffrir la moindre chose du monde qui le gêne. C'est le génie sauvage de vivre à sa guise, et de ne suivre les maximes étrangères qu'autant qu'il se les trouve commodes ». Puis vient une condamnation plus énergique encore : « Pour convertir les Iroquois supérieurs, il faudrait entreprendre de les réduire à la Foi avec deux bras, l'un d'or et l'autre de fer ; je veux dire les gagner par les présents, et les tenir soumis par la crainte des armes... Il faut, ou que la crainte de quelque mal, ou l'espérance de quelque bien temporel les détermine à embrasser notre religion... » Et c'est sans aucun doute la phrase la plus exacte qui se soit écrite sur le sujet ; elle s'applique non seulement au présent, mais encore au passé et elle l'explique. Tout comme un chef, le missionnaire doit donner des festins où il parlera de la foi ; il n'oublie pas le « vice d'ivrognerie, qui passe aujourd'hui en coutume chez les Iroquois ». La seule consolation, c'est le bon exemple de Garakonthié qui montre toute la ferveur de l'Église primitive : « C'est aussi bien à sa maison ou cabane de campagne, que dans le bourg, qu'il s'acquitte des devoirs du chrétien ». Cependant, les autres chefs combattent cette influence active et énergique ; ils disent que Garakonthié est devenu Français, qu'il a l'esprit tourné ; mais inutilement, car le vieux sachem garde tout son prestige et dirige toujours les ambassades, « il est la bouche de sa nation... » L'année suivante, le père de Lamberville est moins optimiste encore. Le nombre des membres de sa petite Église a encore diminué ; quelques-uns sont morts, d'autres ont quitté le pays, qui est le « siège de l'ivrognerie, des superstitions et des débauches », pour aller à La Prairie. Une parente de Garakonthié s'est rendue là avec ses trois filles, heureuse de quitter « cette Babylone » pour « un lieu d'assurance ». C'est son fils aîné qui l'y avait attirée ; il y avait aussi conduit un oncle et une tante. Leur bon exemple aurait été fort précieux au missionnaire. Six baptêmes d'adultes seulement ont lieu au cours de l'année. En 1675, le missionnaire baptise soixante-douze personnes, mais quarante baptisés meurent. Chez les Goyogouins et les Tsonnontouans, la situation n'est pas meilleure. « La licence pour se marier et se démarier comme ils veulent, l'esprit de meurtre et le respect humain les empêchent de se rendre dociles aux instructions ». Seuls les Hurons et les Neutres de bourg Saint-Michel sont de véritables convertis. Une année plus tard, le missionnaire enregistrera une amélioration. Le nombre des baptêmes a diminué, mais la population est moins hostile. Là, comme parmi les autres tribus, règne l'ancienne et la profonde appréhension « que le baptême leur donnera la mort », et que la conversion de la tribu sera la cause de sa destruction. L'exemple de la Huronie est fraîche dans les mémoires. Les deux faits se sont liés indissolublement dans les esprits. Chez les Tsonnontouans règnent aussi « le libertinage et la corruption des mœurs... » ; trop éloignés des Français, ils sont moins dociles que les tribus de l'est. Quelques adultes sont baptisés, mais seulement à l'article de la mort. De ce lointain district partent aussi des immigrants pour La Prairie. Et c'est alors que survient la destruction des Andastes qui rend les Tsonnontouans insolents.

« La crainte de quelque mal, ou l'espérance de quelque bien ».

« La licence de se marier et se démarier ».

« Le baptême leur donnera la mort ».

Ces *Relations* sont d'un grand intérêt. Celle de 1673-1674 parle de plus de cent quatre-vingts Iroquois qui se sont fixés à La Prairie de la Magdeleine depuis quinze mois. Quelques-uns ont immigré en groupes ; ils vont visiter leurs parents en Iroquoisie, ils en reçoivent des visites. On s'écrit des lettres. Les relations se poursuivent. D'autres Iroquois se réfugient à Lorette, près de Québec. Les deux communautés indiennes commencent leur vie propre, pittoresque, sobre et forte, en Nouvelle-France.

Causes de la résistance à la christianisation.

Conversion = paix ; échec = guerres.

Aussi serait-il faux de dire que les Jésuites n'ont remporté aucun succès. Leurs convertis ont formé La Prairie de la Magdeleine. D'autres sont restés en Iroquoisie. Mais la réussite n'a été que fragmentaire. Une étude plus attentive de ces missions révélerait mieux les causes de cet échec. On peut de nouveau en indiquer quelques-unes. L'Indien de l'Amérique du Nord est très difficile à convertir ; l'ivrognerie, la luxure opposent de grands obstacles aux travaux d'évangélisation ; les Anglais et les Hollandais protestants détruisent à mesure le travail des Jésuites ; les missionnaires sont français et la guerre a longtemps régné entre l'Iroquoisie et la Nouvelle-France ; aujourd'hui, la Nouvelle-France impose ses volontés à l'Iroquoisie et la réaction à cet emploi de la crainte et de la force sur un peuple fier est désastreuse ; chaque mécontentement des décisions françaises se traduit par une opposition aux missionnaires. Il serait très important pour la Nouvelle-France que les Jésuites remportent des triomphes dans ce domaine : la conversion des Iroquois, c'est pour elle la fin des guerres iroquoises ; un échec, c'est probablement tôt on tard la reprise des mêmes guerres.

Chapitre 124

1676

Cette période de paix est encore mal connue. Ainsi, l'on sait de façon générale que l'année 1676 n'est pas meilleure que la précédente, mais l'on ne sait pas vraiment pourquoi. On continue à parler de guerre en Iroquoisie. De façon plus précise, semble-t-il. « La guerre dont les Iroquois menacent les Français, expose les Pères qui sont chez ces Sauvages à un danger imminent d'être massacrés, et de plus elle apporte du retardement au progrès de l'Évangile ». Et voici une autre phrase : « Ces barbares, depuis qu'ils ont enfin exterminé les Andastes, qui leur tenaient tête depuis plus de vingt ans, sont devenus si insolents qu'ils ne parlent que de casser la tête aux missionnaires pour donner commencement à la guerre. L'ivrognerie, qui est horrible parmi eux, leur donne une licence effrénée de tout entreprendre ». L'insolence des Goyogouins et des Tsonnontouans n'a pas de bornes ; les missionnaires sont poursuivis les armes à la main, on leur jette des pierres. « Leur plus grand et quasi leur unique emploi est de souffrir... sous le coup des menaces continuelles et des insultes... » Mais pour quel motif reprendre la guerre ? Il ne semble pas qu'à ce moment précis, il y a une nouvelle cause de guerre. L'inimitié ancienne peut subsister ; la défense faite aux Iroquois de faire le commerce des fourrures avec les Outaouais et celle d'attaquer les Indiens alliés est toujours en vigueur et peut exacerber des passions anciennes. C'est tout et peut-être assez pour pousser à la violence une peuplade fière.

« Casser la tête aux missionnaires ».

Toujours est-il que Frontenac ne recule pas devant la menace. Il convoque de nouveau les députés iroquois à Katarakouy. Les Iroquois ne sont pas disposés à se rendre à sa demande ; mais ils se ravisent et envoient des délégués. Un conseil a donc lieu. D'une dépêche qui viendra plus tard de France, on signale que Frontenac reste maître de la situation ; le roi lui écrira en effet, le 28 avril 1677, les phrases suivantes : « Il n'y a qu'à approuver ce que vous avez fait dans votre voyage au fort de Frontenac, pour remettre les esprits des cinq nations iroquoises et vous éclaircir des soupçons qu'ils avaient pris, et des raisons qui les pouvaient exciter à faire la guerre, vous devez tenir la main à maintenir la paix et la bonne intelligence entre ces peuples et mes sujets... » D'autre part, Frontenac doit continuer à prendre des précautions, exercer continuellement les milices, les organiser pour s'opposer le cas échéant à des affrontements. Toutefois, comme la dépêche de Frontenac manque, les détails font défaut. Celui-ci a probablement pris des moyens assez durs pour en venir à ses fins si l'on en juge par les documents anglais. Le 8 août 1676, le Conseil

Frontenac convoque les Iroquois à Katarakouy.

de l'État de New York s'occupe de nouveau des affaires iroquoises. « Cette réunion a été convoquée à l'occasion de la réception d'une lettre du Gouverneur du Canada, et de lettres d'Albany, du Commandant et du récit de... l'approche des Français ». Le conseil prend une décision : « Résolution d'appuyer les Agniers, comme auparavant ». On ignore la teneur de ces lettres. Puis, un Indien a apporté des nouvelles du Canada. C'est un interprète canadien qui lui aurait parlé, mais en présence du gouverneur et par son ordre. Frontenac aurait donc dit que lorsque les Anglais auraient mis fin à leurs guerres avec le roi Philippe, ils attaqueraient les Agniers à leur tour et les détruiraient ; que si le gouverneur de New York donnait des présents à ces derniers, c'était seulement pour les aveugler ; et que si les Anglais n'avaient pas eu à combattre le roi Philippe, les Agniers seraient probablement détruits. Cette partie de la déposition est assez plausible ; il était de bonne guerre d'empêcher les Agniers de s'unir aux Anglais pour mettre fin à la campagne du roi Philippe et de leur représenter que l'avenir leur réservait des dangers du côté des colonies anglaises, que leur tour viendrait peut-être un jour. Mais la seconde partie du récit semble fantaisiste : le gouverneur du Canada, ajoutait cet Indien, arriverait avec mille hommes ; il y aurait avec lui trois Indiens ; un qu'il enverrait aux Agniers, l'autre aux Onneyouts et le troisième aux Onnontagués ; ces derniers porteraient l'ordre d'envoyer des ambassadeurs, sinon, lui, Frontenac, les attaquerait. Frontenac aurait aussi éprouvé de l'inqiuétude au sujet des missionnaires ; « ...Et ainsi il était résolu à aller détruire lesdits Tsonnontouans et Goyogouins ». Cette déposition n'est pas claire, elle semble faite de rumeurs peu cohérentes ; elle laisse entendre qu'Anglais et Français emploient auprès des Iroquois des arguments qui peuvent nuire à leurs voisins et qui sont de nature à leur attirer l'amitié de cette peuplade. La lutte d'influence est vraiment amorcée.

Des rumeurs circulent.

En 1677, Frontenac parlera encore à Colbert de la crise de 1676 : « Pour la guerre des Iroquois, dont le pays fut menacé l'année 1676, que j'empêchai heureusement par un voyage que je fis au fort de Frontenac, à petite compagnie ». C'est que l'on accuse maintenant le gouverneur d'avoir fait un voyage inutile. La Salle soutiendra le contraire. Un grand conseil a eu lieu, dira La Salle, où il aurait persuadé les Iroquois de l'aider à se fortifier. D'autre part, les lettres des missionnaires en Iroquoisie tendent à prouver que la crise de 1676 est dangereuse et peut à tout moment mener à la guerre.

La mort de Garakonthié

Cette année-là, les Français perdent le plus grand appui qu'ils avaient en Iroquoisie. Garakonthié meurt. C'est un désastre pour la cause française. Depuis les jours lointains de la paix de 1653, d'Ondessonk, de Sainte-Marie de Gannentaa, L'Ancien, le Considérable, comme on nomme maintenant ce chef, a gardé la direction du parti francophile, non seulement dans Onnontaé, la capitale, mais dans toute l'Iroquoisie. Il avait alors environ cinquante ans. Dès la première minute, il a ressenti une attraction puissante pour la civilisation française et pour la religion catholique. Se mêlait-il à ses sentiments d'estime, des calculs politiques ? C'est à peu près certain. Toutefois, Garakonthié est fortement conquis. Il veut que l'Iroquoisie soit en paix et vive en paix avec la Nouvelle-France. Voilà la pierre angulaire de sa politique extérieure. C'était un sachem et un orateur de réputation confirmée, il dirigeait les ambassades ou en faisait partie, il a continuellement eu l'occasion d'appliquer ses idées, n'a pas toujours eu l'appui de la majorité de sa tribu ou de sa nation ; mais il a assez bien réussi à tenir les Iroquois supérieurs en dehors du conflit, et ensuite, toute l'Iroquoisie. Il s'est empressé de signer la paix avec M. de Tracy. Plus tard, quand des difficultés nouvelles surviendront pour les Tsonnontouans en particulier, il entreprendra des pèlerinages d'une tribu à l'autre pour conseiller une politique de paix.

Sans Garakonthié, la Nouvelle-France aurait-elle pu se maintenir ?

Garakonthié est resté dans l'histoire un homme de bonne foi, sincère, habile, tenace, un politicien stable, sûr, ferme, dont les idées sont larges et le tact admirable. Son catholicisme est sincère. Après 1667, les missionnaires parlent de lui à maintes reprises ; ils l'ont vu à l'œuvre dans son propre pays, dans sa capitale, donnant des festins pour prêcher le catholicisme, refusant de participer aux cérémonies superstitieuses, résistant aux moqueries et au mépris à Albany, modifiant sa manière de vivre et se préparant lentement enfin à une mort prochaine. Il a donné des spectacles dignes de l'Église primitive, en se repentant publiquement de ses fautes par exemple.

Aussi, les Jésuites, qui lui doivent tant de reconnaissance comme missionnaires et comme Français, signalent le grand événement qu'est sa mort. Le père Jean de Lamberville, qui est à Onnontaé aux quartiers généraux de son ordre, écrit une lettre pleine d'éloges : « Il est le premier qui a porté ses compatriotes à faire la paix avec nous, qui l'a fait conclure, et qui, depuis ce temps-là, nous l'a conservée par son autorité et par ses conseils, détournant toujours ailleurs les armes des Iroquois... Nous pouvons dire que si la guerre n'a pas recommencé... nous lui avons la principale obligation ». Pendant sa dernière maladie, il a exhorté les siens « à respecter notre gouverneur, comme leur père... ; que le meilleur adieu qu'il leur laissait, était de vivre toujours en bonne intelligence, avec nous... Vous écrirez, dit-il, à M. le Gouverneur qu'il perd le meilleur serviteur qu'il avait, parmi les Iroquois... » Dans la capitale de l'Iroquoisie, on lui fait des funérailles catholiques et françaises, une haute croix se dresse sur sa tombe.

La France perd donc en Iroquoisie, dans un moment difficile, un homme qui, pendant près de vingt-cinq ans, avait imposé aux Sénèkes tout d'abord, aux cinq nations ensuite, une politique francophile. Il est irremplaçable. La paix perd son principal appui, son maître pilier. C'est un vide immense. Il était comme un grand roi, non pas absolu, mais constitutionnel, démocratique, habile à imposer sa volonté aux conseils, qui disparaît soudainement sans laisser de successeurs. Jamais la Nouvelle-France n'aura assez de reconnaissance envers lui. Garakonthié l'a probablement sauvée de la ruine, entre 1650 et 1665, en maintenant relativement bien les Sénèkes hors du conflit qui fait rage entre les

Français et les Agniers. Sous cet aspect, c'est un homme d'État providentiel qui aura permis à la civilisation française de se maintenir dans un coin de l'Amérique.

New York veille jalousement sur «ses» Indiens, les Agniers.

Et cette perte est dangereuse, car peu à peu, les Anglais, qui prennent de l'assurance, regardent du côté de l'Iroquoisie. S'ils prétendent devant le gouverneur du Canada que les Agniers sont des sujets anglais, ils signifient en même temps aux autres colonies anglaises de l'Amérique que ces Indiens sont sous leur juridiction immédiate et qu'elles ne peuvent négocier avec eux sans leur intermédiaire. L'occasion se présente assez souvent. En guerroyant à l'est, au nord-est, au sud-est et au sud, les Agniers ne ménagent pas dans les autres colonies les Anglais qui sont alliés avec leurs ennemis indiens ; ils commettent fréquemment des massacres où sont impliqués des blancs. Les gouvernements de ces États interviennent pour protéger leurs nationaux ; mais ils doivent s'adresser d'abord au gouvernement de l'État de New York qui arrange les conseils, nomme des observateurs, envoie sur les lieux des négociateurs et suit toutes les formalités. En 1676, par exemple, le gouvernement du Connecticutt veut que plusieurs sachems viennent dans la capitale pour remercier officiellement leur tribu de l'assistance qu'elle lui a donnée en infligeant une défaite au roi Philippe. Le Conseil de l'État de New York n'approuve pas cette démarche ; il exprime ses sentiments en termes énergiques. « Les Agniers sont nos Indiens, et on doit reconnaître qu'ils sont nos Indiens, et les conséquences seront mauvaises pour les Agniers s'ils traitent avec un autre gouvernement ou négocient avec lui, ce qui serait cause de confusion parmi eux... » C'est pousser la jalousie très loin. Les Iroquois sont précieux pour les fourrures qu'ils vont chercher à l'intérieur du continent, pour l'assistance qu'ils offrent dans les guerres, parce qu'ils habitent des territoires loin de la côte et de la colonisation, et parce qu'il [le Conseil] a de l'emprise sur eux.

Chapitre 125

1677

Après la crise en partie mystérieuse de l'année 1676, la situation se détend un peu. À Katarakouy, La Salle travaille à l'organisation de son empire commercial. C'est en 1677 qu'il fait de cette factorerie ou de ce poste assez faible, une véritable forteresse. Il démolit la première enceinte en palis. Il en érige une seconde beaucoup plus vaste. Elle sera défendue par quatre ou cinq bastions en pierre de taille et aura 360 pieds de long. Le rempart aura dix-sept pieds d'épaisseur; il sera soutenu par un mur de vingt-quatre pieds de haut. Tranché dans le roc vif, le fossé aura douze pieds de large. À l'intérieur, on trouvera bientôt de grands logements et de beaux magasins. Des armes s'entasseront dans l'arsenal, neuf canons défendront la place. On fait un peu de défrichement; quelques Indiens habitent aux alentours. Il est assez difficile de fournir d'autres précisions, car une controverse s'est établie sur tout ce qui touche La Salle de près ou de loin. Mais en face de l'Iroquoisie, Katarakouy devient une arme plus dangereuse que par le passé.

La reconstruction du fort de Katarakouy.

Des rumeurs circulent. Les Iroquois croient que cette reconstruction est dirigée contre eux et que c'est pour les attaquer un jour impunément que les Français se retranchent si bien. En 1673, on ne leur avait parlé que d'une factorerie, et maintenant c'est un ouvrage militaire qui se dresse devant eux. La Salle leur affirme que c'est pour les protéger contre les attaques des Anglais de l'État de New York qu'il a reconstruit Katarakouy, non pas pour les attaquer. Ces rumeurs obligent Frontenac à revenir encore à Katarakouy, avec cinquante à soixante hommes. Il demande aux Iroquois d'où viennent ces rumeurs d'une attaque de la Nouvelle-France; les Tsonnontouans répondent que ces bruits leur sont venus des autres tribus. Le gouverneur dissipe ces craintes. Il est évident que les Anglais profitent de tout incident pour l'exploiter auprès des Iroquois pour les attirer à eux et les détourner de leurs compétiteurs. Comme les Français font de même, c'est une lutte d'influence qui est déjà commencée et elle durera longtemps.

Un explorateur anglais s'aventure cette année jusqu'au fond de l'Iroquoisie. Le fait est assez singulier pour le signaler, car ni les Hollandais ni les Anglais après eux ne s'avancent de bon cœur dans cet endroit d'une sauvagerie primitive. C'est le 26 mai 1677 que Wentworth Greenhalgh quitte Albany. Il laisse un bref et sobre récit de son expédition. Il énumère les bourgades iroquoises à mesure qu'il les traverse; il spécifie si elles sont palissadées ou non, si la palissade est double ou simple. Il calcule soigneusement les

La lutte d'influence se poursuit.

distances. D'après lui, la première bourgade des Agniers est à 110 milles d'Albany et cette tribu peut aligner 300 guerriers ; les Onneyouts sont à 130 milles des Agniers et comptent à peine 200 guerriers ; la capitale ne serait pas palissadée à ce moment-là et elle occupe une large colline ; elle est à 36 milles de celle des Onneyouts et elle est défendue par 350 guerriers ; les Goyogouins sont à soixante milles des Onnontagués et fournissent 300 guerriers ; les Tsonnontouans, enfin, qui sont les plus nombreux et dont les hameaux s'érigent non loin du lac Ontario, peuvent mettre en lice 1 000 guerriers. Le 17 juin, l'explorateur est chez les Tsonnontouans. Il voit revenir des partis de guerre qui ramènent une cinquantaine de prisonniers ; ceux-ci proviennent de deux tribus qui habitent loin dans la direction du sud-ouest et qu'il n'est pas possible d'identifier. L'explorateur assiste à quelques supplices dans le véritable style iroquois. Le 14 juillet, il est revenu à son point de départ. Il a certainement fourni aux Anglais des renseignements précis sur l'Iroquoisie.

Le 12 mars, le Conseil de New York s'occupe de nouveau des Agniers. Il les réclame comme sujets du roi d'Angleterre. Voici la résolution qu'il adopte : « Quant aux propositions des Agniers transmises par le Commandant et par les Commissaires d'Albany et quant au fait que le gouverneur du Canada réclame quelque juridiction sur les Indiens Agniers, Il est ordonné, – Que les Indiens Agniers et leurs associés qui habitent de ce côté-ci du Lac (ayant toujours été sous la juridiction d'un démembrement de ce gouvernement), n'ont rien à faire avec les Français, si ce n'est pas dans la mesure où ceux-ci sont nos amis, mais qu'en aucun cas, ils ne doivent recevoir d'eux des ordres. Et que les Commissaires fassent appeler les sachems agniers et le père Bruyas, et signifient cet ordre auxdits sachems devant le Père et au Père lui-même, ajoutant que le gouvernement désire qu'il se comporte en conséquence, ce dont il ne doute pas, pour la tranquillité de ces territoires et selon l'amitié de nos Rois en leur patrie ». Ici, la réclamation porte sur les Agniers et elle s'étend sur les autres tribus iroquoises ; la résolution parle des Agniers et de leurs associés qui vivent de ce côté-ci du lac ; mais s'agit-il du lac Champlain ou du lac Ontario ? Dans ce dernier cas, il s'agirait évidemment de toute l'Iroquoisie ; mais rien n'est moins sûr.

Les Iroquois se sont en effet installés sur la rive nord du lac Ontario d'où ils chassent les Hurons et les Neutres, absorbant leur descendants.

D'autres incidents prouvent bien que la Nouvelle-Angleterre s'intéresse de plus en plus aux Agniers malgré des incidents désagréables. Boston, la Virginie, l'État de New York maintiennent des relations amicales avec eux. Andros rappellera « de quelle façon il les a protégés au temps de la guerre et qu'il a donné à leurs vieillards, à leurs femmes et à leurs enfants l'admission dans leurs villes et dans leurs fortifications ». Et, dans son désir de surveiller lui-même les relations de cette tribu, il blâme le capitaine Salisbury d'Albany pour avoir écrit, sans y être autorisé, au père Bruyas chez les Onneyouts, pour obtenir la libération d'une jeune fille anglaise qui avait été faite prisonnière par des membres de cette tribu.

Omniprésence et courage des Jésuites.

Toutefois, pendant que les Anglais tentent d'affermir leur emprise sur le pays des Agniers, il n'y eut jamais autant de Jésuites en Iroquoisie. Le père Jean de Lamberville, en 1677-1678, jouera un rôle de premier plan. Il occupe le poste central, dans la capitale, chez les Onnontagués. Les pères Jacques de Lamberville et Bruyas travaillent en Anniéjé. Chez les Onneyouts, on trouve le père Millet qui se fait les nombreux amis qui lui seront fort utiles plus tard, à une époque dramatique de notre histoire. Dans l'Iroquoisie occidentale, le père de Carheil catéchise les Goyogouins et les pères Raffeix et Garnier, les Tsonnontouans ; il faut mentionner encore M. Trouvé chez les Iroquois du nord du lac Ontario et, à Montréal, les Jésuites et les Sulpiciens qui remplissent leur ministère auprès des groupes d'Iroquois convertis. C'est donc une entreprise bien préparée, hardie, pour convertir l'Iroquoisie, pour l'humaniser, certainement pour la franciser, pour atténuer les sentiments belliqueux qu'elle peut avoir contre la Nouvelle-France. Parmi ces missionnaires, certains sont remarquables par la sûreté de leur jugement, comme le père Jean de Lamberville et le père Millet qui influeront prochainement, d'une façon marquée, le cours de l'histoire. Ils sont aussi remarquables par leur sacrifice. On le verra bien quand, jaloux de leur influence, les Anglais voudront jeter dans cette Iroquoisie des missionnaires protestants. Malgré leurs efforts, ils n'en trouveront pour ainsi dire pas qui seront prêts à courir les mêmes dangers, à se soumettre aux mêmes privations et à vivre la même existence rude et pénible.

Ces Jésuites, qui remplissent une tâche surhumaine, obtiennent peu de succès. Ils augmentent bien lentement le groupe des convertis qui vivent au Sault ou à la Montagne. Mais il ne faut pas oublier qu'ils gardent vivant le parti français, qui n'est pas nécessairement catholique, formé par Garakonthié ; ce parti français qui est bien vivant à cette époque et qui se maintiendra très nombreux, malgré les guerres et les prochains massacres ; dont la force fera souvent basculer, aux heures de crise, celle du parti anglais que l'on pourrait croire tout puissant. C'est probablement au travail de ces Jésuites, aux groupes qui les entourent, de même qu'à la politique habile de Frontenac, que la paix de 1667 reste intacte.

En 1677-1678, ils souffrent de nombreuses persécutions comme le dit le rapport général de leurs activités. Les Iroquois qui s'adonnent à la boisson sont de plus en plus insupportables, de même que ceux qui veulent recommencer la guerre avec la Nouvelle-France. Les missionnaires sont souvent frappés, poursuivis dans les rues, chassés des cabanes, menacés de tortures. L'histoire de la Huronie se répète : un mauvais sort semble s'acharner sur les convertis, ils sont victimes de maladies, tous les accidents leur arrivent, ils meurent. Et on raconte toujours que le baptême fait mourir les enfants.

Les rapports particuliers de chaque missionnaire ne sont pas optimistes. Dans la capitale même, le père Jean de Lamberville a « vu plusieurs fois la hache levée sur sa tête » ; chez les Goyogouins, c'est le père de Carheil « qui, depuis deux ans, est toujours dans un danger prochain de mort » ; et chez les

Tsonnontouans, « le péril est plus grand parce que c'est la nation qui veut plus particulièrement la guerre ». Les Jésuites racontent les orgies formidables qui se produisent lorsque les Iroquois reviennent des comptoirs avec des barils d'eau-de-vie. « Malgré tout cela, ils tiennent bon ; ils sont résolus de mourir plutôt que de quitter la place, car ils ne laissent pas d'avancer beaucoup le christianisme, et de travailler avec autant de succès que de courage à la conversion de leurs persécuteurs ».

Dans ces conditions, on comprend bien que la construction d'un fort en pierre à Katarakouy vient à un moment propice ; il n'est pas de trop pour réprimer l'insolence de certains et l'agressivité des autres.

C'est à ce moment-là que l'empire français se développe de façon à inquiéter toute l'Iroquoisie. La Salle est parti pour la France en 1677. Le 12 mai 1678, le roi lui accorde une commission pour terminer l'exploration du Mississipi et continuer les explorations dans l'ouest. Il sera l'administrateur des factoreries fortifiées qu'il pourra construire et qu'il jugera nécessaires. Dans ces régions, il aura le monopole du commerce des peaux de bisons. Il ne peut faire la traite du castor avec les Outaouais et autres Indiens alliés qui viennent ordinairement à Montréal. Il s'embarque à La Rochelle le 14 juillet 1678. Une trentaine d'hommes l'accompagnent. Parmi eux, il y en a deux qui joueront un rôle très important : Tonty, à la main de fer, qui passera presque à légende en devenant l'un des plus grands aventuriers canadiens, et Lamothe-Lussière, ancien capitaine du régiment de Carignan. La Salle arrive à Québec vers la mi-septembre et il met tout de suite son expédition en marche, acheminant hommes et matériaux vers le fort Katarakouy.

Henri de Tonty (v. 1650-1704), surnommé Bras de Fer, voyageur et commandant de postes de traite.

Dominique Lamothe (ou La Motte) de Lucière (1636-1700) deviendra commandant du fort Conti à Niagara.

Il n'entre pas dans le cadre de cet ouvrage d'étudier l'aspect financier et commercial des entreprises de La Salle. Va-t-il trop vite ? Aurait-il dû exploiter plus longuement son premier empire commercial, celui qui avait pour centre le lac Ontario, avant d'en demander un second, beaucoup plus vaste encore et qui, celui-là, devait avoir pour débouché la mer des Antilles et pour artère principale, le Mississipi ? Les possibilités fulgurantes du second lui ont-elles fait oublier que celui-ci ne se développerait pas sans d'immenses mises de fonds ? Quels avaient été ses profits depuis le jour où il s'était installé à Katarakouy ? Toutes ces questions méritent d'être étudiées avec soin et pourraient faire l'objet d'un ouvrage particulier.

Louis Hennepin (1626-v. 1705), récollet, explorateur, auteur de relations de voyages. Des chutes Niagara, il dira « le plus grand [saut] qui soit au monde ».

Les plans de La Salle sont faits. Le 18 novembre 1678, Lamothe, accompagné du père Hennepin et de seize hommes, quitte Katarakouy dans un brigantin de dix tonneaux. Le 6 novembre, ils sont à l'entrée de la rivière Niagara. Ils doivent construire un poste à cinq milles de l'embouchure, sur l'emplacement actuel de Lewiston. Tout comme Katarakouy, c'est un lieu stratégique car c'est un corridor. Les Tsonnontouans habitent tout près, sur la rivière Genesee ; ils suivent le rivage du lac pour remonter au nord, dans l'ancienne Huronie où ils vont chasser ; ou bien ils suivent la rivière Niagara, pour se rendre dans la magnifique région de chasse du lac Érié ou pour pousser leurs incursions guerrières jusqu'au lac Michigan, jusqu'à Michillimakinac, jusqu'au Sault Sainte-Marie. Les Goyogouins fréquentent aussi cette région. Une maison fortifiée à Niagara serait comme un poste à péage : les chasseurs pourraient échanger facilement leurs pelleteries. Elle commanderait aussi le passage et dans une certaine mesure pourrait permettre des allées et venues ; enfin, de là on pourrait observer les mouvements, non seulement des Indiens, mais encore des blancs. Ainsi, si les Indiens alliés établissaient un trafic de fourrures avec les Iroquois ou les Anglais, ils passeraient là ; si les Anglais voulaient se rendre chez les Indiens alliés ou autres tribus du nord-ouest, ils emprunteraient cette route. Déjà, les missionnaires d'Iroquoisie rapportent que les Anglais ont envoyé un déserteur français du nom de Turquet, pour reconnaître le lac Érié. Ils peuvent un jour se poster là, si les Français ne s'y installent pas immédiatement. La Salle, pour sa part, a des projets plus vastes encore ; pour lui, Niagara est un jalon sur la route plus large qui conduit au Mississipi et au centre de l'Amérique qui, inclinant vers le sud, donnera à la France des frontières qui embrasseront tout l'hinterland du continent. On peut se poser des questions sur les motifs qui animent La Salle ; mais, objectivement, son projet a une importance nationale.

Construction d'un poste français à Niagara.

Ce projet gêne l'Iroquoisie. Elle lui enlève une liberté de mouvement à laquelle elle aspire comme n'importe quelle autre puissance ; elle n'aime pas être contrôlée, surveillée, contrainte ; ni qu'un autre pays soit maître des corridors par lesquels elle passe, des terrains de chasse où elle se rend, des relations qu'elle peut entretenir avec les autres tribus. Ensuite, en se développant dans l'ouest et le sud-ouest, l'empire français cerne l'Iroquoisie et lui impose des frontières définies. Les Iroquois ont défait et détruit les Ériés dans cette région ; aucune peuplade ne vit plus sur ces immenses territoires du lac Érié et de la péninsule du Michigan. Les Français peuvent s'y installer demain et se trouver sur les routes du sud-ouest qui conduisent à l'Illinois, à l'Ohio, chez des peuplades contre lesquelles l'Iroquoisie est en guerre ou avec qui elle poursuit des relations commerciales. De toutes ces régions, comme du nord-ouest actuel, les pelleteries n'arriveront pas ; les expéditions de pillage et de chantage lui seront interdites. Elle sera durement circonscrite dans des frontières précises, elle y sera refoulée, son commerce de fourrures en sera amoindri, car tout indique qu'elle tire des territoires où veut s'installer La Salle le plus gros des pelleteries qu'elle apporte en ce moment à Albany.

Il semble clair que non seulement La Salle, mais aussi les Iroquois, comprennent très bien le problème. Un conflit se produira-t-il ? Immédiatement ? Plus tard ? En vérité, toute l'entreprise de La Salle est à la base de l'histoire des vingt ou trente prochaines années.

Lamothe a reçu l'ordre de construire un poste à Niagara et de se concilier les Tsonnontouans sur le territoire desquels ce poste doit s'élever. En conséquence, il part en compagnie du père Hennepin et de quelques Français. Le 31 décembre, ils arrivent sur l'emplacement actuel de Victor, non loin de

Victor, sur Ganargua Creek, au nord-ouest du lac Canandaigua, et un peu au sud de l'actuelle ville de Rochester (N.Y.)

Rochester. Leur ambassade a peu de succès. La Salle et Tonty se présentent un peu plus tard à Niagara. La Salle décide de se rendre lui-même chez les Tsonnontouans. Il réussit à les calmer. La construction de la maison fortifiée et du *Griffon* peut commencer dans les premiers jours de l'année 1679. C'est le succès de cette ambassade qui a porté nombre d'historiens à encenser l'emprise extraordinaire que La Salle avait sur les Iroquois. Ils ont même déclaré que celui-ci avait un tel don pour les convaincre et les persuader qu'il pouvait leur faire faire tout ce qu'il voulait. Ces déclarations sont sans doute exagérées.

On construit un fort et un navire à Niagara.

Il faut bien dire qu'obtenir la permission de construire une maison à Niagara était certainement un tour de force. Lorsque l'on étudie l'histoire de cette période, on réalise que les Iroquois n'accordaient pas facilement cette faveur. Pendant des années et des années, ils refuseront aux Anglais la permission d'ériger un fort sur les territoires des Onnontagués et à Niagara même. Ils se rendaient compte que leur liberté, leur indépendance disparaîtraient avec ces établissements européens. Ils voyaient d'un mauvais œil Katarakouy qui était pourtant sur l'autre rive du lac Ontario. Pourtant, Niagara va se bâtir pour ainsi dire dans l'Iroquoisie même, à l'intérieur des frontières de ce pays, tout près des villages de la plus nombreuse et de la plus puissante des tribus. La Salle s'est donc fait de nombreux amis en Iroquoisie depuis qu'il a obtenu la concession de Katarakouy. Ses barques se promènent sur le lac Ontario, apportant des marchandises de traite, rapportant des fourrures. Ses hommes vont en dérouine, comme on dira plus tard, dans l'Iroquoisie occidentale, pour y conduire la traite. Il y a déjà plus d'une dizaine d'années qu'il parcourt ce pays; il y est revenu souvent depuis son voyage avec Dollier de Casson et Galinée. Les Iroquois lui permettent-ils maintenant, à lui, simple particulier, ce qu'ils refuseraient à la France si elle le demandait officiellement, par son gouverneur, par exemple? C'est possible. Chrestien Le Clerq affirme que La Salle ayant prévu l'opposition des Iroquois, a rencontré leurs principaux chefs au cours de divers conseils, les a calmés, pour qu'on l'autorise à construire, non pas un poste fortifié, mais une factorerie. Les Tsonnontouans offriront même leur assistance. Cette belle harmonie, dit encore le même auteur, persiste un certain temps; puis, certaines parties intéressées auraient influencé les Tsonnontouans, qui bientôt ont des soupçons sur les projets de La Salle. La construction est arrêtée pendant un certain temps; elle reprend ensuite mais sans une totale approbation. Un peu plus tard, on commence la construction du *Griffon*. Les Tsonnontouans prennent ombrage de ce nouvel ouvrage. Lamothe, le père Hennepin et d'autres Français doivent constituer une nouvelle ambassade. Lamothe parle devant quarante sachems. Si La Salle construit un navire, c'est pour apporter des marchandises de traite par une autre route, celle du Mississipi, et les leur vendre bon marché. Les Tsonnontouans ne sont pas tout à fait satisfaits. Plusieurs d'entre eux viennent visiter le *Griffon* qui prend forme, manifestant un mécontentement assez vif, ils tentent de tuer le forgeron, de brûler la coque, ils refusent de fournir des vivres. Mais ils n'en

Aller en dérouine = se rendre auprès des Indiens, au lieu de les attendre au fort.

Chrestien Le Clerc (1641-?), récollet, missionnaire, historiographe.

viennent pas aux hostilités ouvertes. La maison et le navire sont terminés. L'habileté de La Salle et la fermeté de Frontenac ont retenu les Iroquois.

Les rumeurs de la construction d'un fort à Niagara atteignent Albany.

L'influence anglaise s'est-elle exercée contre La Salle ? On l'ignore. Les Anglais avaient appris la nouvelle depuis plusieurs mois déjà. Le 8 août, alors que La Salle, Lamothe et Tonty étaient encore en mer, un Agnier venu du Canada a révélé à Albany la construction du fort Niagara. Il affirme que cinq navires portant 2 000 hommes sont arrivés de France ; et que les Français construiront un autre poste à « une grande distance au-dessus de Katarakouy, près des Senèkes, pour s'emparer de tout le commerce possible... » ; et encore, « près des Senèkes pour monopoliser tout le commerce et empêcher de se rendre à Albany tout le commerce possible... » Ces nouvelles contiennent, comme on le voit, du faux et du vrai. Pendant cette période, les Tsonnontouans envoient de temps à autre des ambassades à Albany pour renouveler leur traité avec l'État de New York. On relève le passage de l'une d'entre elles le 21 mars 1678 ; elle se dit envoyée par toutes les tribus occidentales. Voici son message aux Anglais : « Tous, nous ne sommes qu'un cœur, une tête et nous faisons une paix si forte qu'elle ne peut se briser ». Les Anglais d'Albany, il faut le supposer, apprendront vite la construction du poste de Niagara. Les Iroquois, par un jeu de bascule qui leur est naturel, se tourneront un peu plus du côté des Anglais si ils sont mécontents des Français.

Les Agniers défendent leurs monopoles, ou du moins celui qu'ils recherchent.

Mais les Anglais sont fort occupés cette année. Les Agniers leur causent des difficultés continuelles en attaquant, tuant des Indiens qui sont les pourvoyeurs de fourrures des autres colonies anglaises. Celles-ci protestent amicalement, des conseils ont lieu, mais les massacres ne continuent pas moins. La guerre menace d'éclater entre la France et l'Angleterre. La Nouvelle-France et l'État de New York sont à peu près en même temps saisis de cette nouvelle. Les deux colonies appréhendent des incursions. L'alarme règne et on ne porte pas trop d'attention aux entreprises de La Salle dans l'ouest. Ces événements inquiètent les habitants d'Albany, qui dirigent leurs regards sur les Iroquois émigrés au Canada. En cas de guerre, ces Indiens combattront-ils à côté des Français ? Le Conseil de l'État de New York s'émeut et, le 20 août 1678, il adopte la résolution suivante : « Nous ayant été représenté, – que divers Indiens de la tribu des Agniers et de celle des Mohicans... sont attirés par les Indiens du Canada à la suite des Grandes promesses qui leur sont faites et des encouragements qui leur sont donnés, fait qui peut produire des conséquences désastreuses ; étant donné que l'on demande, et que l'on désire un remède pour arrêter cet exode, – Que tous les encouragements appropriés soient donnés aux Agniers, aux Mohicans, à nos Indiens ou autres, que des territoires leur soient assignés afin qu'ils puissent s'y ériger des cabanes communes ou individuelles dans quelque lieu avantageux qui soit de votre ressort si on le désire ». L'ombre de l'avenir se dessine pour la première fois sur le présent : dans quel camp combattront les groupes d'Iroquois catholiques de la Nouvelle-France ? Les Anglais éprouvent une première appréhension et veulent mettre fin subitement à l'émigration.

Si une guerre éclate entre la France et l'Angleterre, de quel côté iront les « Iroquois émigrés au Canada » ?

Chapitre 126

1679

Le traité de Ninègue met fin à la guerre entre la France et la Hollande en 1678.

La guerre se termine en Europe sans que l'Angleterre se range parmi les ennemis de la France. Le roi l'annonce à Frontenac dans une dépêche du 25 avril 1679. Puis il ajoute ce qui suit : « Vous ne devez pas vous attendre que je puisse vous envoyer des troupes réglées parce que je ne l'estime pas nécessaire en l'état où sont les affaires... » La Nouvelle-France doit donc continuer à se suffire à elle-même. Pour se défendre et imposer le respect, elle n'a qu'une pauvre milice. Sa population se développe vite, mais elle ne représente qu'une infime partie de l'Iroquoisie.

La situation se détériore lentement. Les Andastes sont détruits et l'esprit belliqueux de l'Iroquoisie cherche des ennemis. La Nouvelle-Angleterre a terminé la guerre contre le roi Philippe. À la tête de l'État de New York, Andros a des visées ambitieuses sur Anniéjé, et sans doute aussi sur toute l'Iroquoisie. Il affirme sa juridiction sur la tribu qui l'habite. Après un court voyage en Angleterre, il revient à son poste avec des projets plus agressifs que jamais. Le 8 août 1679, il écrit au capitaine Salisbury ; il espère que des messagers ont été envoyés aux Agniers et aux Indiens de l'ouest pour leur demander d'envoyer des ambassadeurs à Albany. Il semble qu'un conseil se rassemble pour s'entendre sur le cas des prisonniers anglais que les Onneyouts ont capturés sur les frontières de la Virginie. Que se passe-t-il d'autre à ce conseil ou pendant les négociations subséquentes ? Le 9 octobre, Frontenac écrira au ministre : « Les pères Jésuites m'ayant donné avis dès le printemps que le général Andros, depuis son retour de la vieille Angleterre, faisait sous main des menées pour soutenir contre nous les Iroquois, je n'ai pu en rien découvrir de certain à Montréal pendant mon séjour, quoique les ecclésiastiques de ce lieu qui sont en mission à Kenté et les Récollets qui sont à celle de fort Frontenac, m'eussent fait savoir que les Sauvages assuraient que le général avait à proposer dans leur assemblée des choses extraordinaires et de très grande importance, ce sont leurs termes ». Le 16 novembre 1679, il revient sur ces rumeurs. Le général Andros, écrit-il alors, aurait demandé aux Iroquois de rompre avec les Français ; il devait convoquer un conseil des Cinq Nations pour lui soumettre des propositions qui troubleraient le commerce des Iroquois, des Outaouais et d'autres Indiens avec les Français. Mais le conseil n'a pas eu lieu car la petite vérole a sévi chez les Iroquois et de façon si virulente qu'ils ne songent ni à la guerre ni aux conseils ; ils ont contracté cette maladie à New York et à Orange.

Les Iroquois aux prises avec la petite vérole.

Il semblerait qu'Andros utilise certains coureurs des bois du Canada auprès des Outaouais pour attirer leurs pelleteries à Albany.

Des députés agniers rencontrent le gouverneur Andros (1637-1714).

Wraxall enregistre le passage de quelques ambassades à Albany. Ainsi le 24 mai 1679, quelques sachems onneyouts viennent renouveler leur traité d'alliance. Voici ce qu'ils disent : « Attendu que Corlaer [le nom qu'ils donnent au gouverneur] gouverne toute la terre de New York à Albany, et de là jusqu'à la terre des Senèkes, nous, étant ses sujets, observerons scrupuleusement le traité d'alliance ». Le 21 juillet, les députés des trois villages agniers rencontrent Sr Edmund Andros au palais de justice d'Albany : « Ils reconnaissent eux-mêmes qu'ils sont sous la juridiction de ce gouvernement et ils renouvellent le traité de paix et d'amitié ». Ils vont au Canada pour parler au gouverneur et Andros leur dit : « Vous êtes libres d'aller au Canada ou là où vous le jugerez bon, mais vous êtes libres de la même manière que le sont tous les autres Indiens qui sont sous la juridiction de ce gouvernement, les Français n'ont aucune autorité sur vous ». Il est vrai que pendant que les Iroquois renouvellent de temps à autre leurs traités avec les Français, les propositions qu'ils font à l'État de New York ou à la France, ne servent qu'à préserver leur indépendance. Il n'en reste pas moins que ces écrits, par leur nombre et leur répétition, tendent à annuler en droit les prises de possession et les autres documents de l'époque de M. de Tracy. Ils montrent surtout que les Anglais incitaient les Iroquois à plus d'indépendance, plus d'arrogance envers les Français à une époque critique.

L'expédition de La Salle en 1679.

La Salle a maintenant terminé la construction de la maison de Niagara et du *Griffon*. Il a réussi à endormir les soupçons des Tsonnontouans. Il s'embarque avec Tonty, trois récollets, une quarantaine d'hommes, et le navire déploie ses voiles sur les Grands Lacs. Il arrive en triomphe à Michillimakinac, puis il fait escale à la baie Verte. Abandonnant là le *Griffon*, il mène une expédition vers le sud du lac Michigan, entre dans la rivière Saint-Joseph, ou petite rivière des Miamis, et trouvant bientôt une bourgade, s'y arrête pour construire un fort. Quelques-uns de ses hommes désertent. Au bout d'un certain temps, il repart. Son associé principal est alors Tonty, cet ami audacieux qui ne l'abandonnera jamais. Ils remontent la rivière Saint-Joseph, franchissent un portage, atteignent la rivière des Illinois, la descendent jusqu'au grand village des Illinois, non loin de l'embouchure de la rivière du même nom où ils trouvent des provisions de maïs.

Les Illinois étaient établis sur les rives du Mississipi et des affluents de l'est, dans les États actuels de l'Iowa, du Missouri et de l'Illinois. On donnait le nom d'Illinois à plusieurs tribus de cette région.

C'est dans ce secteur que la Nouvelle-France entre en conflit violent avec l'Iroquoisie. Les Illinois ne sont pas à cette époque des inconnus pour la Nouvelle-France. On les trouve mentionnés à plusieurs reprises dans les *Relations*. Les missionnaires les ont connus tout d'abord à la pointe du Saint-Esprit, à l'extrémité sud-ouest du lac Supérieur. Les pères Marquette et Allouez les ont visités et évangélisés. Ils ont fourni nombre de détails précis. En 1678, probablement, les Iroquois ont fait une incursion chez eux et ils ont été battus. Les Illinois se servent surtout de l'arc, bien qu'ils possèdent quelques armes à feu. Ont-ils des relations commerciales avec les Iroquois ? Leur fournissent-ils des fourrures ? C'est possible.

Lorsque La Salle arrive, la réception qu'on lui fait est très froide. Les Miamis, une tribu illinoise qui habite le sud du lac Michigan, tentent de conclure un traité de paix avec les Iroquois ; ils ont envoyé une ambassade que La Salle a rencontrée chez les Tsonnontouans et qui a obtenu gain de cause. Les missionnaires appuieraient ce mouvement. Les Iroquois, semble-t-il, souhaitent faire la paix avec les Miamis pour pouvoir détruire plus facilement les Illinois, leurs alliés et leurs frères ; ensuite, ils viendront facilement à bout des Miamis eux-mêmes. Diviser l'ennemi avant de l'attaquer, voilà leur plan. Les Miamis, qui ignorent ce plan, sont prêts à entrer dans l'alliance des Iroquois et ils jouent leur jeu. Quelques-uns d'entre eux et des Mascoutins sont arrivés chez les Illinois un jour avant La Salle et ils les ont montés contre lui. Après avoir offert des présents, ils ont montré que La Salle était un ami des Iroquois venant préparer la voie à leurs attaques.

Les Iroquois font la paix avec les Miamis « pour pouvoir détruire plus facilement les Illinois ».

Grâce à sa dextérité habituelle avec les Indiens, La Salle se concilie vite les Illinois. Il leur explique que, puisque les Iroquois sont des sujets et des alliés du roi de France, il ne peut leur faire la guerre ; il les exhorte à conclure la paix avec eux, il leur accordera toute son assistance. Mais si les Iroquois viennent attaquer les Illinois, La Salle les défendra avec tous ses compagnons ; car les Iroquois n'ont pas obtenu du gouverneur Frontenac la permission de les attaquer. Enfin, après avoir convaincu son auditoire, il construit en dehors du village un fort qu'il nomme Crèvecœur, à 50 milles du Mississipi. Dans une lettre du 29 septembre, La Salle affirme qu'il avait fait aux Iroquois, avant de partir, des déclarations identiques. Son intention était de se rendre à la mer du sud, de passer chez les Illinois, mais de rester neutre, de ne leur fournir ni armes ni munitions qui les rendraient plus forts ; mais que si les Iroquois attaquaient les Illinois, il défendrait ces derniers.

Construction du fort Crèvecoeur.

Ces déclarations irréprochables cadrent bien avec la politique de Frontenac. Il faut signaler deux points importants : La Salle a construit deux factoreries à l'ouest et au sud-ouest de l'Iroquoisie, celle de Saint-Joseph et celle de Crèvecœur ; elles peuvent d'abord drainer les fourrures des territoires de deux grands peuples Indiens : les Miamis et les Illinois, qui sont maintenant les voisins de l'Iroquoisie à l'ouest et au sud-ouest ; et aussi empêcher ce dernier pays de pénétrer plus avant dans le continent en le cernant solidement. On sait d'une façon générale que les Illinois-Miamis ont fait le commerce des fourrures avec les Français au sud-ouest du lac Supérieur ; puis, après l'abandon de cette place, à la baie Verte. Cette traite semble avoir été considérable. Les territoires qui sont situés le long de la rive occidentale du lac Michigan s'épuisent en gibier. Les Outaouais et les Hurons ne vont pas chercher eux-mêmes les pelleteries ; ils ne sont que des intermédiaires entre les Français et les tribus indiennes qui gravitent dans le continent. Un commerce actif s'était donc développé entre les Illinois d'une part et les Français, les Hurons ou les

Outaouais d'autre part. L'historien George T. Hunt s'exprime de la façon suivante : « Le commerce des Illinois avec les Français était considérable, et il était devenu plus important parce que le Michigan et les rivages du lac Michigan, s'étaient épuisés en castor. Ce commerce semblait particulièrement important aux Iroquois parce qu'il pouvait plus facilement être intercepté ou diverti que le commerce du nord, qui avait pour route l'Outaouais... En conséquence les Iroquois font la guerre aux Illinois aussi à bonne heure qu'en 1677, aussitôt que la menace qu'est pour eux les Andastes a disparu... » Il existe donc là une route des fourrures et les Iroquois tentent de la dériver vers leur pays. L'intendant Duchesneau parlera, le 12 novembre 1681, de cette guerre entre les Iroquois et les Illinois : « ... Le véritable motif a été de satisfaire les Anglais..., lesquels, à force de présents, les ont portés à cette entreprise, afin de les obliger de leur donner du castor, pour ensuite l'aller traiter avec eux, et d'intimider toutes les autres nations et de les contraindre à faire de même ». En construisant ses factoreries, La Salle prend donc des mesures nécessaires pour conserver à la France une traite qu'elle exploitait depuis longtemps, mais que les Iroquois convoitent pour augmenter leur commerce avec Albany. Ces derniers ont déjà commencé à faire des incursions de guerre pour s'en emparer.

Jacques Duchesneau de la Doussinière et d'Amdault (?-1696), intendant de la Nouvelle-France de 1675 à 1682.

L'entreprise de La Salle pose aussi la question de l'armement des Illinois et des Miamis. À cette époque, la supériorité iroquoise est si grande que la défaite probable des Miamis et des Illinois s'impose à tout esprit attentif. La Salle vient de promettre aux Tsonnontouans qu'il ne portera ni armes à feu ni munitions à ces peuples éloignés. Mais lui-même ou les Français tiendront-ils cette promesse ? Ne serait-ce pas garder ces alliés à la merci de leurs ennemis ? N'est-ce pas exposer à la destruction leur commerce de fourrure ? D'un autre côté, les Iroquois considèrent la défense qu'ils ont faite très importante, et vitale. Quelle sera leur réaction s'ils apprennent que des armes à feu circulent sur la route que vient de jalonner La Salle ? Si ils réalisent surtout, que les Anglais les appuient solidement dans cette affaire. D'autant plus que de nombreux faits montrent que Iroquois et Illinois sont d'anciens ennemis. Duchesneau dira qu'il y a eu conflit entre les deux peuples en 1661, que la guerre a duré un certain nombre d'années, puis que les Iroquois se sont désistés pour repousser les attaques des Andastes, qu'un peu avant 1679 ils reprirent les hostilités en prétextant que les Illinois leur ont tué quarante guerriers, mais en réalité pour forcer leurs ennemis à leur livrer leurs pelleteries.

Les Iroquois ont l'avantage des armes. Mais pour combien de temps ?

Ajoutons enfin que les Français d'alors possèdent de nombreux renseignements sur le peuple que La Salle vient de rencontrer. En 1673, le père Marquette leur rend visite. Le village compte alors 74 cabanes. Il vient une seconde fois en 1675, le nombre des cabanes est passé à 150 ; en 1677, le père Allouez en trouve 351. Deux ans plus tard, La Salle en compte 460. C'est toute une vaste tribu qui s'est rassemblée dans un même centre, excepté les Miamis qui se sont fixés au sud du lac Michigan.

Il faut bien exposer tous ces faits car le prochain conflit entre l'Iroquoisie et la Nouvelle-France, ou entre l'Angleterre et la Nouvelle-France, va prendre naissance à cet endroit et dans des circonstances imprévues. Pour le moment, le développement de l'empire de La Salle ne comporte pas trop de danger. La Salle sait manœuvrer les Iroquois et les Indiens ; Frontenac, à Québec, bien qu'ayant besoin de quelques compagnies pour tenir les Iroquois en respect, a des ressources suffisantes pour leur tenir tête encore. C'est La Salle toutefois, qui est le plus en danger. Les traiteurs de Montréal et de Québec, à qui il a enlevé successivement le commerce des fourrures du lac Ontario, du lac Érié puis des Illinois, s'opposent à lui ; il y a aussi les Iroquois à qui il barre la route de l'ouest et contre lesquels il a construit deux factoreries qui absorberont les pelleteries qui allaient en bonne partie chez eux ; et les Anglais, enfin, qui par ricochet en recevront moins à Albany si les Iroquois en récoltent moins dans l'ouest. La Salle lèse donc de nombreux intérêts.

La Salle joue gros !

Chapitre 127

1680

La Salle est arrivé chez les Illinois le 4 janvier 1680. Après avoir construit le fort Crèvecœur, inquiet pour ses affaires en Nouvelle-France, il décide au mois de mars de revenir à travers les terres, entreprise d'une difficulté inouïe. Il confie à Tonty le poste de commandant. Trois récollets demeurent avec celui-ci : les pères Hennepin, Zénoble Membré, et de La Ribourde. Des hommes désertent bientôt. Puis la rumeur de la mort de La Salle circule. Plusieurs mois se sont écoulés, Tonty a vécu dans son fort, se gardant étroitement et faisant la traite avec les Indiens. Au mois de septembre, il se met en route pour revenir à son tour au Canada afin d'avoir des nouvelles de son chef. Presque tout de suite après son départ, il apprend qu'une armée iroquoise est en marche et qu'elle vient attaquer les Illinois. Tonty revient au poste. Bientôt, l'armée iroquoise, composée de quatre cents guerriers, se présente de l'autre côté de la rivière, devant la bourgade illinoise.

Zénoble Membré (1645-1689), récollet, compagnon de Cavelier de La Salle dans ses expéditions en Louisiane.

Gabriel de La Ribourde (v.1620-1680), récollet, missionnaire et compagnon de La Salle.

Les Français sont pris entre deux feux. Celui des Illinois, qui se souviennent des accusations portées par les Miamis contre La Salle disant qu'il était un ami des Iroquois et qu'il conduirait les Iroquois chez eux, et celui des Iroquois qui peuvent aussi les attaquer.

Les femmes et les enfants s'enfuient. Les éclaireurs illinois vont se poster autour de l'armée ennemie, mais la plupart des guerriers se sont absentés pour une expédition militaire. Ils reviennent en affirmant qu'ils ont vu La Salle parmi les Iroquois. Tonty, qui est ainsi en mauvaise posture, s'en tire en offrant de combattre avec eux. Il applique de ce fait les principes posés par La Salle lui-même. Alors Français et Illinois qui sont demeurés dans la bourgade traversent la rivière. Le nombre des guerriers est à peu près égal. Tonty et les six Français qui l'accompagnent sont armés de mousquets, mais les Illinois n'en ont pas ou ne veulent pas s'en servir. Les Iroquois sont armés de sabres, de fusils et de pistolets.

Les Iroquois attaquent les Illinois.

La bataille s'engage et tourne bientôt mal pour les Illinois. Tonty s'avance alors entre les deux détachements, une branche de perles de nacre à la main, pour négocier la paix. Il atteint les rangs de l'ennemi ; quelques guerriers l'entourent ; et là, soudain, par surprise, un Onnontagué le blesse d'un coup de couteau ; mais l'arme frappe une côte et dévie. Aussitôt, le chef de l'armée iroquoise intervient et Tonty est transporté au camp de l'ennemi. Le père Zénoble Membré aurait accompagné Tonty. Le combat continue de plus belle.

La rumeur se répand parmi les Illinois que Tonty est mort et alors ils attaquent avec une fureur accrue.

Pendant ce temps, Tonty négocie avec les Iroquois malgré sa blessure. Parmi les chefs présents, un Onnontagué connaît La Salle. L'armistice est conclu. Bien qu'ayant perdu beaucoup de sang, Tonty revient dans l'armée des Illinois ; il marche difficilement et les pères Membré et de La Ribourde doivent le soutenir pendant la dernière partie du trajet. Les Illinois sont satisfaits. Tonty leur expose les conditions de l'armistice, mais il les avertit en même temps de ne pas se fier aux Iroquois. Il insiste sur ce dernier point. Les Iroquois commencent à se retirer, les Illinois retournent dans leur bourgade. Quand ceux-ci ont tous quitté la rive opposée, les Iroquois réapparaissent ; au lieu de retourner dans leur pays, ils sont en réalité demeurés sur place. Le père Membré se rend aussitôt parmi eux, il veut savoir les raisons d'une telle conduite. Les Iroquois répondent qu'ils ont faim et qu'ils ont besoin de vivres. On leur en donne à satiété. Les Iroquois veulent alors échanger les vivres contre des pelleteries ; cette proposition est encore acceptée. On échange même des otages. Le père Membré passe la nuit dans le camp des ennemis.

Les Iroquois ne retournent pas dans leur pays. Ils ne reprennent pas la bataille non plus. Les adversaires demeurent en présence de chaque côté de la rivière. Une période de négociations s'ouvre. Des communications fréquentes ont lieu. Les Iroquois attendent évidemment un moment propice pour attaquer leurs ennemis par surprise. Sous prétexte d'acheter des aliments, ils traversent la rivière de plus en plus nombreux et font quelques provocations. Les Illinois restent calmes, un autre combat ne les attire pas ; et soudain, ils faiblissent, mettent le feu à leurs cabanes et commencent à se retirer le long du Mississipi. Les Iroquois construisent un fort temporaire sur l'emplacement de la bourgade abandonnée. Les Français demeurent dans une cabane isolée. Un peu plus tard, les Iroquois les obligent à habiter leur fortin surpeuplé.

La retraite des Illinois.

De loin, on voit les sentinelles des Illinois en retraite sur les collines. Les Iroquois envoient vers eux Tonty et le père Membré, en compagnie d'un des leurs, pour les inviter à négocier une nouvelle paix. Un Illinois revient avec eux, il est renvoyé le soir même avec la mission de ramener des ambassadeurs le lendemain à une demi-lieue du fort. Les députés viennent et la paix est conclue entre les deux nations selon toutes les cérémonies indiennes. Nombreux sont les Illinois qui croient de nouveau que cette paix est sincère ; quelques-uns viennent au fortin et Tonty trouve encore le moyen de les avertir en secret. Il leur recommande de se méfier, leur affirmant que la paix n'a été conclue que dans le but de les attaquer par surprise et de les détruire, leur montre même que les Iroquois ont commencé à construire des canots pour les poursuivre. Il les exhorte à fuir, à se rendre chez d'autres nations. Deux jours plus tard, Tonty et le père Membré sont appelés à un conseil des Iroquois ; ceux-ci offrent des pelleteries aux Français pour qu'ils partent le lendemain, ils déclarent qu'ils ne retourneront pas dans leur pays sans attaquer les Illinois.

En somme, ils veulent se débarrasser de témoins gênants qui rapporteront leurs actes à Frontenac. Tonty refuse absolument de partir et, par mépris, il foule aux pieds les ballots de fourrures qui lui sont offerts. Alors, les deux Français sont chassés du conseil. Le matin suivant, les Iroquois leur ordonnent de partir. Le 18, Tonty, les pères Zénoble Membré et de La Ribourde, accompagnés de trois autres Français, commencent leur retraite forcée vers la Nouvelle-France. Ils n'ont qu'un mauvais canot, souffrent de la faim et éprouvent des difficultés sans nom ; en route, ils perdent le père de La Ribourde qui meurt dans la forêt ou qui s'y perd. Enfin, ils arrivent à la baie Verte, à demi morts ; le 4 juin 1681, ils seront à Michillimakinac.

La dispersion des Illinois.

Après avoir forcé Tonty à revenir au Canada, les Iroquois ravagent les champs de maïs, puis ils poursuivent les Illinois, mais ils n'osent pourtant pas les attaquer ; l'un suivant l'autre, les deux groupes descendent vers le Mississipi ; à l'embouchure, les Iroquois affirment à leurs ennemis qu'ils ne les attaqueront pas si une dispersion immédiate a lieu. Les Illinois se dispersent alors ; trois clans remontent le Mississipi ; l'un qui traverse le fleuve et se perd sur l'autre rive ; les autres le descendent. Trop crédule, un groupe demeure aux alentours. C'est lui que les Iroquois attaquent. Il prend la fuite après une brève résistance, mais il est en partie massacré. Peu d'hommes cependant restent sur le champ de bataille, car ils sont rapides à la course. Les opinions varient quant au nombre des victimes ; quelques-uns parlent de sept cents, mais ce chiffre paraît très exagéré.

L'armée iroquoise a laissé son pays au mois d'août 1680, a commis ses méfaits au mois de septembre. Elle revient maintenant à l'automne commençant. Elle tombe sur deux cabanes où logent des Miamis qui sont à la chasse ; ne pouvant maîtriser son humeur guerrière, elle tue quelques Miamis et capture les autres. Remontant encore vers le pays des Miamis, elle s'y installe et construit trois forts pour passer l'hiver. Les Miamis demandent une réparation aux Iroquois pour leurs compatriotes tués ; ils offrent aussi 3 000 peaux de castor pour la libération des leurs qui sont toujours prisonniers. Les Iroquois acceptent les peaux... et gardent les prisonniers. Ces massacres, ce manque de bonne foi, cette dureté détrompent enfin les Miamis : ils avaient un traité de paix avec les Iroquois, mais ils se tournent maintenant vers les Illinois, leurs frères.

Les Iroquois ne souffrent pas de rivaux. Cette fois, ce sont les Illinois et les Miamis qu'ils entendent éliminer.

Cette expédition révèle assez bien les sentiments des Iroquois. Ils n'osent pas encore attaquer les Français, craignant que le gouverneur Frontenac apprennent leurs méfaits ; ils ne s'opposent pas directement aux projets de La Salle, mais ils veulent les rendre infructueux en chassant Illinois et Miamis des alentours des postes français, les éloignant durement, et leur cruauté l'emportant, commettent sans remords quelques massacres. Ils redoutent sans doute que ces vieux ennemis, plus nombreux, bien ravitaillés en armes par les Français, se dressent un jour contre eux, forts et puissants, capables de leur résister et de les vaincre.

Chapitre 128

1680

La Salle fait preuve d'une activité inlassable pendant cette période. Mais Dieu, les éléments, les hommes semblent contre lui. En mars, il a abandonné Fort Crèvecœur pour venir surveiller ses affaires. Le *Griffon* se perd avec trente mille francs de marchandises. Ses créanciers ont fait une saisie. Des employés se sont approprié des marchandises. Un navire qui lui apportait toute une cargaison se perd et des canots font naufrage entre Montréal et Fort Katarakouy. Il retourne au fort Crèvecœur. Pendant qu'il descend le long de la côte orientale du lac Michigan, Tonty, le père Membré et leurs compagnons remontent sur la rive occidentale. Il arrive à la bourgade des Illinois où il ne trouve que ruines et désert. Son poste a disparu. La barque qu'il avait mise en construction pour descendre le Mississipi est détruite, les outils dispersés. Il poursuit sa route et, à l'embouchure de la rivière, découvre les cadavres des Illinois massacrés. Revenant alors au fort Saint-Joseph, chez les Miamis, il travaille à une entente entre Miamis et Illinois « pour former une barrière qui tiendrait les Iroquois en respect et affermirait le repos du Canada... » S'unir, voilà la sagesse pour les deux peuples ; sinon, ils seront détruits l'un après l'autre. Depuis leur dernière aventure, les Miamis sont disposés à l'écouter. Une centaine de guerriers illinois reviennent de l'Iroquoisie ; ils sont partis de leur pays avant l'attaque lancée contre leur village ; ils ont voulu surprendre une bourgade iroquoise, mais n'ont pas réussi. Une bataille a eu lieu, une quinzaine d'entre eux ont été tués, ils ont massacré huit Iroquois ; au lac Érié, ils ont tué d'autres chasseurs iroquois. Finalement, les Illinois et les Miamis fraternisent. Cent cinquante Chouanons sont prêts à s'unir à eux et promettent à La Salle de s'établir autour de ses forts.

La Salle de malheur en malheur.

Au printemps, La Salle retourne à la rivière des Illinois. Là, il obtient leur adhésion à sa Ligue. Il revient au fort Saint-Joseph où il trouve des ambassadeurs iroquois occupés à miner son travail. Ceux-ci disparaissent. Les négociations continuent entre Miamis, Illinois et les autres tribus. Enfin, la coalition prend une forme définitive. Elle est conforme à la politique générale de la Nouvelle-France ; comme les Iroquois, les Miamis, les Illinois sont tous des enfants d'Onnontio, ils ne doivent pas s'attaquer sans avoir obtenu la permission du gouverneur : mais si les Iroquois attaquent les Miamis et les Illinois, ceux-ci ont le droit de se défendre et les Français peuvent les aider. Bien qu'instable, cette coalition peut être puissante.

Les Illinois et les Miamis s'unissent.

Pendant que La Salle organise ainsi les Indiens alliés de la France autour des postes de l'ouest, le gouverneur écrit à la Cour. Le 2 novembre 1681, il énumère ses doléances. Depuis dix ans, il maintient les Iroquois « dans un esprit d'obéissance, de repos et de paix » ; mais c'est seulement par adresse, habileté, dextérité. Comment faire plus, alors qu'il était « dénué de tout » ? Comment surtout « aller au-devant des choses auxquelles il serait aisé de remédier si l'on avait quelque secours ? » Le voyage de M. de Courcelles à Katarakouy, le sien lors de la fondation du poste, les autres « qu'ils me voient faire presque tous les ans au fort Frontenac », ont inspiré tout d'abord de la crainte aux Iroquois, les ont étonnés, leur ont inspiré une haute opinion des Français, les ont maintenus dans le devoir. Mais peu à peu, ils se sont habitués à ces expéditions ; leur réaction a été moins forte et l'effet maintenant est à peu près nul. À plusieurs reprises, Frontenac a dû menacer les Iroquois en leur disant que de nouvelles troupes arriveraient incessamment au pays. Ces soldats ne sont jamais venus. La faiblesse de la colonie est restée la même. Les Iroquois l'ayant constatée, ils ont compris qu'ils pouvaient recommencer la guerre sans danger. Leur insolence est devenue plus grande ; des paroles violentes ont excité les esprits brouillons de la jeunesse guerrière. Le gouverneur demande des troupes : « Cinq ou six cents hommes de troupes réglées disperseraient bientôt toutes ces différentes pensées, et il n'y aurait qu'à leur en donner la vue, et les faire promener dans leurs lacs sans autre acte d'hostilité pour s'assurer un repos de dix années ». Il faut retenir ces paroles qui expriment le fond de la politique de Frontenac. Il ne demande pas des compagnies pour se lancer dans une expédition de guerre ; pour pénétrer en Iroquoisie les armes à la main et mettre les bourgades à feu et à sang. Non, il n'a aucun projet sanguinaire de ce genre. À son avis, la force n'est pas nécessaire. Le jour où les Iroquois verront des troupes en Nouvelle-France, ils deviendront tout de suite plus souples et moins insolents, ne se risqueront pas dans un conflit ; ils seront prudents et ne voudront pas recommencer l'expérience de 1666 et 1667. Frontenac écrit ces lignes alors qu'il connaît déjà toute l'affaire du fort Crèvecœur, l'agression des Iroquois contre les Illinois, les blessures infligées à Tonty, les dommages subis par La Salle. Même à ce moment, il ne pense pas à la guerre et il croit pouvoir maintenir la paix par des démonstrations militaires. Il a sans toute d'autres ressources pour ne pas penser, même un moment, à entamer les hostilités. Sa politique est substantiellement une politique de paix. Pourquoi ? A-t-il bien examiné le problème et reconnu qu'il n'est pas facile de détruire ou de battre l'Iroquoisie ? Est-il tout simplement assez sûr de lui pour croire qu'il peut conserver indéfiniment la paix sans recourir aux armes ?

Si tu veux la paix...

Frontenac analyse ensuite les dispositions des diverses tribus : « Les Agniers n'ont rien fait de contraire aux protestations des ambassadeurs qu'ils envoyèrent l'automne passé, mais les Onnontagués et les Tsonnontouans n'ont pas paru par leur conduite être dans le même esprit et les mêmes dispositions ». Les artifices de certaines personnes que Frontenac ne nomme pas — des

Frontenac fait le point sur la situation en Iroquoisie.

Apparemment, le père La Ribourde s'était retiré pour lire son bréviaire.

ennemis de La Salle probablement — les intrigues des Anglais, « les ont portés à continuer la guerre contre les Illinois nonobstant tout ce que je leur avais pu faire dire, ils ont brûlé un village, et pris six ou sept cents prisonniers, mais presque tous enfants ou vieilles femmes. Ce qu'il y a de plus fâcheux est qu'ils blessèrent d'un coup de couteau le Sr de Tonty qui avait voulu d'abord ménager quelque accommodement avec eux. Un Père Récollet de soixante-dix ans se trouve aussi avoir été assommé en se retirant... » Le gouverneur a « attendu toute cette année pour voir si j'aurais de leurs nouvelles, et s'ils ne m'enverraient point faire quelque satisfaction ». Mais comme les Onnontagués et les Tsonnontouans, qui ont conduit cette expédition, n'ont pas envoyé d'ambassade, « je me suis résolu de leur envoyer dire de se trouver l'été prochain au fort Frontenac pour me rendre raison de leur conduite ». Onnontagués et Tsonnontouans ayant ainsi dispersé les Illinois sans attirer de riposte du côté de la Nouvelle-France, les Iroquois sont devenus tout d'un coup plus insolents. Frontenac croit qu'on excite leur orgueil pour empêcher et arrêter les expéditions de La Salle : « Il y a à craindre qu'ils ne poussent plus loin leur audace, et qu'après avoir vu que nous ne donnons aucun secours à nos alliés, ils ne l'attribuent à une impudence qui leur fasse naître l'envie de nous venir attaquer ». Le gouverneur ajoute que les Français du Canada demandent une attaque brusquée contre l'Iroquoisie ; mais il pense qu'il doit attendre l'ordre de Sa Majesté dans une affaire d'aussi grande conséquence. Sans compter, comme on l'a noté, que les Illinois et les Iroquois sont de vieux ennemis, et que au moment même où les guerriers iroquois conduisaient une expédition contre les Illinois, une centaine de guerriers illinois tentent de prendre d'assaut une bourgade iroquoise. Les uns et les autres sont dans leur tort.

Les incidents se multiplient. Au moment où le gouverneur termine sa lettre, il apprend un autre fait assez grave qui vient de se produire à l'île de Michillimakinac, dans la résidence même des jésuites de la mission. C'est une longue histoire. Qu'il suffise de dire qu'un capitaine tsonnontouan, qui vient en mission de paix, est tué par un Illinois d'un coup de couteau, que le couteau appartient à Tonty et que la rixe a lieu au sujet d'une fillette illinoise qui était l'esclave de cet Iroquois. Ce sont les Outaouais Kiskakons qui sont les maîtres du lieu où s'est produit l'incident ; c'est eux, en conséquence, qui doivent faire les premières démarches, pense Frontenac, et qui doivent offrir les réparations nécessaires pour arrêter la vengeance des Iroquois et empêcher une guerre possible. Car ceux-ci peuvent utiliser ce prétexte pour attaquer de nouveau des alliés de la France et ses principaux pourvoyeurs de fourrures. Ce sont les Tsonnontouans qui sont mis en cause et ils « sont présentement les plus insolents et les plus puissants d'entre les Iroquois ».

Saisissant la gravité de cette affaire, Frontenac choisit comme ambassadeur le sieur Jacques de La Marque ; malgré la saison avancée, il l'envoie tout d'abord au fort Frontenac avec l'ordre de faire partir immédiatement un canot sous la conduite d'« un homme qui est fort intelligent dans la langue, et le joindre à ceux que j'envoie aux Tsonnontouans, avec des présents » ; La Marque est chargé d'exprimer aux Tsonnontouans la sympathie qu'il éprouve pour leurs malheurs et de « leur faire entendre que ce n'est qu'une querelle entre des particuliers, où la nation ne doit point s'intéresser, et les exhorter à différer de prendre là-dessus aucune résolution, que je ne les aie vus l'été prochain et leur aie fait faire par les Kiskakons toute la réparation qu'ils en peuvent espérer». Frontenac a consulté avant d'agir l'intendant et le supérieur des Jésuites. Le premier lui a dit qu'ils n'avaient pas les fonds pour défrayer les frais de ce voyage et pour s'acquitter du coût des présents qu'il convenait de faire. Cet obstacle n'a pas arrêté le gouverneur; qui a décidé sur le champ d'avancer lui-même les fonds, car il fallait une décision immédiate. En 1677, le roi a retranché du budget colonial le poste des dépenses imprévues. Mais les circonstances exigent l'action. Le gouverneur comprend que chez les Iroquois, « les esprits s'aliénèrent de nous par les diverses intrigues qui se font pour les porter à quelque rupture, et qui pourraient s'aigrir encore davantage... » par ce meurtre. Les tribus qui vivent sur l'île Michillimakinac et dans les alentours s'inquiètent. Elles demandent déjà les secours militaires nécessaires. Le père Nouvel, qui est sur les lieux, semble croire aussi qu'il faudrait commencer la guerre contre les Tsonnontouans. Le gouverneur comprend qu'il faut agir très vite, sinon la paix va se détériorer un peu plus.

Les Kiskakons sont des Outaouais.

La guerre entre les Iroquois et les Illinois, puis le meurtre du capitaine tsonnontouan, produisent donc ce que l'on peut appeler une crise. Mais celle-ci a pour cause profonde le commerce des pelleteries. Si l'on veut approfondir davantage, on trouve la différence des prix offerts à Albany et à Montréal. Plusieurs documents signalent ce point. Ainsi, dans sa lettre du 29 septembre, La Salle parlera des « Anglais, qui leur donnent pour un castor quatre et cinq fois plus que nous... Aussi en ont-ils d'eux plus que nous n'en tirons de tous nos alliés, et pour le moins cent milliers ». Et ces fourrures, les Iroquois ne les tirent pas tant maintenant du Haut-Canada, que de la région et des territoires situés à l'ouest du lac Érié. Un mémoire indiquera aussi que les Iroquois vendent de 80 000 à 100 000 peaux de castor aux Anglais chaque année. Le fort Frontenac capterait un tiers du castor de l'Iroquoisie. Les prix élevés qu'offrent les Anglais attirent un volumineux commerce. Les Français tâchent de l'intercepter en partie et de protéger le leur, en se plaçant au milieu des tribus qui chassent le castor et en offrant des marchandises dès que celui-ci est écorché, évitant ainsi de pénibles et lointains voyages aux Indiens. De plus, les traiteurs canadiens achètent à Albany pendant un temps, certains articles qui plaisent particulièrement aux sauvages, comme de la bijouterie indienne, des grains de nacre « qu'ils traitent à un profit considérable en Canada, attirant ainsi les Indiens qui venaient ici... » Un biographe de Tonty, Murphy, signale aussi l'importance des fourrures dans cette guerre. Les Iroquois, dit-il, ont besoin de marchandises anglaises, et, pour les obtenir, ils ont besoin de fourrures qui sont la monnaie d'échange. Quand ils n'en ont plus chez eux, ils cherchent à

Toujours cette guerre de prix entre Albany et Montréal.

E. R. Murphy, Henry de Tonty, fur trader of the Mississippi, *Baltimore, 1941.*

l'ouest. «De cette façon les Iroquois devinrent les intermédiaires entre les tribus illinoises et les Européens de la Nouvelle-Angleterre. Quand les Indiens de l'ouest montrèrent de la négligence à fournir, ou refusèrent de fournir les pelleteries, les chasseurs iroquois s'avancèrent pour exploiter le pays illinois pour leur compte. Ces incursions de maraude conduisirent à de fréquents conflits entre les Indiens...» Frontenac parlera des problèmes que posent les prix dans sa lettre du 2 novembre 1681 adressée au roi: «...Les Anglais font valoir le castor qu'on leur porte à Orange et ailleurs plus d'un tiers qu'au bureau de la Ferme de Vôtre Majesté et... ils le payent ordinairement en piastres, sans faire toutes les distinctions qu'on apporte ici, et que lorsqu'on veut de la marchandise, ils en donnent à meilleur marché de moitié que nos marchands».

Ferme = louage, il s'agit du poste de Katarakouy, donné à ferme à La Salle.

Ces citations permettent de mieux comprendre le conflit qui va naître et qui va rapidement devenir dangereux.

Chapitre 129

1682

Préparation de l'expédition de La Salle à l'embouchure du Mississipi.

Dans l'histoire de la Nouvelle-France, l'année 1682 est l'une des plus dramatiques. Entre Chicago et l'embouchure de la rivière des Illinois, La Salle lutte avec une énergie farouche pour mettre en train l'expédition qui le conduira jusqu'à l'embouchure du Mississipi. Il organise ses forts et tente de donner de la cohésion à la coalition des alliés indiens de la Nouvelle-France dans cette région. Il choisit un équipage auquel il peut se fier. Avant son départ, il établit comme gardien de sa politique et de ses intérêts, Tonty, son ami fidèle, celui qui ne le trahira pas dans ses malheurs répétés.

En Nouvelle-France, Frontenac peut enfin donner la mesure de ses talents dans le domaine des relations avec les Iroquois. Déjà depuis 1673, il maintient fermement la paix. Pour cette œuvre, on lui reconnaît d'ordinaire assez peu de mérite. On l'attribue sans cesse aux expéditions de M. Tracy qui auraient eu un effet automatique pendant quinze ou vingt ans. On croit implicitement que le cours harmonieux des affaires va de soi, et que le gouverneur n'a aucune contribution personnelle à apporter. Il faut évidemment modifier ce jugement. Aucune paix ne se maintient d'elle-même. Frontenac apporte dans ses relations avec les Iroquois un mélange de force et d'habileté. Il s'établit fermement comme le père de ces nations, comme leur guide et leur juge ; il se donne le rôle d'un vrai chef. Il se sert à l'occasion des pauvres forces militaires de la Nouvelle-France pour impressionner les Iroquois et, surtout, il est peut-être le premier gouverneur à ne pas les traiter comme des êtres sataniques, démoniaques, ce qu'ils ne sont pas, et dont il ne faut espérer rien de bien, mais comme des êtres humains tout simplement, qui se gagnent par les attentions, les prévenances, les égards, qui peuvent être corrompus par les présents, qui peuvent être révoltés par la dureté, les mauvais traitements, l'incompréhension. En un mot, il est prêt à les *bluffer*, comme on dit de nos jours, à les acheter si c'est possible, à leur mentir si c'est nécessaire pour les tourner contre les Anglais, à être généreux en présents quand les circonstances le demandent, à les traiter sur un pied d'égalité, enfin à employer tous les moyens, bons ou mauvais, comme l'ont toujours fait les diplomates de toutes les époques et de tous les lieux. C'est un réaliste. Et surtout, il veut la paix. Comme le montre le début de cette histoire, et comme le fera voir la suite, il n'était pas facile de vouloir sincèrement la paix avec les Iroquois. Ces primitifs durs, cruels, impulsifs, rendus arrogants et insolents par leurs victoires, par l'appui des Anglais, lassaient très vite la patience des Français et les inquiétaient. Presque

Le rôle important de Frontenac dans le maintien de la paix avec les Iroquois.

toujours, très vite, très tôt, on ne voyait plus qu'une seule chose à faire, la guerre et les exterminer. Mais le recours à ce moyen trahit plutôt un manque d'imagination qu'une nécessité absolue. Frontenac a, comme on dit, bien d'autres tours dans son sac avant d'en arriver à cette extrémité. Tout indique que même pendant sa première administration, il croit que la guerre contre l'Iroquoisie, menée de la Nouvelle-France, est l'une des entreprises les plus difficiles au monde et qu'elle ne peut aboutir à un succès que si la France y met dix fois plus de troupes et de ressources qu'elle n'est disposée à le faire. Depuis 1672 il n'a, d'autre part, reçu aucun soldat. Même si les autorités françaises lui avaient envoyé plusieurs compagnies, il ne les aurait probablement pas utilisées pour une expédition de guerre. À son avis ce n'était pas nécessaire. Avec les Iroquois, il suffisait tout simplement de montrer sa force.

Frontenac a donc préservé la paix depuis 1672. Pendant la dernière année de son administration, une grande crise se produit. Les événements racontés précédemment ont excité les Indiens alliés, les Iroquois, la population de la Nouvelle-France, les missionnaires. Les Tsonnontouans et les Onnontagués ont attaqué les Illinois et ont commis un massacre ; ils ont blessé Tonty, ont malmené le groupe qui l'accompagnait ; le père de La Ribourde est mort. Les rumeurs les plus diverses circulent. D'autre part, le rappel de Frontenac est décidé. Le 9 mai 1682, le roi commet l'erreur qui coûtera si cher à la Nouvelle-France : la destitution de Frontenac et la nomination de La Barre. La lettre qu'il écrit à celui-ci se lit comme suit : « Monsieur le comte de Frontenac. Étant satisfait des services que vous m'avez rendus dans le commandement que je vous ai confié de mon pays de la Nouvelle-France, je vous fais cette lettre pour vous dire que vous ayez à vous rendre auprès de moi sur le premier vaisseau qui partira de Québec pour revenir en France et la présente n'étant à autre fin, je prie Dieu... » On le sait, il s'est enlisé dans des querelles, dans des contestations sans fin. Mais à l'heure même où se présente une situation conforme à sa valeur, il est limogé et la Nouvelle-France est abandonnée entre les mains d'hommes incapables et impuissants. Lui seul probablement, de tous les coloniaux de l'époque, aurait pu la diriger pendant ces heures critiques. Et c'est le cas de dire que si Frontenac était resté, le cours de l'histoire aurait pu être changé.

Le rappel de Frontenac en 1682.

Frontenac convoque un conseil pour régler le problème entre Iroquois et Illinois.

La partie s'ouvre à Québec par une conférence que le gouverneur convoque le 25 mars, à trois heures. Y assistent les sieurs Prévost, le père Bêchefer, supérieur des Jésuites, les pères Dablon et Frémin, le gouverneur et l'intendant. Le gouverneur les a rassemblés pour débattre des moyens d'éviter la guerre entre les Iroquois et les Illinois, guerre où les Outaouais pourraient être vite impliqués. Chacun doit exprimer son opinion sur cette question. En particulier, Frontenac doit-il se précipiter dans des conseils avec les Iroquois ? Ceux-ci le convoquent sur la rive du Saint-Laurent, à La Famine dans leur pays, et cette convocation ressemble à un ordre ou à une menace ; se rendra-t-il à Katarakouy le plus tôt possible, en y convoquant les sachems iroquois ? Ou bien, les attendra-t-il à Montréal ? Faut-il agir tout de suite ou procéder avec discernement ? D'après certaines nouvelles, les Iroquois organisent de nouveau une armée pour détruire les Illinois et tout délai peut amener un désastre.

Les Jésuites présents et le prévôt de Québec sont d'avis de convoquer les ambassadeurs iroquois pour le 15 juin, ou pour une date très rapprochée à Katarakouy ; le gouverneur s'y rendrait sous la protection d'une bonne escorte qui sera relativement peu nombreuse pour ne pas donner l'alarme aux Iroquois. Ceux-ci sont devenus exigeants ; ils parlent avec audace ; ils veulent que Frontenac se rende là où ils le voudront et à l'heure qu'ils voudront. Sinon, ils attaqueront ou se vengeront sur les Illinois. On voit aujourd'hui que cette décision était une faute psychologique. S'il est un moment où il faut faire étalage de sa force devant l'Iroquoisie, c'est bien le moment actuel ; si elle discerne le moindre signe de crainte, d'énervement, de précipitation, un souci trop évident d'obéir à ses désirs, la partie est immédiatement perdue. Céder aux menaces, c'est amener automatiquement la guerre.

Grâce à la paix de 1665, Hurons et Outaouais sont revenus après s'être exilés aussi loin que le pays des Sioux.

L'intendant Duchesneau se prononce ensuite. Son point de vue est trop alarmiste. Gonflés par leur victoire sur les Illinois, les Iroquois se préparent à détruire cette nation qui est maintenant une alliée de la France ; ils saisiront ensuite la première occasion de détruire les Hurons et les Outaouais, les principaux pourvoyeurs de la France. Le danger pour le pays est immense. Duchesneau veut convoquer les Iroquois à Montréal, et sans délai, car toutes les lettres qui viennent de l'Iroquoisie indiquent que les Iroquois se préparent à partir pour la guerre au printemps. Ceux qui donnent ces renseignements sont des personnages et non des moindres, comme le père Jean de Lamberville, le père Julien Garnier et le sieur de La Forest. D'autre part, l'intendant a donné son opinion dans un mémoire de l'année 1681 ; tous croyaient que si l'on laissait les mains libres aux Iroquois, ceux-ci détruiraient vite les Illinois, se rendraient rapidement maîtres du commerce des Outaouais et dirigeraient toutes les fourrures sur New York. Il faut soit les détruire soit s'en faire des amis. Duchesneau conseille lui aussi d'acheter New York et Orange du duc d'York qui les possède. Il affirme enfin que depuis leur attaque contre le grand village des Illinois, les Iroquois ont tenu continuellement des partis en campagne. La crainte, évidemment, emplit trop l'esprit de l'intendant. Le plan qu'il prête aux Iroquois est vaste, mais difficile à exécuter. C'est une lointaine possibilité qui ne justifie pas une déclaration de guerre.

François Dauphin de La Forest (v. 1649-1714), alors en charge du poste de Katarakouy en l'absence de La Salle.

La Famine, sur la rive sud du lac Ontario.

Frontenac parle ensuite à son tour. Tout d'abord, il n'ira pas à La Famine comme le veulent les Iroquois. Le lieu est situé en pays ennemi, à proximité de leurs bourgades. Il lui faudrait une escorte trop nombreuse. L'état des fonds publics ne lui permet pas des dépenses de ce genre. Pour les mêmes raisons, il ne pense pas se rendre à Katarakouy. À son avis, la meilleure solution est de convoquer à Montréal, pour le 15 ou le 20 juin, deux ou trois représentants de chaque tribu iroquoise. Car il ne peut s'agir que d'une conférence ou d'un conseil préliminaire. Ce n'est que bien plus tard en été qu'il saura si les Outaouais Kiskakons ou les Hurons, qui semblent responsables de la mort du capitaine tsonnontouan, veulent bien accorder une réparation pour le meurtre qui a été commis, et, dans l'affirmative, de quelle nature. Les Iroquois viendront en effet à la traite et c'est après les conseils qui auront lieu à cette occasion qu'il pourra vraiment négocier avec eux. Toute négociation antérieure serait vaine et ne conduirait pas à une solution définitive. C'est donc à la fin du mois de juillet ou au début du mois d'août qu'il pourra rencontrer utilement les Iroquois. D'autant plus qu'il a exposé tous les faits à la Cour dans ses dépêches de l'automne précédent et qu'il attend de France vers le milieu de l'été des réponses qui l'aideront à prendre une décision. Les circonstances le portent à ne pas se hâter et à ne pas entreprendre non plus de vaines actions qui ne donneraient aucune solution valable. Il ne se laisse pas émouvoir par les menaces des Iroquois et refuse d'avoir une vision trop pessimiste des événements.

Le pillage d'une barque française par des Iroquois.

Beaucoup plus tard, le 28 juillet, l'intendant revient à la charge. Il supplie par lettre le gouverneur de convoquer immédiatement les ambassadeurs iroquois pour le mois d'août, sinon les Iroquois croiront que les Illinois leur sont abandonnés et qu'ils peuvent les attaquer à leur fantaisie. Frontenac devrait se rendre à Katarakouy dans une barque bien armée. Il ne faut espérer de France aucun secours cette année. Le 5 août suivant, Frontenac lui répond que La Forest, qui commande au fort Katarakouy, est arrivé avec une nouvelle grave. Des Iroquois ont pillé des marchandises à bord d'une barque française. Le gouverneur a demandé d'autres renseignements. « Il ne reste qu'à examiner si après la manière insolente dont les Iroquois ont répondu à ma dernière semonce, en faisant paraître vouloir m'obliger à les aller trouver chez eux, ce ne serait pas trop flatter leur arrogance que de faire une démarche qui semblerait avilir en quelque façon la dignité de mon caractère, et qui pourrait leur donner lieu de croire que nous les appréhensions beaucoup, et qu'ils sont au pouvoir de nous donner la loi... » Encore une fois, il ne commettra aucun acte indiquant aux Iroquois qu'il les craint, les redoute, cède à leurs menaces et qu'il obéit à leurs volontés car ils se croiraient les plus forts, ce serait immédiatement la guerre. Il est décidé à tenir des conseils avec eux, mais après avoir vu les Kiskakons, c'est-à-dire à son heure et au lieu qu'il aura fixé. En attendant, il faut être prudent, mettre à l'abri de toute attaque Katarakouy, « qui est une des principales précautions qu'on puisse prendre pour arrêter les mauvais desseins des Iroquois et conserver le pays ». Cette seule phrase indique à quel point Frontenac pense différemment de son entourage. Au lieu de s'affoler et de céder à l'insolence iroquoise, il demande de fortifier et de préparer le fort qui, de tous les postes de la Nouvelle-France, est le plus menaçant pour l'Iroquoisie. Il fait autour de Montréal et de Québec des revues très fréquentes de la milice. Il fait expédier aux endroits requis des armes et des munitions. Il se rend à Montréal, il y fait des provisions de blé pour que les curieux en déduisent

«Arrêter les mauvais desseins des Iroquois».

qu'il se rendra cette année au fort Frontenac avec un détachement plus important que d'habitude. Il n'adresse pas de menaces aux Iroquois. Il est sûr que les espions de ces derniers les mettront immédiatement au courant de ces préparatifs silencieux. En fait, il bluffe. Mais il insiste sur un point : bien garder le fort Frontenac qui est un poignard levé contre l'Iroquoisie et dont celle-ci n'ignore pas la menace latente.

Frontenac joue donc un jeu très dangereux, car il n'a pas de troupes derrière lui. Il doit paraître fort, sûr de lui. Il lui faut de la patience, du sang-froid. Il est décidé : comme il l'écrira à la Cour en parlant des Iroquois, il n'ira pas les « chercher jusques dans leur pays ». On peut dire que tout son entourage est d'un avis différent, qu'il poursuit tout seul une politique subtile et difficile. Pendant tout ce temps, les avertissements pleuvent sur lui sans l'émouvoir. Des Iroquois disent avec insolence qu'ils attaqueront le convoi du gouverneur, si celui-ci se rend à Katarakouy ; d'autres confient aux missionnaires que les anciens ne veulent pas répondre du parti militaire qui est prêt à conduire une expédition chez les Illinois, à moins qu'une entente n'intervienne. Frontenac ne perd pas son sang-froid. Il a convoqué les Iroquois pour le mois de juin à Montréal, mais pour y attendre les Kiskakons, plutôt que pour prendre une résolution définitive. C'est là qu'il les attendra et non ailleurs. Il fait bien la part des choses entre les abus de langage de certains Iroquois en particulier et l'opinion de la nation. C'est un jeu tout psychologique.

Enfin, arrive le temps de l'action. Le 11 août, les Outaouais se présentent dans vingt-six canots. Un premier conseil a lieu deux jours plus tard, le 13. Les Kiskakons, les Sinagos, les Outaouais du Sable et les Miamis sont présents. Les Outaouais parlent les premiers. Ils offrent un premier présent pour dire au gouverneur que « l'Iroquois les tue..., le prier qu'il ne les abandonne point et qu'il ait pitié d'eux... » Après avoir demandé la protection des Français, ils racontent l'affaire du capitaine tsonnontouan. Revenant de la chasse, les Hurons rencontrent une fillette illinoise de sept ans qui s'est échappée d'un groupe de prisonniers illinois capturés par les Iroquois ; ils l'amènent tout près du village des Kiskakons. À ce moment-là, arrive à Michillimakinac un chef tsonnontouan qui vient de quitter le détachement ayant capturé les Illinois avec la fillette. À son arrivée, il raconte qu'il a perdu dans les alentours de Détroit une petite fille illinoise, sa prisonnière particulière. En compagnie de trois Hurons, il se rend au village des Kiskakons, où il reconnaît tout de suite l'enfant, affirme qu'il l'a adoptée et exige qu'on la lui remette. Un Illinois est là, qui s'y oppose résolument. Une querelle s'ensuit et, avant qu'on ait pu le retenir, l'Illinois tue le Tsonnontouan d'un coup de couteau. En conséquence, les Kiskakons se déclarent innocents de tout crime. Pour prévenir tout danger cependant, ils envoient des messagers à Frontenac afin de lui demander de s'interposer. En même temps, ils rassemblent des présents, les mettent entre les mains des Hurons pour être transmis aux Tsonnontouans. Mais les Hurons ont l'esprit brouillon, ils enveniment l'affaire ; « ils leur avaient attribué toute la faute » ; et ils ne

Les Sinagos sont des Outaouais.

donnent pas les présents aux Tsonnontouans. Une partie des troubles actuels proviendrait donc des Hurons qui s'entendraient en cachette avec les Iroquois et avec qui ils auraient des relations secrètes. Enfin, les Kiskakons demandent au gouverneur de se prononcer et le prient de leur accorder sa protection.

Frontenac leur fait une brève réponse. Il faut régler cette affaire. L'automne passé, son député a dit aux Tsonnontouans et aux autres Iroquois qu'il les recevrait quand il aurait vu les Kiskakons et qu'il saurait quelle réparation ces derniers veulent offrir ; que c'était « un démêlé particulier où la nation n'avait point de part ». À la suite de la visite du sieur de La Marque, les Iroquois l'ont prié de venir au mois de juin sur la rive méridionale du lac Ontario pour les rencontrer ; ils rejetaient la responsabilité de l'assassinat sur tous les Kiskakons parce que ceux-ci n'avaient ni tué ni arrêté le meurtrier. Frontenac a refusé de faire ce voyage. Il avait besoin de voir d'abord les Kiskakons. Que sont-ils prêts à offrir aux Iroquois pour leur remettre l'esprit ? Pour arranger cette affaire, Frontenac demande que l'on tienne un conseil secret.

Les Indiens utilisaient l'expression «ne pas avoir d'esprit» pour dire «perdre la tête» ou agir impulsivement. Remettre l'esprit signifie donc les calmer.

Les Kiskakons redoutent une attaque des Iroquois contre leurs familles mais pour régler cette affaire, il faut attendre les Hurons qui ne sont pas arrivés.

Puis les Miamis se plaignent que nombre des leurs sont massacrés tous les jours par les Iroquois. Ils ne fournissent pas de détails. Frontenac répond « que c'était la première nouvelle qu'il leur en apprenait ». La Salle ne leur a-t-il pas conseillé de construire un fort, de s'unir aux Iroquois, de se défendre en commun ? Les Miamis répondent que c'est exact, mais que les Iroquois leur ont dit de ne pas prendre part à la guerre, qu'ils n'avaient rien contre les Miamis mais bien contre les Illinois. Toutefois, à quatre reprises, ils ont tué des Miamis et fait des prisonniers. Frontenac leur répond qu'il fera des remontrances aux Iroquois et qu'il les priera de ne plus recommencer. « ...Il les loue d'avoir fait de nouvelles alliances avec les Illinois afin de se fortifier contre leurs ennemis... il les protégera toujours. »

Kondiaronk, ou «Le Rat» (v. 1649-1701), chef huron pétun de Michillimakinac.

Les Hurons arrivent avec leur chef en dix canots le 15 août. Kondiaronk est leur orateur. Il affirme que son peuple a fait alliance avec les Miamis. Malgré toutes les rumeurs, ils sont innocents. Frontenac répond que les Kiskakons se plaignent d'eux et que lui même n'est pas content qu'ils soient allés chez les Tsonnontouans sans l'avertir. Les Hurons se disculpent en disant qu'ils sont allés en Iroquoisie à la demande des Outaouais. Les Outaouais répondent que les Hurons n'ont pas donné les présents. Alors de toutes parts fusent des récriminations. Frontenac exerce alors son influence dans le sens de l'union, de la concorde, des explications mutuelles ; il demande encore que l'on s'entende sur la réparation à offrir. Les Iroquois n'ont qu'un désir, les diviser pour les battre à tour de rôle, devenir leurs maîtres à tous, faire ensuite ce qui leur plaira.

Frontenac répète à ses alliés : les Iroquois cherchent à vous diviser.

Un autre conseil a lieu le 12 août. Il prend tout de suite une tournure très différente des conseils précédents. Toute la colère de ces Indiens alliés à la

Les tribus alliées des Français veulent déclarer la guerre aux Iroquois.

France éclatent contre les Iroquois. Tout d'abord, les Kiskakons ne veulent pas offrir d'autres présents que ceux qu'ils ont mis entre les mains des Hurons. Et quand Frontenac insiste de nouveau, ils révèlent leurs véritables sentiments. Ils disent au gouverneur que « l'état où ils se trouvaient était pire que la guerre, en ce que se croyant en paix, et ne se défiant de rien, ils étaient tous les jours exposés aux hostilités de l'Iroquois qui levait la hache sur eux, sans qu'ils osassent en repousser les coups par le respect qu'ils portaient à Onontio... » Leur désir de représailles est devenu si grand « qu'ils le priaient de ne leur plus arrêter le bras... », et de « leur permettre de repousser la force par la force... » Pourquoi les Kiskakons offriraient-ils une réparation aux Tsonnontouans ? Ceux-ci en avaient-ils donné aux Miamis pour tous les individus de cette nation qu'ils avaient capturés et tués en pleine paix ? Entraînés par cet exemple, les Miamis parlent de façon ouverte de la guerre qu'ils voudraient, eux aussi, livrer aux Iroquois. Ils parlent avec véhémence. Leur orateur dit « que l'Iroquois était un traître », que les Miamis désirent « non seulement le mordre à son tour, mais encore le manger ». Outaouais et Miamis sont exaspérés ; les Hurons sont plus subtils, plus retors, ils se montrent plus réservés. Frontenac les exhorte au calme ; il leur demande de n'en venir à aucune extrémité avant qu'il ait vu les Iroquois. C'est le moment de bien réfléchir, de peser les bénéfices de la paix, ...et peut-être de s'entendre sur une réparation.

Le 19 août, un conseil secret a lieu. Seuls sont admis huit représentants des tribus en cause. De nouveau les Kiskakons refusent d'offrir une autre compensation ; au contraire, « ils étaient résolus de faire voir aux Iroquois qu'ils n'avaient souffert leurs insultes que par le respect qu'ils avaient toujours eu pour Onontio, qu'ainsi ils le priaient de ne leur plus tenir les bras liés..., une guerre ouverte leur serait moins préjudiciable... »

Frontenac se trouve placé dans une situation difficile. Les Iroquois ont des torts, c'est certain, mais sont-ils les seuls à avoir commis des actes de guerre ? La Salle avait abordé la question dans une lettre qu'il lui avait envoyée en septembre 1680. « Il ne faut pas s'étonner, disait-il, que les Iroquois parlent d'aller en guerre contre nos alliés, puisque chaque année ils en reçoivent des insultes. J'ai vu à Michillimakinac, aux Potéoutamis, aux Miamis, les dépouilles et les chevelures de plusieurs Iroquois que les sauvages de ces lieux-là ont tués en trahison à la chasse ce printemps dernier et précédent, ce qui n'est pas ignoré des Iroquois, nos alliés ayant eu l'imprudence de le chanter en leur présence, lorsqu'ils étaient en traite chez eux. »

Le gouverneur va-t-il déclarer la guerre aux Iroquois pour les forcer à respecter les Indiens alliés, y compris les Miamis et les Illinois ? Il affirme à ces derniers qu'il voit bien leur unanimité ; mais que leur désir de se venger l'attriste, lui, Onnontio. Il est leur père commun ; les Iroquois sont ses enfants aussi bien que les Outaouais, les Hurons et les Illinois. Il assiste à une querelle entre ses enfants ; le roi serait peiné de l'apprendre. Le plan qu'il avait conçu n'a plus d'objet. Les Indiens alliés disent encore « qu'il y avait trop longtemps que les Iroquois les faisaient souffrir... », qu'ils devaient se venger et ils demandent la permission de faire la guerre. Frontenac présente alors une solution, qui est exactement la même que celle proposée par La Salle aux Miamis et aux Illinois, ce qui laisse entendre que La Salle et Frontenac s'étaient concertés. En fait, il leur permet la guerre, mais une guerre défensive, une guerre « en leur pays pour en repousser ceux qui viendraient en ennemis... » Bien plus, « il ordonnerait même aux Français qui sont dans leur pays, de se joindre à eux pour les repousser ». Ce qui signifie que les coureurs des bois et les habitants des postes s'uniront aux Indiens alliés, leur donneront peut-être une certaine cohésion, une direction, pour repousser les attaques. Tout peuple a le droit de se défendre contre une attaque à main armée. Mais il ne pense pas que les faits justifient une grande offensive de la part des Indiens alliés contre les Iroquois, avec ou sans Français. Il ne veut pas l'invasion de l'Iroquoisie, pas tant, du moins, qu'il n'aura pas reçu à cet effet un ordre précis du roi. Et cet ordre ne peut venir avant l'année prochaine. Il met encore les choses au clair : des partis d'Indiens alliés ne doivent pas aller en quête de chasseurs iroquois, d'individus isolés ou essayer de les surprendre. Il leur conseille de vivre en bonne intelligence les uns avec les autres, de se construire des fortifications, de s'assister ; d'envoyer aussi des messagers aux autres tribus, Maloumines, Sakis, Puants, Népissingues, Potéoutamis, etc., pour leur dire d'être sur leur garde, de prendre des précautions, d'être bien prudents. Que tous soient sincères et loyaux les uns envers les autres.

« Tout peuple a le droit de se défendre ».

Le 20 août, les Indiens alliés quittent Montréal. Ils sont satisfaits de la permission de se défendre que le gouverneur leur a accordée. Ils emportent des plans de fortifications ; ce sont les Français qui les ont esquissés, pour que ces Indiens se construisent contre l'ennemi des forts palissadés solides et efficaces. À leur départ, Frontenac répète encore qu'ils ne doivent pas commettre les premiers, d'actes d'hostilité. Il leur confie aussi des lettres pour leurs missionnaires, il met ces derniers au courant des décisions prises aux conseils. Par leur entremise, les Français de l'ouest sauront quelle conduite tenir en cas de conflit.

La stratégie de Frontenac : créer et entretenir une menace à l'ouest de l'Iroquoisie.

Et alors, on voit tout de suite quel atout puissant Frontenac vient de mettre dans son jeu pour les prochaines négociations avec les Iroquois. En collaboration avec La Salle, il a formé sur les arrières de l'Iroquoisie une vaste coalition d'Indiens alliés qui n'aspirent qu'à attaquer les Iroquois et à leur faire la guerre. Aux peuplades du Wisconsin proprement dites, viennent s'ajouter les Miamis et les Illinois qui forment à eux seuls près de 3 000 guerriers. Mais il ne faut pas se faire d'illusions sur la solidité de cette coalition, sur l'harmonie qui régnera entre ces tribus, sur la possibilité d'obtenir d'eux des attaques communes, ne pas trop attendre de leur part. D'un autre côté, les Iroquois ont rarement été heureux dans leurs expéditions à l'ouest du lac Michigan ; ce champ de bataille est trop éloigné de leur pays. L'année passée, les Illinois ont eu des pertes, mais une partie d'entre eux combattaient alors les Sioux et les Miamis les attaquaient. La présence à l'ouest d'une grande masse de population hostile imposera des réflexions salutaires à l'Iroquoisie. C'est pour elle un danger permanent. Elle pourrait facilement être coincée entre les Indiens alliés à l'ouest et la Nouvelle-France à l'est. Frontenac esquisse avec fermeté une politique que ses successeurs appliqueront plus tard sur une grande échelle.

Rendu plus puissant par la formation de cette coalition, ou de cette ligue, Frontenac est donc désormais en bonne posture pour négocier. Il attend les députés iroquois avec calme. Viendront-ils ou commenceront-ils la guerre ? Il ne s'émeut pas. Silencieusement, il continue ses préparatifs de guerre bien qu'il n'aie aucune intention de la livrer. Maintenant, il protège l'île de Montréal. Il décide lui-même de l'emplacement des redoutes à construire pour la protection des habitants. Il n'oublie pas non plus Katarakouy, la clef de toute sa stratégie militaire contre l'Iroquoisie. Pour fournir des provisions au fort, il est prêt à en partager les frais avec l'intendant Duchesneau, en attendant que le roi puisse le rembourser. Il a maintenant sa lettre de rappel. Il écrit immédiatement ce qui suit à l'intendant : « Nous devons avoir assez de zèle pour le service du Roi et la conservation du pays... pour faire tout ce qui dépend de nous afin de la garantir des entreprises des Iroquois et laisser toutes choses en bon état à ceux qui viendront nous relever... » L'infortune le grandit, le danger révèle soudain chez lui des grandes qualités qu'on ne lui connaissait pas.

Frontenac sait qu'il est rappelé.

Même après avoir vu les Indiens alliés, il ne se rend pas à Katarakouy pour rencontrer les Iroquois : « ce n'est point aux enfants à dire où ils veulent voir leur père », c'est au père à fixer le lieu de la rencontre. Il attend à Montréal. Septembre est maintenant venu. La colonie tout entière est pour ainsi dire en attente : qui des deux sera le gagnant du duel engagé depuis six ou sept mois ? Le 11 septembre arrive. En compagnie de Perrot, le gouverneur de Montréal, de Dollier de Casson, le supérieur des Sulpiciens, Frontenac part pour faire le tour de l'île de Montréal, afin de mieux pourvoir encore aux fortifications. Il rencontre La Forest qui arrive du fort Frontenac « avec un des principaux chefs de guerre d'Onnontagué que les cinq nations iroquoises avaient députés avec quatre autres audit fort... » ; ils croyaient y trouver Frontenac. Ils venaient « pour l'assurer qu'ils voulaient toujours vivre en bonne intelligence et amitié, non seulement avec les Français, mais encore avec tous les Outaouais, Kiskakons, Tionnantates et autres ».

Les Tionnantates ou Pétuns.

Sans troupes, sans munitions, Frontenac a donc gagné la partie d'une superbe façon. C'est une victoire sans pareille. Il faut lire dans les documents tous les incidents de cette année haletante pour bien comprendre de quelle profonde compréhension de l'Iroquois, le gouverneur a fait preuve. Harcelé par les uns et les autres qui voulaient le faire dévier de sa ligne de conduite, il a persévéré avec un calme et une sûreté qui étonnent. Il ne s'est pas rendu là où les Iroquois voulaient qu'il aille les trouver ; ils sont venus le rencontrer là où il le voulait. Il a montré un sens psychologique très fin. Sans tirer un coup de feu, il a assez bien protégé les Indiens alliés, les missionnaires, préservé la paix, arrêté les Iroquois dans leurs velléités d'attaquer les Français. Il a tenu l'ennemi en respect.

«Une politique d'amitié profonde».

Comment Frontenac accueille-t-il les Iroquois ? Tout simplement, avec la cordialité, la courtoisie, les attentions, la bienveillance qu'il leur a toujours montrées. Car sa politique est une politique d'amitié profonde et l'on peut même la qualifier de sincère envers l'Iroquoisie. Il n'a qu'un but : la paix.

Teganissorens ou Décanesone, chef onontagué, habile orateur, négociateur avec les Anglais et les Français.

Les conseils ont lieu dans la nouvelle église de Montréal qui n'est pas terminée et qui fournit un décor digne d'une lutte entre des hommes qui sont au-dessus du commun. Le personnage qui est à la tête de la députation iroquoise, Teganissorens, est un grand Iroquois ; il ne possède pas encore tout le prestige qu'il va acquérir plus tard, quand il sera pendant plusieurs années le porte-parole de l'Iroquoisie. Contrairement à Garakonthié, ses préférences le porteront plutôt du côté des Anglais. Pour le moment, ses sentiments sont moins nets. C'est un Onnontagué, comme Garakonthié, et il atteindra la même prééminence non seulement chez les siens mais aussi chez les blancs. Frontenac aura toujours beaucoup de considération pour lui. Les égards qu'il lui manifestera forment un contraste frappant avec les traitements qu'avant 1665, les gouverneurs français infligeaient aux grands chefs iroquois, les mettant en prison, les enchaînant comme de vulgaires gredins. Au contraire, Frontenac offre des présents à la mère de Teganissorens, à sa sœur qu'il a autrefois adoptée pour sa fille. Il le félicite, car sa tribu vient de lui conférer le nom d'un homme qui fut son ami particulier et qu'il a toujours estimé d'une façon particulière. Il ne lui épargne pas les honneurs car c'est l'envoyé de toute la *Cabane*.

La Cabane, en l'occurrence, l'Iroquoisie.

Teganissorens parle le premier au conseil. Il raconte que les Anglais leur ont envoyé des ambassadeurs à cheval pour inviter les sachems à conférer à Albany. Les sachems s'y sont rendus ; «ils étaient revenus sans avoir rien accompli, parce qu'on leur avait dit que les Iroquois devaient écouter la voix de leur père, Onontio». Il est donc venu au nom des cinq tribus. Il s'est rendu au fort Frontenac, mais n'y ayant pas trouvé le gouverneur, il est allé à Montréal. Il n'insiste pas sur le meurtre du capitaine tsonnontouan à Michillimakinac ; il rappelle seulement que le sieur de La Marque a déclaré d'abord que Frontenac attendrait les Iroquois à Katarakouy, au printemps, mais qu'il a fait dire ensuite que ce serait au mois d'août. Immédiatement après, il expose l'objet de sa mission : «...il est envoyé pour apprendre et savoir sa parole [de Frontenac] afin de la porter à toute la Cabane qui est en peine de ne l'avoir pas vu... Il veut la paix». Il demande à Frontenac de venir à Oswego, à l'embouchure de la rivière qui, du lac Ontario, conduit à la capitale de l'Iroquoisie. Parlant de ses compatriotes, il ajoute : «Ils ne veulent point faire la guerre aux Kiskakons, ni aux Hurons, non plus qu'aux Miamis...» ; toutefois, ils se défendront contre ces peuples s'ils sont attaqués par eux. Alors, contre qui veulent-ils aller en guerre ? «...C'était contre les Illinois.» Lui, «il avait couru par toute la Cabane, afin de la disposer à n'entreprendre rien sans auparavant avoir écouté la parole

Oswego, c'est-à-dire un peu à l'ouest de La Famine.

d'Onontio... » Les Iroquois sont toutefois résolus à poursuivre la guerre contre les Illinois, même sans la permission de Frontenac. C'est une révolte contre son autorité et contre celle de la France. C'est un défi.

Le lendemain, 12 septembre, Frontenac répond aux députés. Après avoir présenté ses respects à Teganissorens, il justifie ses dernières actions. Rien de bien nouveau dans cette partie. Puis il répète qu'il n'ira pas à Oswego. Pourquoi le ferait-il ? Le feu du conseil est allumé à Katarakouy depuis plusieurs années. Pourquoi le changer de place ? Les Tsonnontouans, par exemple, ne le veulent pas.

Frontenac s'oppose à une guerre des Iroquois contre les Illinois.

Enfin, le gouverneur aborde la question des Illinois. Il prend note des déclarations de Teganissorens sur le fait que les Iroquois désirent vivre en paix avec les Kiskakons, les Miamis, les Outaouais, les Hurons. Il conseille ensuite à l'Iroquoisie de n'entreprendre aucune expédition de guerre avant le printemps prochain, et posément, il l'engage à laisser les Illinois en paix. Les Illinois sont ses enfants, dit-il. Puis il joue sa carte d'atout : les Illinois sont les alliés des Hurons, des Miamis, des Outaouais. Ces tribus ont entre elles des traités d'alliance. Une guerre contre les Illinois peut entraîner les Iroquois très loin. Très loin en vérité, car les Français qui vivent parmi ces tribus seront impliqués dans les hostilités eux aussi, si guerre il y a. C'est dire doucement mais bien fermement à Teganissorens, que les Iroquois auront à faire face à une coalition s'ils attaquent les Illinois. Ne devraient-ils pas être satisfaits de la victoire qu'ils ont remportée l'année précédente ? Lui, qui est le gouverneur et leur père, ne peut donner son consentement à cette guerre et il les exhorte dans ce sens. Le meurtre du capitaine tsonnontouan est une affaire entre particuliers et à laquelle les tribus et les peuples ne peuvent s'intéresser.

Les Iroquois doivent s'attendre à faire face à une coalition s'ils s'attaquent aux Illinois.

Teganissorens revient à la charge. Il invite de nouveau le gouverneur à Oswego. Celui-ci refuse encore de modifier une coutume vieille de dix ans et c'est alors qu'il prononce la parole fameuse : « Ce n'est point à des enfants à marquer le lieu où ils désirent que se trouve leur père. Mais au père à marquer aux enfants l'endroit où il veut leur parler. » Enfin, Frontenac refuse nettement son consentement à une guerre des Iroquois contre les Illinois. Il conseille de ne pas ouvrir les hostilités. Il offre un présent pour arracher des mains la hache levée contre les Illinois.

« Ce n'est pas à des enfants à marquer le lieu où ils désirent que se trouve leur père. »

L'affaire en demeure là. Le commandant du fort Katarakouy, La Forest, ramène Teganissorens. Dans une lettre qu'il écrira à Frontenac, il dira que le chef onnontagué semblait très satisfait de la réception cordiale qu'il avait reçue à Montréal et des beaux présents qu'on lui avait donnés. Frontenac avait dit ce qui suit : « Emploie tes soins et ton industrie pour donner à Onontio la satisfaction de voir tous ses enfants en repos et sans se faire la guerre ; et, comme ton capot peut s'être déchiré dans les rapides, ta chemise, tes souliers et tes bas usés et ton fusil brisé, en voici d'autres que ton père te donne et que tu porteras pour l'amour de lui ». Ainsi savait agir habilement Frontenac. Teganissorens disait qu'il n'avait pas oublié les paroles du gouverneur et qu'il les répéterait fidèlement à sa nation.

«L'Illinois mérite la mort ; il m'a tué».

Ces conseils sont les derniers actes officiels de Frontenac. C'est son adieu au pays. Demain, il partira. La victoire qu'il vient de remporter n'est évidemment ni décisive ni finale. L'Iroquoisie est dans un état latent de révolte. Teganissorens a eu une parole dure : « L'Illinois mérite la mort ; il m'a tué... » Mais la perspective d'avoir affaire à la ligue des Indiens alliés dans l'ouest et à la Nouvelle-France dans l'est est de nature à la calmer et même à l'arrêter ; puis, si l'Iroquoisie passe outre, elle se retrouvera coincée entre deux adversaires. Dans leurs grands espaces, les Indiens alliés peuvent supporter des défaites sans pour cela être détruits et ils peuvent aussi remporter des victoires. Ils forment une masse importante, difficile à frapper d'un coup mortel ou même sérieux. Ils ont pour eux l'éloignement et l'espace. Il ne faut pas indûment minimiser ce danger. Puis Frontenac a insisté particulièrement sur un point : il a demandé aux Indiens alliés de ne pas être les provocateurs ; il a dit aux Iroquois que les Indiens alliés et les Français ne seraient pas les agresseurs. Il ne songe évidemment d'aucune manière à lancer la Nouvelle-France dans une offensive soudaine contre l'Iroquoisie. On ne voit nulle part qu'il ait pensé qu'une agression de la part de la Nouvelle-France jetterait les Iroquois du côté des Anglais. Mais il agit comme s'il avait continuellement cette idée en tête. La Salle prend les mêmes précautions du fond du lac Michigan à l'embouchure de la rivière des Illinois. Partout, il n'est question que de guerre défensive.

Les mots ne suffiront pas indéfiniment.

Habilement menée, la politique qu'il a adoptée peut probablement dénouer le conflit. Toutefois, il devient évident que même Frontenac ne pouvait maintenir la paix sans troupes à montrer à l'Iroquoisie. Le succès de l'année 1682 ne peut pas facilement se répéter sans que le gouverneur ait plus que des mots à sa disposition. Mais ces soldats, il ne faudrait pas avoir l'impatience de les lancer sur le champ de bataille. Tout au contraire.

Les Anglais aux prises avec des guerres intestines.

D'autre part, certains incidents qui se déroulent à Albany sont d'un grand secours pour Frontenac pendant l'année 1682. Un grand conseil y a lieu les 3 et 4 août. Chacune des tribus iroquoises est présente par quelques-uns de ses sachems. Deux agents du Maryland sont venus pour négocier avec eux et les autorités de l'État de New York surveillent les délibérations. Il s'agit encore d'Iroquois qui sont allés dans le Maryland, ont attaqué et tué des Indiens qui dépendent de cette colonie, ont tué aussi quelques Anglais, ont abattu des chevaux, des porcs et ont volé du bétail ; « de façon, disent les agents, que nous soyons justement provoqués à vous faire la guerre et à envoyer nos troupes dans votre pays... » Ils veulent savoir si les sachems approuvent ces déprédations et ces massacres ; si oui, c'est la guerre. « Vous ne devez pas vous attendre à vivre plus longtemps en paix, ou à jouir de votre pays en sécurité. Nous vous ferons la guerre dans vôtre propre pays. » Ils exigent une réparation de cinq cents peaux de castor et ils demandent qu'on leur livre le chef de ce parti de guerre. Les Iroquois s'excusent assez mollement tout d'abord ; ils n'offrent que de modestes présents en compensation des dommages. Les Anglais refusent de les accepter, ils demandent aux Iroquois de réfléchir de nouveau : « La guerre ou la paix peuvent en dépendre. » Au cours des conseils suivants, l'affaire se règle à l'amiable. Mais les Iroquois devront verser le prix fixé : « Nous devons aller loin pour apporter les castors, et ceci au danger de nos vies... » Chaque année apporte sa moisson d'affaires de ce genre ; c'est pour cette raison que les Anglais veulent leur infliger une bonne punition et emploient un langage très énergique. Ayant en face de lui des colonies anglaises mécontentes, Teganissorens a sans doute jugé plus prudent de ne pas trop provoquer d'autres Européens, les Français. D'autant plus que le chef de l'expédition avait été un Onnontagué.

Le bilan de Frontenac.

D'ailleurs, Frontenac tente de préciser à son départ, dans ses mémoires, l'état dans lequel il laisse la Nouvelle-France. Ces mémoires demeurent. On y trouve, en bonne partie, les événements racontés plus haut de même que certaines considérations plus générales. « Il n'y a point d'artifice, dit-il, que les étrangers n'aient employé pour attirer chez eux le commerce du castor que les Français font en Canada... » Et c'est le fort Frontenac qui, en contenant les Iroquois et les Indiens alliés, l'ont conservé à la France. C'est pourquoi on a tenté d'indisposer les Iroquois contre ce fort en leur prouvant qu'il les gênait dans leurs mouvements. Les événements irritants de l'été 1682, le pillage de certains canots qui allaient faire la traite chez les Tsonnontouans, celui aussi d'une barque, le refus des Tsonnontouans d'accorder une réparation, de vendre comme d'habitude des pelleteries aux hommes de La Salle, Frontenac les a interprétés de la façon suivante : comme on ne pouvait décider les Iroquois à déclarer la guerre à la France, on tente d'impatienter Frontenac et de lui faire déclarer la guerre aux Iroquois. Le gouverneur ne tombe pas dans le piège. Il n'attribue pas à la nation tout entière les actes répréhensibles de certains individus qui peuvent justement être à la solde des Anglais. Ainsi, au cours du conseil qui a eu lieu chez les Tsonnontouans lorsque La Forest a demandé une réparation, deux sachems ont parlé avec une violence inouïe ; ils ont dit que leurs compatriotes attaqueraient non seulement les Illinois, mais encore les Français, et même La Salle et ses hommes qui sont dans les régions du Mississipi. Frontenac n'a pas pris la mouche. Il n'a pas écouté non plus les pessimistes qui prévoient à brève échéance la destruction des Illinois, des Outaouais, des Hurons, des Indiens alliés enfin, et qui voient le jour où la Nouvelle-France sera de nouveau en face de l'Iroquoisie, seule et sans alliés. C'est une bien lointaine possibilité. Enfin, le mémoire conclut ainsi : « Un autre homme moins respecté parmi les Indiens, et moins au courant de leurs coutumes et des intrigues du pays, aurait pu s'engager dans de grandes dépenses inutiles, et adopter des mesures préjudiciables à la Colonie. »

George T. Hunt comprend les événements de la même façon que Frontenac : « Il y avait peu de choix pour les Iroquois entre attaquer les Français et attaquer les Illinois, s'ils espéraient arrêter le commerce franco-illinois. Les

Français, ils les avaient combattus pendant des années avec peu de profit et sans bénéfice. Pour gagner quelqu'avantage dans cette direction, il serait nécessaire de rejeter les Français en dehors du continent, et les Iroquois n'avaient pas le courage pour une entreprise de cette envergure. Attaquer les Illinois serait peut-être futile, mais le dernier plan réservait une possibilité de succès, et ils ne tardèrent pas longtemps quand La Salle et le *Griffon* leur eurent montré quel serait l'avenir. » Le même auteur explique de quelle façon la coalition des Illinois et des Miamis était forte au fond et dangereuse pour les Iroquois.

Chapitre 130

1682

Le 10 mai, le roi donne quelques instructions au nouveau gouverneur. La Barre partira de Québec le plus tôt possible avec un détachement de cinq à six cents miliciens pour faire une démonstration militaire au lac Ontario ; il sera ainsi en mesure de maintenir les Iroquois dans le droit chemin et même de les attaquer s'ils commettent des actions hostiles. À aucun prix, il ne doit cependant rompre avec eux à moins d'une nécessité pressante. Il ne doit pas non plus ouvrir les hostilités sans être certain de pouvoir terminer la guerre rapidement. Il s'efforcera de maintenir la paix entre les Indiens alliés, d'empêcher par tous les moyens les Iroquois d'entrer en conflit avec les Illinois et d'autres peuplades de l'ouest ; ceux-ci sont en effet sous la protection de la France car ils viennent porter leurs fourrures aux Français. La Barre doit faire exécuter des exercices continuels à la milice.

Joseph-Antoine Le Febvre de La Barre (1622-1686), gouverneur de la Nouvelle-France de 1682 à 1685.

Frontenac quitte le pays. La Barre prend la tête de l'administration. Moins d'un mois après les négociations de Frontenac avec Teganissorens, il tient la célèbre assemblée du 10 octobre. Avec lui se trouvent l'intendant, l'évêque de Québec, Dollier de Casson, les pères Bêchefer, Dablon et Frémin, le major Charles Le Moyne, Du Lhut, MM. de Sorel, de Varennes, Berthier, Repentigny, La Durantaye, Boucher et quelques autres. Le gouverneur a donc convoqué les meilleurs esprits du pays. Malheureusement, le défaitisme et le pessimisme dominent et prennent la première place dans la politique de la Nouvelle-France. On le constate très bien dans une lettre que le père Jacques de Lamberville écrit le 20 septembre et qui sera suivie par d'autres du même genre. Si Frontenac, soutient le missionnaire, avait fait au sud du lac Ontario, le voyage qui lui était demandé, il aurait au moins sauvé les Miamis. Maintenant, ils seront probablement détruits eux aussi. La guerre sera portée surtout chez les Illinois ; mais en même temps, les Miamis seront balayés avec les autres tribus de la baie Verte ; car sous le nom d'Illinois, les fauteurs de troubles comprennent les Miamis, les Potéoutamis, les Osakis, etc. Frontenac aurait peut-être été incapable de sauver les Illinois, mais il aurait pu sauver les Miamis « que je considère comme perdus parce qu'Onontio n'a pas dit le mot... » Toutefois, le missionnaire ajoute que les Iroquois écouteront Teganissorens à son retour et que c'est seulement là qu'une décision sera prise. Celui-ci aime les Français, « mais ni lui ni aucun des Iroquois supérieurs ne les craignent le moins du monde, et ils sont tous disposés à attaquer le Canada à la première provocation ». Les Français sont insultés et ne peuvent obtenir de réparation ; leurs alliés sont

Daniel Greysolon Duluth ou Du Lhut (v. 1639-1710), officier, puis explorateur.

Les Illinois constitués des Miamis, Potéoutamis, Osakis.

Les prisonniers de guerre deviennent de bons Iroquois.

De Lamberville sous la dictée des Iroquois ?

annihilés ; les prisonniers de guerre deviennent de bons Iroquois ; et les Iroquois n'hésitent pas à déclarer qu'après s'être enrichis des dépouilles des Français par le pillage, qu'après avoir augmenté leur nombre en assimilant des prisonniers ou autres, ils attaqueront le Canada et le détruiront en une seule campagne. Depuis deux ans, ils auraient ajouté plus de neuf cents étrangers à leur population. Le père Jacques de Lamberville est très intelligent. Toutefois, il ne semble pas se rendre compte au moment présent, que les Iroquois savent qu'il envoie des rapports au gouverneur de la Nouvelle-France et qu'en conséquence, ils forcent la note, exagérant les menaces, les rodomontades, leurs forces, pour obtenir certains résultats à Québec et surtout une plus grande liberté d'action du côté des Illinois et des Miamis. Ils savent que leurs propos seront transmis et ils parlent en conséquence. Frontenac, semble-t-il, comprenait très bien ce manège et il en tenait compte dans ses lettres, devinant une réalité moins inquiétante que ne le faisaient craindre de pompeux discours. Il ne se laissait pas indûment impressionner. Il pénétrait la vérité de la situation. En relisant ses lettres aujourd'hui, ce manège apparaît clairement. Mais une fois Frontenac parti, la mise au point ne se fait plus et les propos sont acceptés tels quels.

Ainsi, le conseil étudie tout d'abord les délibérations auxquelles a donné lieu l'ambassade de Teganissorens : « Il est facile d'en inférer que les Iroquois ont l'intention d'exécuter leurs desseins qui est de détruire tous les peuples alliés l'un après l'autre, tandis qu'ils tiennent les Français dans l'incertitude, les bras croisés ; de sorte qu'après leur avoir enlevé tout le commerce des fourrures, ils puissent les attaquer quand ils seront isolés. » Frontenac a entendu des déclarations du même genre, à maintes et maintes reprises ; toutefois, il ne s'est pas laissé gagner par la panique ; des projets pareils ne sont pas faciles à exécuter ; les Iroquois, tout redoutables qu'ils soient, ne sont pas de taille à mener une vaste et puissante campagne de ce genre. D'autre part, Teganissorens vient de déclarer qu'il respecterait tous les Indiens alliés, sauf les Illinois ; quant à ces derniers, il peut encore reculer devant la coalition formée à l'ouest de l'Iroquoisie.

Tous les membres du conseil croient que les Anglais n'ont rien fait pendant les quatre dernières années pour dissuader les Iroquois de déclarer la guerre aux Français, soit en leur donnant des présents ou en leur vendant des marchandises bon marché, soit en leur donnant des armes et des munitions. Ils croient aussi que, à deux ou trois reprises, ils ont été prêts à commencer les hostilités. C'est possible. Frontenac et Duchesneau ont répété ces accusations. Mais comme l'ont dit les historiens anglais, ni les uns ni les autres n'en apporteront les preuves. Ce problème nécessiterait l'étude de toute la politique commerciale d'Albany, qui, en ce moment, paraît assez molle, se contentant d'attendre simplement les fourrures, qui viendront sûrement, vu le bon prix que l'on en offre, tandis que les Français doivent avoir des coureurs des bois sur les lieux, construire des forts éloignés et user de la force pour conserver leur commerce de pelleteries. Il paraît assez probable que les entreprises de La Salle, la pénétration de la France dans le sud-ouest ne sont pas passées inaperçues. Devant ce danger pour l'avenir, les Anglais et les Iroquois agissent de concert, ou bien les uns manœuvrent les autres, pour maintenir intact ou augmenter le flot des fourrures qui leur vient de cette région, ou même pour capter celui qui, de Michillimakinac, coule en Nouvelle-France. M. de Belmont fournit peut-être un commencement de preuve ; il parle en effet des « Flamands qui envoyaient au sud et au nord du lac Ontario, des canotées de hardes gratuitement, pour les attirer à eux ». Mais cet historien donne aussi d'autres motifs du mécontentement des Iroquois : la Chaudière Noire, grand chef iroquois, maltraité par Perrot, gouverneur de Montréal, quand il ramène quatre prisonniers outaouais. Les Iroquois avaient été fort hardis cette année-là. La Chaudière Noire lui-même s'était fait donner par force une grande quantité de hardes ; ils avaient pillé trois Français, Le Duc, Abraham et Lachapelle ; ils avaient pillé le père de Carheil ; ils avaient pillé encore la barque de Katarakouy mouillée dans la rivière Niagara, qui était sous le commandement de La Marque, et ils avaient battu des Français.

François Vachon de Belmont (1645-1732), sulpicien, curé de Ville-Marie et supérieur du séminaire de Saint-Sulpice, auteur d'une Histoire du Canada.

Enfin, le conseil présidé par La Barre étudie un plan de guerre plus vaste et plus précis que les Iroquois auraient conçu. Jugeant qu'ils pouvaient porter l'attaque partout en même temps, ils organiseraient un corps de 1 200 guerriers qui détruirait tout d'abord le peuple illinois, disperserait au retour les Miamis et les Kiskakons, se rendrait maître du lac Érié et de la baie Verte, raserait les missions indiennes, etc. D'Iberville et ses Canadiens, quelques conquérants espagnols auraient pu accomplir de telles marches et livrer ces batailles, mais les partis iroquois étaient bien peu capables d'exécuter de telles expéditions. Les envisager, c'est avoir perdu le sens des réalités.

Pierre Le Moyne d'Iberville (1661-1706), soldat, capitaine de vaisseau, explorateur.

Pour empêcher ce grand raid des Iroquois, le conseil demande des secours militaires à la France. La colonie pourrait peut-être fournir mille miliciens, pas plus. Il faut des provisions pour le fort Frontenac, pour d'autres postes, pour les expéditions que l'on organisera ; mettre à Katarakouy et à La Galette une garnison de trois à quatre cents soldats. Cent cinquante hommes ne seraient pas de trop pour remplacer aux travaux des champs, les miliciens qui autrement seront en campagne ; il en faut d'autres sur le lac Ontario. On ne peut commencer cette guerre et la laisser ensuite en suspens. La manque d'assistance de la part de la France commence à créer chez les Iroquois un mépris des forces françaises de la colonie.

Après avoir été trop pessimiste, trop alarmiste, le conseil en revient, dans une certaine mesure, à la politique de Frontenac. Si les troupes demandées passent la mer, dit-il, les Iroquois laisseront probablement en paix les alliés de la France, ne chasseront plus sur les territoires de ces derniers et apporteront des pelleteries aux Français. Enfin, une assistance modique de la part de la France empêcherait la guerre et subjuguerait ces esprits indomptables et ardents. C'est ce que Frontenac a toujours demandé : des troupes, mais pas pour les utiliser contre l'Iroquoisie, uniquement pour exercer sur elle des pressions convaincantes par un déploiement de forces. Mais ces délibérations ont lieu devant un gouverneur inexpérimenté. Le procès-verbal montre que l'on est entré dans l'ère des fausses interprétations des événements et une mauvaise appréciation des hommes. La Nouvelle-France n'a plus à sa tête l'homme au regard sûr, à l'intelligence souple et vive, à la détermination de fer qui pouvait la conduire en sécurité parmi tous ces écueils.

Car la guerre avec l'Iroquoisie, cette guerre si difficile à livrer, qui peut être si funeste et causer tant de dommages, se profile de nouveau à l'horizon. Le gouverneur envoie le 12 novembre une dépêche transmettant les délibérations du conseil où il dit avoir trouvé le pays au seuil d'une guerre qu'il va être obligé de livrer aux Iroquois et dans un état tel qu'il succombera nécessairement. Il attribue toutes les difficultés présentes aux Anglais qui veulent mettre la main sur le commerce des fourrures ; ceux-ci donnent plus de marchandises pour les mêmes fourrures ; ils affirment aux Indiens que « ce n'était pas un commerce que nous faisions avec eux, mais une volerie... » Les Iroquois sont bien armés ; ils obtiennent armes, poudre et plomb à un prix qui est cinquante pour cent moins élevé que celui qui règne en Nouvelle-France. Ils comptent 2 500 guerriers bien armés. Ils détruisent les alliés de la France et maintenant ils ont formé le projet d'un raid qui les dispersera et rasera les établissements français. En 1682, la Nouvelle-France a reçu peu de peaux de castor, car les Indiens alliés sont restés en bonne partie chez eux, après le meurtre du capitaine tsonnontouan, pour protéger leurs familles ; ils attirent les Français chez eux pour recevoir de l'assistance le temps venu. Il est possible qu'à l'heure même où le gouverneur écrit ces lignes, un détachement de 1 400 Iroquois soit en marche contre les Illinois et d'autres tribus du sud-ouest. La Barre se dit incapable de faire la guerre avec les troupes et les ressources qu'il possède. Et ainsi les Français perdront la moitié de leur commerce et de leur prestige. « ...Je travaille aux préparatifs de la guerre... », écrit-il. Puis il est encore plus affirmatif : « ...Je me détermine à hiverner l'année prochaine dans le pays ennemi... » Il a demandé quatre compagnies de marine et « le fonds pour bâtir deux barques et deux doubles chaloupes... », de même que « le fonds pour un magasin de vivres... », et deux cents engagés pour remplacer les miliciens. Il a besoin de ces secours de bonne heure, afin d'agir vers la fin du mois d'août 1683. Il ne faut pas oublier, non plus, les armes et les munitions énumérées dans son mémoire. Tout ceci « est de la dernière nécessité et que sans du secours le pays est perdu ». Non content d'adresser ces demandes instantes au ministre, La Barre écrit aussi au roi dans le même sens. Il prépare des envois de vivres à Katarakouy ; il veut « ensuite cet automne fortifié du secours de vôtre Majesté pour l'escorte et les vivres, marcher avec douze cents habitants dans le pays et y aller hiverner » ; ces événements se produiront en 1683 ; puis en 1684, les Indiens alliés viendront trouver les Français établis en Iroquoisie et ils les aideront à détruire cette nation. En un mot, La Barre renoue

La Barre travaille aux préparatifs de la guerre.

avec les idées d'avant 1665, c'est-à-dire à l'époque où l'on croyait qu'il serait facile de détruire le peuple iroquois. Il a oublié les expériences de M. de Courcelles, de Tracy et de Talon. Il croit que la Nouvelle-France peut maintenant entreprendre cet ouvrage qui n'a conduit qu'à un échec déguisé. Ce qui lui donne cet espoir, c'est que les Français du Canada sont habitués à la forêt, au canot ; que le fort Katarakouy se dresse à proximité de l'Iroquoisie. Il faudra d'abord attaquer les Tsonnontouans, qui forment la tribu la plus forte. Toutefois, on trouve dans ces lettres des bribes de la politique de Frontenac : « ...Avec un léger secours... nous pourrions empêcher la guerre », mais ce ne sont que quelques lueurs de raison dans un ciel qui se charge de nuages.

Jacques de Meulles (?-1703), intendant de la Nouvelle-France de 1682 à 1686.

Le nouvel intendant, de Meules, agit dans le même sens. Il assure que Teganissorens « n'était qu'un véritable espion pour amuser Monsieur le Comte [Frontenac] et savoir ses sentiments » ; il ne voulait pas que les Iroquois aient à combattre plusieurs ennemis à la fois et il voulait amuser les Français. L'intendant a la même vision des choses que le gouverneur : les Iroquois sont décidés à détruire les Indiens alliés et les Français.

À la dernière minute, La Barre reçoit des nouvelles qui l'affolent encore plus : les Iroquois vont attaquer les Hurons, ils sont déjà en marche.

Pour donner une idée exacte de la déformation que commencent à subir tous les événements, il faut ajouter ce dernier fait : le père Zénoble Membré se présente à Québec juste avant le départ du navire sur lequel s'embarquera Frontenac et qui transportera les dépêches alarmistes du nouveau gouverneur. Malgré le mutisme du récollet, celui-ci informe que La Salle s'est rendu à l'embouchure du Mississipi. Il écrit alors l'insanité suivante : « Je ne fais pas grand cas de cette découverte... » ; et le roi, le 5 août 1683, y répondra par une insanité non moins énorme : « Je suis persuadé comme vous que la découverte du sieur de La Salle est fort inutile ; et il faut dans la suite empêcher de pareilles entreprises. »

Naturellement, tout n'est pas faux dans les rapports qui viennent ainsi de l'Iroquoisie et de l'ouest. Teganissorens, comme on le sait, n'est pas parti complètement pacifié. Il est possible que les Illinois soient attaqués ; d'autres rumeurs désignent les Miamis. La Salle, qui est de retour, éprouve de vives inquiétudes pour les forts qu'il a construits. Il demande des fusils et des munitions au nouveau gouverneur. Et surtout, c'est le moment où des rumeurs sans nombre se répandent. Un jour, c'est une attaque que l'on prévoit ; le lendemain, c'est une autre. Aujourd'hui, c'est un parti de guerre qui part dans une direction et le lendemain, c'est un autre ; les Iroquois doivent attaquer telle ou telle peuplade, l'automne ne se passera pas sans qu'ils aient tué quelques Français ; on prévoit même des attaques par surprise contre la Nouvelle-France. Enfin, période de troubles, période d'affolement. Il aurait fallu un esprit pénétrant et sûr pour démêler dans ces nouvelles la part de vérité et de mensonge, de l'impossible et du probable ; et surtout, pour consolider la politique inaugurée par Frontenac, c'est-à-dire celle d'une collaboration étroite entre les Indiens alliés et les Français pour contenir l'Iroquoisie dans ses limites et l'y ramener quand elle veut en sortir.

Pour tâcher de s'y reconnaître, La Barre envoie trois de ses gardes aux Iroquois : il leur demande d'envoyer des députés au printemps pour tenir un conseil et voir leur nouveau père. Les Iroquois promettent de venir. Et ainsi l'année ne se termine pas sans quelques espoirs.

Chapitre 131

1682-1683

En septembre, alors que Frontenac abandonne les affaires en Nouvelle-France, le duc d'York nomme, pour remplacer Edmund Andros, un gouverneur de grande envergure, Thomas Dongan. C'est un Irlandais catholique qui a déjà servi dans les armées du roi de France. Il arrive à son poste quand le gouverneur français capable de lui faire échec, peut-être, Frontenac, quitte les affaires. Dongan a des vues générales ; il est très habile, actif et rapide. Il peut profiter de toutes les fautes que les Français commettront dans leurs relations avec l'Iroquoisie. Esprit pénétrant, il voit tout de suite combien il est facile de capitaliser en faveur de l'État de New York, le vif mécontentement que les Iroquois éprouvent devant l'agrandissement de l'empire commercial de La Salle ; bien plus, il voit la forme dangereuse pour les colonies anglaises que prend soudainement la colonie de la France ; il a assez d'audace pour s'opposer à ces développements, comprenant tout de suite le rôle de l'Iroquoisie dans cette lutte entre deux puissances européennes. Sous son impulsion impatiente, la politique commerciale d'Albany, qui se contentait d'attendre les fourrures avec des prix élevés, devient soudainement agressive et s'élance à la conquête des pelleteries de l'intérieur. Elle entre ainsi violemment en contact avec la politique d'expansion française.

Thomas Dongan devient gouverneur de New York. Il y arrive le 28 août 1683.

Lors de la nomination de ce gouverneur, Louis XIV se rassure trop vite. Il a appris en effet que Dongan a reçu des ordres précis qui lui commandent de rester en bons termes avec les Français de la Nouvelle-France. Dans sa dépêche du 5 août 1683, il déclare que tout ira bien et que les Anglais ne feront plus de difficultés aux Français du Canada. Et juste à l'heure où ces lignes sont écrites, le gouverneur de New York commence sa carrière de façon ardente et déterminée.

Dès son arrivée, Dongan convoque une assemblée générale qui accouche d'une charte des libertés.

Chapitre 132

1683

En 1683, la politique de La Barre passe par quatre phases bien distinctes : deux de grand optimisme et deux de pessimisme absolu. Deux fois, il croit avoir résolu le problème iroquois, et deux fois, il croit l'heure de la guerre venue. Il ne peut pas voir au-delà des apparences, il est le jouet de toutes les rumeurs et de toutes les nouvelles qui lui parviennent.

La première phase, qui se situe sur les trois ou quatre premiers mois de l'année, déborde d'un optimisme sans bornes. Après avoir envoyé des lettres désespérées au mois de novembre 1682, il a tendance à tout voir en rose. Les Iroquois ont promis de venir au printemps et il croit en conséquence que tous les problèmes sont réglés. Ces sentiments se reflètent clairement dans la commission que le gouverneur signe le 1er mars 1683 pour nommer La Durantaye commandant à Michillimakinac. Ce gentilhomme se rendra dans la capitale des fourrures pour arrêter les personnes qui font la traite sans congé, pour confisquer des pelleteries et donner des ordres pour le maintien de la paix entre les Indiens alliés et les Français. Mais il apporte aussi des instructions qui révèlent bien l'état d'esprit du nouveau gouverneur. La Durantaye devra inciter les Indiens alliés à descendre en nombre à Montréal ; il n'oubliera pas les Kiskakons, car leur nouveau père veut se concerter avec eux pour élaborer des mesures relatives à leur sécurité ; il leur dira que l'Iroquoisie doit envoyer des députés de toutes les tribus pour négocier une paix solide entre les Français et elle, et entre elle et les Indiens allés. Le gouverneur ne peut proposer aucun règlement définitif sans leur concours. La Durantaye fera les communications aux Hurons et aux Miamis « les assurant que les chemins sont sûrs et qu'ils n'ont plus d'ennemis à craindre puisque les députés des Iroquois me seront venus trouver et seront près de moi ». La Barre agit cavalièrement à l'égard de La Salle, il désire que La Durantaye conduise une enquête sur les agissements du découvreur, il parle même d'arrestation. Ayant déjà commencé à le spolier, il envoie le chevalier de Baugy le chercher chez les Illinois pour le remplacer ; celui-ci tâchera de « leur faire savoir qu'ayant arrêté le bras des Iroquois qui étaient en marche pour les aller attaquer ils [les Iroquois] me sont venus trouver pour traiter de leur paix avec moi, qu'il faut que je sache par leurs députés [des Illinois] leurs intentions, et qu'il est nécessaire qu'ils m'envoient pour voir ce que je pourrai faire pour eux, et que puisque je suis leur père et leur protecteur, ils doivent venir s'adresser à moi pour m'expliquer leurs besoins ». La Barre poursuit en disant qu'il a appris que La Salle a attiré autour de son

Olivier Morel de La Durantaye (1640-1716), commandant de Michillimakinac de 1683 à 1690.

Louis-Henri de Baugy, dit le chevalier de Baugy (?-1720), ancien capitaine dans les régiments du cardinal Mazarin, arrivé à Québec en 1682.

fort, chez les Miamis, des Chouanons qui sont des ennemis des Iroquois et qui sont en guerre avec eux depuis longtemps. Les Iroquois se sont engagés à vivre en paix avec les Miamis, mais ils peuvent prendre prétexte de la présence des Chouanons pour les attaquer de nouveau. La Durantaye devra aller à la baie Verte, ou y envoyer un homme de confiance pour y rencontrer le père Nouvel, le prier de se rendre avec lui chez les Miamis, « pour les avertir de ce qu'a fait Onontio avec l'Iroquois en faveur des Miamis, et leur dire qu'il ne sera plus en état de les protéger et défendre s'ils souffrent les Chouanons proches d'eux et qu'il conseille de les en faire éloigner afin qu'ils ne les engagent pas de nouveau en une guerre avec les Iroquois. Il fera la même chose avec les Illinois... » La Barre croit donc que tout est réglé ; que les Iroquois n'attaqueront pas les Illinois ni les Miamis, qu'une paix générale va s'établir, que la route est sûre à partir des Illinois jusqu'à Montréal. Et il est tellement certain d'une solution heureuse qu'il affaiblit la coalition organisée dans l'ouest par La Salle et Frontenac, en ordonnant aux Miamis d'éloigner les Chouanons. La Durantaye et le chevalier de Baugy exécuteront leur mission.

Pendant ce temps-là, les affaires ne vont pas aussi bien dans le sud-ouest de l'Iroquoisie que La Barre l'imagine. Les Illinois se sont établis sur la rivière qui porte leur nom, tout près du Mississipi, autour du nouveau fort Saint-Louis, construit solidement sur un haut rocher. De leur côté, les Miamis sont restés autour de Chicago; les Iroquois les attaquent et leur détruisent dix cabanes. On ne connaît pas exactement le nombre des pertes. La Salle revient chez eux pour les soutenir et pour les encourager; pour leur demander aussi de ne pas quitter leur bourgade tant qu'il ne recevra pas de nouvelles de Québec ; mais il ne reçoit pas de nouvelles de Québec et il leur conseille de se défendre seuls ou de se rendre auprès des Illinois ; ils recevront une réception fraternelle et les deux peuples seront plus forts contre une expédition éventuelle des Iroquois. Les Miamis acceptent ce dernier conseil ; ils partent mais au bout de quatre jours de voyage, ils découvrent les pistes d'un gros parti de guerre iroquois; en prenant d'extrêmes précautions, ils reviennent à leur point de départ. Aucun désastre ne s'est produit, mais ces faits ne justifient pas l'optimisme exagéré du gouverneur. Dans l'ouest, il joue un jeu très dangereux en abandonnant La Salle, le spoliant, le remplaçant par un nouveau venu, le chevalier de Baugy qui arrive de France, en amorçant aussi un commerce personnel de pelleteries qui peut devenir néfaste à la colonie. Du jour au lendemain, les deux forts stratégiques de la France passent entre de nouvelles mains.

Puis une panique totale s'empare du gouverneur. Elle commence au mois de mai, atteint son point culminant à la fin du même mois et en juin, pour se dissiper ensuite au mois d'août. Elle est si violente qu'il faut envoyer immédiatement en France un député spécial, un individu du nom de Mahu, dans un navire spécial, pour réclamer immédiatement des troupes au roi. Ce messager apporte avec lui les dépêches les plus pessimistes que le gouverneur ait encore écrites. Que s'est-il produit? La Barre veut avertir le roi et ses ministres « qu'il ne peut éviter d'aller en guerre contre les Iroquois, et qu'il doit les attaquer la saison prochaine, dans le cas où eux-mêmes ne commenceraient pas la guerre cette année ». En effet, il a reçu un message disant que sept à huit cents guerriers iroquois conduisent une expédition de guerre contre les Kiskakons, les Hurons, les Outaouais et les Miamis. De leur côté, les Onnontagués semblent avoir oublié complètement leur promesse d'envoyer des ambassadeurs en Nouvelle-France au mois de juin ; ils parlent maintenant de les envoyer en juillet ; on lui dit que les Goyogouins et les Tsonnontouans ne suivront pas cet exemple, que ces deux tribus iroquoises se préparent à attaquer les Français à la fin de l'été ; qu'ils agissent à l'instigation et sous l'impulsion des Anglais qui ont maintenant chez eux des déserteurs français avec lesquels ils cherchent en canot des routes pour se rendre dans l'ouest. La Barre a envoyé des soldats sous le commandement de M. d'Orvilliers à Fort Frontenac. Il croit qu'il est absolument nécessaire d'attaquer les Tsonnontouans. Une barque est en construction à Katarakouy, des canots aussi. Dans une autre lettre du 4 novembre de la même année, adressée au ministre, La Barre reviendra sur les événements qui l'ont porté à envoyer un messager spécial en France. Il dira que les Iroquois conduisent un commerce de pelleteries à Albany où ils reçoivent un meilleur prix qu'en Nouvelle-France : « ...Le castor (exempt du droit du quart qu'il payait) y vaut beaucoup plus cher que chez nous... » ; les Iroquois veulent augmenter le volume de ce commerce en détruisant les Outaouais ; toute la *Cabane* s'étant consultée, elle a cru que la victoire était facile ; mais elle n'a pas été unanime. Tsonnontouans, Goyogouins et Onnontagués auraient envoyé cinq cents guerriers pour attaquer les Outaouais et s'emparer de Michillimakinac ; deux autres partis de cent cinquante guerriers chacun prendraient une autre route, attaqueraient les Miamis en passant, puis se joindraient au corps principal. Il s'agit de savoir qui sera le maître de la traite au nord-ouest ; ce motif de guerre est permanent et nul traité ne pourra le régler. La Barre affirme encore qu'il a envoyé trente hommes et des munitions à Michillimakinac, qu'il a ordonné aux coureurs des bois de s'y rendre pour défendre la place et que le sieur Duluth est sur les lieux pour s'y fortifier.

Rémy Guillouet d'Orvilliers (v. 1633-1713), gendre du gouverneur de La Barre, arriva en Nouvelle-France en 1682 et deviendra commandant du fort Frontenac en 1685.

Inutile de dire que si cette information avait été exacte, elle aurait été fort importante. Car à Michillimakinac se trouvaient les quartiers généraux de la Nouvelle-France, non seulement ceux des fourrures, mais aussi des missionnaires, de l'influence française sur les Indiens alliés, etc. De Meules, l'intendant, confirme ce que dit le gouverneur, en écrivant au roi et à ses ministres que La Barre lui a fait lire à Montréal des lettres reçues de divers endroits par lesquelles on l'avise des intentions militaires des Iroquois, « lesquels, paraissent nous vouloir attaquer à la fin de l'année ». Alors, après s'être consultés, ils ont envoyé un messager aux Iroquois pour savoir quand viendraient les ambassadeurs promis l'automne passé ; ceux-ci ont répondu qu'ils ne se souvenaient plus de cette promesse et que si les Français voulaient leur parler, ils n'avaient qu'à venir en Iroquoisie. Par cette réponse arrogante, ils recommencent leur petit jeu de l'année précédente. Mais ils n'ont plus affaire à Frontenac. La Barre envoie immédiatement un messager en France pour demander du secours, car à son avis, une telle attitude révèle des intentions de guerre. Si les Français ne détruisent pas les Iroquois, les Iroquois détruiront les Français, et si les Iroquois sont détruits, la quantité de fourrures qui arrivera à Montréal augmentera les prochaines années, car ils sont un obstacle à ce commerce. Si le roi décide d'ouvrir les hostilités, il doit garder le secret absolu, car la nouvelle peut atteindre les Iroquois par la Nouvelle-Angleterre. Ce serait peut-être le moyen par lequel les Indiens alliés seraient détruits. Les Français du Canada ont toujours de grands projets militaires, « ayant résolu d'aller camper dans leur pays [des Iroquois] et y faire hiverner une partie de nos Canadiens, qui savent vivre dans les bois comme eux ».

L'arrivée prochaine de trois compagnies.

Ces dépêches, du moins, ont un excellent résultat : le 29 août, la frégate *La Tempête* part de France avec trois compagnies formant un total de 150 hommes qui arriveront à Québec le 7 novembre. Les troupes que le roi a refusées à Frontenac, qui ne voulait pas s'en servir, il les accorde à La Barre dont le jugement est erratique et la conduite incertaine. Pendant que les soldats passent l'océan, l'intendant fait construire des canots, distribue aux habitants des fusils et de la poudre, se rend au fort Frontenac et il surveille le ravitaillement. Toutes mesures excellentes en soi, semblables aussi à celles que Frontenac avait prises ; mais l'esprit est changé, les projets de guerre sont plus précis.

La Barre a moins de fermeté que Frontenac, qui avait refusé en 1682 de se rendre à la demande des Iroquois dans leur pays pour négocier. En juin, il envoie Charles Le Moyne et un Iroquois de la Montagne. Le choix du député est excellent et peut éventuellement pallier l'erreur de manœuvre. Quatre tribus décident d'envoyer des ambassadeurs à Montréal.

Il s'agit de la Compagnie du Nord.

Charles Aubert de La Chesnaye (1632-1702), trafiquant de fourrures et financier.

Mais que se passe-t-il au juste pendant ce temps-là ? Le gouverneur donne son approbation à une société qui comprend quatorze personnes, pour faire la traite avec les Illinois enlevés à La Salle. Ces personnes quitteront Michillimakinac au mois d'août. M. de Belmont écrit : « Le général envoie en traite pour 16 000 livres de marchandises. » L'an prochain, le roi reprochera au gouverneur d'avoir donné des permis de traite à La Durantaye, au chevalier de Baugy et à d'autres. Nombre de témoignages établissent que pendant l'été les canots des hommes de La Barre, de La Chesnaye et de Le Ber, circulent librement sur l'Outaouais et sur les Grands Lacs. Baugy et La Durantaye passent le long des deux rives du lac Michigan. Le père Enjalran signale une attaque contre les Mascoutins, mais ne parle pas d'une attaque contre Michillimakinac. Le 4 novembre de la même année, de Meules croira avoir percé à jour la manœuvre du gouverneur. Il écrira au ministre que La Barre a envoyé des canots faire l'aller et le retour tout l'été ; que ces derniers étaient chargés de pelleteries. Les avait-il envoyés pour son profit personnel « par un prétexte de guerre à Michillimakinac ...dont tous ceux qui sont revenus cette année par les

Jean Enjalran (1639-1718), jésuite, supérieur de la mission chez les Outaouais de 1681 à 1688.

derniers canots, n'ont point entendu parler et dont il n'est fait aucune mention dans toutes les lettres que nous recevons » ; seuls les affidés du gouverneur ont écrit dans ce sens. La Barre reviendra sur le sujet dans une lettre du 4 novembre ; les dépêches qu'il a reçues de Michillimakinac indiqueraient que les Iroquois n'ont pas attaqué l'endroit, parce que les Français étaient bien armés. Les Goyogouins auraient capturé aux alentours de cinq Hurons, éclaireurs de Du Lhut ; les Tsonnontouans parlent de libérer ces prisonniers. C'est la dernière fois qu'il sera question de cette prétendue guerre. Elle a décidé la cour de France à envoyer des soldats au Canada, mais a surtout servi à couvrir les opérations commerciales de La Barre. Le gouverneur prend de grands risques sans le réaliser.

Mission fructueuse de Charles Le Moyne qui est de retour le 20 juillet 1683.

D'autre part, l'ambassade de Charles Le Moyne, prouve que les Iroquois ne sont pas encore prêts à adopter les mesures extrêmes qu'on leur attribue. Elle part au mois de juin avec de riches présents, négocie avec adresse et habileté ; le 20 juillet, Charles Le Moyne est de retour à Montréal avec treize ambassadeurs tsonnontouans qui resteront là pendant six semaines ; le 14 août arriveront les députés des autres tribus, au nombre de trente. Jusqu'à la fin du mois, le gouverneur les nourrira, les entretiendra, les couvrira de présents. Un grand conseil a lieu. D'après M. de Belmont, La Barre offre cinq présents aux Iroquois. Le premier est fait de huit capots blancs, huit chemises, quatre fusils et quatre juste-au-corps galonnés, une réparation pour le meurtre du capitaine tsonnontouan. Par le second, Le gouverneur leur enlève le droit de piller les Français qui vont en traite dans leur pays sans avoir de passe, mesure qui a donné lieu à des abus. Par le troisième, il leur apprend qu'il punira La Salle parce que cet homme a armé les Illinois ; et par le quatrième que les Hurons, les Algonquins, les Outaouais sont les enfants d'Onontio. Le cinquième présent est une demande adressée aux Iroquois d'expliquer pourquoi ils font la guerre aux Illinois et aux Miamis. Les cadeaux ont une valeur de deux mille écus. Les Iroquois donnent leur réponse, mais ils ne cèdent pas sur la question de la guerre avec les Illinois. C'est Teganissorens qui répond encore, d'après M. de Belmont : « Il dit fièrement : l'Illinois mérite la mort ; il m'a tué ; on n'osa point répondre. » Encore une fois, pourquoi punir La Salle d'avoir armé les Illinois, pourquoi obliger ces derniers à repousser leurs amis, les Chouanons ? Dans sa dépêche du 4 novembre, La Barre écrira au ministre que les Iroquois lui ont paru assez traitables, qu'ils sont apparemment partis satisfaits et contents. Il a obtenu d'eux leur amitié pour les Outaouais, les Algonquins et les Hurons. Teganissorens ayant donné les mêmes assurances à Frontenac en septembre 1682, il semble que toutes les rumeurs qui ont eu cours disant que les Iroquois attaqueraient ces peuples soient fausses. La Barre attend pour le printemps prochain une confirmation de la paix. Il est pour le moment en repos. Mais il attaque encore La Salle, disant qu'il ne peut permettre que cet homme se mette à la tête d'une coalition des ennemis des Iroquois. C'est une représentation fausse de la situation.

(voir page 176)

Le motif des Iroquois est le suivant : ils désirent que les Français se retirent du sud-ouest ; ils ne les attaqueront pas directement, mais s'en prendront aux Illinois qui apportent des fourrures à leurs forts ; si les Illinois sont dispersés et détruits, les Français, placés au milieu d'un désert, devront se retirer. Les Iroquois manœuvrent sourdement, continuellement, dans ce sens. Pour leur faire obstacle, il faut, comme le faisaient La Salle et Frontenac, former une coalition puissante de ces peuples, la tenir en alerte, l'armer, montrer les troupes venues de France, tenir les forts en bon état, se tenir prêt à tout ; mais ne pas attaquer l'Iroquoisie elle-même ; La Barre ne comprend rien à une politique de ce genre. À la fin de sa dépêche où il se déclare satisfait des Iroquois, il ajoute que le conflit est proche et « qu'il n'y a plus de temps à perdre et l'occasion est plus favorable de les attaquer cette année, qu'elle ne sera jamais... » Si le roi s'y décide, qu'il envoie 500 hommes, des munitions et tout le nécessaire ; il faut « se tirer cette épine du pied ». Les Iroquois sont « des gens qui ne veulent pas faire la guerre à l'étourdi, mais qui y sont bien résolus ». Au ministre, il écrit qu'il ne faut pas attendre d'être attaqué et que, avec des secours, « c'est une affaire que je finirai en un an ». Présomption sans nom et qui annonce bien les désastres prochains. Si La Barre réalisait combien difficile est cette guerre iroquoise, il parlerait avec plus de prudence. D'autre part, il n'est pas prouvé que les Iroquois désirent, en tant que nation, attaquer de nouveau la Nouvelle-France.

«La Barre ne comprend rien».

La Barre a-t-il déjà reçu la lettre que le roi lui a écrite le 5 août 1683, au moment où vient d'arriver en France le dénommé Mahu et la barque qui le transporte ? En principe, Louis XIV est nettement opposé à la guerre iroquoise ; elle empêcherait le développement régulier de la Nouvelle-France. Il conseille au gouverneur de « travailler avec soin à ramener les esprits de ces Iroquois par la douceur ». Pour que La Barre puisse faire des démonstrations militaires, il annonce 200 soldats, 500 mousquets, 500 fusils, 1 000 épées. La Barre vendra les armes aux habitants. Il envoie aussi des fonds et des provisions. Si jamais la guerre est nécessaire, le gouverneur doit agir de concert avec les Indiens alliés et faire en sorte qu'elle soit courte ; il donne l'ordre de profiter de toutes les occasions pour faire la paix.

Du renfort tout de même.

Enfin, en novembre 1683, les troupes arrivent de France et sont dispersées dans les paroisses autour de Québec. C'est en réalité un pauvre secours : cent soixante soldats à peine. La Salle revient de l'ouest à la dernière minute, il demeure à peine à Québec, puis il quitte le pays où il ne reviendra plus.

Chapitre 133

1683

Dongan rencontre les Agniers.

Le 4 octobre, au Fort Hames, à New York, le nouveau gouverneur, Dongan, prend contact avec l'Iroquoisie. Le conseil de l'État est rassemblé, et devant lui sont présents les sachems agniers. Il ne semble pas qu'il ait convoqué les députés des autres tribus, les Sénèkes. Il maintient la politique de ses prédécesseurs.

Dongan annonce donc aux Agniers qu'il les a appelés pour leur faire part de l'amitié que le roi d'Angleterre a pour eux, pour les assurer aussi de la sienne en particulier. Tout de suite, il « leur parla de ne plus faire la traite avec les Français ; ni de se rendre au Canada s'ils y étaient appelés sans avoir obtenu la permission de ce gouvernement, et de ne permettre à aucun Français de vivre parmi eux, sauf aux Jésuites..., sauf aussi à ceux qui auraient une passe du gouverneur de New York et un sceau..., et qu'ils devraient s'efforcer de ramener des territoires français autant de leurs amis qu'ils le pourraient, et de faire la paix avec les Indiens avec lesquels ils sont maintenant en guerre, et de faire la traite avec eux, et s'ils le jugent opportun, un Anglais ira avec eux ; et qu'ils apportent le commerce à ce gouvernement... » Puis le gouverneur leur demande « de lui dire ce que les Français leur ont dit quand ils leur ont demandé de venir au Canada, et ils [les Iroquois] doivent aussi mettre leurs voisins au courant des propositions qui leur ont été faites... »

Les Anglais parlent donc de nouveau comme s'ils étaient les maîtres absolus d'Anniéjé, mais non du reste de l'Iroquoisie ; ils tentent de monopoliser toute la traite de cette tribu, lui conseillant de faire la paix avec les Indiens des autres colonies anglaises, car les massacres et les troubles leur ont donné chaque année beaucoup trop de tracas ; ils craignent toujours la formation aux alentours de Montréal d'un noyau de population iroquoise qui, advenant la guerre, pourra être très dangereux ; enfin, ils ne veulent plus laisser aux Agniers l'initiative de leurs relations diplomatiques et étrangères ; il faudra passer par New York pour venir à Montréal et à Québec. C'est que l'État de New York devient chaque jour plus fort, que les Agniers vivent juste au-delà de la frontière et qu'ils ne peuvent résister à une pression de la part des Anglais ; ils savent sans doute, mieux que les étrangers, qu'ils peuvent difficilement, en cas de guerre, compter sur une assistance effective des autres tribus. Les Français ont-ils toujours ignoré ces décisions et déclarations de l'État de New York qui entraînent Anniéjé dans l'orbite de la puissance anglaise ? Il semble que oui, car la France n'a jamais protesté. Ce conseil a lieu environ un mois après celui de Montréal et il est naturel que Dongan ait voulu se renseigner.

Si les Français avaient connu les prétentions des Anglais sur le pays des Agniers, ils auraient protesté.

Les Agniers donnent ensuite leur réponse. Ils tenteront de ramener en Iroquoisie leurs compatriotes qui vivent en Nouvelle-France ; avec l'assistance du gouverneur, ils se disent assurés du succès. Ils ne veulent pas s'engager immédiatement à faire la paix avec les Indiens qu'ils combattent présentement ; aussitôt que les députés seront de retour dans leur trois bourgades, « ils auront une assemblée générale de toutes les tribus et leur communiqueront la proposition qui vient de leur être faite, et ils ne doutent pas que la proposition sera acceptée » ; car « le gouverneur précédent leur a dit la même chose ; et ils ont obéi et ils ont fait la paix... ». Ils observeront attentivement les Français : « ...Ils appartiennent et ils ont toujours appartenu à ce gouvernement, ils n'attendent aucune faveur des Français, et ils se mettent sous la protection de leur donneur ». Les Agniers ajoutent enfin qu'ils ont peu de peaux de castor. À cause de la paix, les autres tribus viennent chasser sur leurs territoires et ils ne peuvent les empêcher. Pour leur part, ils ne garderont pas de Français parmi eux, sauf les Jésuites « qui sont des hommes très bons et très tranquilles » ; mais ils ajoutent aussi : « ...Et cependant, si cela plaît à Son Honneur, ils renverront aussi ceux-ci. » Enfin, ils avouent que le gouverneur du Canada leur a demandé d'enterrer la hache de guerre levée contre d'autres tribus indiennes mais ils ne l'ont pas fait. Il serait faux de penser que les Agniers ne redoutent pas cette main puissante qui commence à peser sur eux ; et c'est pourquoi, comme les autres Iroquois, ils joueront la France contre l'Angleterre et l'Angleterre contre la France. Mais dans leur discours, ils doivent se montrer souples et conciliants, sous peine d'attirer sur eux la foudre. Les fiers Agniers se sentent dominés.

Comme les autres Iroquois, les Agniers joueront la France contre l'Angleterre.

Chapitre 134

1684

Cette année qui commence aura des conséquences qui modifieront les circonstances existantes et renverseront la situation en faveur des Anglais dans toute l'Iroquoisie. On ne saurait en exagérer l'importance dans l'histoire du Canada et de l'Amérique. Brusquement, La Barre abandonne la politique de M. de Courcelles et de Frontenac et il cause ainsi un dommage irréparable aux intérêts français.

Congé = permis de traite.

Le drame commence dans l'extrême ouest qui, depuis quelques années, est une source de nombreux conflits, de rumeurs contradictoires, qui font l'objet de rapports. Il apparaît dans une déclaration prêtée sous serment le 28 mai par les Français qui y ont joué un rôle : Beauvais Le Gardeur, François Lucas, Eustache Provost et Jean Desrosiers. Ils se sont associés pour aller en traite chez les Illinois. Ayant obtenu un congé du gouverneur, ils partent avec quatorze hommes et plusieurs canots remplis de marchandises qui, d'après M. de Belmont, appartiennent au gouverneur, et qu'ils doivent traiter pour lui. Ils arrivent à Michillimakinac au début du mois d'août 1683 et en repartent le 10. Pour on ne sait quelle raison, ces canots voyagent lentement. Le 4 décembre, ils atteignent la rivière Teatiki qui est située au sud ou au sud-ouest de Chicago. Surpris par les glaces et le froid, ils hivernent là, aux confins des territoires des Illinois. Le 23 février, ils envoient quatre hommes à la chasse du côté des Illinois : Jacques Baton, François Lucas, L'Estang, l'Hivernois, qui sont chargés de faire provision de viande. Ils partent et sont surpris par seize guerriers iroquois.

Des trafiquants de fourrures français attaqués par des Iroquois au pays des Illinois.

Chapitre 135

1684

La politique inconstante de La Barre attise l'audace des Iroquois. D'un autre côté, en mai et juin 1684, ils ne semblent pas disposés à en venir à une guerre ouverte.

Il en sera question au chapitre 136.

Au moment où La Barre écrit sa trop fameuse dépêche du 15 juin [1684], le plus grand chef iroquois, Teganissorens, de la tribu des Onnontagués, est revenu à Montréal avec quelques ambassadeurs pour négocier la paix. Leur présence à ce moment-là a une importante signification. Pour le faire venir à Montréal, il avait fallu à Frontenac, en 1682, un été entier et des mois de manœuvres et de négociations. La Barre a ce grand chef sous la main, au début de l'été, avant de prendre une décision finale.

Les Iroquois avaient été battus dans l'extrême ouest et ils revenaient humiliés par une campagne et un siège perdu. Ils avaient voulu attaquer les Français et certains d'entre eux avaient victorieusement résisté à un détachement considérable. La France voit son prestige s'accroître. Les Iroquois, qui voudraient réparer les pots cassés, envoient pour négocier leur plus grand homme, Teganissorens. Celui-ci, d'après les écrits du gouverneur, manifeste de bonnes intentions. Les négociations peuvent débuter avec les Français, qui sont en bonne posture après leur victoire, et avoir des résultats satisfaisants.

L'Iroquoisie indécise.

Sans doute, les Iroquois ne sont pas des saints. Ils sont intelligents, saisissent rapidement un avantage, manquent parfois à leur parole, comme des blancs. Mais les lettres des missionnaires, après les études des ethnologues, prouvent que les Iroquois forment une démocratie qui, à l'heure actuelle, est divisée, ce qui donne de cette nation une idée fausse. Les Tsonnontouans et les Goyogouins, qui sont plus intéressés que les autres tribus dans le conflit actuel, penchent dangereusement du côté de la guerre, alors qu'on peut négocier plus facilement avec les Onnontagués, les Onneyouts et les Agniers. Si le gouverneur comprenait la situation, il aiderait le parti favorable à la paix en Iroquoisie, négocierait avec lui, s'en ferait des amis autant que possible, donnerait des présents avec libéralité et discuterait sérieusement avec lui de la meilleure façon de régler les problèmes. Quand un puissant chef fait des avances, qu'il ose prendre la décision de venir malgré les hostilités en cours et les incidents, c'est que la situation est aussi favorable aux Français pour des négociations françaises, qu'elle est propice au parti de la paix en Iroquoisie. Le gouverneur devrait profiter de l'occasion pour mettre en échec ceux qui sont pour la guerre.

Teganissorens placé sous surveillance par La Barre, plus erratique que jamais.

Mais La Barre ne sait pas profiter de l'occasion qui s'offre à lui, de la chance qui se présente. Il fait arrêter Teganissorens et sa suite, comme il dit, sous le coup de la colère. Il met au début le chef onnontagué sous surveillance et le traite encore bien. Puisqu'il a décidé de faire la guerre, il veut, avant de la déclarer et d'arrêter l'Iroquois officiellement, que l'on puisse avertir les missionnaires français en Iroquoisie pour qu'ils aient le temps de revenir.

De nombreuses sources disent que Teganissorens et ses douze compagnons venaient en ambassade pour confirmer la paix.

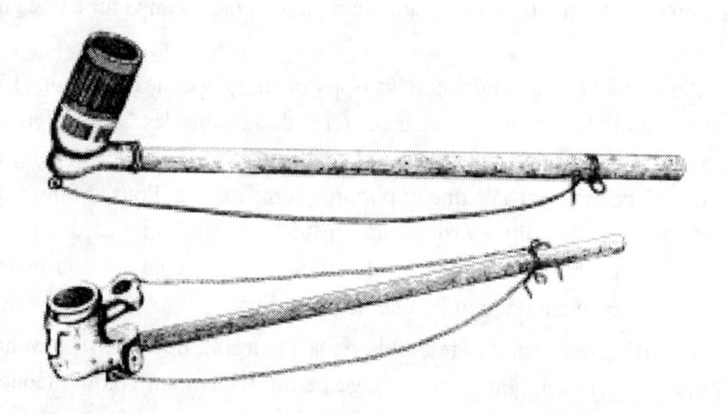

Chapitre 136

1684

La seconde erreur de jugement de La Barre a trait à l'idée qu'il se fait de la réaction de Dongan, des Anglais de l'État de New York et des Anglais en général. Elle est pour ainsi dire d'une naïveté colossale et coûtera à la France un prix considérable. Elle consiste surtout dans le fait que le gouverneur de la Nouvelle-France leur prête des intentions et des sentiments qu'ils n'ont pas.

La Barre a des excuses. Les rois de France et d'Angleterre sont en bons termes. Louis XIV a écrit au gouverneur pour lui dire que Dongan avait reçu des instructions de conciliation. Les premiers échanges de lettres entre les deux gouverneurs sont assez satisfaisants. Dongan étant catholique, on attendait de lui plus d'amabilité que d'un protestant.

La Barre prévient les Anglais lui-même de ses intentions belliqueuses.

Sous le coup de ces impressions, La Barre décide d'écrire à Dongan tout de suite après avoir décidé de faire la guerre aux Iroquois. Il n'attend pas que son armée soit rassemblée, sa campagne engagée, ses vivres placés en lieu sûr. Il n'a pas cette prudence. Placé en face du fait accompli, Dongan aurait été en bonne partie impuissant. La Barre écrit au gouverneur de New York dans le moment même où il fait ses premiers préparatifs, laissant largement à l'autre le loisir de mettre sur pied une contre-offensive, ses batteries en place et de faire des plans de bataille. C'est le sieur Bourbon qui est son messager : « Et dans le temps que j'étais dans une négociation douce et paisible avec eux, m'obligent de les attaquer, comme gens de la foi desquels nous n'avons rien à espérer, que meurtre et trahison et je n'ai pas voulu le faire sans vous en donner avis et vous dire en même temps que les Agniers et les Onneyouts, voisins d'Albany, ne m'ayant fait aucun mal, je prétends rester en paix avec eux et ne les point attaquer. »

La lettre de La Barre est du 15 juin. Une attaque imprévue des Tsonnontouans et des Goyogouins contre un fort où il avait envoyé un gentilhomme de sa maison pour remplacer La Salle, qui était retourné en France, le pillage complet de sept canots remplis de marchandises de traite, la détention pendant plusieurs jours de quatorze Français qui les conduisaient et ceci pendant que La Barre était en négociations avec eux, l'obligent à attaquer ce peuple dont les promesses ne valent rien et dont les Français ne peuvent attendre que meurtres et trahisons. Il n'a pas voulu attaquer sans prévenir le gouverneur de New York ; sans lui dire aussi que les deux tribus qui habitent près d'Albany, les Agniers et les Onneyouts, n'ayant fait aucun mal, il veut rester en paix avec elles. Les lettres qu'il a reçues de France indiquent que les rois de France et d'Angleterre désirent que Dongan et La Barre vivent comme des frères en Amérique ; c'est avec joie qu'il s'engage dans cette direction. La Barre espère donc que Dongan défendra aux marchands d'Albany de vendre des armes, de la poudre et du plomb aux Iroquois qui s'attaquent aux Français. Cette interdiction serait aussi un excellent moyen de les intimider. La Barre demande en fait la collaboration des Anglais dans cette guerre.

La Barre ne semble rien comprendre.

Cette malheureuse lettre, l'une des plus malheureuses de l'histoire du Canada, se rend vite à destination. Dongan la reçoit le 23 juin, y répond le 24. Sa riposte est fulgurante et d'une habileté machiavélique. Le gouverneur de New York regrette d'avoir appris l'événement si tard, car il aurait pris des mesures pour empêcher le conflit. « Ces Indiens, dit-il, dépendent de ce gouvernement, comme il appert par les lettres patentes de sa Royale Majesté, et parce qu'ils se soumettent eux-mêmes à ce gouvernement, comme cela est manifeste par nos archives. » Les territoires anglais s'étendent jusqu'à la rivière du Canada, jusqu'aux lacs. Et malgré cela, les Français viennent sur le lac, dans les régions au sud des deux lacs. Dongan demande de les bloquer. Il fera la même chose pour les Anglais, les empêchant de traverser cette frontière.

Dongan, à son dire, est tellement en faveur de la paix qu'il se rendra tout de suite à Albany où il demandera aux Iroquois de donner satisfaction aux Français, de remettre la valeur des marchandises pillées, etc. Si les Iroquois n'y consentent pas, ils ne les protégera pas arbitrairement. En même temps, il demande à La Barre de ne pas faire preuve d'hostilité : « ...Des conflits de cette nature sont d'une importance si grave qu'ils doivent être décidés dans nos patries respectives et non par nous. »

Tandis que Dongan comprend vite.

La grande bataille pour la possession de l'Iroquoisie, qui se profilait déjà dans l'histoire depuis de nombreuses années, est enfin engagée, par cette lettre, par celle, malencontreuse, de La Barre et par ce conflit. Hier encore, à New York, selon une tradition établie, les Anglais ne réclamaient comme sujets anglais que les Agniers et le pays des Agniers pour seul territoire anglais. Ni le conseil ni le gouverneur de l'État n'avaient porté leurs regards plus loin. Aujourd'hui, après la maladresse de La Barre, Dongan réclame pour l'Angleterre toute l'Iroquoisie et tous les Iroquois.

La Barre, par sa déclaration de guerre, a prêté le flanc à cette manœuvre et Dongan a saisi l'occasion au vol. Avec promptitude et finesse, il a montré les visées de son pays. Il sait et devine que, attaquées par la France, les trois tribus de l'Ouest vont se jeter d'un mouvement violent et subit sous la protection de l'État de New York, lui demander de l'aide et il pourra ainsi obtenir d'eux tout ce qu'il voudra ; les Iroquois ne s'opposeront pas à ses idées et le mouvement qui les éloigne de la France prendra dans tous les cantons une grande ampleur. En fait, les Iroquois se rallieront à lui pour échapper à la France.

Le problème ne s'était pas posé nettement jusqu'à ce jour. Les Hollandais n'ont par regardé si loin. Ils ont fait le commerce des pelleteries à Albany et n'ont eu des relations suivies qu'avec les Agniers. Ils ont toujours nommé les autres tribus de façon générale, Sinekes ou Senecas. On peut dire qu'aucun d'entre eux ne s'est aventuré plus loin que les bourgades des Agniers, et peut-être une fois vers celles des Onneyouts. Ils n'ont jamais connu, exploré, évangélisé l'Iroquoisie.

Pour les Hollandais, Onneyouts, Onnontagués, Goyogouins et Tsonnontouans étaient désignés par le nom Senèques. Aujourd'hui, on dit en anglais senecas pour tsonnontouans.

À l'époque où ils étaient là, des missionnaires sont restés quelques mois dans la capitale iroquoise et ont commencé une mission. Lauzon a jadis accordé une seigneurie aux Jésuites. Malgré la guerre, les tribus supérieures et les Français ont conclu plusieurs traités.

Puis M. de Tracy est venu au pays. Par les différents traités signés avec chaque tribu, il a établi les droits de la France. Tout d'abord, il y a eu la prise de possession de l'Iroquoisie. Ensuite, chaque tribu a reconnu que son territoire appartenait à la France et que les Iroquois étaient des sujets français. Enfin, les Jésuites ont envoyé des missionnaires ; les Français ont continuellement sillonné l'Iroquoisie ; des missions permanentes se sont établies, des relations commerciales se sont nouées, en particulier à Fort Frontenac, à Niagara et sur le lac Ontario. Des conseils ont eu lieu constamment entre les deux peuples pour régler les problèmes. Charles Le Moyne et Cavelier de La Salle ont fait de fréquents voyages et pendant cette période, les relations entre l'Iroquoisie, surtout l'Iroquoisie supérieure et la Nouvelle-France, ont été plus amicales et plus fréquentes qu'entre l'Iroquoisie et l'État de New York.

Quant aux Anglais, héritant des droits des Hollandais, ils ont fait comme eux le commerce des fourrures à Albany. Leurs prix très bas ont maintenu ce commerce. Aucun d'entre eux, si ce n'est en 1677, un explorateur, n'a visité l'Iroquoisie. Ils sont si peu certains de leurs droits qu'ils n'ont pas eu de revendications pendant les huit dernières années, ni sur les Agniers ni sur leur pays. Ils ont parlé d'expulser tous les Français du pays des Agniers, excepté les missionnaires, etc., mais ils n'ont jamais réclamé comme leur dû le reste de l'Iroquoisie. Dans les commissions de leurs gouverneurs et dans les instructions, on fait mention de la rivière du Canada, d'un lac, qui semble bien être le lac Champlain et non pas les Grands Lacs, les appellations sont vagues, trahissant une ignorance de la géographie du pays, mais que la diplomatie ne pouvait qu'utiliser. La tendance générale en 1684 porte à penser que les Anglais finiront par mettre la main sur le pays des Agniers, peut-être celui des Onneyouts, mais que les Français ont une bonne chance d'hériter du reste du pays. La politique de Frontenac allait dans cette direction.

Wentworth Greenhalgh

Ce qui met sans doute Dongan sur ce projet de revendication, c'est qu'il veut régler l'affaire de La Barre comme se règlent à Albany, depuis des années, les affaires du même genre. À plusieurs reprises, les Iroquois ont fait des déprédations dans les colonies anglaises au nord et au sud de New York ; ces dernières ont plus d'une fois pensé à déclarer la guerre aux Iroquois. Chaque fois, l'État de New York est intervenu, a demandé qu'on envoie des ambassadeurs à Albany, prenant la direction des négociations, et un accord a été conclu. Les Iroquois ont parfois versé des compensations.

L'État de New York a agi pour préserver et maintenir son commerce de fourrures qui lui est aussi précieux, qu'au Canada le sien. Les Iroquois lui apportent des pelleteries et il ne veut ni leur destruction ni leur affaiblissement, ni leur migration vers d'autres régions.

En désirant régler une affaire de ce genre avec une puissance étrangère, Dongan est obligé d'affirmer que l'Iroquoisie est un territoire anglais et que les habitants d'un territoire anglais sont des sujets anglais. Ce conflit ne peut pas lui être indifférent, il ne peut pas approuver la destruction des Iroquois dont La Barre a parlé, car cette affaire est vitale pour l'État de New York. Protéger les Iroquois, les garder là où ils sont, empêcher leur ruine et leur affaiblissement, telle doit être la politique anglaise, quel que soit le gouverneur à la tête de l'État, qu'il soit catholique ou protestant, irlandais, hollandais ou anglais. La Barre n'a rien compris au problème, il a fait preuve d'une incompétence flagrante en demandant à Dongan son assistance pendant que lui détruirait les Iroquois.

La Barre est coincé.

Après avoir reçu la lettre de Dongan, La Barre est dans un traquenard. Arrêter la guerre, c'est reconnaître les prétentions de l'Angleterre telles qu'exprimées dans la lettre de Dongan. La faire, c'est trouver les Anglais derrière les Iroquois et le conflit, au départ limité, peut devenir beaucoup plus important.

Dongan enfonce son clou.

D'ailleurs, Dongan revient sur le sujet dans une seconde lettre datée du 5 juillet à Albany. Il s'est donc rendu immédiatement sur les lieux avec la lettre de La Barre pour prouver aux Iroquois que les Français veulent leur faire la guerre, et ceci au cas où ils ne le sauraient pas. Muni de la fameuse lettre, la preuve incontestable, Dongan écrit qu'à Albany des sachems tsonnontouans lui ont dit que le gouverneur du Canada voulait leur faire la guerre ; ceux-ci croyaient même que les Français avaient déjà envahi leur pays. Et il ajoute : « Vous ne pouvez ignorer que ces Indiens appartiennent à ce gouvernement, et je vous assure qu'ils lui ont volontairement donné de nouveau et eux-mêmes, et leurs terres. » Alors, le tour est joué. Les Tsonnontouans ayant besoin de Dongan, il a posé des conditions qu'ils ont acceptées. Ils se sont donnés aux Anglais. Naturellement, il ne faut pas accorder à ce fait plus d'importance qu'il n'en a : les Tsonnontouans ne sont pas serviles au point de croire vraiment abandonner leur indépendance. Ce ne sont pour eux que des formules légales dont ils se serviront à l'occasion.

Les Tsonnontouans se donnent aux Anglais.

Les Anglais se font les protecteurs des Iroquois.

Dongan ajoute aussi que les Iroquois sont prêts à faire des réparations. Et : « Monsieur, je serai très malheureux d'apprendre que vous avez envahi les territoires du Duc après avoir reçu une offre si juste et si honnête, et ma promesse en plus. » Et j'ai « donné l'ordre de mettre l'écusson de Son Altesse Royale, le duc d'York, sur les bourgades iroquoises, ce qui veut vous dissuader de rien faire qui peut créer un malentendu entre nous... »

Tout cela est évidemment de bonne guerre et Dongan profite de l'ouverture que La Barre lui a faite pour faire valoir ses avantages de fait et de droit. Les lettres parviennent assez vite à destination, car La Barre répondra à son rival le 25 juillet de son camp de Lachine, la veille de partir pour le lac Ontario avec sa petite armée. Il se dit étonné de la lettre du 5 juillet. Il lui a envoyé un messager, Bourbon, pour l'aviser des mesures de représailles qu'il comptait prendre contre les Iroquois ; il veut riposter aux attaques des Goyogouins et des Tsonnontouans contre des Européens et des chrétiens. Il ne prétend pas conquérir des territoires. « ...Vous me répondez, dira-t-il, sur des prétentions de possession de terres dont ni vous ni moi ne sommes juges, mais nos deux Rois... » Il veut seulement que les Français soient respectés et pense qu'il aura les faveurs du duc d'York et du roi d'Angleterre par la guerre plus que par la paix : « ...Ils apprécieront grandement le châtiment que j'infligerai à ceux qui vous attaquent et font des prisonniers à même vos gens chaque jour, comme ils ont fait cet hiver au Maryland. Mais si j'étais assez infortuné que d'avoir affaire à un homme qui désire protéger les voleurs, les assassins et les traîtres, je ne pourrais faire la distinction entre leur protecteur et eux... » Cette fois-ci encore, La Barre envoie un messager, M. Salvaye, qui est chargé de donner des explications verbales à Dongan. Enfin, La Barre poursuit son récit par des indiscrétions impardonnables, révélant qu'il attaquera le 20 août. Les événements qui se sont produits jusqu'à ce jour ne l'ont pas encore éclairé et il pousse la naïveté jusqu'à révéler ses plans de campagne.

Le duc d'York, frère du roi Charles II.

La Barre a soulevé le problème de la possession de l'Iroquoisie dans des circonstances très défavorables pour la France ; il le renvoie devant les rois et leurs ministres des deux pays qui ont seuls toute autorité pour le régler. Les gouverneurs sont des exécutants qui ne peuvent pas prendre des décisions aussi graves. La Barre ne peut se priver du malin plaisir de rappeler que ces mêmes Iroquois que Dongan protège attaquent souvent les Anglais des autres colonies : en ce moment, une affaire de ce genre est en cours, qui sans aucun doute doit parfaitement ennuyer Dongan, mais qui ne l'empêchera pas de poursuivre son projet.

Les instructions données à Salvaye nous sont aussi restées. Ce messager doit raconter dans quelles circonstances a eu lieu le pillage des canots et faire le récit des trois attaques contre le fort Saint-Louis, pendant le siège d'une semaine. Il doit dire que les lieux où se sont produits ces événements sont occupés par les Français depuis plus de 25 ans, ceux-ci ayant établi des missions et fait la traite sans que les Iroquois n'interviennent. Le problème qui se pose n'est lié à aucune revendication territoriale, ni au pays des Iroquois ni au lac Érié. La Barre a rassemblé des ambassadeurs iroquois à Montréal en août 1683 et tous les problèmes ont été réglés à l'amiable ; les Tsonnontouans et les Goyogouins lui ayant demandé de retirer La Salle de ces quartiers, il le leur a accordé. Malgré ces conseils amicaux, deux cents Tsonnontouans et Goyogouins ont arrêté, en mars 1684, quatorze Français sur sept canots qui

Plaire aux Iroquois de l'ouest en se débarrassant de La Salle.

allaient en traite chez les Sioux. Ils ont volé leurs marchandises, gardé les Français prisonniers pendant neuf jours, puis les ont libérés sans même leur laisser un canot et en les insultant. Peu après, ce parti de deux cents guerriers a attaqué le fort Saint-Louis, commandé par le chevalier de Baugy. Les Français ont dû repousser trois assauts et les Iroquois ont retraité le 29 mars. Tous ces actes ont été commis en pleine paix et « pendant que Teganeout [Teganissorens] leur ambassadeur venait à lui [La Barre] pour la confirmer », cette paix. La Barre a donc arrêté cet ambassadeur, il le détient et il leur fait la guerre. En conséquence, il est certain que Dongan n'interviendra que pour l'aider à détruire ce peuple. Les Agniers et les Onneyouts sont innocents de tout crime dans cette affaire ; La Barre attend des nouvelles des Onnontagués. Les troupes françaises sont actuellement en marche et il ne peut donc remettre cette campagne à plus tard. Étant donné la bonne entente qui existe entre les rois de France et d'Angleterre, La Barre « ne pouvait penser que lui, [Dongan] avait aucune intention de protéger une trahison et une injustice... »

patente = écrit émanant d'une autorité.

Dongan répondra à cette lettre en disant qu'il ne veut pas justifier les actes commis par les Iroquois. Si le débat s'engage sur la possession des pays lointains où se sont produits ces événements, ces territoires « sont plus vraisemblablement nôtres » que français, dira-t-il, parce qu'ils sont près des colonies anglaises. Par ces mots, Dongan montre que les prétentions anglaises augmentent petit à petit ; hier encore Dongan n'osait réclamer que le pays des Agniers, maintenant il réclame non seulement toute l'Iroquoisie, mais aussi les vastes territoires au-delà, ceux qui s'étendent au sud de Chicago, qu'aucune patente du duc d'York ne protège et que pas un Anglais ou Hollandais n'a jamais visité ou entrevu. Il est sur le chemin du Mississipi mais d'un seul trait de plume. Il affirme d'ailleurs, tout bonnement et avec effronterie, que vingt-cinq ans de possession, les découvertes, la résidence des Jésuites dans les missions ne sont pas de véritables droits. Jolliet, La Salle, Marquette, Tonty, tous les Français qui ont visité ces régions, les ont explorées et exploitées, les prises de possession, tout cela ne signifie-t-il rien ? On voit de quelle manière Dongan procède.

Dongan ne semble pas connaître la géographie de l'Amérique du Nord.

D'ailleurs, le gouverneur de New York en sait si peu de la géographie de cette région que les Français connaissent si bien, qu'il parle de possession de terres, « de ce côté-ci du lac du Canada ». C'est à se demander si Dongan a d'autres informations que celle de l'existence d'un seul lac qui serait le lac Champlain ou le lac Ontario et qu'il ignore celle des autres Grands Lacs. Enfin, le gouverneur de New York demande pourquoi La Barre fait la guerre s'il ne s'agit pas de possession de terres puisque les Iroquois sont prêts à offrir une réparation pour le pillage des canots et pour l'assaut du fort. La Barre aurait dû le mettre au courant avant d'entreprendre la moindre chose et lui, Dongan, aurait obtenu des réparations. Mais les obtenir de cette manière va coûter cher à la France. La Barre aurait reconnu indirectement peut-être, mais aurait reconnu quand même que les Iroquois étaient des sujets anglais et que l'Iroquoisie appartenait à l'Angleterre.

Un problème de frontières se retrouve en Europe.

Naturellement, La Barre mettra le roi de France au courant de ce grand et délicat problème dont il l'a déjà informé en lui révélant sa correspondance avec Dongan. Louis XIV lui répondra qu'il a écrit à Barillon, l'ambassadeur français à Londres, pour que celui-ci saisisse le duc d'York et obtienne de Dongan une attitude plus amicale. De ces négociations sortiront à Paris et à Londres de larges développements qui arriveront un peu plus tard. Le problème de la possession de l'Iroquoisie est maintenant confié aux chancelleries et il prendra bientôt une importance extrême. Ce sera l'une des plus grandes conséquences de la guerre de La Barre.

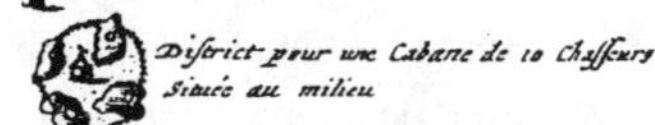
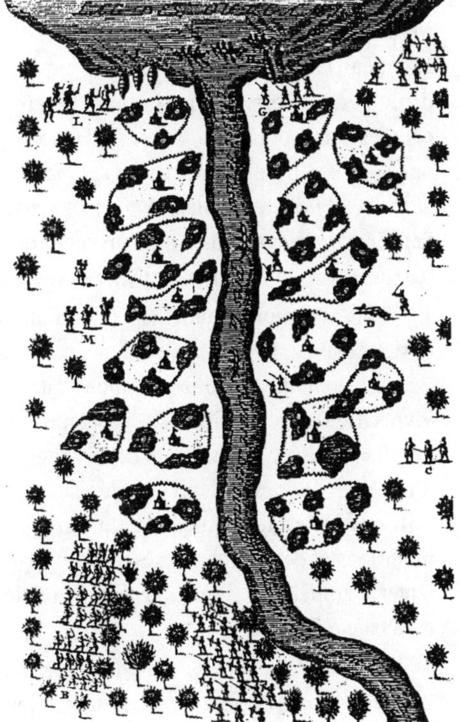

Chapitre 137

1684

Le gouverneur de La Barre ne veut attaquer que les Tsonnontouans.

Après avoir décidé de faire la guerre aux Iroquois, La Barre prend immédiatement ses dispositions. Il veut, tout d'abord, n'attaquer que les Tsonnontouans. Pour circonscrire le conflit et empêcher les autres tribus d'intervenir, il envoie des messagers qui feront part de son intention aux missionnaires qui, à leur tour, tenteront d'obtenir la neutralité des Agniers, des Onneyouts, des Onnontagués et des Goyogouins. Puis, avec l'assistance de M. Dollier de Casson et du père Bruyas, il choisit sept Iroquois catholiques de Montréal, sincèrement dévoués aux Français et aussi très habiles. On les munit de colliers et de résolutions, deux d'entre eux iront chez les Agniers, deux chez les Onneyouts, et trois chez les Onnontagués pour leur dire que les Français ont décidé d'observer la paix avec eux. Le père de Lamberville, dans une lettre du 13 juillet, dira aussi que ces Indiens avaient pour instruction de demander réparation des crimes commis, de dire que les Français désirent vivre en paix avec eux et les supplier de ne pas se mêler de cette guerre.

Iroquodoit ? Endroit non localisé. À moins qu'il s'agisse d'Irondequoit, à l'embouchure de la rivière Genesee.

Puis, il organise rapidement le ravitaillement du Fort Frontenac. Il y envoie le sieur Dutast, le 20, avec cinq ou six soldats et autant de charpentiers et de maçons pour mettre le fort en bon état et transporter des munitions et des vivres. Le sieur d'Orvilliers fera un rapide voyage au lac Ontario pour en faire le relevé et fixer l'endroit du débarquement à la baie Iroquodoit. Il ordonne d'expédier farines et autres vivres au lac Ontario ; pour les transporter, on utilisera les canots qui devaient partir incessamment pour apporter des munitions et des marchandises à Duluth qui est au lac Supérieur et qui devait tenter d'empêcher les relations commerciales entre les Indiens du Nord-Ouest et la baie d'Hudson.

Louis Armand de Lom d'Arce, ou baron de Lahontan (1666-1716), vécut au Canada de 1683 à 1693, auteur de récits de voyages et mémoires.

Lahontan raconte qu'il s'embarque pour le Fort Frontenac à Montréal le 23 juin. Au bout de vingt jours de navigation, il arrive à destination. Le fort est carré, avec de grandes courtines flanquées de quatre petits bastions. « Ce fort me paraît avantageusement situé pour trafiquer avec les cinq nations iroquoises, car... il leur est plus facile d'y transporter leur pelleteries en canot, que de les transporter à la Nouvelle-York par terre. » Les Iroquois du voisinage sont heureux d'apporter du gibier aux Français.

De Meulles, qui est chargé du ravitaillement, écrit que, vers le 15 juin, vingt-cinq canots ont transporté de la farine et du porc à Fort Frontenac ; que vers le milieu du mois de juillet, une autre flottille fera un second voyage de ravitaillement.

On réalise aussi qu'il n'y a pas assez de canots et on commence la construction de bateaux en pin de vingt-cinq pieds de long.

Le gouverneur de La Barre veut constituer un détachement d'Indiens alliés.

Pendant qu'il assure le ravitaillement du Fort Frontenac et qu'il lève les milices, La Barre pense aussi à constituer un détachement d'Indiens alliés. C'est la première fois que les Français organisent une collaboration militaire avec des tribus lointaines, le gouverneur tentant ainsi une expérince. Il envoie les sieurs Guillet et Hébert aux Outaouais pour avertir La Durantaye et Duluth de son projet de guerre et du besoin qu'il a d'une assistance venant de l'ouest. Il envoie aussi ses ordres au père Enjalran pendant que l'intendant lève la milice à Québec. D'après La Barre, Perrot « envoya des présents aux nations outaouaises pour les inviter à le venir joindre au Fort de Frontenac, afin de détruire conjointement ensemble le village des Onnontagués. » M. de La Durantaye devait commander les Outaouais, son second serait Duluth. Celui-ci revient du Kaministiquia. Mais l'un et l'autre, d'après Perrot, ont bien du mal à faire prendre le casse-tête aux Indiens alliés. Duluth a recours à Perrot qui connaît bien ces tribus et c'est lui qui y parvient. Duluth a aussi l'ordre « de rassembler tous les Français... qui avaient empêché la perte de Michillimakinac cet automne... », c'est-à-dire les coureurs des bois et autres Français très nombreux qui vivent et circulent dans ces territoires et qui sont en relations amicales avec les indigènes.

Lorsque ces corps d'armée seront rassemblés, ils ont l'ordre de « venir attaquer les Tsonnontouans par Niagara où je ferai mes efforts de me rendre avec 800 Français et quelques sauvages vers le 15 août que nous entrerons en action ».

Jean-Vincent d'Abbadie de Saint-Castin (1652-1707), un officier français qui devint un chef abénaquis.

Le 6 juin 1684, La Barre a demandé que Saint-Castin vienne à Québec avec des Abénaquis. Celui-ci en enverra un certain nombre.

Le succès semble assuré. La Barre met beaucoup d'espoir dans ces contingents de l'ouest qui lui fourniront des guerriers capables de faire la guerre à l'indienne et de poursuivre les Iroquois dans les forêts et de les détruire. La réunion de ces troupes de l'ouest et de l'est sera pourtant difficile.

Les premières nouvelles qui viennent de là-bas sont assez encourageantes. Une cinquantaine d'Indiens alliés viennent l'assurer de leur entière collaboration. Ces tribus seraient assez disposées à marcher.

Plus tard, La Barre apprendra que Duluth et La Durantaye pourront venir avec une centaine de Français chacun et de nombreuses troupes d'Indiens alliés : « ...J'espère être joint dans le pays ennemi vers le 1er de septembre », et il ajoute, « ...Je fais tous ces préparatifs pour exterminer cette nation... »

Dans son mémoire, La Barre dira qu'il y avait à Niagara 150 Français et 550 Indiens alliés.

Comme c'est la première fois que les Indiens alliés participent aux guerres de la France d'une façon active, il est bon de préciser sous quelles conditions ils donneront cette assistance.

À propos des Indiens alliés.

Tout d'abord, il faut faire une distinction entre les Indiens alliés du Wisconsin et du lac Supérieur et les Illinois-Miamis du sud. Les nations prédominantes du premier groupe sont les Hurons et les Outaouais. Les uns et les autres sont des intermédiaires, des agents, qui se procurent les pelleteries dans un vaste rayon autour du lac Supérieur et viennent les vendre aux Français. Ils ont été contraints à deux reprises de se réfugier de plus en plus profondément dans l'ouest : par les attaques des Iroquois, lors de la destruction de la Huronie, et pendant la période subséquente. Ils sont revenus à Michillimakinac peu après la paix de 1665-1666-1667. Ce sont aujourd'hui des tribus relativement peu belliqueuses, qui ont le complexe de la défaite, redoutent les Iroquois, mais qui, d'un autre côté, sont continuellement attirées par le prix des marchandises à Albany que les Iroquois leur font miroiter. Leur comportement est donc toujours vacillant, tortueux, peu sûr. Les autres Indiens alliés, restes de tribus décimées, dont quelques-unes cependant sont assez nombreuses, ont peu de cohésion, ont souvent des différends et entrent en conflit, pensant davantage à se battre les unes contre les autres ou contre les Sioux, qu'à combattre les Iroquois. Toutes redoutent au fond l'Iroquois dont les partis ont quelquefois fait des massacres dans leurs villages, tué leurs chasseurs, leurs femmes et leurs enfants. Il est très difficile d'organiser chez eux un parti de guerre, de lui donner une certaine cohésion.

Illinois et Miamis sont plus nombreux, plus résistants, ont moins de complexe d'infériorité et sont meilleurs guerriers. Mais ils sont moins bien armés, ils n'ont pratiquement pas d'armes à feu et vivent loin du lieu du conflit. Les meilleures troupes, on les trouverait là.

Toutes ces tribus vivent plus ou moins en paix avec les Iroquois. Pour elles, prendre part à une expédition française du genre de celle que prépare La Barre, c'est se mettre en état de guerre avec l'Iroquoisie et ouvrir les hostilités. C'est comme souffler sur un feu qui sommeille pour en tirer de longues flammes, s'attirer des représailles en cas d'insuccès et s'exposer aux coups. Elles sont aussi favorables à la destruction des Iroquois que les Français ; elles veulent les rabaisser, détruire leur puissance. Mais une entreprise qui n'aura pour résultat que d'exciter les Iroquois contre elles provoquera des réactions très violentes que les Français ne semblent pas réaliser. Elle auront toujours aussi la crainte continuelle et profonde d'être laissés en proie aux Iroquois par les Français qui, faisant la paix avec l'Iroquoisie, ne les incluraient pas dans le traité. Elles n'ont pas assez confiance dans leur propres forces pour tenir en échec ce puissant adversaire. Trop divisées,elles manquent de cohésion et le souvenir du passé les maintient dans une crainte permanente. Malgré de profonds éclairs de haine contre l'Iroquois, ils préfèrent encore la paix ou la demi-paix qui peut régner, à un état de guerre déclaré qui les expose aux attaques.

Chez les nations commerçantes, les prix élevés d'Albany sont une tentation continuelle. C'est une réaction que Perrot et d'autres interprètent mal. Ils accusent souvent ces nations de céder à l'intérêt, de vouloir traiter avec leurs ennemis invétérés, alors que les Français de Nouvelle-France font eux-mêmes de la contrebande sur une grande échelle pour profiter aussi des prix avantageux. Ils ne semblent pas comprendre la nature humaine qui est pourtant toujours la même dans tous les pays, à toutes les époques et sur tous les continents.

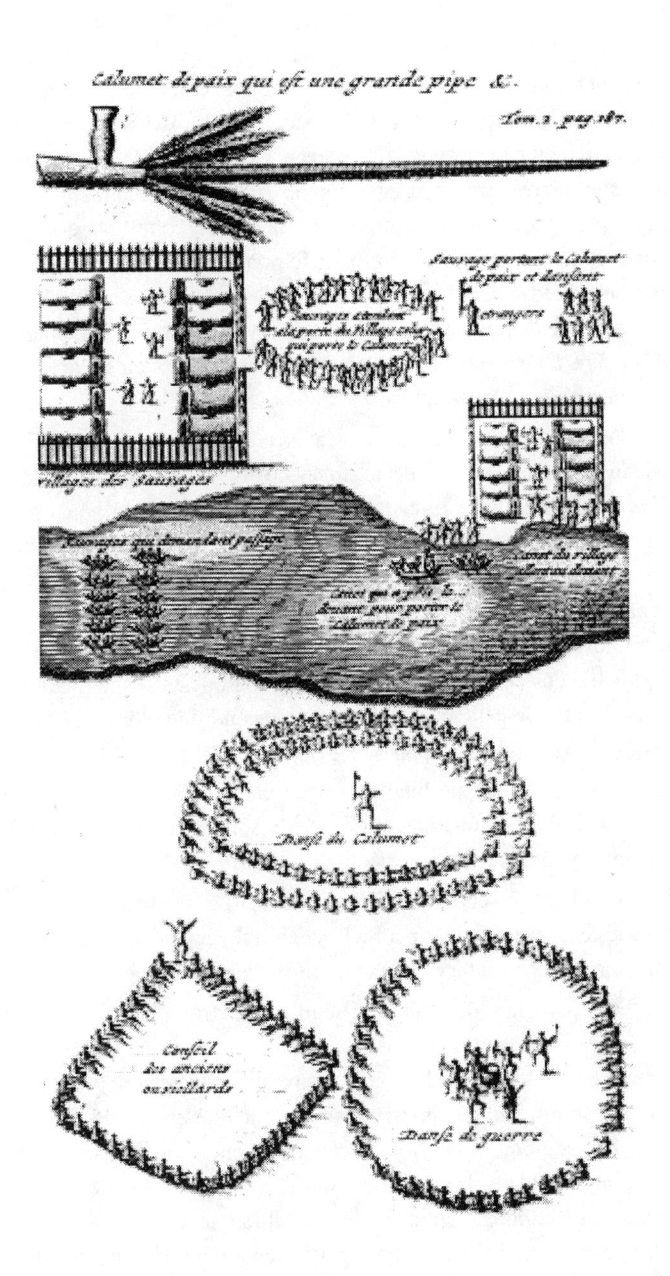

Chapitre 138

1684

Préparatifs de guerre.

La Barre met donc la machine de guerre en mouvement le plus rapidement qu'il le peut. Du lac Supérieur à Québec, c'est le branle-bas de combat. Cependant, il a eu peu de soldats de France. Cent cinquante ou cent soixante hommes sont arrivés très tard en automne 1683. Le roi, après avoir lu les dépêches pessimistes du gouverneur de la fin de cette année-là, décide d'envoyer d'autres troupes pour grossir le nombre de ces jeunes recrues. Il annonce en effet, dans une lettre du 10 avril 1684, qu'il donne ordre à Richefort de lever deux cents nouveaux soldats et de les envoyer avec des munitions. Mais en même temps le roi espère que le gouverneur ne s'en servira pas pour faire la guerre contre les Iroquois.

Évidemment, ces troupes ne peuvent arriver à temps pour la guerre. Plus tard, à la fin du mois de juin, un détachement de trois cents soldats s'embarquera sur l'*Émérillon*, ce qui, d'après les ministres, permettrait au gouverneur de livrer une bataille décisive aux Iroquois ou bien de leur imposer une paix définitive. Ces soldats arriveront avec des vivres et des munitions. Mais en tout et partout, il n'y a pas plus de quatre cents cinquante soldats, de sorte que La Barre devra utiliser en majorité des troupes canadiennes, c'est-à-dire la milice, les Indiens catholiques et aussi ceux de l'ouest. Ces derniers soldats arriveront à la fin de la même année en bonne condition physique.

Plus tard, vers la mi-novembre, La Barre parlera des dix compagnies qui sont arrivées, ce qui fait un total d'environ cinq cents soldats. Mais de ces compagnies, il dira, « nous n'avons ni vieux soldats, ni presque d'officiers expérimentés pour les commander ».

Le 31 juillet, le roi écrira à La Barre qu'il envoie encore trois cents soldats de plus que ceux déjà envoyés par La Rochelle ; il veut qu'il soit en mesure de faire la guerre avec avantage et de la terminer rapidement.

La Barre part enfin de Québec le 9 juillet avec trois cents miliciens. Il est à Montréal le 16. La concentration des troupes des autres parties de la colonie se fait peu à peu. Il y a quinze bateaux et deux cents canots pour les transporter.

Les Iroquois du Sault Saint-Louis et de la Montagne se joignent aux troupes de La Barre. Une première.

Finalement, le gouverneur pourra compter sur une armée de douze cents hommes. Sur ce nombre, on trouve trois cents guerriers indiens de l'est du Canada, c'est-à-dire des Iroquois de Montréal, des Hurons et des Abénaquis. Les Iroquois catholiques rejoindront l'expédition au Long Sault. Ce fait est important car on se demandait quel parti prendraient les Iroquois du Sault Saint-Louis et de la Montagne, advenant une guerre entre l'Iroquoisie et la

Nouvelle-France. Le choix était pour eux très difficile. Cependant, ils optent pour leur nouvelle patrie, ils combattront pour elle pour la première fois, il faut le signaler.

La Barre écrira le 9 juillet pour indiquer qu'il va partir le lendemain de Québec avec sept cents miliciens, cent trente soldats et deux cents Indiens ; il s'attend à ce que Du Lhut soit sur les lieux le moment venu avec les Indiens alliés et les coureurs des bois. Trois barques sont prêtes à Fort Frontenac ; Du Tast est là avec quatre-vingt soldats pour tenir le poste et recevoir les vivres. Cent cinquante canots d'écorce et douze bateaux plats sont prêts. S'il était certain de la jonction des détachements de la Nouvelle-France et des contingents de l'ouest, il serait assuré de la victoire et de la destruction des Iroquois. Les lettres de l'ouest, qui datent du début de juin, sont encourageantes.

Le 17 août 1684, au Fort Frontenac, il y a cent un Iroquois catholiques de Laprairie, soixante Iroquois catholiques de la Montagne, soixante-cinq Abénaquis, quarante Hurons catholiques de l'est, soixante-douze Algonquins, quarante Népissingues, ce qui fait au total 378 Indiens de l'est du Canada.

Les Népissingues constituent une tribu de la famille algique et avaient leurs villages sur les bords du lac Nipissing (Ontario).

Dans son rapport officiel du mois d'octobre, La Barre dira qu'il est parti de Montréal avec deux cents canots et quinze bateaux.

Le départ de Montréal a lieu le 30 juillet 1684. Le 1er août, ils sont au lac Saint-François, le 2 au Long Sault. Cinquante hommes étaient partis à l'avance pour couper les arbres dans les portages car le Long Sault est difficile d'accès. Les Iroquois chrétiens les rejoignent et aident l'armée à portager. Le 5 août, à La Galette, c'est le terminus des rapides et la barque neuve du Fort Frontenac est là. Le 9 août, il est au Fort Frontenac. Le 16, Le Moyne part pour Onnontagué et on commence à manquer de pain. Le 21, des sacs de farine arrivent et on part pour La Famine. Le 27, arrivent à La Famine Le Moyne et Teganissorens. Le 29, La Barre est à La Famine. Il trouve l'armée malade. Le 3 septembre, Le Moyne arrive avec des ambassadeurs et le 4 un conseil dure six heures.

Chapitre 139

1684

Jean-Baptiste Colbert, marquis de Seignelay (1651-1690), fils du grand Colbert.

Dans une dépêche adressée à de Meules et datée du 10 avril, Seignelay résumait bien les instructions faites par le roi à La Barre : mon intention, disait-il, était que vous ne fassiez pas la guerre, mais en même temps je vous donne le pouvoir de la commencer.

Mais quelles étaient les instructions royales ?

La Barre était bien décidé à la commencer. Il l'annonce dans sa lettre du 5 juin. Louis XIV lui répond le 21 juillet. Il pense que cette guerre est un malheur pour la Nouvelle-France, qu'elle interrompra le commerce, empêchera de cultiver le sol et exposera les habitants qui vivent dans des lieux solitaires ou éloignés à des attaques que le gouverneur ne pourra pas empêcher; cependant, le roi ne peut se décider à blâmer le gouverneur. Les deux incidents mentionnés, plus la conviction de La Barre, qui était que les Iroquois avaient sérieusement décidé de déclarer la guerre, lui parait une raison suffisante. Alors, pour l'aider à en finir rapidement, il veut lui envoyer l'*Émérillon* avec trois cents soldats. Il ne doute pas qu'avec ce secours, La Barre puisse non seulement combattre de façon avantageuse, mais encore détruire complètement le peuple iroquois ; ou du moins, après les avoir punis de leur insolence, leur imposer une paix à ses conditions.

Le roi insiste beaucoup sur une action rapide. Une victoire qui prendrait du temps serait une cause de ruine pour la colonie, parce que les habitants ne pourraient subsister au milieu d'attaques continuelles, ni cultiver la terre ou faire du commerce. Alors même si La Barre était sûr, par une guerre longue, de détruire les Iroquois et de rehausser l'honneur des armes du roi, il devrait préférer la paix qui supprimerait les inquiétudes des habitants de la colonie et leur permettrait de la faire fructifier et de l'enrichir.

Le roi ajoute encore qu'il a écrit à l'ambassadeur de France à Londres pour obtenir du duc d'York des ordres qui défendraient de vendre des armes et des munitions aux Iroquois ou de les assister avec des troupes. Il a lieu de croire que ces ordres seront donnés.

Des Iroquois pour les galères royales.

Après avoir blâmé La Barre d'avoir trop libéralement accordé des congés de traite, lui avoir demandé de remettre à La Salle ou à ses gens toutes ses propriété, le roi ajoute cet ordre qui aura un grand retentissement : « Comme il importe au bien de mon service, dit-il, de diminuer autant qu'il se pourra le nombre des Iroquois et que d'ailleurs ces sauvages qui sont forts et robustes serviront utilement sur mes galères, je veux que vous fassiez tout ce qui sera possible pour en faire un grand nombre prisonniers de guerre, et que vous les fassiez embarquer par toutes les occasions qui se présenteront pour les faire passer en France. »

Chapitre 140

1684

Quelles sont les intentions réelles de La Barre au moment de son départ de Montréal avec les troupes ? Apparemment, il est décidé à faire la guerre ; l'attaque doit porter contre les Tsonnontouans. D'Orvilliers a fait des reconnaissances au printemps. Le 9 juillet, le gouverneur écrit encore en France pour lui dire qu'il partira le 10, qu'il aura avec lui 700 Canadiens, 130 soldats et 200 Indiens et qu'il attend des Indiens alliés au rendez-vous « et nous étant tous joints, y périr ou les détruire... »

Il écrit aussi au roi pour « lui apprendre que je marche contre eux... » ; et qu'il attend les Français et les Indiens alliés de l'Ouest : « ...j'espère être joint dans le pays ennemi vers le 1er de septembre... Je fais tous ces préparatifs pour exterminer cette nation... » Le roi doit envoyer les secours demandés « sans quoi il ne faut plus qu'elle [Sa Majesté] compte sur ces pays... » Il n'y a aucune chance de paix.

Ces phrases semblent révéler une détermination suffisante. Cependant, existe-t-elle vraiment ? Deux lettres qui lui sont adressées de Québec, peut-être par l'intendant, semblent indiquer que la résolution de La Barre n'est pas si sûre. Dans la première on dit ce qui suit : « ...L'on fait courir le bruit à Québec que vous avez l'intention de faire la paix avec les Iroquois... » Ce serait une politique dangereuse, dit le correspondant, elle découragerait les Indiens alliés. Ce correspondant veut se croire « très persuadé que vous n'avez d'autre intention que d'attaquer les Tsonnontouans, ayant engagé Sa Majesté à faire des dépenses excessives... » Si aucune bataille n'a lieu, les Français seront déconsidérés auprès des Indiens alliés, de même qu'auprès de leurs ennemis... « ...Si les Iroquois après tant d'appareil et d'extérieur trouvent le secret par des belles paroles ou par d'autres moyens de nous apaiser, ils nous regarderont comme des gens que l'on peut offenser en toute liberté... » Il ajoute encore qu'il est « persuadé que vous êtes assez prudent pour vous être imaginé toutes les suites de la guerre et de la paix, ce qui me fait croire que vous n'écouterez aucune proposition de la part des Iroquois... » Le temps serait venu de « faire tous nos efforts pour détruire les Iroquois et nous fortifier dans leur village comme vous l'avez projeté bien des fois ».

«Des gens que l'on peut offenser en toute liberté».

Celui qui écrit ainsi est un haut personnage qui se méfie évidemment des intentions belliqueuses de La Barre. La lettre du 14 août est tout à fait dans le même ton. Le correspondant fait faire le compte des miliciens absents par ceux qui restent ; il a reçu la lettre du gouverneur datée de La Galette « par laquelle vous nous faites espérer que vous apprendrez aux Iroquois à ne plus attaquer ni avoir de différend avec les Français». Aucune paix sans guerre ne conduira à ce résultat, les Iroquois seront toujours les ennemis des Français. En voyant une armée, les Iroquois feront des propositions de paix, en paroles, mais en même temps ils s'allieront pour l'avenir aux Anglais et à d'autres peuples. Les Indiens alliés s'attendent à la guerre: «...Je sais que les dits Outaouais ne se sont engagés à vous aller trouver que dans la pensée que vous ne feriez aucune paix avec les dits Iroquois...» Lorsqu'on leur a demandé à Michillimakinac de venir prendre part au combat, ils ont demandé «si vous ne feriez point la paix avec les dits Iroquois...» Les Français qui devaient leur répondre ont alors affirmé fortement que La Barre ne ferait pas la paix. Alors, dans un cas de paix sans guerre, les Indiens alliés pourront se jeter dans les bras des Iroquois. D'autre part, les Français ont tiré l'épée contre les Iroquois et l'inimitié de ceux-ci est certaine. Il n'y a rien d'autre à faire maintenant que la guerre. L'occasion est bonne puisque les Français ont pour eux «les Agniers, les Onneyouts, et une partie des Onnontagués...» Une paix sans guerre serait dangereuse. Le correspondant termine par les phrases suivantes: «...Toutes ces raisons me font conclure qu'il ne faut point absolument de paix avec les Iroquois quelque avantageuse qu'on la puisse faire, et se mettre dans l'esprit que si nous ne les détruisons pas il faut qu'ils nous détruisent ...votre honneur est engagé et le salut du pays.»

Beaucoup de confusion dans l'air.

Est-ce de Meulles qui tente de soutenir les intentions du gouverneur ? On sait ce que l'intendant écrira sur cette campagne. Il parlera longuement du commerce des fourrures au lac Ontario; que les vivres, les canots, les barques de l'État servent à un trafic qui enrichit des particuliers et, entre autres, le gouverneur. Il racontera le pillage de la factorerie de Niagara. Les Iroquois, plus tard cependant, remettront les marchandises. La Barre aurait décidé cette guerre dans son cabinet avec les grands marchands de la colonie; exposés à perdre de grandes quantités de fourrures ou de marchandises par les attaques iroquoises, ils ont voulu faire la guerre aux Tsonnontouans pour empêcher ces attaques. La guerre est donc entreprise pour des raisons spécieuses, les intérêts et le profit de quelques-uns. Il dira aussi: «...Je ne trouve aucune disposition dans l'esprit de Monsieur le Général pour faire la guerre aux sauvages, je crois qu'il se contentera d'aller en canot jusques à Katarakouy», et ensuite, négocier la paix avec les Tsonnontouans «et jouer le peuple, l'Intendant et... Sa Majesté...». Le grand homme de La Barre serait La Chesnaye, le grand négociant de fourrures.

Des avis très divers.

Dans une lettre du 8 juillet, l'intendant de Meulles donne son opinion. Il écrit à Seignelay et il ne ménage pas le gouverneur. D'après lui, cette guerre est très mal vue en Nouvelle-France, il y a des protestations; on répète que l'armée veut simplement protéger les marchands de fourrures: «...Cette guerre a été décidée dans le cabinet du Général, avec six des plus riches marchands du pays.» La Barre pourrait arranger les choses s'il le voulait. L'intendant parle du sieur de La Chesnaye comme le seul conseiller de La Barre. Et il ajoute cette phrase curieuse : « Je crois qu'il se contentera de pagayer aussi loin que Katarakouy, et ensuite demander aux Tsonnontouans de venir pour négocier la paix avec eux... »

Chapitre 141

1684

Établi au cœur de l'Iroquoisie, Jean de Lamberville plaide en faveur de la paix.

Si des pressions s'exercent sur le gouverneur pour le pousser à faire la guerre, on va aussi chercher à l'influencer fortement vers une solution pacifique. Le père Jean de Lamberville va faire des pressions dans ce sens. Il est établi dans la capitale iroquoise depuis déjà plusieurs années et il est parfaitement au courant de tout ce qui se passe en Iroquoisie ; il va déclarer qu'il est opposé à un conflit entre la Nouvelle-France et les Iroquois. Malheureusement, il se manifeste alors que l'expédition de guerre est déjà organisée et La Barre ne recevra pas ses premières lettres avant d'avoir atteint le lac Saint-François. Elles contiennent tout d'abord un puissant plaidoyer pour la paix ; elles proposent aussi une solution à laquelle se ralliera finalement le gouverneur. On a souvent l'impression qu'au début du mois d'août, le père de Lamberville a saisi le gouvernail de ce vaisseau, mollement dirigé, qu'est la Nouvelle-France, pour le mener vers le port qu'il a choisi. En fait, la politique de la Nouvelle-France semble s'élaborer à Onnontaé dans la capitale iroquoise, plutôt qu'à Québec.

La Barre avait-il raison de penser pouvoir tenir quatre nations iroquoises à l'écart d'un conflit avec les Tsonnontouans ?

La première lettre du père de Lamberville, l'aîné, est du 10 juillet. Elle annonce au gouverneur qu'un grand conseil est sur le point de se tenir à Onnontaé. Le but des Iroquois qui l'organisent est de faire l'union des tribus iroquoises dans la prochaine guerre contre les Français et de mettre aussi les Tsonnontouans au courant des manœuvres de La Barre pour empêcher les quatre autres tribus d'assister les Tsonnontouans. Le père de Lamberville se dit surpris que Charles Le Moyne ou d'autres personnes au courant des affaires iroquoises n'aient pas dit au gouverneur que les Iroquois formaient une Confédération et que l'on ne peut attaquer une tribu sans se mettre en guerre avec les autres.

En théorie, les observations du missionnaire sont bonnes ; mais en pratique, comme on l'a vu et comme on le verra plus tard, des tribus iroquoises non agressées viennent rarement à la rescousse de celles qui le sont. Les liens qui unissent la Confédération ne sont pas encore assez puissants ni assez solides. La Barre avait parfaitement raison d'avoir tenté de neutraliser quatre tribus et il aurait certainement réussi.

Jean de Lamberville est le frère aîné de Jacques.

Après avoir annoncé que son frère le mettra au courant des autres problèmes, le missionnaire ajoute que les Onnontagués voudraient régler ce différend. Il les oriente vers une réparation pour avoir pillé des marchandises et tente de les persuader. « ...Si vous désirez, dit-il au gouverneur, maintenir la paix par quelque satisfaction qu'ils [les Onnontagués] décideraient les Tsonnontouans à vous faire, ceci serait très acceptable... » Et il agit ainsi « dans le dessein d'éviter si possible, une infinité de maux qui tomberaient sur le Canada. » Il ajoute encore ceci : « J'ai toujours pensé que le paix devrait vous être très précieuse et que tous les avantages qui peuvent être présentés devraient vous induire à redouter la guerre. » Malheureusement, le missionnaire ne sait pas si le gouverneur veut à tout prix la guerre ou la paix ; il préférerait quitter son poste. Décevoir les Iroquois n'est pas une tâche pour lui. Il décrit ensuite l'Iroquoisie comme une vraie démocratie ; nombre d'Iroquois sont peinés d'avoir à prendre les armes contre le France ; ils savent que les Tsonnontouans, leurs compatriotes, sont d'une grande insolence. Ceux-là veulent maintenir la paix ; ils veulent persuader les Tsonnontouans de faire une réparation. Ils désirent éviter d'en arriver à des extrémité qui sont toujours désastreuses.

Puis, le missionnaire montre à La Barre les dangers évidents de cette guerre qu'il a entreprise ; si une véritable guerre iroquoise éclate, tous les habitants de la Nouvelle-France qui ont une maison éloignée devront la quitter et l'abandonner. On peut s'attendre à la destruction par le feu des moissons et des granges. Des Français seront capturés avec les conséquences que l'on connaît : « Je pense toujours que la paix doit vous être très précieuse et que tous les avantages qui peuvent vous être présentés doivent vous excuser de redouter la guerre. Un délai afin d'arranger les affaires plus à loisir et après avoir reçu de l'assistance de la France, vous éviterait beaucoup d'embarras qui suivront de tous les côtés. »

Les conséquences de la guerre.

Alors que tous ne pensent qu'à l'attaque contre les Iroquois, le père de Lamberville envisage déjà les attaques des Iroquois contre la Nouvelle-France, qui se produiront en cas de guerre, prévoyant des ravages et des massacres bien plus horribles que ce qu'ils furent ces dix dernières années. Les préparatifs nécessaires pour empêcher les habitants isolés de souffrir d'éventuelles représailles n'ont pas été faits. Personne n'y a pensé. Avant 1665, la population était en grande partie concentrée dans trois forts : Montréal, Trois-Rivières et Québec, ou dans leur voisinage immédiat. En 1684, la situation est différente : des centres de colonisation se sont ouverts tout le long du fleuve, des seigneuries ont été concédées, les colons travaillent partout au défrichement entre Québec et Montréal. Ainsi, une grande partie de la population est exposée aux raids des Iroquois dont elle ne pourra se défendre. Les ennemis, avec l'habileté qui leur est coutumière, se glisseront dans la forêt pour attaquer par surprise, massacrer et brûler.

Le père de Lamberville pense à ce terrible danger et l'annonce. Dans quelle mesure l'opinion du père affecte-t-elle La Barre et contribue-t-elle à modifier ses premiers projets ? On l'ignore. Mais une chose est certaine, c'est que son successeur aura pour premier soin, avant d'attaquer les Tsonnontouans, d'imposer des mesures pour garantir la sécurité de la population de la Nouvelle-France, dispersée et exposée. Frontenac y avait déjà pensé en septembre 1682 quand il attendait les Iroquois qui ne venaient pas : il surveillait la construction des redoutes sur l'île de Montréal.

En dévoilant un des aspects du problème, le père de Lamberville montre au gouverneur qu'il met les habitants en danger et à quel point il est mal préparé pour faire la guerre.

Le lendemain, 11 juillet, il écrit une seconde lettre, mais qui est, elle aussi, un plaidoyer clair, court et précis contre la guerre. Si le gouverneur, dit le missionnaire, désire vraiment un arrangement, celui-ci est possible. On pourrait même obtenir d'importantes concessions. Le traité pourrait porter sur le problème des frontières, du commerce, garantir la sécurité de la Nouvelle-France par la construction de forts à La Famine, ou à La Galette, ou encore dans le pays des Tsonnontouans, si on le juge utile. L'armée française arrivant, les Iroquois seront disposés à faire des concessions et à jeter du lest avant de lui faire face.

Avertissement du père de Lamberville : tout à perdre, rien à gagner.

Mais d'un autre côté, affirme le père de Lamberville, si La Barre désire un conflit, il n'en tirera aucun avantage : tous les Iroquois feront la guerre à la Nouvelle-France, toutes les tribus s'uniront. Les Tsonnontouans abandonneront leurs bourgades ; ils dresseront des embuscades partout dans leur pays à l'armée d'invasion. Ils ont mis en sûreté leurs provisions de maïs et ils se préparent des refuges dans la forêt pour les femmes, les enfants et les vieillards.

Au conseil général qu'on organise, tous les Iroquois, d'après les données actuelles, se ligueront contre la France si les Français et les Tsonnontouans n'acceptent par les propositions de médiation des Onnontagués.

Le missionnaire revient sur les idées développées dans sa première lettre. En cas de guerre, des partis de guerriers rôderont partout en Nouvelle-France. Les récoltes des colons seront en péril ; sous peine de perdre la vie, les habitants devront se réfugier dans les forts. Elle risque d'être longue, les vivres manqueront partout, il faudra les faire venir de France. Quant aux Iroquois, ils savent qu'ils peuvent s'enfuir dans la forêt et se mettre à l'abri des attaques des troupes françaises, qu'ils peuvent trouver leur subsistance dans la chasse et fuir jusqu'au Maryland s'ils le désirent.

Avec une grande sagesse, le père de Lamberville montre qu'il y a peu de succès possible dans cette entreprise, mais qu'en revanche, il y a de grands dangers. Les Iroquois l'ont bien compris.

Les Anglais introduisent aussi un élément nouveau. L'agent du gouvernement de New York est en ce moment à Onnontaé, dit le missionnaire, et il offre des munitions à bon marché.

La père de Lamberville voudrait que La Barre se contente d'une réparation, que les Français d'Onnontaé tâcheront de lui obtenir des Tsonnontouans. De cette façon, il éviterait de grands maux à la Nouvelle-France et à ses habitants qu'il préserverait des supplices. Le mode de guerre des Iroquois est dangereux et peut leur assurer des succès, du moins tous les Iroquois le pensent, en se rappelant le passé.

Deux jours plus tard, soit le 13 juillet, le père de Lamberville revient à la charge. Il envoie sa lettre, dit-il, par le missionnaire des Onneyouts, le père Millet, qui quitte son poste.

Les Iroquois, affirme-t-il, ne peuvent comprendre que la guerre soit déclarée sans que les Français aient fait auparavant une demande de satisfaction ou de réparation. Sur ce point, il écrit la phrase révélatrice suivante : « J'ai fortement demandé aux Onnontagués de vous donner satisfaction, selon les instructions qu'avaient ici les Iroquois chrétiens, vos agents. » On se rappelle que La Barre a envoyé des Iroquois chrétiens aux Agniers, aux Onneyouts, aux Onnontagués pour obtenir la neutralité de ces tribus et les tenir en dehors du conflit. Ces Iroquois avaient certainement d'autres instructions, comme le prouve la phrase précédente du père de Lamberville. On leur avait demandé de tâcher d'obtenir une réparation, faute de quoi la guerre aurait probablement lieu. Ceci tendrait à prouver que dès le début, les projets du gouverneur n'étaient ni très fermes ni très précis. Était-il absolument décidé à faire la guerre, quoi qu'il arrive, ou à ne la faire que s'il n'obtenait pas satisfaction ? Cette dernière théorie semble la plus plausible, étant donné la phrase précédente du père de Lamberville.

Le missionnaire informe le gouverneur que, d'après les renseignements qu'il possède, les Tsonnontouans sont décidés à se battre, non dans leurs bourgades et leurs forts mais bien dans la forêt. Les Onnontagués voudraient un arrangement. En 1683, lui, le père de Lamberville, a garanti par un collier de grains de nacre donné aux Tsonnontouans et par un autre donné aux Onnontagués, que si des détachements iroquois rencontraient des Français chez les Illinois et s'il se produisait des actions hostiles, l'affaire serait arrangée à l'amiable par les deux partis, sans entraîner de conséquences graves. Or, le cas prévu par cet arrangement s'est produit. Il faut donc aujourd'hui régler l'affaire à l'amiable selon l'engagement qui a été pris.

Pourquoi pas un règlement à l'amiable.

On conçoit mal que le père de Lamberville ait conclu un accord aussi important en 1683 de sa propre autorité. Il a probablement agi selon les instructions de La Barre. On se rappelle que cette année-là, le gouverneur, ne voyant pas venir les ambassadeurs iroquois, avait envoyé Charles Le Moyne en Iroquoisie pour négocier l'envoi d'une ambassade ; celle-ci était venue et avait passé plusieurs jours à Montréal. L'accord dont parle le père de Lamberville a probablement été élaboré à une étape quelconque des négociations. C'était une grande concession aux Onnontagués et aux Tsonnontouans : il leur promettait que même si un parti iroquois rencontrait des Français en pays illinois, et qu'il y avait conflit, l'affaire se réglerait par des négociations, et non par la guerre. Inutile de dire que ceci pouvait attirer à la Nouvelle-France un certain nombre d'incidents comme le pillage de canots français et le siège du fort Saint-Louis. Assurés à l'avance que ces incidents ne provoqueraient pas une guerre, pourquoi les Iroquois se seraient-ils gênés ? En 1684, les Iroquois peuvent être surpris que, malgré leur promesse, les

Français pensent à la guerre et l'organisent. Les Français manquent à leurs engagements. D'après ceux-ci, ils n'avaient qu'à négocier ; ils s'étaient attiré directement l'affaire des canots et du fort Saint-Louis. Sans doute, ils n'avaient pas accordé cette concession de gaieté de cœur, pour leur plaisir pas plus que Frontenac, lorsqu'il avait entendu Teganissorens lui déclarer que sa tribu attaquerait les Illinois alliés de la France, ne lui avait riposté immédiatement que la France leur ferait la guerre pour cette raison.

Le père de Lamberville négocie donc comme on s'y était engagé. Il poursuit sa lettre du 13 juillet en indiquant que le père Millet est chargé de dire à La Barre combien il serait à propos d'envoyer Charles Le Moyne sur les lieux. Les Iroquois sont résolus à ne pas commencer cette guerre eux-mêmes. Ils laisseront La Barre la commencer, soit en attaquant immédiatement soit après avoir refusé la réparation. Puis, son frère, le père de Lamberville, le jeune, fera part des décisions du conseil iroquois où l'Onnontagué sera pour ainsi dire un modérateur, un conciliateur. Les Iroquois ont accepté une réparation pour la mort d'un de leurs capitaines tué par les Kiskakons, pourquoi les Français n'en accepteraient-ils pas une à leur tour pour le pillage de quelques canots ?

Les Iroquois tentent de négocier la paix.

Une quatrième lettre, du 18 juillet, est tout aussi intéressante. Elle donne les conclusions des conseils qui ont eu lieu entre les Iroquois les deux jours précédents, soit les 16 et 17 juillet. Le père de Lamberville a fait trois propositions au nom du gouverneur en offrant trois présents ; les Iroquois lui en ont offert neuf. Il se demande si le gouverneur saura apprécier le mal qu'il s'est donné pour qu'une réparation soit accordée et, ajoute-t-il, « pour vous extriquer des fatigues, des embarras et des conséquences d'une guerre désastreuse... »

En fin de compte, les Tsonnontouans, par messager spécial, lui ont dit qu'ils accorderaient une réparation plus importante que celle qu'ils avaient promise ; ils ne feront plus la guerre aux Miamis ou à tout autre nation. Mais avant d'en arriver là, les Onnontagués avaient mis tout en œuvre et intrigué, pour gagner ces mêmes Tsonnontouans. Le premier jour du conseil, leurs sachems étaient désespérés ; ils venaient lui raconter qu'ils ne gagneraient rien auprès des Tsonnontouans, que ceux-ci refusaient les présents, étaient décidés à faire la guerre. Onneyouts et Goyogouins sont gagnés plus tard et se prononcent en faveur d'une politique de réparation. On en vient aux injures et le calme du conseil est troublé. Puis les sachems viennent voir le missionnaire à tour de rôle ; ils veulent savoir pourquoi on a fait partir les missionnaires du conseil. Ils répondent que la cause réelle de leur absence est le déplaisir qu'ils éprouvent, ainsi que le gouverneur, du mépris que leur montrent les Tsonnontouans et des injures dont ils les couvrent. À la fin, les Onnontagués persuadent les Tsonnontouans de leur confier le règlement de leur différend avec les Français, à condition naturellement que, si La Barre n'accepte pas leur médiation, tous les Iroquois s'uniront aux Tsonnontouans contre les Français. La Grande Gueule et son triumvirat ont fait des merveilles dans cette affaire ; c'est à eux que l'on doit ce résultat.

Un grand conseil tumultueux dominé par la sagesse.

Le père de Lamberville demande donc qu'on envoie immédiatement Charles Le Moyne et que celui-ci reçoive avant de partir les ordres du gouverneur. Les Onnontagués l'attendront à Chouaguen, c'est-à-dire à l'entrée de la rivière Oswego.

Voilà la première série des lettres remarquables qui éclairent cette période.

Otreouti, ou la Grande Geule (Grangula), chef et orateur onontagué qui inspira à Lahontan le personnage de «La Grangula» dans ses Voyages de l'Amérique Septentrionale.

Chapitre 142

1684

Dans les trois premiers jours du mois d'août, la situation est la suivante : La Barre et son armée remontent le Saint-Laurent ; il vient de recevoir au lac Saint-François, les lettres du père de Lamberville, apportées par Lamberville le jeune et le père Millet ; il reçoit aussi d'eux des messages verbaux. À ce moment-là, il prend probablement la décision de conclure cette guerre par des négociations et des réparations ; les Iroquois, de leur côté, assemblés à Onnontaé les 16 et 17 juillet, ont offert de négocier avec La Barre et ont choisi comme médiateurs les Onnontagués ; mais dans les premiers jours d'août, ils ne savent pas si ces offres seront acceptées par le gouverneur du Canada.

Des Iroquois se tournent vers Albany.

Est-ce pour se protéger quoi qu'il arrive que, le 2 août, des ambassadeurs onnontagués et goyogouins sont à Albany pour négocier avec les Anglais ? Tiennent-ils à se préserver au cas où La Barre persisterait dans son projet de leur faire la guerre ? On ne sait pas. Les procès-verbaux ne donnent aucun détail. Sont-ce des dissidents qui apportent des propositions précises, concrètes que l'on peut lire dans les documents anglais ? Dongan est là, paraît-il, de même que lord Howard of Effingham qui représente le Maryland. Ces propositions montrent une des conséquences de l'équipée désastreuse de La Barre.

Les Iroquois se disent « un peuple libre s'unissant lui-même aux Anglais ».

La première est la suivante : « Que les Anglais les protégeront contre les Français, autrement ils [les Iroquois] perdront tout le castor et toute la chasse. » Voilà ce qu'ils ont obtenu. Mais à quelles conditions : « Qu'ils se sont placés, eux et leurs terres sous la protection du Roi... Ils placent leurs terres sous la juridiction de Sa Majesté et sous la juridiction d'aucun autre gouvernement que celui de New York... Ils sont un peuple libre s'unissant lui-même aux Anglais... »

Les expressions de ce genre sont nombreuses. Quand les Anglais sont arrivés, dit-il, ils formaient un petit peuple et les Iroquois un grand peuple. Maintenant, ce sont les Iroquois qui sont un petit peuple et les Anglais un grand peuple, grâce aux territoires que les Iroquois leur ont donnés et à leurs bons traitements. Les Iroquois disent maintenant à leurs voisins : « ...Vous nous protégerez contre les Français, et si vous ne le faites pas, nous perdrons toute notre chasse et tous nos castors. Les Français auront tous les castors, et ils sont fâchés parce que nous vous en apportons... Nous avons placé nos terres et nous nous plaçons nous-mêmes sous la protection du grand Duc d'York... » Ils viennent de donner les territoires de la Susquehanna qu'ils ont conquis sur

William Penn (1644-1718), fondateur en 1682 de la Pennsylvanie.

les Andastes à l'État de New York, et non à Penn qui les demandait, pour que New York soit un grand arbre « sous les branches duquel nous nous abriterons contre les Français ou contre tout autre peuple ».

Ces phrases, prises dans les documents anglais, montrent jusqu'à quel point les Iroquois, menacés par La Barre, réagissent vivement. Une guerre est toujours une affaire grave. Les Iroquois redoutent fortement les Français à cette époque, c'est évident ; ils se tournent avec insistance du côté des Anglais, leur fournissant des arguments, disant des phrases, faisant des gestes que les Anglais pourront utiliser plus tard pour défendre leurs droits sur l'Iroquoisie. La Barre n'a pas prévu cette réaction qui arrache pour ainsi dire l'Iroquoisie des mains de la France.

Dongan est tellement convaincu de l'importance fondamentale de ce mouvement, qu'il accorde peu d'importance aux petites déprédations et autres massacres commis dans certaines colonies anglaises. Cela est secondaire.

Dongan prend les choses en main.

D'ailleurs, Dongan ne s'en tient pas là. Les nations s'imitent parfois. Louis XIV et ses ministres voudraient que l'on fasse le commerce des fourrures à Montréal, comme les Anglais le font à Albany ; que l'on n'accorde pas de congés pour la traite dans les pays d'En-Haut ; que les coureurs des bois reviennent à leur domicile, toutes mesures qui auraient pour effet direct de vider les marchés français de fourrures, puisque l'on verse un prix trois ou quatre fois plus élevé à Albany et que toutes les pelleteries s'en iraient inévitablement là. Maintenant c'est Dongan, le gouverneur de New York, qui veut imiter les Français. Il a constaté que la politique des Français leur attirait tout de même une bonne quantité de peaux de castor, qu'elle leur permettait de placer ici et là des forts dans des endroits stratégiques, qui seront très utiles lorsqu'il faudra délimiter les possessions européennes, et qu'elle avait été à l'origine des découvertes, des prises de possession. Grâce à elle, les Français s'emparaient lentement de toute l'Amérique du Nord. Alors, pendant les conseils de 1684, Dongan inaugure une politique agressive. Il veut qu'Albany soit une place bien fortifiée, que les Anglais construisent un fort en face de Katarakouy, sur la rive sud du lac Ontario, pour lui faire pendant, que des factoreries et des forts naissent là où c'est nécessaire, que les Anglais aient leurs coureurs des bois pour s'aventurer dans l'ouest. Il conçoit l'ouest comme ceci : les peuples au sud du lac Ontario dépendent des Anglais, ceux qui sont au nord, des Français, mais plus loin, à l'ouest du lac Michigan, les tribus indiennes ne sont sous l'autorité de personne, les Anglais comme les Français peuvent aller là pour traiter. Sa conception des choses ne concorde pas avec les faits juridiques de l'époque, ni simplement avec l'état de fait, pas plus qu'avec les droits des découvertes ou de ceux des prises de possession ou d'occupation.

Dorénavant, les Anglais construiront des forts et des factoreries.

Partage selon Dongan.

On voit que la politique agressive et déterminée de Dongan, son apparente mauvaise foi aussi, vont le mener vers un conflit sérieux qui ne se dénouera pas facilement. Les deux nations sont jetées avec force l'une contre l'autre. Tout est remis en question.

Il serait inutile de prétendre que le conflit avec l'Angleterre aurait été évité si La Barre n'avait pas entrepris cette guerre. La Barre l'a commencée à un moment et dans des circonstances où la France ne pouvait que difficilement s'en sortir avec succès. Il donnait à l'Angleterre de puissants alliés militaires, et à la France de terribles ennemis.

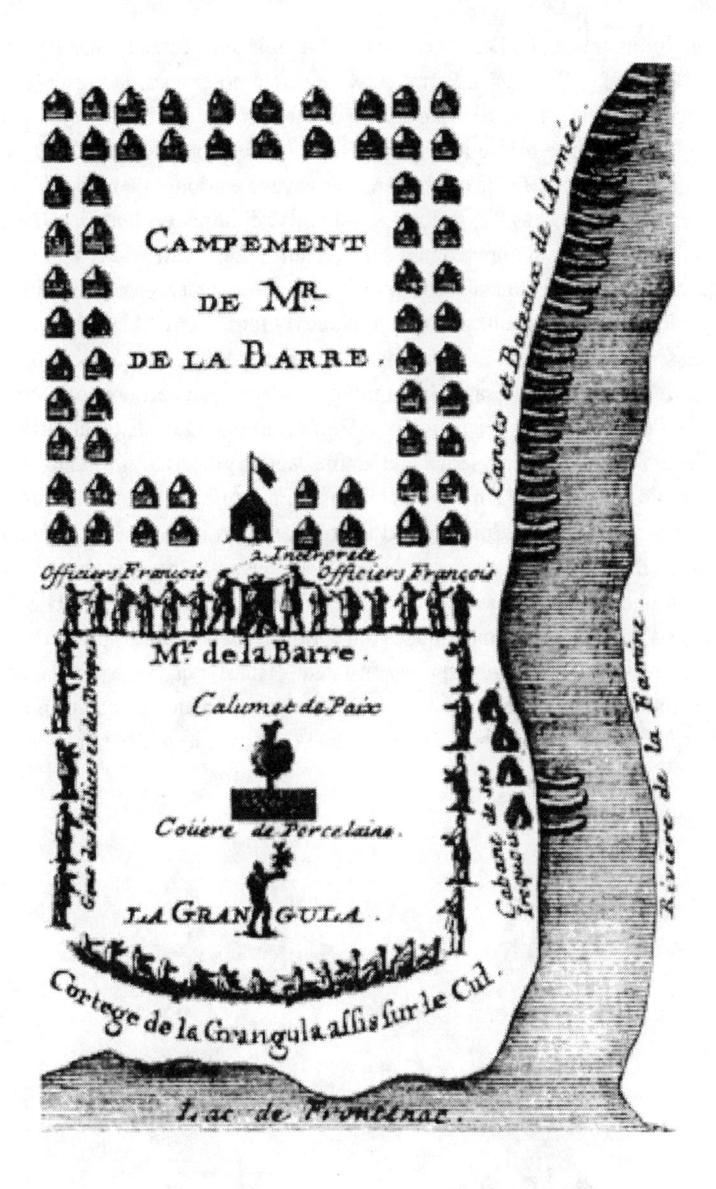

Chapitre 143

1684

À Michillimakinac, La Durantaye avait rassemblé deux cents Français et cinq cents Hurons et Outaouais. Parmi ceux-ci, il faut noter aussi la présence des Outagamis et des Renards que Perrot avait enrôlés. Ce contingent quitte Michillimakinac le même jour où La Barre quitte Montréal, soit le 29 juin. Ces gens doivent se rendre à Niagara. Le voyage est long. Des péripéties se succèdent. Il faut chasser ; il y a des traînards ; d'autres veulent simplement s'en retourner sous un prétexte ou sous un autre. Les guides de ces guerriers capricieux, assez peu convaincus eux-mêmes, qui écoutent les présages, doivent négocier continuellement, se montrer habiles et faire preuve de courage. Rien ne ressemble moins aux expéditions de guerre européennes, que ces courses où pour un mauvais présage, le moindre incident, les guerriers sont prêts à quitter l'armée. Ils sont peu convaincus. Enfin, ce contingent disparate arrivera à Niagara quand La Barre sera à La Famine. Aucun préparatif n'a été fait pour le recevoir. Il n'y a là ni vivres ni fusils, comme l'avaient promis les organisateurs de l'expédition, pas d'instructions non plus. Une exaspération bien justifiée s'empare de ces guerriers. Quelques-uns pensent même qu'il s'agit d'une trahison et que les Français veulent les livrer aux Iroquois. D'autres parlent d'attaquer les Tsonnontouans d'une façon indépendante, puisqu'ils sont là. Les vents sont contraires, tous le constatent, et une barque ne pourrait arriver en ce moment de Fort Frontenac. Finalement, une trentaine d'Indiens partent en exploration et ils rencontrent une barque qui arrive avec des nouvelles.

En fait, La Barre quitte Montréal le 30 juillet (voir page 209).

Courses = expéditions

Chapitre 144

1684

On voit bien dans quelles circonstances La Barre quitte Montréal. À Onnontaé, dans la capitale iroquoise, les missionnaires ont trouvé une formule pour maintenir la paix et tenter d'obtenir à la fois l'approbation des tribus iroquoises et celle du gouverneur du Canada. À Albany, les Iroquois s'assurent de l'alliance de l'État de New York et lui donnent en retour les territoires des Andastes et certains droits nominaux sur leur pays. La Durantaye et Dulhut ont organisé à Michillimakinac un corps d'Indiens alliés et de coureurs des bois, et vont se mettre en route pour essayer d'arriver à temps au rendez-vous avec les forces de la Nouvelle-France. Il semble acquis que s'il y a une guerre, les autres tribus iroquoises combattront avec les Tsonnontouans. Ceux-ci ont obtenu des munitions et des armes des Anglais. L'état de fait qui existait en Amérique depuis de nombreuse années, tant pour le commerce des fourrures que pour les possessions territoriales, est totalement rompu par Dongan qui se fait le protecteur et le défenseur des Iroquois.

La Barre a quitté Québec le 9 juillet avec trois cents miliciens du district après avoir écrit ses dépêches officielles. Le 16, il est à Montréal. Il y rassemble quatre cents autres miliciens. Les Canadiens fournissent donc à l'armée sept cents hommes. Il rajoute ensuite cent trente soldats. Du Tast est à Fort Frontenac pour le couvrir, le protéger et recevoir les vivres, avec quatre-vingts soldats. La Barre espère que La Durantaye et Du Lhut pourront le rejoindre à temps. S'il était certain de l'arrivée des Indiens alliés et des coureurs des bois, il serait assuré de la victoire et de la destruction des Iroquois. Les dernières lettres qu'il a reçues de l'ouest sont encourageantes. Trois barques sont prêtes à Fort Frontenac.

Les Indiens alliés de l'est dans les troupes de La Barre.

Les troupes indiennes de l'est du Canada, de la Nouvelle-France entre autres, sont assez nombreuses. On peut trouver parmi elles soixante-cinq Abénaquis, quarante Hurons catholiques, soixante-douze Algonquins, quarante Népissingues ; cent un Iroquois catholiques de La Prairie et soixante Iroquois catholiques de la Montagne rejoindront l'armée au Long-Sault et l'aideront à portager. Ce qui fait un total de 378 Indiens de l'Est du Canada.

En plus, La Barre envoie devant l'armée une cinquantaine d'hommes qui couperont les arbres dans les portages afin que celle-ci puisse avancer plus rapidement.

Deux cents canots et quinze bateaux plats transporteront l'armée.

Bécancour de Villebon, ou Joseph Robinau de Villebon (1655-1700), capitaine, deviendra gouverneur de l'Acadie en 1691.

Le départ de Montréal a lieu le 30 juillet. L'armée est partagée en trois divisions. Le gouverneur conduit nominalement l'avant-garde dont le commandant effectif est M. Bécancour de Villebon ; M. d'Orvilliers commande le second et M. Dugué le troisième.

Le 1er août, la flottille de bateaux plats et de canots est au lac Saint-François. Elle est rejointe par les pères Millet, missionnaire des Onneyouts et Lamberville, le jeune, le frère du père du même nom qui est à Onnontaé et qui a écrit les fameuses lettres analysées plus haut. La Barre dira dans son rapport du 1er octobre : « ...Par les lettres d'Onnontagué ci-jointes, vous connaîtrez que ces peuples ayant été joints des Onneyouts, et des Goyogouins avaient obligé les Tsonnontouans de les rendre médiateurs de la réparation qu'ils convenaient me faire... et me priaient de leur envoyer Mons Le Moyne avec lequel ils puissent terminer cette affaire... » Belmont dit qu'à ce moment on présente secrètement à La Barre des colliers de la part des Iroquois. On peut donc affirmer que La Barre a bien reçu les lettres du père Lamberville, missionnaire des Onnontagués, au lac Saint-François.

Michel-Sidrac Dugué de Boisbriand (v. 1638-1688), capitaine, seigneur aux abords de Montréal.

La Barre est vieux, malade. Il se fait transporter dans les portages. Le 2 août, l'armée est au portage du Long-Sault où elle est rejointe par les Iroquois catholiques de Montréal qui l'aident à portager. On fait un court séjour dans cet endroit. Le 5 août, les troupes arrivent à La Galette où ils trouvent la barque neuve du Fort Frontenac. Quatre jours plus tard, soit le 9, La Barre arrive au Fort Frontenac. Le lendemain, le gouverneur du Canada annonce sa décision d'accepter l'offre de médiation des Onnontagués et ainsi de terminer cette campagne sans vraiment livrer bataille. Il envoie en effet le père de Lamberville comme messager à son frère dans la capitale iroquoise, « auquel je mandais, d'assurer ceux de cette nation que j'avais tant de considération pour leur prière... que pourvu qu'ils me fassent faire une satisfaction raisonnable, je préférerais leur médiation à la guerre ». Belmont dit que des colliers sont à ce moment-là présentés à La Barre à son arrivée.

La Barre a alors 62 ans.

Le gouverneur de La Barre accepte l'offre de médiation des Onnontagués.

À partir du 10 août, la campagne de La Barre devient donc une démonstration militaire du genre de celles des gouverneurs de Courcelles et de Frontenac. Sa décision, si ses plans de faire la guerre étaient bien arrêtés, a été prise entre le lac Saint-François et Katarakouy. Il en donne les raisons : les lettres qu'il a reçues de Dongan sont peu satisfaisantes, elles sont éloignées de la bonne entente ; Dongan est « fort porté à se mêler comme notre ennemi dans cette affaire ». En second lieu, l'armée manque déjà de vivres et il ne croit pas que les farines qui doivent arriver de Montréal puissent l'atteindre à temps ; enfin, pendant cette période, des vents contraires qui viennent du sud-est retardent le ravitaillement entre les sections de La Galette et du Fort Frontenac, où circulent les barques à voile, et peuvent empêcher l'armée de se rendre au sud-ouest du lac Ontario vis-à-vis du pays des Tsonnontouans, empêcher aussi sa rencontre avec les Indiens et les Français de l'Ouest.

Six jours plus tard, Charles Le Moyne étant arrivé sur les lieux avec les Iroquois catholiques, La Barre l'envoie à Onnontaé, comme le père de Lamberville le lui demande, pour conclure les négociations commencées. Bien plus, dit-il, je « lui remis en mains Teganehout [Teganissorens], ambassadeur des Tsonnontouans, que j'avais arrêté à Québec ». C'est une autre grande concession pour favoriser la marche des négociations. Le 16 août, l'armée commence à manquer de pain.

À partir de cette date, La Barre attendra donc des nouvelles des négociations entamées par Charles Le Moyne à Onnontaé. Le temps lui paraîtra long avec une armée qui manque de vivres et qui tombe malade. Le 21, des farines arrivent et l'armée commence à quitter Fort Frontenac pour une anse de la rive sud qui deviendra célèbre : La Famine, à quatre milles de l'embouchure de la rivière Oswego. Lahontan dira que le déplacement de l'armée prend cinq ou six jours. Il y a des malades aux deux endroits. En arrivant à La Famine, le 29, La Barre dira qu'il a trouvé 190 soldats malades et qu'il y en avait aussi à Fort Frontenac. La maladie, dit Lahontan, « rendait la flotte comme un hôpital mouvant. » La Famine était une localité malsaine, placée sur un sol marécageux.

«Un hôpital mouvant» placé sur un sol marécageux.

La Barre est donc encore au Fort Frontenac lorsqu'il reçoit, le 27 août à quatre heures de l'après-midi, les enfants de Charles Le Moyne accompagnés par Teganissorens, qui apportent une lettre du père de Lamberville, l'aîné, et des nouvelles des négociations.

On se le rappelle, Charles Le Moyne était parti pour négocier le 16. Le 17, le père de Lamberville écrit que cet envoyé est arrivé à minuit avec Teganissorens, ses autres compagnons et un sieur Le Duc. Pour aller plus vite et réduire ainsi la consommation des vivres par l'armée, un petit groupe s'est aussitôt rassemblé et a décidé de convoquer un conseil pour le lendemain. Garakonthié et Grande Gueule ont conseillé cette procédure. À ce conseil on a fait part de la décision prise par La Barre d'accepter la médiation des Onnontagués et une réparation. Des Tsonnontouans sont présents et apprennent donc que La Barre ne les attaquera pas. Quelques-uns partent alors le même jour pour communiquer la nouvelle à leur tribu, la rassurer et en discuter. D'autres messagers courent vers les bourgades des Agniers, des Onneyouts et des Goyogouins, pour demander à ces tribus d'envoyer immédiatement des ambassadeurs à La Famine, afin d'y rencontrer La Barre et négocier le traité de paix.

Garakonthié est décédé depuis plusieurs années. Il s'agit sans doute d'un parent qui aurait reçu le nom du défunt selon la coutume indienne?

Puis le père de Lamberville met La Barre au courant d'un autre fait : « Je vous ai avisé du fait que le colonel Dongan avait fait afficher les sauvegardes du duc d'York sur les trois bourgades des Iroquois supérieurs, et qu'il s'intitule lui-même Seigneur des Iroquois. » De plus, il a fait afficher les écussons sur des poteaux. Mais un ivrogne a déchiré les proclamations et il ne reste que les poteaux sur lesquels les écussons avaient été fixés.

voir page 200

Le père a donné « sous terre » comme disent les Indiens, c'est-à-dire en secret, à Grande Gueule, les présents que La Barre lui envoyait, et il lui a confié les instructions du gouverneur. Ces capots et ces chemises « sont le moyen le plus efficace pour gagner ou pour garder avec soi l'opinion publique ». La Grande Gueule est conquis et c'est « la plus forte tête et la voix la plus puissante » de l'Iroquoisie. Comme on le voit, l'Iroquoisie était une véritable démocratie. Enfin, le père de Lamberville ajoute ce qui suit : « Une paix honorable sera plus avantageuse au Canada qu'une guerre qui serait très incertaine quant au succès. »

sous terre = en secret

Dans une seconde lettre du 28 août, La Barre apprendra la suite des événements. L'arrivée de Charles Le Moyne a fait plaisir à tous les Iroquois. Ceux-ci l'ont entouré d'attentions et de petits soins. Ils ont promis de terminer cette affaire comme le désirait le gouverneur. Les Onnontagués ont fait appel à tous leurs sachems.

Un agent de l'État de New York au conseil d'Onnontaé.

Puis Charles Le Moyne et les Onnontagués attendent l'arrivée des ambassadeurs que chaque tribu doit envoyer. Les Goyogouins se présentent les premiers avec deux prisonniers hurons qu'ils veulent remettre à La Barre. On attend les Onneyouts le même jour. Soudain, le 28 août, arrive à cheval sur la grande piste forestière de l'Iroquoisie, Aernout Cornelissen Viele, qui est un agent, un envoyé de Dongan. Évidemment, la faction favorable aux Anglais a trouvé le moyen, depuis le 17 août, lorsque Charles Le Moyne est arrivé et a donné les intentions de La Barre, d'avertir le gouverneur de New York et de lui raconter tout ce qui se passait. Dongan a conçu alors l'idée machiavélique d'empêcher la tenue du conseil de La Barre à La Famine et de s'opposer à la venue des ambassadeurs iroquois. Dans la lettre du père de Lamberville du 9 octobre, on trouve le paragraphe suivant : « Garakonthié est revenu aujourd'hui d'Orange, où il a communiqué par un collier de grains de nacre de quelle façon vous aviez donné la paix au public ; et aussi de quelle façon le colonel Dongan avait demandé avec instance aux Iroquois de l'obtenir par une satisfaction qu'il leur avait conseillé de vous donner. M. Dongan a laissé Orange quand ceux qui ont apporté les sauvegardes du duc d'York sont venus ici ; on suppose ici que la visite d'Arnaut ici pour empêcher les Iroquois d'aller vous voir et pour les décider à tenir un conseil à Orange, était une intrigue des marchands d'Orange qui craignaient que leur commerce soit diminué par une conférence avec vous qui aviez des armes en vos mains ; parce que Dongan était probablement parti d'Orange quand Arnaut a laissé pour venir ici. Ce que les Iroquois savent, est, qu'après avoir entendu M. Dongan qui les a exhortés à un arrangement avec vous, il n'est d'aucune façon probable qu'à la veille d'une négociation, il leur aurait défendu de vous rendre visite sans sa permission. »

Arnaut, c'est-à-dire Aernout Viele.

Nous savons que les Anglais interdiront plus tard à plusieurs reprises toutes négociations avec les Français en dehors de leur présence ; la défense de Dongan ou des marchands d'Albany, en 1684, nous semble plus probable qu'au père de Lamberville. C'est un point important de la politique anglaise envers les Iroquois.

Un Indien du nom de La Croix répond à Garakonthié à Albany. Tout danger étant passé, il multiplie les vantardises : si La Barre avait réellement fait la guerre, huit cents Anglais et 1 200 Mohicans ou Loups étaient prêts à se rendre au premier appel des Iroquois. Aussi le père de Lamberville, tout en rapportant ces propos, ne leur donne que peu d'importance.

Le chef du parti qui a fait le pillage des canots a apporté un mot à Onnontagué « venant de ceux de sa nation, à l'effet qu'ils avaient accepté tout ce que vous aviez conclu à La Famine ».

On voit dans quelle situation aurait été La Barre à La Famine, attendant vainement les ambassadeurs iroquois, et obligé de revenir à Montréal avec son armée affamée et malade après avoir reçu cette suprême humiliation. Car après tous ces délais, il ne pouvait être question d'attaque. C'était d'une conception machiavélique.

Dongan avait donc envoyé Viele à cheval, en toute diligence. Cet agent s'était arrêté chez les Agniers et les Onneyouts en passant pour donner son message. Il est maintenant dans la capitale de l'Iroquoisie où il fait face au représentant de La Barre, Charles Le Moyne.

Pour la première fois, les deux puissantes nations européennes, l'Angleterre et la France s'affrontent à Onnontaé avec des projets résolument contraires. Cette opposition se manifestera souvent. Nouvelle-France et Nouvelle-Angleterre s'observent, s'espionnent ; chacune est vite au courant des intentions et des mouvements de l'autre. Les agents arrivent en canots rapides, ou bride abattue, sur les meilleurs chevaux d'Albany ; ils veulent se damer le pion ; ils ont chacun leur faction, leurs hommes. Les conseils ont lieu, et chacun, par les moyens qu'il a à sa disposition, tente de gagner la nation. Les sachems flegmatiques et moroses, assis sur leur derrière, mystérieux et immobiles comme des bouddhas, le calumet à la bouche, qui comprennent tout, qui cyniquement connaissent ceux qui sont à la solde de la France et ceux qui sont à la solde de l'Angleterre, écoutent les propositions incluses dans des présents. Entre ces deux nations habiles et libérales, les doubles solutions, l'appétit de ces deux louves prêtes à dévorer leur pays et leur commerce, à les avaler tout chauds et tout crus. Les Iroquois ont leur propre règle du jeu. Ils tirent avantage de cette rivalité, jouant France contre Angleterre et Angleterre contre France, pour maintenir leur indépendance, arracher des concessions, des présents, les marchandises européennes dont ils ont besoin, et durer. C'est un spectacle riche en enseignement.

« Ils tirent avantage de cette rivalité. »

Arnold Cornelis Viele déclare qu'il est venu de la part de Dongan, « pour dire aux Iroquois qu'il [Dongan] ne désirait pas que ceux-ci aient des pourparlers avec vous [La Barre] sans sa permission, parce qu'il est le maître absolu de leur pays et de leur conduite envers vous ; qu'ils sont sujets du roi d'Angleterre et du Duc d'York, que leurs feux du conseil ont été allumés à Albany, et qu'il leur défend absolument de parler avec vous».

Pour la première fois, les Anglais ont la prétention de défendre aux Iroquois de négocier ailleurs qu'à Albany en leur présence, parce qu'ils sont leurs sujets. Dongan et ses successeurs voudront contrôler, surveiller, les relations extérieures de l'Iroquoisie et surtout les relations extérieures avec la Nouvelle-France. Une bataille des plus formidables et des plus excitantes aura lieu pendant les quatre dernières années du siècle. Les Iroquois se conforment plus ou moins aux désirs de New York, selon l'aide que leur apporte la Nouvelle-France. Ils n'auraient pas pu résister seuls longtemps, et seraient vite devenus des vassaux. Mais la Nouvelle-France a peur des conséquences de cet asservissement et elle aide les Iroquois à maintenir leur indépendance.

Ainsi, le 2 août dernier, il y a à peine un mois, les Iroquois ainsi que leurs terres, menacés par la Nouvelle-France, se sont mis sous la protection de Dongan ; on pourrait dire qu'ils sont devenus des sujets anglais. Ils savent maintenant que La Barre ne les attaquera pas, qu'il est prêt à négocier, et ils font une rapide volte-face avec l'aide des Français. Quelle folie a bien pu passer par l'esprit de Dongan : les Iroquois sont indépendants, n'ont d'ordre à recevoir de personne, l'Iroquoisie est un pays libre et peut négocier avec qui il lui plaît.

Ainsi agissent ces simples fils de la nature. Il faut lire le récit à demi humoristique contenu dans la lettre du père de Lamberville à La Barre. C'est d'un haut comique. Viele ayant transmis son message, la faction française glisse des petits mots à Grande Gueule. Elle a compris tout de suite que Dongan se trompait, avançait avec trop de précipitation, manquait de tact, leur fournissait l'occasion de tirer avantage de ses erreurs et de les retourner ainsi contre lui.

Grande Gueule répond au messager de Dongan.

Puis Grande Gueule parle. A-t-on jamais entendu propositions plus irraisonnables ? Se peut-il que ce soit vraiment Dongan qui parle, lui qui a soutenu dès le début qu'il fallait terminer cette affaire par des négociations et une réparation? N'est-ce-pas justement ce que les Français et les Anglais veulent faire présentement ? Ne veulent-ils pas justement éviter une guerre désastreuse dont Dongan ne veut pas ? Et comme les autres propositions de ce messager sont étranges : depuis quand les Iroquois ont-ils des ordres à recevoir du gouverneur de New York ? Ne sont-ils pas libres et indépendants ? C'est à croire que M. Viele ne sait plus ce qu'il dit, qu'il est saoul ou qu'il a perdu l'esprit. Grande Gueule exhorte ses compatriotes à ne pas écouter des propos aussi insensés et il commence à injurier le messager. C'est le discours de Grande Gueule. La Barre dira que cet orateur parle avec fougue ; il décrira «Ces sauvages dans une furieuse colère avec quelques risques du député anglais, disant qu'ils étaient libres et que Dieu qui avait fait la terre, leur avait donné la leur sans les soumettre à personne, et ils prièrent le père Lamberville, l'aîné, d'écrire au colonel Dongan la lettre ci-jointe, et le dit sieur Le Moyne ayant

« Depuis quand les Iroquois ont-ils des ordres à recevoir du gouverneur de New York? »

parfaitement bien soutenu les intérêts des Français, ils avaient résolu unanimement de partir dans deux jours pour venir conclure avec moi à La Famine. » Mais ce que ne voient ni les uns ni les autres, c'est que Grande Gueule, tout en obéissant aux mots d'ordre que les Français lui donnent, sert les intérêts de son pays et de son peuple, bien plus que ceux des Français. Il agit en grand patriote défendant vraiment l'indépendance de sa nation menacée par Dongan et l'affirme devant tout le monde.

La Grande Gueule est d'une grande habileté.

Teganissorens, le grand chef, est venu à la rescousse en prononçant une harangue contre Dongan et en faveur de La Barre.

Mais le problème d'une ambassade n'est pas tout de suite résolu. Agniers et Onneyouts avaient promis à Viele, lorsqu'il était passé, de ne pas envoyer d'ambassadeurs. Les Onnontagués répondent au contraire qu'ils sont honorés de l'ambassade de Charles Le Moyne et que la question de la paix à établir est pour ainsi dire entre ses mains. Des disputes ont lieu dans le conseil ; les Iroquois semblent oublier leur flegme. Ils proposent à Le Moyne d'attendre dix jours la permission de Dongan pour négocier. Cette offre est habile, car ils savent que La Barre ne peut pas attendre tout ce temps et qu'il a donné les instructions contraires à ses agents. On réalise que les Iroquois se mettent du côté de la France, mais pas trop ; ils ne veulent pas courir au devant de La Barre avec une hâte indécente, ce La Barre qui les menaçait de guerre il y encore bien peu de temps. Charles Le Moyne prend alors la parole et dit à Viele que le délai de dix jours est impossible et que les Iroquois l'ont chargé de donner cette réponse.

Teganissorens, qui n'est pas content de Viele mais qui est par contre très satisfait des intentions de La Barre, se prononce. Il ira non seulement en ambassade avec Le Moyne, mais il fera une propagande active parmi ses compatriotes que l'on attend, pour contrecarrer les projets et les ordres de Dongan transmis par Viele. Les Onneyouts enverront quand même des ambassadeurs.

C'est une lutte à la façon iroquoise, faite de souplesse, de ruse et d'habileté. Finalement, les Français sont vainqueurs et Viele reçoit une réponse négative. Lamberville, l'aîné, est chargé de rédiger, pour les Iroquois, la contestation des ordres qu'ils viennent de recevoir de Dongan. Les Onnontagués persistent dans leur projet de médiation. C'est donc une défaite diplomatique pour le gouverneur de New York et un triomphe pour La Barre. Les Iroquois négocieront malgré les ordres de Dongan.

«Une lutte à la façon iroquoise, faite de souplesse, de ruse et d'habileté».

Voilà les nouvelles que La Barre apprend le 27 août à Fort Frontenac, par des lettres du père de Lamberville l'aîné et par les fils de Charles Le Moyne, qui les apportent et Teganissorens qui a bien voulu les accompagner. Alors, sûr d'un certain succès, La Barre part pour La Famine où il arrive le 29. Il envoie en même temps une barque à Niagara pour donner ordre aux Indiens alliés et aux Français qui les accompagnent de retourner dans leur pays. Il y avait 700 Indiens alliés dans ce contingent et 169 Français.

voir page 227

À La Famine, La Barre constate qu'il est près du désastre avec son armée affamée et malade. Alors, il envoie un messager indien à Onnontaé, pour avertir Le Moyne et « le prier de faire partir incessamment ceux qui me devaient venir trouver ».

Le 3 septembre enfin, Charles Le Moyne arrive avec quatorze ambassadeurs ; neuf Onnontagués, trois Onneyouts, deux Goyogouins, Teganissorens est présent pour les Tsonnontouans. Cette tribu n'a pas envoyé d'autres ambassadeurs pour ne pas déplaire à Dongan « qui leur avait envoyé promettre 400 chevaux et 400 hommes de pied de secours si nous les attaquions... » Parmi les Iroquois importants qui sont là, on trouve Teganissorens, le grand chef goyogouin, Grande Gueule et Garakonthié, Haaskouan, etc. Il y a donc des ambassadeurs de toutes les tribus, sauf des Agniers qui sont trop près d'Albany pour s'opposer à Dongan. Le conseil est assez représentatif.

Au début, les Français tentent de cacher aux Iroquois l'état pitoyable de l'armée française. Ils disent aussi que le corps principal des troupes est demeuré à Fort Frontenac. On voit vite que des négociations conduites au milieu d'une armée puissante auraient donné de meilleurs résultats. En fins limiers qu'ils sont, les Iroquois découvrent vite l'état réel des troupes. Et toute crainte envolée, ils font des propositions assez dures.

Il existe quelques versions du conseil qui a lieu à La Famine, depuis celui de Lahontan qui dépeint le gouverneur assis dans un fauteuil, éprouvant des moments de colère, jusqu'aux rapports officiels ou semi-officiels, qui tentent de donner le beau rôle au gouverneur.

Oureouaté = Otreouti, c'est-à-dire la Grande Gueule.

Oureouaté est l'orateur des Iroquois. Il offre quinze présents au nom des Onnontagués « dont le Général a accepté la médiation entre les Français et les Tsonnontouans ». Les présents ont les significations symboliques suivantes : les Onnontagués enlèvent au gouverneur la hache dont il menaçait les Tsonnontouans, La Barre doit se rappeler que, eux aussi, sont ses enfants ; le vol de marchandises commis par les Tsonnontouans est jeté dans une fosse et sera oublié comme l'a promis Charles Le Moyne ; il faut redresser l'arbre de la paix planté à Montréal l'année précédente ; il faut maintenant le soutenir avec force ; dégager le soleil de la paix ; le vol des Tsonnontouans n'a jamais été un motif suffisant pour déclarer la guerre : « Je vous promets qu'on vous satisfera pour la perte que les Français ont faite par le pillage de leurs marchandises et ont promis de vous donner ce printemps mil castors » ; ce qui inquiète les Iroquois, c'est de voir tous ces soldats, d'entendre ces tambours ; ils prient le gouverneur de retourner à Québec « afin que nos enfants dorment en assurance » ; les Iroquois ne veulent plus tenir le feu de la paix allumé à Fort Frontenac ou à Montréal, comme par le passé : « J'allume, dit l'orateur, le feu de la paix en ce lieu-ci qui est le plus agréable » ; les guerriers iroquois de même que les sachems sont en faveur de la paix ; ils ne veulent plus faire la guerre aux Miamis qui ont tué des guerriers au printemps, ils leur pardonnent et restent en paix avec eux ; les Iroquois sont ensuite aux prises avec les Illinois ; impossible d'arrêter cette guerre : « ...Nous mourrons tous les deux en nous battant » ; ils demandent ensuite qu'on rappelle les missionnaires qui ont quitté leurs bourgades mais qu'on défende aux Iroquois catholiques de Montréal d'aller recruter d'autres Iroquois en Iroquoisie.

La Barre répond à ces propositions, par onze autres, auxquelles il rajoute deux nouvelles. Il ensevelira dans la fosse de l'oubli le vol des Tsonnontouans, replante l'arbre de la paix, accepte la réparation qu'on lui offre et demande qu'on lui livre les deux Hurons qui sont prisonniers chez les Tsonnontouans et celui qui est prisonnier chez les Goyogouins ; il partira demain avec son armée, accepte l'endroit actuel, La Famine, comme lieu des futurs conseils ; les soldats français sont eux aussi en faveur de la paix ; il a envoyé des messagers à Niagara pour que l'armée de l'ouest retourne chez elle ; l'Illinois est le frère du Miami : « ...Ne frappez ni l'un ni l'autre » ; il dira au Miami de ne plus combattre les Iroquois ; en frappant l'Illinois, que les Iroquois prennent bien garde de ne pas attaquer le Français, ou de le frapper ; on rendra tout de suite au médiateurs, les Onnontagués, les missionnaires qu'ils demandent ; quand les Tsonnontouans auront commencé à donner leur réparation, ils obtiendront le retour des missionnaires de même que les autres tribus ; on ne retient de force aucun Iroquois à Montréal, ceux qui y vivent ont une absolue liberté. Enfin, La Barre dit encore aux Iroquois que si d'autres commettent des méfaits, il faudrait les bannir : que les Iroquois ne doivent pas écouter les propos négatifs et que maintenant il faut reconduire Teganissorens chez les Tsonnontouans et « leur raconter les conclusions susdites. »

Les autres rapports confirment presque toujours celui-ci qui est fondamental, en l'enjolivant peut-être parfois de citations et de commentaires.

Ce fort Saint-Louis est situé dans le pays des Illinois.

Dans les divers récits du conseil, il n'est fait aucune mention de l'attaque du fort Saint-Louis par deux cents guerriers Iroquois. On dirait qu'il n'y a qu'un seul grand problème à régler, celui des marchandises pillées. Et ce vol n'est pas un motif de guerre suffisant ; aucun sang n'a été versé.

La paix contre 1000 peaux de castor.

Le règlement final, celui du paiement d'une indemnité de mille peaux de castor, rappelle les règlements du même genre qu'ont faits les Anglais avec les Iroquois, particulièrement celui de l'année 1682 avec le Maryland, à Albany. C'est l'un des meilleurs moyens pour détourner les Iroquois de faire d'autres déprédations.

La Barre accepte comme lieu du conseil, un endroit que Frontenac a refusé. C'est au père et non aux enfants, avait-il dit, de fixer l'endroit où sera allumé le feu de la paix.

Enfin, La Barre n'obtient pas plus que Frontenac l'arrêt de l'attaque des Iroquois contre les Illinois. Pour les en empêcher, il faudrait faire la guerre. On sait que Frontenac en était arrivé à une solution qui semblait excellente : permettre aux Illinois de faire une guerre défensive, dire franchement aux

Iroquois que les Illinois auraient alors l'appui des Français de l'ouest, armer cette tribu, lui demander de se tenir sur le qui-vive, etc. Encore une fois, les Illinois semblaient de taille à se défendre; il n'y avait pas lieu de s'alarmer inutilement; l'échec de la dernière campagne contre le fort Saint-Louis le prouvait. Les Illinois formaient une nation forte, guerrière, située très loin, capable de se déplacer rapidement dans les plaines si elle préférait ne pas combattre, et se dérober, comme elle l'avait déjà fait. Dans des expéditions aussi lointaines, les Iroquois étaient autant harcelés à l'aller qu'au retour par des guerriers des tribus de ces quartiers et perdaient presque toujours des hommes. L'avantage n'étant pas tellement de leur côté, il n'était pas urgent d'empêcher ce conflit. Avec des hommes comme Tonty, Baugy ou de même acabit sur les lieux, il n'y avait rien à craindre.

Il fallait avoir une vision plus cynique des choses : avec ces tribus indiennes turbulentes, belliqueuses, certaines guerres étaient inévitables. Les empêcher comme dans le cas présent, par une attaque directe contre les Iroquois, par une guerre offensive, coûtait trop cher à la France. Il fallait prendre les choses avec philosophie. Car une guerre offensive signifie la perte de l'Iroquoisie et les Iroquois repoussés dans le sein de l'Angleterre en deviendraient les instruments.

Cette guerre offensive, La Barre l'avait voulue et l'avait manquée. L'abandon des Illinois n'était pas la concession qu'on a trop souvent peinte sous une forme méprisable. Il n'y avait pas autre chose à faire. Mais il fallait en même temps maintenir le fort Saint-Louis, l'ancrer solidement et donner des directions, des conseils et des armes aux Illinois, ce qui était efficace et beaucoup moins dangereux.

Lahontan présente un rapport un peu différent. Il faut relever un point : d'après le récit qu'il donne, les Iroquois reprochent à La Barre d'envoyer des armes et des munitions aux Illinois, qu'il y en avait dans les marchandises pillées. C'est pour eux un sujet important.

François Vaillant de Gueslis (1646-1718), jésuite, missionnaire chez les Agniers de 1678 à 1685.

Les pères Bruyas, Lamberville et Vaillant étaient présents à ce conseil. Le père Bruyas était l'interprète.

Le conseil a duré six heures en deux séances de trois heures, l'avant-midi et l'après-midi : « ...Et je leur promis de décamper le lendemain », écrira sans vergogne La Barre dans son rapport officiel.

Décamper = lever le camp.

Le seul récit de ce conflit et les lettres du père de Lamberville prouvent que la France est encore à ce moment-là, en septembre 1684, très puissante en Iroquoisie. Elle y a des amis dévoués. Elle sait mieux manœuvrer que les Anglais et y a des représentants permanents qui connaissent bien le terrain. Certains Canadiens, comme Charles Le Moyne exercent une très grande influence. En d'autres termes, ses droits sur l'Iroquoisie ne sont pas sans fondements comme on est porté à le croire aujourd'hui. Les pères de Lamberville et Millet, par exemple, sont de bons orateurs qui ont des admirateurs et des amis. La cause de la France était loin d'être perdue.

Chapitre 145

1684

On décampe!

La paix aussitôt bâclée, La Barre ne perd pas de temps et l'armée s'embarque le lendemain de nuit, pour éviter le spectacle de sa misère. Le gouverneur fait l'éloge de Charles Le Moyne pour qui les Iroquois ont beaucoup d'estime et qui a évité aux Français un échec complet. En trois jours, les troupes ont retrouvé la civilisation. L'aventure est terminée.

Les Indiens alliés fort mécontents. Quel sort les attend ?

Mais les Indiens de l'ouest n'ont pas été contents de recevoir l'ordre de rebrousser chemin, et d'apprendre la nouvelle que la paix avait été négociée et conclue. L'indignation règne parmi eux. Les Outaouais « vomissaient mille injures contre les Français. » Pour les entraîner, on a dû leur faire des promesses que l'on n'a pas tenues. Les Iroquois, ennemis héréditaires, ne sont pas détruits loin de là. Les alliés n'ont pas eu les fusils, les munitions, qu'on leur avait promis. Ils ont tous pris une grave décision : se mettre en guerre contre les Iroquois. Ils savent que ceux-ci sont au courant et que leur geste inutile peut les exposer à de graves représailles. Autrefois, les Iroquois ont forcé à différentes reprises Hurons et Outaouais à s'expatrier, à s'éloigner aussi loin que le pays des Sioux. Grâce à la paix de 1665, ils sont revenus. Depuis ce temps là, les relations n'étaient pas toujours très bonnes, mais on avait atteint un *modus vivendi* supportable. Maintenant, ils ont accepté de participer à une expédition de guerre contre eux. Loin d'être affaiblis, les Iroquois sont plus forts que jamais. Que sortira-t-il de cette affaire ? Les Indiens alliés en sont très mécontents. Perrot et La Durantaye les calment. Ils conduisent un groupe à Montréal pour rencontrer le gouverneur. Mais l'insatisfaction dure encore un certain temps dans le Wisconsin.

Les lettres qui viennent d'Iroquoisie sont encourageantes. Le père de Lamberville donne des nouvelles le 27 septembre. Les Tsonnontouans, dit-il, avaient averti les autres tribus qu'ils attaqueraient l'armée française si elle débarquait dans leur pays ; ils avaient envoyé des éclaireurs qui l'observaient à La Famine et suivaient ses mouvements. Le missionnaire espère que l'arrivée de Teganissorens chez lui les calmera. On n'a pas de nouvelles d'eux, on les attend bientôt. Viele est parti et devait revenir d'ici dix jours, mais il n'est pas reparu. Il a pu informer Dongan de la paix conclue à La Famine. Lamberville a donné un calumet rouge et un présent à un chef de guerre iroquois en lui disant que La Barre lui serait reconnaissant de diriger son parti à gauche du fort Saint-Louis, où il y a des Miamis et des Illinois, de cette façon il ne donnerait prise à aucune plainte. Il a distribué d'autres présents pour empêcher

« Un certain parasite qui ne cherche qu'à faire un bon repas », dira de Meulles.

que les esprits ne s'échauffent ; et Grande Gueule « est un être vénal que vous feriez bien de garder à votre solde. » Un parti de Goyogouins combat en ce moment sur les frontières du Maryland ; trois hommes se sont fait tuer par les Anglais ; il a capturé vivants cinq Anglais qu'il a ensuite massacrés. Si vous n'aviez pas accepté le paix, dit encore le missionnaire, la colonie aurait été exposée à des attaques, les colons sans défense auraient été capturés et brûlés. Les Hurons ont envoyé des ambassadeurs pour remercier les Onnontagués d'avoir maintenu la paix. On s'occupe de la réparation promise à La Barre.

Une seconde lettre du 9 octobre donne d'autres nouvelles. Par le chef du parti qui a pillé les canots, le missionnaire a rappelé aux Tsonnontouans qu'ils ont promis d'observer la paix. Grande Gueule s'en occupera. Quarante guerriers doivent partir sous peu pour attaquer les Illinois qui sont avec les Chouanons. Leur capitaine rappellera aux Tsonnontouans toutes leurs promesses en passant ; et il ne conduira pas ses troupes dans les quartiers défendus. Il a dit à ces gens que La Barre avait envoyé des messagers aux Miamis et aux Mascoutins pour les informer qu'ils étaient inclus dans la paix.

Puis le missionnaire demande ce qu'aurait fait la Nouvelle-France, si six cents guerriers iroquois avaient fait irruption sur ses frontières ? Telle qu'elle est, la colonie ne se peut défendre. La Barre aurait subi une défaite s'il s'était avancé avec son armée malade. Les Iroquois devaient garder trois cents guerriers dans un fort et en envoyer 1 200 pour harasser l'armée française. Ils avaient préparé des canots pour des attaques contre la colonie. Les Anglais et les Iroquois auront des difficultés au Maryland, prédit le missionnaire.

De Lamberville a confiance dans les « petits moyens ».

Le père de Lamberville, l'aîné, exerce une influence salutaire bien que restreinte. Il se rappelle, comme Louis XIV, que les guerres iroquoises du passé ont été atroces, et qu'elles peuvent le redevenir. La Nouvelle-France ne lui semble pas préparée pour un nouveau conflit. Il a confiance dans les petits moyens qui atteignent de grandes fins : attentions, égards, petits présents, tout le vaste arsenal des ressources mineures. Pourquoi le guerre quand on peut jouer sur ce clavier. Et l'on devine que tous les missionnaires sont attachés à leur œuvre ingrate que des hostilités interrompraient, ils ont des travaux d'évangélisation en cours et ne veulent pas les abandonner, ils espèrent contre toute espérance.

Chapitre 146

1684

Seuls les Iroquois sortent de ce conflit avec honneur et avantage. Ils ont évité une attaque contre l'une de leurs tribus. Ils ont rapproché de leur pays le lieu du conseil, ce qui donnera aux gouverneurs français l'apparence de les aller trouver. On ne leur a pas défendu d'attaquer les Illinois sous peine de guerre. Menacés de guerre, ils avaient fait de grandes concessions à l'État de New York, qui semblaient détruire leur indépendance ; puis, ensuite à Onnontagué, grâce à l'intervention prompte et rapide de Charles Le Moyne et du père de Lamberville, ils redressent adroitement la situation et affirment leur indépendance et leur état de nation libre : ils refusent d'exécuter les ordres qu'on leur communique comme à des sujets anglais ; ils résistent à Dongan en s'appuyant sur les Français, comme un mois plus tôt, ils avaient résisté à La Barre en s'appuyant sur Dongan. Les Tsonnontouans ont maintenu jusqu'au bout leur attitude méfiante : ils n'ont pas envoyé d'ambassadeurs au conseil de La Famine, leurs représentants se trouvaient là pas hasard.

Les Iroquois ont résisté à Dongan en s'appuyant sur les Français, et à La Barre en s'appuyant sur Dongan.

Les Anglais ont bénéficié de la campagne de La Barre en s'attirant l'amitié de l'Iroquoisie, en lui montrant qu'elle peut venir à elle en cas d'attaque des Français. Mais leur principal profit a porté sur la possession de l'Iroquoisie, des régions de l'ouest et du sud-ouest.

En deux étapes, leurs réclamations qui ne couvraient hier encore que le pays des Agniers, se sont étendues sur toute l'Iroquoisie, puis sur les terres à l'ouest et au sud-ouest de l'Iroquoisie. Ils ont obtenu des documents précieux pour cette lutte de chancelleries et la complicité des Iroquois qui sera inestimable. Dongan a commis un impair dont les conséquences ne seront pas éternelles.

Les Français sont les seuls perdants dans cette aventure. La Barre est parti pour une campagne militaire, et il n'a pas livré bataille. Il a eu l'air de reculer face aux Tsonnontouans, aux Anglais et à Dongan. Il a amoindri le prestige de la France. Le lieu du conseil a été changé contre sa volonté. Les Iroquois poursuivront la guerre qu'ils font aux Illinois, contre sa volonté. La réparation promise est plus une fiction qu'une promesse solide. Les Anglais avancent maintenant de curieuses prétentions sur des territoires qui appartenaient à la France, et sur d'autres qu'avec un peu d'habileté et de doigté, elle aurait pu garder. L'état des relations entre Iroquois et Français, et particulièrement entre Tsonnontouans et Français n'est pas meilleur qu'auparavant. Ce qui l'empêche de trop rapidement dégénérer, c'est l'arrivée

«Les Français sont les seuls perdants».

de troupes qui viennent de France et d'un certain nombre d'hommes de peine. Les Iroquois sont toujours impressionnés de voir débarquer de nouvelles compagnies. Les Français de Montréal ont aussi appris une leçon, dit Perrot; ils imaginent que « sitôt que les Français viendraient à paraître, l'Iroquois lui demanderait miséricorde; qu'il serait facile d'établir des magasins, de construire des barques dans le lac Ontario... et que c'était un moyen de trouver des richesses. »

Les Iroquois et les Français ont oublié les leçons des événements de 1665. Les Français se seraient couverts de ridicule si leur diplomatie n'avait pas gagné la partie, à la dernière minute, grâce à l'intervention de Charles Le Moyne et du père de Lamberville. Sans ce succès, La Barre serait revenu bredouille et aurait vainement attendu les ambassadeurs. Cependant, il ne faut rien exagérer. En septembre 1684, la situation n'est ni meilleure ni pire qu'à l'automne de l'année 1682. Elle est semblable, en ce qui concerne les relations entre Iroquois et Français et c'est le même conflit pour les fourrures des Illinois et des Miamis, c'est-à-dire du sud-ouest. La solution n'est pas proche et les données sont les mêmes. Il ne pourra être résolu que par la solution trouvée avant son départ par le gouverneur. À moins naturellement que Louis XIV décide d'envoyer une couple de régiments, des vivres, des munitions, qu'on dispose du temps nécessaire pour entreprendre la destruction de l'Iroquoisie et la dispersion pour toujours des Iroquois. La Barre a fait une importante erreur d'appréciation: il a cru que par une campagne, il pouvait exécuter ce projet avec seulement environ deux mille miliciens, soldats ou Indiens de toutes sortes. Il s'est trompé. Il faudra toujours un corps restreint de troupes bien entraînées pour les guerres du nouveau monde, ou une armée ordinaire très nombreuse, un vaste attirail et plusieurs années, pour venir à bout de l'Iroquoisie.

La guerre ouverte entre Français et Iroquois est-elle dangereuse en ce moment? Non. Les Iroquois ne semblent pas plus décidés à attaquer énergiquement et ouvertement la Nouvelle-France, qu'en 1682. Cette tâche ne leur paraît pas facile. Les Tsonnontouans peuvent manifester leur mauvaise humeur, des petits incidents désagréables peuvent se produire, rien qui ressemble à une guerre ouverte n'est en vue. La présence d'une armée française en 1684 sur le lac Ontario, a dû, au fond, les faire réfléchir. Les Français, malgré tout, ne sont pas des ennemis faciles à battre. La patience, la fermeté, le courage, une préparation soignée, une attitude déterminée et ferme sont en ce moment les meilleures des armes.

Chapitre 147

1684

Une fois l'expédition terminée, les miliciens rentrés chez eux, les soldats dans leur garnison, la paperasserie reprend ses droits. On écrit, on rédige des mémoires, on libelle des dépêches. L'événement prête à de nombreux commentaires, en effet, et personne ne se gêne pour donner son opinion.

Parmi les lettres qui font le plus de tort au gouverneur, il faut signaler, comme il fallait s'y attendre, celles de l'intendant. La classe des intendants, depuis Duchesnau, a continuellement, avec acharnement et résolution, censuré le gouverneur. Ils prennent toujours la contrepartie de tous les actes de leurs rivaux par l'autorité ; ils les accusent de tous les crimes, et, en particulier, de façon permanente, de faire un commerce particulier de pelleteries. Leurs actes d'accusation remplissent des volumes dont les pages sont les plus tristes et les plus noires de notre histoire. À les en croire, le conseil des ministres n'aurait envoyé au Canada que des bandits, des fous ou des criminels. Les intendants oublient continuellement leurs devoirs, leur rang, l'obligation qu'ils ont d'exécuter leurs tâches avec impartialité et consacrent tout leur temps à critiquer le gouverneur. Rien n'est plus exaspérant que ce parti pris, sans mesure et sans scrupule. Quelques-uns ne manquent pas d'intelligence ; d'autres sont nettement et clairement inférieurs à leurs chefs et, par leurs interventions intempestives, ils font un tort considérable à la politique du gouverneur, provoquent des hésitations devant les meilleures décisions, apportant dans toute chose incertitude et confusion ; affaiblissant les initiatives les plus heureuses, répandant le doute, la méfiance et la haine.

Qu'y a-t-il de vrai dans ces accusations continuelles ? Si elles reposaient sur quelque fondement, le roi aurait destitué tout de suite les gouverneurs impliqués. Si elles étaient fausses, pourquoi n'a-t-on pas fait d'enquête ou de rappel à l'ordre ?

Il est bien évident que les intendants étant ce qu'ils sont, de Meules écrit des pages très dures contre La Barre. Aucun gouverneur ne prête mieux flanc aux attaques que lui. Des témoins parlent de ses hommes, qui vont faire le commerce des fourrures dans l'ouest, le sud-ouest, au lac Ontario et qui remplissent des canots. La Salle, que La Barre a dépossédé de tous ses postes, se constituera un de ses principaux accusateurs et il y en aura d'autres après lui.

De Meules critique largement l'expédition de La Barre. Le gouverneur n'a jamais eu l'intention de livrer bataille ; il a trompé tout le monde. Il s'est entendu avec les marchands du pays, et surtout avec La Chesnaye et Le Ber. Il aurait eu des vivres à Fort Frontenac et La Famine, s'il l'avait voulu. L'armée n'a jamais été le moins du monde malade. Le gouverneur a été maladroit d'avertir Dongan, qui voulant la destruction des Français, aidera les Iroquois. Les Tsonnontouans n'étaient pas officiellement présents au conseil. En plantant les armes du duc d'York, Dongan a voulu « se mettre le premier en possession du pays », c'est-à-dire de l'Iroquoisie. Dans sa lettre du 10 octobre, de Meules attaque donc à fond le gouverneur et son expédition, il l'accuse de tout, signale toutes ses maladresses, sème des accusations, dont quelques-unes sont vérifiables et d'autres pas.

Mais de Meules pense aussi qu'il faut réprimer les fierté des Iroquois, sinon une guerre est à prévoir à brève échéance. Enfin, il accuse réception des quatre compagnies qui sont venues en 1684, soit deux cents soldats et soixante engagés qui ont tous moins de dix-sept ans.

Louis-Hector de Callière, ou Callières (1648-1703), gouverneur de Montréal, deviendra gouverneur de la Nouvelle-France en 1698.

Callières vient d'arriver à Montréal comme gouverneur. Il prépare un mémoire sur les droits des Français sur l'Iroquoisie, comme Dongan en prépare un aussi sur les droits de l'Angleterre sur ce même pays et sur les autres régions et territoires du centre. Pour sa part, il ne croit pas que la paix conclue avec les Iroquois durera longtemps. Il pense que les Anglais les incitent au combat. Les Iroquois doivent bientôt attaquer les Illinois, c'est ce que l'on dit en sous-main.

La Barre n'est pas du même avis. Il croit avoir réussi à « faire une paix que je crois qui sera de quelque durée », car les Iroquois savent que les Français peuvent facilement marcher contre eux et les attaquer. Cette vision des choses est probablement beaucoup plus juste que celles de Callières et de l'intendant. L'arrivée de troupes, de munitions, de vivres chaque année, est un excellent moyen de maintenir la paix, sans parler des autres ressources utilisées sur les lieux, cadeaux aux chefs, etc.

Le gouverneur dit qu'il faudrait que le roi d'Angleterre envoie des ordres à Dongan pour l'obliger à laisser les Français conduire leurs expéditions punitives contre les Iroquois : « ...Sans quoi, ajoute-t-il, il est présentement impossible de réduire les Iroquois qui auront une porte ouverte pour leur retraite dans le pays occupé par les Anglais, et un secours de leurs troupes presque chez eux... » Puis « ayant une retraite aussi proche que celle qu'ils ont chez les Anglais », les Iroquois ne seront pas faciles à détruire.

Ce point est important. La Barre voit clairement les conséquences militaires de la conduite de Dongan. L'avenir seul permettra de savoir si les Anglais se contenteront de donner asile aux Iroquois, en cas d'attaque ou de défaite, de leur vendre des munitions. Ils n'ont pas assez d'intérêt dans ce conflit, pour aller jusqu'à envoyer des troupes, mais ils pourraient donner des provisions ou en vendre. Enfin, la politique de Dongan empêchera certainement une destruction des Iroquois. Est-ce tellement à regretter ? Dongan veut aussi mieux protéger Albany, New York, car il sent la bataille proche et désire être prêt. Les Anglais ont cependant intérêt à empêcher la destruction de l'Iroquoisie pour préserver le commerce des fourrures qu'ils font avec les Iroquois et qui garantit la survie de la colonie anglaise. Les Français auraient-ils consenti à la destruction des Indiens alliés qui leur apportent des fourrures ? La situation est la même. Et comme le constate le gouverneur, dans des expéditions de ce genre, à l'avenir, il n'y aura pas de succès possible sans « un très grand corps de troupes et de sauvages... »

Dans une dépêche du 14 novembre, La Barre présente plus longuement les prétentions et les réclamations de Dongan. Celui-ci affirme « que tout le pays qui s'étend de la rivière de Saint-Laurent au sud, et sud-ouest appartient au roi d'Angleterre, en quoi sont compris tout le pays des Iroquois, et toutes les vastes étendues de terres qu'ils ont dépeuplées le long des lacs Ontario, Érié, Huron, Michigan, jusqu'aux Illinois... » C'est un problème que le roi de France doit résoudre avec le roi d'Angleterre à moins que La Barre, par la force, ne se saisisse de ces territoires.

La Barre s'est déjà énergiquement plaint de Dongan. Par déférence pour les affaires en Europe, il a retenu une action contre lui. Il tranche en maître absolu de l'Amérique septentrionale, se prétendant le possesseur de tous les territoires du monde, réclamant tous les pays au sud du Saint-Laurent. Il ne doute de rien.

Puis il demande à Seignelay de quelle façon il doit se conduire dans cette affaire. Comment agir avec Dongan et se comporter devant les prétentions de celui-ci ?

Enfin, La Barre ne croit pas pouvoir entreprendre une autre expédition l'année prochaine. Le roi pense-t-il continuer cette guerre ? Il faudrait transporter les fourrures qui s'accumulent à Michillimakinac. Dans les dix compagnies qui sont arrivées « nous n'avons ni vieux soldats, ni presque d'officiers expérimentés pour les commander. » Il réclame d'autres soldats. Enfin, dans l'une de ses dernières dépêches, La Barre avoue qu'il n'a « point de nouvelle assurée de la solidité de notre paix... »

À la même époque, Sir John Werden écrit au gouverneur de New York, qui lui a demandé d'empêcher les Français du Canada de faire la traite des fourrures avec les Indiens du sud du Saint-Laurent. Le 1er novembre, il lui dit ce qui suit : « Il sera impossible d'obtenir des Français, (comme vous le suggérez), qu'ils abandonnent la traite avec les Indiens, mais nous devons tenter, par une bonne administration, par la fermeté dans nos relations avec eux, de les conduire à traiter avec nous plutôt qu'avec les Français, ou toute autre nation ».

Dans une autre lettre datée du 4 décembre, Sir John Werden revient sur ce sujet et à peu près dans les mêmes termes. Le duc d'York ne peut pas défendre aux Français de faire la traite avec les Indiens de l'État de New York.

C'est impossible. Pour empêcher ce commerce, Dongan et son conseil doivent se servir d'autres moyens envers ces Indiens, comme être aimable, de bons traitements, de bonnes factoreries, etc. « évitant toujours, autant que possible, toute démarche de notre part qui peut nous entraîner dans des disputes avec les Français qui, dans les circonstances actuelles, ne doivent pas être faits nos ennemis... »

Et comme Dongan a suggéré au duc d'York d'imiter les Français qui ont construit Katarakouy, Sir John Werden lui répond la chose suivante : « ...Votre prudence et l'avis d'hommes qui ont beaucoup d'expérience dans vos quartiers, doivent être vos meilleurs guides, dans le problème de savoir si vous devez construire des place fortes, ou appropriées pour le commerce avec les Indiens, dans des endroits convenables sur les lacs ou rivières dont vous parlez... »

Katarakouy vs Oswego

Dongan est donc engagé à fond dans une politique agressive : si les Français font la traite avec des Indiens qu'il estime appartenir à l'État de New York, pourquoi les Anglais ne feraient-ils pas la traite avec des Indiens censés appartenir aux Français ? Si les Français ont Katarakouy pourquoi les Anglais n'auraient-ils pas Oswego ? Un prochain conflit se dessine de plus en plus nettement.

Chapitre 148

1685

Enfin se termine l'année 1684, si importante à tant d'égards, qui a vu débuter tant de nouvelles aventures et la fin, à proprement parler, d'une époque qui a duré de 1665 à 1684. Maintenant, les Anglais réclament l'Iroquoisie, sur laquelle leurs droits sont fort douteux, l'ouest et le sud-ouest de l'Iroquoisie, sur lesquels ils n'ont absolument aucun droit. La France, de son côté, faute de gouverneurs assez habiles ou assez sensés, est incapable de poursuivre une large politique d'amitié envers l'Iroquoisie, ou d'organiser une expédition de guerre d'une grande ampleur et très efficace pour dominer les Iroquois ou disperser cette nation ; c'est aussi la fin d'une période de paix, car on ne se souvient plus des leçons des campagnes de 1665 et 1666, qui avaient montré combien il était difficile d'atteindre les forces vitales de l'Iroquoisie, et que aussi longtemps qu'on ne le pourrait pas, il était préférable, indispensable et même plus avantageux, de s'en tenir à une politique de paix. C'est la fin du commerce, car Albany, abandonnant sous l'influence de Dongan sa stratégie qui consistait à attendre la venue des Indiens et décidant d'envoyer des coureurs des bois chez les Indiens de l'ouest, que la France considérait à juste titre comme les siens, un choc dur et violent serait inévitable. Puis commence aussi la lutte pour la possession des territoires américains, qui fera couler beaucoup d'encre et de sang ; elle n'est pas sur le point de se régler. À Montréal, Callières et à Albany des juristes, ont déjà commencé à rédiger des mémoires.

La Barre, naturellement, disparaît après avoir provoqué cette explosion pendant l'année 1684. Une bonne partie des implications de sa mauvaise administration se seraient peut-être produites quand même plus tard, car ces problèmes auraient obligatoirement eu un développement, mais les conséquences de ses actes vont se manifester en l'espace de quelques semaines.

Le gouverneur de La Barre démis de ses fonctions. Jacques-René Brisay de Denonville (1637-1710) sera gouverneur général de la Nouvelle-France de 1685 à 1689.

Aussi, le 10 mars 1685, le roi écrit à La Barre pour lui annoncer qu'il est démis de ses fonctions et remplacé par le marquis de Denonville. Le même jour, il écrit à l'intendant De Meules : « ...J'ai raison de ne pas être satisfait du traité conclu entre le Sieur de La Barre et les Iroquois. Son abandon des Illinois m'a sérieusement déplu, et m'a déterminé à le rappeler... » Et Denonville, son successeur, « aura le pouvoir... de continuer la paix, ou de déclarer la guerre, selon qu'il le jugera nécessaire à mon service... » On sait que Seignelay parlera du traité de La Barre, comme de la paix honteuse de M. de La Barre. Ces quelques documents montrent que la cour de France considérera le problème de façon limitée, verra surtout l'abandon des Illinois, alors qu'il aurait fallu considérer dans son ensemble le maintien de l'influence française en Iroquoisie, son droit de possession sur une partie de celle-ci, et du moyen de protéger les Illinois sans pour cela faire une guerre offensive contre les Iroquois.

Charles II est décédé en 1685. Jacques II (1633-1701), duc d'York depuis 1643, régnera de 1685 à 1688.

Ce jour là, le ministre écrit aussi à Barillon, ambassadeur à Londres : « Le Roi a appris que le gouverneur de New York, au lieu de garder de bonnes relations avec le Sieur de La Barre, gouverneur du Canada, en conformité des ordres du feu roi d'Angleterre, a fait ce qu'il a pu pour empêcher les Iroquois de traiter avec lui ; qu'il leur a offert des troupes pour servir contre les Français, et qu'il a fait planter des drapeaux dans leurs villages, bien que ces nations aient toujours été sujettes de la France depuis que leur pays a été découvert par les Français, sans que les Anglais s'y objectent... Sa Majesté désire que vous présentiez ses griefs au Roi d'Angleterre et que vous lui demandiez des ordres précis pour obliger le gouverneur à se confiner dans les limites de son gouvernement et pour qu'il observe une conduite différente à l'endroit du Sieur de Denonville, que Sa Majesté a choisi pour remplacer ledit Sieur de La Barre. » Les Français auraient dû soupçonner que si jamais des ordres venaient d'Angleterre, ils n'auraient pas grand effet sur Dongan qui est loin de Londres et peut administrer les affaires à son gré. Au lieu d'espérer un changement, il aurait fallu être réaliste et diriger tout de suite la politique française en fonction des actes, de la conduite et même des écrits de Dongan.

voir page 227

Denonville arrive. Ses instructions datées du 10 mars sont suffisamment précises. Son premier devoir « sera d'assurer la tranquillité au Canada par une paix ferme et solide. » Mais, pour que cette paix soit durable, « l'orgueil des Iroquois doit être humilié, les Illinois et les autres tribus qui ont été abandonnés par le sieur de La Barre, doivent être soutenus et les Iroquois doivent, dès le début, être donnés à comprendre par une politique vigoureuse et ferme, qu'ils auront tout à craindre s'ils ne se soumettent pas aux conditions que le bon plaisir du gouverneur leur imposera. » Denonville devra annoncer publiquement que son devoir est de protéger les alliés de la France ; il peut appuyer sa déclaration par une guerre ou une expédition contre les Tsonnontouans. Le roi s'occupe actuellement des prétentions de Dongan. Denonville doit tenter de garder de bonnes relations avec ce dernier. Si les Anglais excitent les Iroquois contre les Français, ils devront être traités en ennemis sur le territoire canadien. Mais Denonville ne doit pas conduire d'attaque sur les territoires anglais proprement dits. Il doit maintenir la paix entre les Indiens alliés et empêcher les Iroquois de faire la guerre aux Illinois et autres.

Ces instructions sont contradictoires. Elles proposent la paix et ordonnent la guerre. Peut-être n'auraient-elles pas conduit à la guerre avec Frontenac, qui s'en tenait à une politique élaborée en 1682 et poursuivie jusqu'à son départ ou du moins la guerre n'aurait pas été pour la France aussi néfaste. Mais à cette époque, un nouvel élément qui vient de la dernière année, s'ajoute aux autres facteurs et rend la situation plus délicate qu'au temps de Frontenac.

Les Iroquois, en particulier les Tsonnontouans, ont pris contact avec les Anglais, avec un gouverneur qui est prêt à les soutenir en tout et partout, et même à perturber leurs relations avec les Français. Bien plus, c'est l'époque où les Iroquois peuvent tout attendre. Plus tard, ils verront qu'ils obtiendront très peu d'assistance en soldats et en troupes. Ils ne le savent pas encore, et ils se fient pour l'instant aux belles promesses faites en 1684.

De plus, il faut aussi considérer que depuis 1666, les Français tiennent les Iroquois dans une certaine sujétion, les empêchant par exemple de faire la traite avec les Outaouais ou de conduire ceux-ci dans leur pays pour traiter, leur défendant d'attaquer telle ou telle tribu. Dans une certaine mesure, les Iroquois reçoivent des ordres du gouverneur de la Nouvelle-France. Celui-ci a donc une politique de fermeté ; la crainte fait obéir les Iroquois. Maintenant, à partir de 1684, les Iroquois réalisent que s'ils veulent sortir de cette tutelle, ils peuvent avoir l'assistance des Anglais, qui leur donneront une certaine latitude pour agir. Ils tendent donc de se rallier à ceux qui les laisseront libres d'attaquer les Illinois, les Miamis, les Outaouais, ou de négocier dans n'importe quel lieu ; à ceux qui les pousseront même à le faire. Cette fois, les Iroquois commencent à se rendre compte qu'ils ne seront plus seuls contre les Français, comme en 1665, mais qu'ils auront l'appui de l'État de New York. Et cela fait une grand différence. Pour sortir de leur état de vassaux des Français, les Iroquois ont maintenant des appuis.

Pour échapper à l'entreprise des Français, les Iroquois peuvent compter sur les Anglais.

Denonville est donc au Canada. Ce gouverneur ne manque pas d'instruction et il a la plume facile. C'est un correspondant enragé. Il multiplie les longues dépêches, les lettres, qu'il développe clairement, analysant les faits avec lucidité. Il pèse le pour et le contre, sans trouver de solution et il manque d'initiative. La Nouvelle-France a reçu un contingent de troupes à plusieurs reprises. Les Iroquois l'ont appris, malgré toutes leurs rodomontades, ils sont prudents. Si on avait su entretenir cette crainte, aurait-on pu les maintenir calmes ?

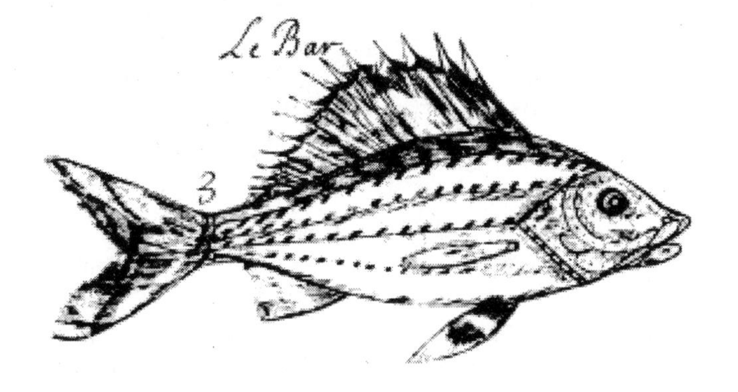

Chapitre 149

1685

À l'arrivée de M. de Denonville, c'est l'accalmie. L'année 1685 passe sans trop d'incidents. Le gouverneur se rend tout d'abord jusqu'au lac Ontario, avec le gouverneur de Montréal, M. de Callières. Il fait part de ses observations les 20 août, le 5 septembre et surtout le 12 novembre 1685.

Tout d'abord, les Iroquois sont paisibles. Ils s'attendent et redoutent une attaque. Lamberville, dans la capitale iroquoise, rend compte de leur tranquillité.

La dépêche du 12 novembre est surtout un mémoire et rapporte les impressions du nouveau gouverneur. Les Iroquois, dit-il, sont à craindre, et ils sont puissants parce qu'ils obtiennent facilement des armes des Anglais, qu'ils adoptent des prisonniers de guerre et augmentent ainsi le nombre de leurs guerriers. C'est surtout grâce aux armes qu'ils obtiennent à profusion et à bon marché des Anglais qui «jusqu'ici leur ont donné un avantage sur les autres nations qui, parce qu'elles étaient sans armes, ont été détruites par les premiers... » Les Anglais de Virginie eux-mêmes ont subi leurs attaques. Mais les Hollandais et les Anglais d'Albany ne veulent rien entendre et ils arment ceux qui leur apportent des fourrures. «Étant les plus puissants, les Tsonnontouans sont les plus insolents. On ne doit pas entretenir l'idée que cette nation puisse jamais être réduite en se mettant en position de les attaquer par surprise ; ce qui ne peut se faire sans s'approcher d'eux sans occuper des postes où l'on placera des provisions pour les troupes qui seront envoyées après eux. » Mais toute la difficulté consiste justement à les prendre par surprise. C'est un point qu'il ne faudra pas oublier : Denonville, dès le début, a le projet d'attaquer les Tsonnontouans par surprise, comme les Iroquois attaquent les Français ; c'est-à-dire se rendre jusqu'à leurs bourgades, sans que ses mouvements soient observés et espionnés. Idée un peu enfantine et qui le conduira à bien des difficultés.

Les Iroquois adoptent les prisonniers et augmentent ainsi le nombre de leurs guerriers.

Denonville voudrait que l'on fasse quelques réparations au fort Frontenac. Il en est très content, en parle un peu comme Frontenac. Les barques sont en bon état. Le roi devrait se rendre le maître absolu du lac Ontario. Les Anglais voudraient y avoir un poste, ce qui porterait préjudice à la colonie et au roi. Denonville, lui aussi, voit l'empire français, comme La Salle et Frontenac ; un poste permanent et solide au lac Ontario, des barques circulant en tout temps, un autre poste et des navires au lac Érié, quand les Iroquois seront conquis ; et de là, on se rendrait facilement à Michillimakinac d'où on pourrait surveiller les Outaouais, et faciliter le commerce des fourrures ; puis, on contrôlerait de

Le gouverneur Denonville ne voit que la guerre pour régler la question iroquoise.

là le commerce des Illinois et du sud-ouest. « Étant maîtres de ces deux lacs et croisant là avec nos navires, les Anglais perdraient le commerce du castor dans cette région d'où ils en tirent en abondance. »

Denonville fait aussi des remarques inconsidérées et qui laissent voir dès le début le fond de sa politique. Une paix durable, dit-il, serait plus bénéfique à la colonie que la guerre. Mais cette nation est hautaine et insolente envers les tribus auxquelles elle fait la guerre et aux dépens desquelles elle augmente sa population. La paix avantageuse qu'ils ont conclue l'année passée les a mis dans une situation dont ils voudront sortir à la première occasion. Si on ne les rend pas à la raison ou si on ne les met pas au pas, ils redeviendront insolents lorsqu'il n'y aura plus de troupes dans le pays, malgré leurs promesses, ils nous attaqueront et soumettront les Français à toutes les insultes.

Cette nation, c'est-à-dire les Iroquois.

Ce sont les seuls arguments de Denonville. Ils sont excessivement faibles. On ne déclare pas une guerre pour ces raisons. Il faut tenter auparavant de tenir les Iroquois en échec ; de limiter leur pouvoir et leur insolence par une politique ferme. Il faut un pays fort pour que l'autre ne soit pas toujours tenté de profiter d'un état de faiblesse, et attendre aussi que des actes d'hostilité aient lieu ; il faut négocier avec prudence et habileté. Pourquoi ne pas tenter de les gagner comme Frontenac, d'utiliser les cartes qu'il a en mains, de montrer les troupes qu'il a en Canada, de consolider les forts, d'utiliser les autres ressources qui ont donné des résultats pendant l'hiver 1684-1685, de donner une cohésion, de la force, des armes aux Indiens alliés et aux Illinois-Miamis ? Pourquoi la guerre, tout de suite la guerre, et détruire une nation ? Encore hier, malgré tous les désavantages, La Barre était capable de remporter une belle victoire diplomatique sur Dongan et les marchands d'Albany dans la capitale iroquoise : pourquoi jeter le manche avant la cognée ?

C'est ce qui surprend aujourd'hui avec du recul. Denonville a à peine mis le pied sur le sol canadien qu'il n'aspire lui aussi qu'à la guerre, bien qu'il n'ait reçu aucune provocation. Il va la préparer activement, comme le prouve la phrase suivante : « Il est nécessaire, alors, d'examiner les moyens les plus certains de détruire et de conquérir leurs cinq villages... » N'a-t-il pas vu les graves conséquences de la campagne de La Barre, qui a eu pour résultat de précipiter les Iroquois dans les bras des Anglais ? Dongan a commis heureusement un impair en 1684. Mais si l'on recommence ?

Denonville n'en a cure. Les Iroquois ont environ 2 000 guerriers. Il y aurait assez de miliciens au Canada, assez de soldats et d'Indiens alliés pour remporter une victoire. Mais il faut encore plus si l'on ne veut pas seulement les châtier, « mais les annihiler si c'est possible. » Pour cela, il faudrait un nombre assez considérable d'Indiens capables de les poursuivre dans les forêts lointaines où ils se retirent. Il faudra s'entendre avec les Illinois et tous les Indiens alliés de la France pour les attaquer et les chasser. « Car il serait très infortuné de ne pas les vaincre si nous les attaquons, rien ne doit être négligé de ce qui peut être fait, pour tâcher de les détruire et mettre hors de leur pouvoir de faire du tort à la Colonie. Si nous réussissons, je calcule que les Anglais perdront leur commerce en ce quartier. » Cependant, les Indiens alliés sont si mécontents de leur marche inutile de l'an passé qu'il sera difficile de les convaincre et de leur faire confiance.

En conséquence, il poursuivra les négociations avec un chef agnier ; puis, il tentera de manœuvrer les Illinois par l'intermédiaire de Tonty qui leur promettra sa protection. Il s'est mis en relation avec Du Lhut et La Durantaye ; mais ceux-ci sont souvent en voyage et résident si loin que « étant absolument incapables de les voir avant au moins le mois de juillet prochain, je considère qu'il est préférable de ne penser à rien entreprendre durant toute l'année prochaine, en particulier parce qu'un bon nombre des meilleurs hommes de la colonie sont parmi les Outaouais, et ne peuvent revenir avant l'été suivant ». Comme on le voit, des plans de campagne sont ébauchés pour l'année 1687, dès les premières semaines du séjour du gouverneur en Nouvelle-France. Il ne faut pas se précipiter, d'autant plus que des tribus d'Indiens alliés sont en mauvais termes les unes avec les autres et qu'il faut les réconcilier avant d'entreprendre la moindre chose. « Cependant, nous ne perdrons pas de temps pour nous mettre en état de ressentir les attaques que les Iroquois peuvent lancer contre la Colonie, qui souffrirait beaucoup si nous étions défaits, et nous ne laisserons passer aucunes négociations qui pourront s'offrir, de façon à endormir les Tsonnontouans qui sont les plus insolents, avec qui aucune paix permanente ne peut être attendue, et encore moins qu'ils observeront la paix avec nos alliés dont ils envisagent la destruction complète. »

Denonville attend M. de Tonty la semaine suivante. Il se concertera avec lui, car il pense qu'un grand détachement d'Illinois arrivant par le sud du lac Érié et par Niagara pourrait jouer un rôle important contre les Tsonnontouans. Il faudrait de la poudre et quatre ou cinq cents fusils pour armer ce peuple.

Claude Guillouet d'Orvilliers viendra y rejoindre son père vers 1687.

Il a nommé le sieur d'Orvilliers commandant à Katarakouy et lui a donné une compagnie pour garnison ainsi que des ouvriers pour mettre les barques et le fort en très bon état. Il a demandé qu'on envoie le père Millet, qui était chez les Onneyouts, à Fort Frontenac, où il travaillera parmi les nombreux Iroquois qui se rendent là, et qui s'y sont établis. Il veut voir aussi Du Lhut avant l'organisation définitive de la campagne.

Denonville fait encore préparer des planches pour cent bateaux plats qui coûtent moins cher que les canots. Il faudrait déposer en 1686 des provisions appréciables à Fort Frontenac, pour qu'en 1687, tout soit prêt. Il tâchera de le faire sans que les Indiens en prennent ombrage. Il fera semer des pois autour de Katarakouy, où les récoltes lui fournissent déjà trois cents minots.

Il faudrait acheter New York.

Enfin, Denonville se conforme à la tradition, en écrivant sa dernière phrase : « Le remède le plus sûr contre les Anglais de New York serait d'acheter cette place du roi d'Angleterre qui, dans l'état présent des affaires, aura besoin d'argent du Roi. Par ce moyen, nous serions maîtres des Iroquois sans faire la guerre. »

Denonville, dès son arrivée, prépare donc la guerre contre les Iroquois. Mais il ne veut pas une guerre improvisée, comme celle de La Barre. Il prendra son temps pour l'organiser, la préparer, accumuler vivres, canots et armements ; il veut que les Indiens alliés, les Illinois, prennent part au combat, arrivent assez tôt, soient réunis et mis en marche à temps. C'est, chez lui, une affaire de longue haleine que l'on verra se développer pendant plusieurs mois. En second lieu, pour surprendre les Iroquois, il veut le secret. Se préparer scrupuleusement et secrètement, faire marcher en cachette des contingents dont les mouvements seront fixés à l'avance, tels sont les projets de Denonville, et il y travaillera inlassablement.

Prévoir la protection des colons.

Denonville donnera aussi beaucoup d'écho aux observations que le père de Lamberville a soumises à La Barre en 1684, portant sur le fait qu'en cas d'attaques par les Iroquois, les habitants de la Nouvelle-France seront exposés aux agressions et aux massacres. Sans citer les avertissement répétés du missionnaire, il consacrera une partie de son mémoire à démontrer qu'il n'y a ni forts ni retranchements ou retraites pour les colons, qu'ils ne peuvent s'entr'aider ou préparer leur propre défense.

De Meules comprend si bien la politique du gouverneur qu'il écrira le 28 septembre 1685, un mois après l'arrivée du nouveau gouverneur : « M. de Denonville se met en état de porter la guerre aux Iroquois en l'année 1687 et pour cet effet, il prend ses précautions de bonne heure. »

L'ordre à La Durantaye est du 12 septembre 1685. Il est chargé de se mettre à la tête de tous les Français de l'Ouest. Tonty recevra ses ordres au début de l'année 1686 à fort Saint-Louis, et il sera à Québec dans le cours de cette année.

De moins en moins de peaux de castor.

En même temps, les quantités de peaux de castor canadien que l'on reçoit en France diminuent d'année en année. De 1675 à 1683, le total a passé de 61 000 à 95 000 livres. En 1684, il est tombé à 49 056 livres. Et, en 1685, bien que la guerre soit terminée, que la paix règne, on enregistre une diminution aussi considérable puisqu'elle est de 23 568 livres. Les peaux de castor s'accumulent toujours évidemment à Michillimakinac ; si on a quelques craintes, on ne pense pas à escorter les convois pour qu'ils arrivent en toute sécurité à bon port.

Chapitre 150

1685

Vers la fin du mois de juillet, La Barre avait reçu, juste avant son départ, deux lettres de Lamberville, si l'on en croit Charlevoix. Celui-ci affirme que les Tsonnontouans étaient restés chez eux tout l'hiver. Ils ne s'étaient pas rendus à la chasse, de crainte que les ennemis, probablement les Français, n'attaquent pendant ce temps-là leurs bourgades abandonnées par les hommes. Mais les Mascoutins et les Miamis leur auraient fait la guerre, c'est-à-dire qu'ils auraient brisé eux-mêmes le traité qui avait été conclu ; qu'ils « avaient pris et tué quelques-uns des leurs ; que les Mascoutins avaient même brûlé leurs prisonniers », et qu'ils avaient affirmé que cette attaque avait été faite à l'instigation du gouverneur de la Nouvelle-France.

Les Cinq Cantons auraient alors renouvelé leur alliance militaire ; les Mohicans leur auraient promis 1 200 hommes de secours et les Anglais, une assistance quelconque et des munitions, « qu'il y avait actuellement plusieurs partis d'Iroquois en campagne contre les Miamis ; que les Tsonnontouans refusaient de livrer les mille castors dont on était convenu avec eux pour le premier terme du paiement de ce qu'ils devaient aux Français pillés sur la route des Illinois, et qu'ils s'excusaient de ce délai sur plusieurs pertes... » Les Tsonnontouans ne se croient pas obligés d'envoyer des ambassadeurs.

Miamis et Mascoutins auraient attaqué les Tsonnontouans.

Une bonne partie des difficultés de l'été 1685 proviendrait donc, si l'on s'en tient aux faits, des attaques des Mascoutins et des Miamis, qui avait été inclus dans le traité de 1684, par La Barre qui avait été averti de ce fait par messager. Les Tsonnontouans connaissaient aussi cette clause. Ils avaient été mis au courant et l'avaient approuvée. Ils se reposaient sur la foi de ce traité.

Le simple énoncé de ces faits prouve donc que les Tsonnontouans avaient une bonne raison de se plaindre et qu'une attaque de ce genre, à elle seule, pouvait faire venir l'orage.

C'est toujours la même histoire. Les Hurons n'aiment pas que les Iroquois soient en bonnes relations avec les Français ; ils intriguent toujours pour briser la paix entre les deux. De façon générale, les Indiens alliés n'aiment pas que les Iroquois soient en paix avec les Français ; les deux peuvent s'unir contre eux, ou les Français laisser aux Iroquois le champ libre contre eux, ou les Indiens alliés ne pas avoir l'assistance des Français quand ils en ont besoin.

Chapitre 151

1685

Lamberville écrit à Dongan.

Le 10 septembre 1685, le père de Lamberville écrit à Dongan. Les Tsonnontouans ont voulu semer la perturbation. Ils cherchent à persuader les Agniers et les autres bourgades et tribus de s'allier à eux contre les Français. Mais on leur a donné l'assurance que la paix signée par La Barre resterait en vigueur et ils ont ensuite modifié leur décision. De faux rapports, des rapports malicieux avaient circulé parmi eux disant que la paix était dénoncée.

Lamberville dit ensuite que « pour compléter heureusement ce qu'il a commencé si bien », Dongan devrait « persuader les Tsonnontouans d'ajouter quelques pelleteries aux dix castors et aux trente loutres qu'ils ont laissées en dépôt chez les Onnontagués pour satisfaire M. de La Barre... » Dongan devrait faire plus encore ; il devrait recommander aux Tsonnontouans et aux autres tribus de ne pas se fier aux rumeurs « puisqu'il est vrai que le gouverneur du Canada désire de tout son cœur que toutes choses soient tranquilles et seconder votre juste intention ». Les Onnontagués et ceux qui partagent leur avis ont agi énergiquement sur les Tsonnontouans pour les ramener à des idées pacifiques, de même que M. Viele, le porteur de cette lettre, « qui était présent à ce qui a été dit et fait ». « Puisque la paix va apparemment durer par vos soins » il faut s'occuper de la propagation de la foi qui doit être le souci commun des deux. Garakonthié qui se rend au conseil des tribus iroquoises que Dongan a convoqué à Albany, et qui est ambassadeur pour les Onnontagués, pourra rapporter la réponse.

Dongan n'est-il pas catholique ?

Il est évident que le père de Lamberville comprend assez mal la personnalité du gouverneur Dongan. Il lui fait trop confiance. Cependant, la lettre est intéressante car elle montre à côté de Denonville, qui n'aspire déjà qu'à la guerre, un missionnaire qui travaille activement et fortement pour la paix, et qui sait les moyens d'y arriver. Il est bon de noter toutes les fausses rumeurs qui sont dans l'air, venant d'on ne sait où, et qui incitent les Tsonnontouans à faire la guerre, et comment ils cherchent à obtenir l'assistance des autres tribus. Au mois d'août, justement quand Denonville se rend à Katarakouy, les Onnontagués doivent faire de rudes efforts pour maintenir la paix. Ce voyage évidemment a donné lieu à toutes sortes de nouvelles. Les Iroquois ont craint tout de suite la guerre et ont réagi en conséquence. Les Tsonnontouans, pour leur part, ont répliqué avec insolence, après leur expérience de l'année précédente qui les avait enorgueillis.

Chapitre 152

1686

Les premiers coureurs des bois anglais chez les Indiens des Grands Lacs.

Le 8 mai 1686, Denonville écrit de nouveau au ministre. Il commence par une grande nouvelle. Il a obtenu la confirmation que onze canots, dont dix chargés de marchandises, appartenant à des Anglais de l'État de New York, ont paru sur les lacs Ontario et Érié. Des déserteurs français les guident. Il a donc envoyé des ordres à Katarakouy et à Michillimakinac, partout où il y a des Français, pour qu'on les poursuive et qu'on les arrête. Il enverra un autre officier et douze hommes de confiance, pour retrouver le sieur d'Orvilliers à Katarakouy ; celui-ci doit se rendre à Niagara pour faire la traite avec les Iroquois quand ceux-ci reviendront de leurs chasses. Il amènera douze hommes avec lui, se postera avec eux près de Niagara, rivière par laquelle les Anglais sont passés et par où ils doivent obligatoirement revenir. « Je considère, ajoute le gouverneur, comme d'importance primordiale la prohibition de ce commerce aux Anglais, qui, sans aucun doute, détruirait entièrement le nôtre par les meilleurs prix qu'ils peuvent offrir aux Indiens et en attirant à eux les Français de notre colonie qui ont l'habitude d'aller dans les bois. »

Ce point est très important. Dongan commence à imiter les Français et à envoyer des coureurs des bois parmi les Indiens du Nord-Ouest. Jusqu'ici, les Français avaient maintenu ce commerce, parce qu'ils avaient des postes sur les lieux, des coureurs des bois qui circulaient parmi les tribus, des hommes de confiance ; l'énorme différence des prix offerts par les Anglais et les Français jouaient assez peu. La marchandise française se trouvait là à portée de main, au retour de la chasse. Mais à partir du moment où les coureurs des bois anglais seront sur les lieux et donneront pour un castor, de deux à quatre fois plus de marchandises que les Français, il est évident que le commerce français sera anéanti.

Ceci aurait de graves conséquences. Très bien, écrira Seignelay, si ce commerce n'est pas empêché, la colonie périra. Voilà ce qu'écrit un ministre de Louis XIV. Lahontan dira : « ...Le Canada ne subsiste que par le grand commerce de pelleteries, dont les trois quarts viennent des peuples qui habitent aux environs des Grands Lacs. » Dans un mémoire rédigé au début de l'année 1687, Dongan dira : « Le grand différend entre nous [Anglais et Français] est à propos du commerce du castor... Avant mon arrivée ici aucun homme de ce gouvernement ne s'était jamais rendu au-delà du pays des Tsonnontouans. L'an passé quelques-uns de nos gens se rendirent, pour faire la traite, parmi des Indiens éloignés, appelés les Outaouais, habitant à une distance d'un voyage de trois mois, à l'ouest et au sud-ouest d'Albany, d'où ils rapportèrent bonne quantité de castors. »

Tous comprennent que si les Anglais, en plus de donner plus de marchandises pour les peaux de castor, se rendent eux aussi parmi les Indiens alliés, c'en est fait du commerce des pelleteries de la France. L'allégeance des Indiens alliés, des Illinois, Miamis, des peuples du nord du lac Supérieur sera détruite en même temps. Ce n'est pas tout le commerce qui échappe à la France, c'est la fidélité de toutes les tribus qui entourent sa colonie.

On voit encore une fois les conséquences importantes d'une différence de prix qui depuis une quinzaine d'années a beaucoup influencé l'histoire du Canada. En ce moment, les conséquences sont tragiques et conduisent à la guerre. Comment l'empêcher ? Le bons sens dirait : en offrant des prix semblables à ceux des Anglais. Mais, pour diverses raisons, cette solution n'est pas retenue et il n'en est pas question. Il ne reste plus qu'une chose à faire : la guerre.

Toujours cette différence de prix entre Montréal et Albany.

La différence de prix empêche la France de s'assurer une bonne partie de l'Iroquoisie, a forcé les gouverneurs du Canada à imposer aux Iroquois des interdictions qu'ils ont détestées, a empêché les relations commerciales de se développer entre Nouvelle-France et Iroquoisie ; elle a assuré à New York l'alliance, la confiance et l'amitié des Iroquois. Au printemps 1686, la situation est encore plus compromise du fait de la diminution des arrivages de fourrures en Nouvelle-France depuis 1684.

Les Français ne réussissent pas à intercepter ces premiers canots qui partent sous la direction de déserteurs français. Ils arrivent à Michillimakinac où il y a bien peu de Français. Hurons et Outaouais sont assez mal disposés contre la Nouvelle-France, depuis leur expédition inutile contre les Tsonnontouans. Et, surtout, comme toujours, ils sont alléchés par les hauts prix des marchands anglais. En conséquence, comme le dira Denonville dans une dépêche, « ...Les Anglais qui se sont rendus chez les Outaouais ont été bien reçus et invités à revenir parmi eux avec des marchandises... » On sait que les Anglais leur disent que les Français ne peuvent les protéger contre les Iroquois.

La Durantaye revient à Michillimakinac après le départ des Anglais. Il apprend leur visite. Il organise un parti pour poursuivre les canots qui viennent de partir. Les Hurons protègent leur départ. Il aurait peut-être pu les atteindre, dans les régions du lac Érié, si des Tsonnontouans n'étaient venus au-devant d'eux, pour les aider à s'échapper et à fuir.

Chapitre 153

1686

Après avoir reçu des nouvelles de la visite fructueuse des Anglais à Michillimakinac, Denonville prend des mesures immédiates pour empêcher que ces événements se répètent.

Deux nouveaux postes : Détroit et Toronto.

Le 6 juin, il écrit à La Durantaye pour lui ordonner de retenir tous les coureurs des bois qu'il trouvera. Avec ces recrues, il établira deux postes : l'un à Détroit et l'autre, à Toronto. Dulhut sera chargé de l'établissement de Détroit ; il s'y rendra « pour y choisir quelque lieu avantageux pour s'y retrancher ». À la même date, Denonville ordonne à Du Lhut de se tenir à la disposition de La Durantaye. Il occupera Détroit avec cinquante hommes ; il couvrira et il protégera les Indiens alliés qui vont à la chasse dans le Saguinan. Il ne communiquera pas avec les Iroquois. Qu'il se rende là le plus tôt possible et qu'il y laisse un commandant. Et ensuite, qu'il retourne à Michillimakinac où le père Enjalran, en revenant de Québec, lui donnera les prochaines directives. Du Lhut sera aussi en communication avec les Illinois à qui il donnera les ordres dont le père Enjelran sera porteur.

Saguinan : endroit situé sur la côte ouest du lac Huron.

Ce faisant, Denonville tente de poser deux barrières sur les deux passages les plus fréquentés de l'ouest. L'un, par Toronto, conduit à la baie Georgienne, par l'ancien pays des Hurons et qui est parfois fréquenté. Celui de Détroit est la route ordinaire des Grands Lacs qui, par la rivière Niagara, le lac Érié, la rivière Détroit, le lac Huron, conduit à Michillimakinac. « Ces deux postes, écrit Denonville, empêcheront le passage des Anglais s'ils entreprennent de se rendre encore à Michillimakinac, et seront un refuge pour les Indiens, nos alliés, soit lorsqu'ils viendront à la chasse, soit lorsqu'ils viendront en guerre contre les Iroquois. »

Le gouverneur Denonville souhaite également établir un poste à Niagara.

Denonville construit à Détroit, plutôt qu'à Niagara, parce que l'endroit est moins exposé. Mais ce n'est que provisoire. Niagara est le lieu de son choix. Il l'a expliqué au ministre dans sa dépêche du 8 mai, aussitôt qu'il a appris le voyage des Anglais à Michillimakinac. « Ce qui serait le plus effectif pour en venir à cette fin, dit-il, serait l'établissement d'un très bon poste à Niagara... » Mais que l'on négocie avec eux ou que l'on soit en guerre, les Iroquois « se soumettront avec beaucoup d'impatience à voir un fort se construire à Niagara qui nous assurerait la communication entre les deux lacs ; nous rendrait maîtres da la route que les Tsonnontouans suivent en allant à la chasse pour les fourrures, qu'ils ne trouvent pas dans leur propre pays ; c'est aussi leur rendez-vous quand ils vont chasser pour leurs approvisionnements de gibier qui se trouve en abondance dans ce pays de même que toutes les sortes de poissons. Ce poste serait encore d'un grand avantage pour les autres tribus qui sont en guerre avec ceux-ci et qui n'osent les approcher, parce que leur chemin de retraite est trop long. Il tiendrait ceux-ci dans la sujétion et dans la crainte... » Il faudrait qu'il soit grand et puisse contenir par de bonnes palissades une garnison de 400 à 500 hommes.

Les principaux avantages du poste seraient les suivants : contrôler les mouvements des Iroquois lorsqu'ils vont à la chasse et les obliger, de gré ou de force, en passant, de faire la traite de leurs fourrures ; empêcher les Anglais et les Iroquois de se rendre à Michillimakinac pour faire la traite avec les Hurons-Iroquois ou ceux-ci de venir à Albany ; empêcher aussi les Iroquois d'aller en guerre contre les Indiens alliés : être une base très utile d'expéditions militaires contre les Tsonnontouans et un refuge pour les partis d'Indiens alliés qui viennent en guerre contre les Tsonnontouans et « nous rendre maîtres de la chasse de cette nation... » Les avantages de ce poste sont les mêmes que ceux de Katarakouy, tels que décrits par Frontenac, ou l'abbé de Fénélon.

Denonville cependant ne se rend pas compte à cette date qu'un fort de ce genre, perdu loin de la Nouvelle-France, dans une clairière en forêt, rendrait assez peu de services en cas d'hostilités déclarées ; il n'a pas vu les garnisons de Montréal et des Trois-Rivières incapables de sortir et confinées dans les palissades pendant les premières guerres iroquoises.

Le gouverneur de New York s'oppose à la construction d'un poste français à Niagara.

Un conflit se déclare rapidement entre les deux puissances. Est-ce le sieur de Chailly, dont Denonville révèle la désertion dans la même dépêche, qui fait des révélations à Dongan ? Mais, celui-ci, dans une lettre à Denonville datée du 22 mai, demandera à Denonville de ne pas construire un poste à cet endroit « de ce côté-ci du Lac, dans les territoires de mes maîtres... » Cela pourrait causer un incident entre les deux rois.

Mais il vaudrait bien en construire un lui-même.

Dongan donne un avertissement au gouverneur du Canada, et il reprend l'idée à son compte. Dans son mémoire du mois de février 1687, il propose de construire un certain nombre de postes fortifiés pour conserver le commerce des peaux de castor et pour encourager les traiteurs et les chasseurs ; il en faudrait un, tout particulièrement, à « Oneigra, près du Grand Lac, sur le chemin de nos gens qui vont à la chasse au castor, ou à la traite, pour maintenir aussi nos relations avec les Indiens éloignés, et pour confirmer notre droit à ce pays que les Français réclament, et qui, prétendent-ils, s'étend aussi loin que la baie du Mexique, tout en ne présentant d'autre argument que le suivant : ils sont en possession par leurs missionnaires qui, pendant vingt ans, ont vécu parmi les cinq nations mentionnées plus haut... »

Denonville sait cependant que si les Iroquois ont des relations d'affaires avec les Anglais, ils ne les aiment pas. Les Anglais n'ont pas osé annoncer leur intentions de construire un poste à Niagara.

Robert de Villeneuve, ingénieur et cartographe français, débarqua à Québec en 1685 comme ingénieur militaire.

En mai, Denonville se propose d'envoyer le sieur d'Orvilliers et le sieur de Villeneuve à Niagara pour dresser des plans et des esquisses. Il voudrait s'y rendre lui-même. On l'a assuré que les terres des alentours sont fertiles et que l'on pourra y faire des établissements. Cependant, il craint que la construction de ce poste n'entraîne la guerre avec les Tsonnontouans.

Une opposition existe donc aussi en 1686 sur l'affaire d'un poste à Niagara et elle sera une source de conflits entre les deux couronnes.

Dongan et ses commerçants, dira Denonville le 8 octobre 1686, n'ont d'autre but « que de se poster à Niagara, pour nous bloquer ; mais jusqu'à maintenant, ils n'ont pas osé toucher cette corde avec les Iroquois, qui redoutent et craignent leur domination plus que la nôtre, ne les aimant pas en vérité, sauf pour leurs affaires bon marché. »

Dans sa dépêche du 8 octobre, Denonville dit aussi ce qui suit : « J'ai appris que le sieur Du Lhut est arrivé au poste du Détroit du lac Érié, avec cinquante bons hommes bien armés, avec des munitions de guerre et toutes les autres nécessités indispensables pour les garantir contre le froid dur et pour les rendre confortables durant tout l'hiver au lieu où ils se retrancheront. M. de La Durantaye ramasse des gens pour se retrancher à Michillimakinac et pour occuper l'autre passe que les Anglais peuvent prendre par Toronto, l'autre entrée au lac Huron. »

Chapitre 154

1686

Quand Denonville avise le ministre, au mois de mai, que des marchands anglais ont visité Michillimakinac, il ne connaît qu'une partie des événements importants qui se sont déroulés dans l'ouest.

Depuis la paix de 1665, des Indiens du Nord et du Nord-Ouest viennent un peu chasser dans l'immense zone neutre, déjà dépeuplée depuis longtemps, qu'est la péninsule du Michigan tout entière et la région du lac Érié. Ce sont d'immenses étendues giboyeuses. Hurons et Outaouais y viennent de Michillimakinac, qui est proche.

L'affaire du Saguinan : des Iroquois capturent des chasseurs hurons et outaouais.

Denonville raconte dans sa dépêche du 12 juin 1686 au ministre Seignelay, qu'il vient de recevoir des nouvelles de l'ouest et que le père Enjalran s'est rendu à Québec. Un Huron serait allé chez les Iroquois en 1685 et aurait poussé ces derniers à faire la guerre aux Français. Mais son principal projet était de trahir ses compatriotes de Michillimakinac. Des machinations ont donc lieu. L'hiver et la saison de la chasse arrivent, les Hurons et les Outaouais y vont, comme d'habitude, dans le Saguinan, endroit situé entre la tête du lac Érié et la baie actuelle de Saginaw, sur la côte occidentale du lac Huron, dans le Michigan. Soudain, des Iroquois font prisonniers soixante-dix de ces Hurons et en plus trente-six Outaouais, soit 106 personnes.

Qui est responsable de cette attaque surprise ? Parmi les prisonniers, il y a des chefs et les personnages les plus importants de la nation. Denonville accusera les Anglais d'être à l'origine de l'affaire ; les Iroquois ont été les dupes des Anglais. L'accusation est portée plus d'une fois.

Pour les Iroquois, l'objectif reste toujours le même.

C'est possible. Mais il faut bien se rendre compte que la politique des Iroquois, depuis le début de cette période historique, est d'être eux-mêmes les intermédiaires entre les tribus situées à l'ouest de leur pays et Albany pour le commerce des fourrures et d'empêcher ces tribus de l'ouest de passer dans leur pays, pour se rendre elles-mêmes à Albany et y échanger leurs fourrures contre des marchandises. Alors, au fond, sont-ils favorables à l'initiative de Dongan qui envoie des Anglais en canot à Michillimakinac pour y faire un commerce direct avec les Hurons-Outaouais, et y organiser de futurs échanges ? Sur ce point, on peut répondre avec certitude par la négative. Mais ils ne peuvent pas s'opposer directement à Dongan dont ils ont besoin pour les combats militaires qui s'annoncent.

Aussi la capture des Hurons-Outaouais, pendant la saison de chasse 1685-1686, semble être, de la part des Iroquois, un moyen d'exercer une pression sur ces deux peuples pour obtenir d'eux ce qu'ils désirent : des fourrures à bon marché qu'ils revendront aux Anglais en réalisant un bénéfice d'intermédiaire. Il faut se souvenir que très tard cette année-là, Dongan à New York demandera à des ambassadeurs iroquois de remettre les prisonniers qu'ils ont encore.

Si les Anglais veulent continuer un commerce direct entre Albany et Michillimakinac, il faut que la paix règne entre les tribus qui se trouvent le long de leur route, c'est-à-dire entre Iroquois et Hurons-Outaouais. Autrement, ils pourront difficilement passer. Ils ont besoin en particulier d'Iroquois pour les conduire chez les Hurons-Outaouais. La paix et la tranquillité leur sont donc nécessaires.

Il reste possible qu'Anglais et Iroquois aient agi de concert pour exercer une grande pression sur les Hurons-Outaouais, et les forcer, par la capture de prisonniers, à transférer leur commerce aux Iroquois et aux Anglais et à abandonner Montréal pour Albany. C'est assez plausible, bien que les documents prouvent le contraire.

Le père Enjalran vient à Québec pour que Denonville réclame la mise en liberté des prisonniers. Il semble entendu que celui qui obtiendra cette libération, aura la confiance des Hurons-Outaouais qui lui en seront reconnaissants. Si les Français ne réussissent pas à l'obtenir, les Indiens alliés prétendront que leur protection ne vaut rien.

Le père Jacques de Lamberville arrive aussi en même temps à Québec. Il affirme que les Onnontagués désavouent cet acte qui est le fait des Tsonnontouans beaucoup plus que de n'importe quelle autre tribu. Ils offrent d'envoyer et remettre leurs prisonniers à Katarakouy. Ils travailleront de façon à ce que les quatre autres tribus agissent de la même façon. Lamberville les y encouragera en demandant les prisonniers avec des présents. Denonville ne s'attend à aucun résultat mais les Onnontagués tiendront leur promesse au cours de l'été ; ils remettront leurs prisonniers à Katarakouy à des ambassadeurs appartenant aux mêmes tribus que ceux-ci. Ils remettront aussi six déserteurs français.

L'affaire du Saguinan : pourquoi ? « Un coup de force pour mettre la main sur le commerce de pelleteries de l'ouest. »

On remettra les prisonniers, mais les morts resteront morts. Et l'opération tout entière sera toujours une tentative d'obliger les Hurons-Outaouais, sous peine de voir leurs prisonniers soumis aux tortures et à la mort, d'abandonner les Français, soit pour les Iroquois seulement, ou en particulier les Tsonnontouans soit pour les Iroquois et les Anglais conjointement et solidairement. Denonville était plutôt de cet avis. Un coup de force pour mettre la main sur le commerce de pelleteries de l'ouest, voilà comment on peut le qualifier. Elle donnera bien du trouble au gouverneur : « Tout l'été a été dépensé en allers et venues pour ravoir les prisonniers, les Outaouais désirant les demander aux Iroquois sans ma participation, selon les promesses faites par les Tsonnontouans de les remettre pourvu que je ne les demande pas. Enfin, les Hurons et les Outaouais résolurent de se rendre à Katarakouy, et les Onnontagués seulement remirent leurs prisonniers, les Tsonnontouans disant que les leurs ne voulaient pas retourner chez eux. » Enfin, Dongan demandera de remettre ceux qui sont toujours prisonniers au mois de novembre à New York.

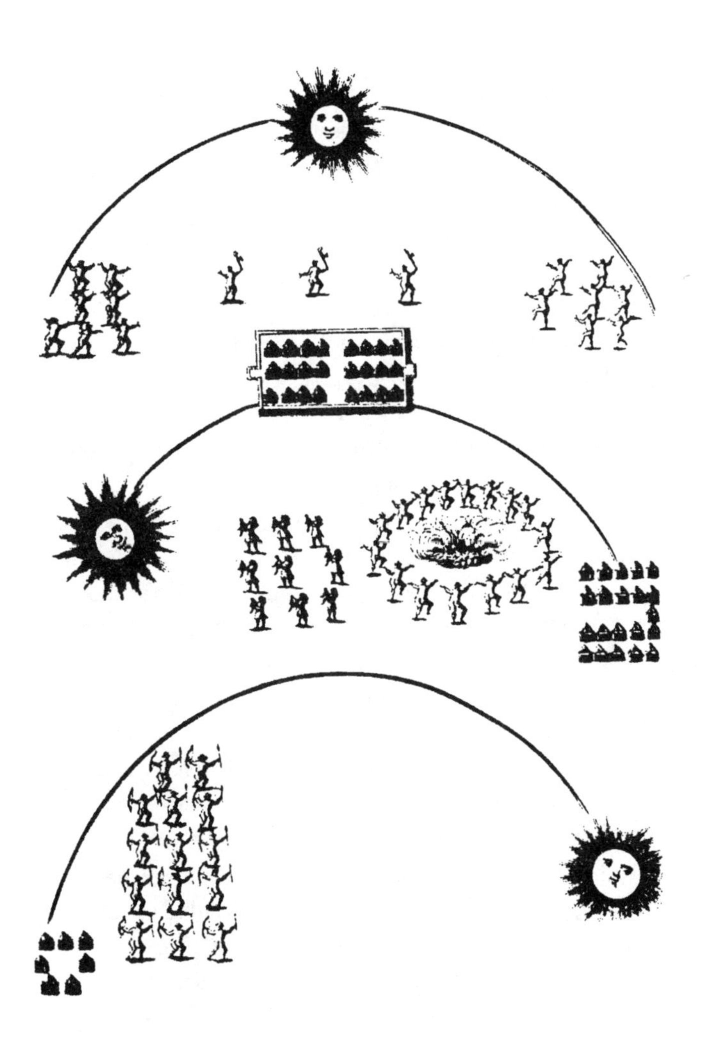

Chapitre 155

1686

Le premier événement important de l'année 1686 est donc le voyage des Anglais à Michillimakinac ; le second, la capture de plus de cent Hurons et Outaouais, au Saguinan ; le troisième, l'attaque des Iroquois contre les Miamis, pendant l'été.

Les Tsonnontouans attaquent et capturent des Miamis.

Le 4 novembre, le missionnaire Jacques de Lamberville écrit à Jacques Bruyas, un autre missionnaire. Il lui révèle qu'une armée de deux cents guerriers tsonnontouans est revenue au mois de septembre du pays des Miamis : « Ils disent qu'ils en ont ramené 500, ou qu'ils les ont faits prisonniers. » Ce parti déclare que deux de ses guerriers ont été tués pendant la première bataille. Mais les Illinois et les Outaouais les auraient surpris à leur retour, et auraient tué vingt-sept personnes : « Il n'y a pas de trêve à attendre de cette nation dans ce quartier ». L'hiver prochain, ou le printemps prochain, les Tsonnontouans retourneront combattre avec toutes leurs forces.

Denonville aura parlé de cet événement dans une dépêche écrite un mois plus tôt. Les Iroquois préparent un parti de guerre contre les Miamis et les autres Indiens à la baie Verte. Mais les Miamis ont déjà été attaqués par une première expédition iroquoise. Un village aurait été détruit. Mis au courant, les chasseurs de ce village ont poursuivi les Iroquois, les ont rejoints, ont combattu avec vigueur ; ils récupèrent un bon nombre de leurs prisonniers et tuent plusieurs Iroquois. Denonville les avertit en conséquence d'être sur leurs gardes, d'envoyer les femmes et les enfants dans la forêt, quand ils viendront à la guerre l'année prochaine. Pendant les deux dernières années, les Iroquois auraient tué de nombreux Illinois.

*Claude-Charles Le Roy de La Potherie dit Bacqueville de La Potherie (1663-1736), auteur de l'*Histoire de l'Amérique septentrionale.

La Potherie raconte le même incident de façon pittoresque. Trois Miamis apportent la nouvelle à Perrot : « ...On leur entendait dire que tous les Miamis étaient morts, que les Iroquois les avaient défaits à Chicago, où ils avaient été appelés des Français, et que ceux qui restaient voulaient se venger sur eux. » D'après ce récit, les Français avaient voulu rassembler les Miamis autour de leur poste de Chicago et, pour cela, avaient offert des présents ; le père Allouez s'était chargé de les persuader ; on avait exercé certaines pressions pour qu'ils obéissent, les menaçant de l'abandon de la protection des Français. Ceux-ci, semble-t-il, voulaient les regrouper, comme les Illinois, autour du fort Saint-Louis, pour faciliter la traite et aussi les mieux défendre ou se défendre avec eux en cas d'attaque des Iroquois. Les Miamis redoutent Chicago, trop rapproché de l'Iroquoisie. Mais ils consentent à la fin, malgré les aventures malheureuses qui leur sont arrivées dans cette région.

Les Miamis vont à l'endroit indiqué ; ils vivent là, chassent et font la traite. Quelques familles qui ne s'étaient pas rendues là sont surprises par des Iroquois. Un chef est capturé, et pour avoir la vie sauve, il promet de livrer le village. Puis, des chasseurs du même groupe aperçoivent un campement iroquois en revenant de la chasse. Ils s'enfuient vers le fort. Et c'est là qu'un Sokoki, ou Loup, ou Mohican, à la dévotion des Iroquois, leur fait commettre une erreur mortelle. Il leur dit « de ne pas se fier aux Français, qui étaient amis des Iroquois. Les Miamis le crurent et s'enfuirent de toutes parts ». Les Iroquois arrivent sous la conduite du chef miami qui a promis de livrer son propre village et, ne trouvant que quatre Français au fort, ils suivent les pistes, rejoignent les fuyards et capturent les femmes et les enfants.

Mais des Miamis, des Mascoutins, des Potéoutamis, des Outagamis, une centaine d'hommes, les poursuivent, les rejoignent rapidement et les attaquent. Ils en tuent une centaine, libèrent la moitié des prisonniers et mettent les autres en déroute.

Les Outagamis ou Renards qui parlaient un dialecte algique s'étaient établis dans la région de la baie des Puants (Green Bay au Wisconsin).

Pendant ce temps, des Miamis infligent de mauvais traitements au père Allouez à la baie Verte parce qu'il a négocié avec eux leur retour à Chicago.

Pourquoi les Iroquois ont-ils attaqué les Miamis ? On l'ignore. Avaient-ils un but commercial comme dans le cas des Hurons et des Iroquois ? C'est possible. Obtenir des fourrures de force, démontrer aux Indiens alliés et à toutes les tribus que les Français ne pouvaient les protéger et qu'ils devaient s'arranger avec eux, tel peut avoir été leur but. C'était peut-être simplement une tentative pour détruire le commerce des Français dans cette région et pour le désorganiser.

Chapitre 156

1685

Les projets de Denonville s'ébruitent. Est-ce la faute du sieur de Chailly qui a fait des révélations à Dongan ? ou les préparatifs faits en Canada ont-ils été interprétés par un esprit sagace ?

Le 22 mai 1685, Dongan écrit à Denonville. Il semble bien au courant de tout ce qui se trame en Nouvelle-France. Il a convoqué les Iroquois à Albany, dit-il, pour leur donner l'ordre de ne pas aller du côté nord des Grands Lacs, donc à Katarakouy, et de ne pas troubler les Indiens et les traiteurs de ces régions.

Depuis son arrivée à Albany, cependant, il a appris que les Iroquois sont inquiets et craignent la guerre parce que Denonville a envoyé des provisions et des forces militaires à Katarakouy.

Des prétentions anglaises de plus en plus nettes.

Dongan revient à sa première théorie qu'il exposera sans cesse. Faisant table rase des droits acquis, des droits de découverte et des prises de possession, il insistera sur le point suivant : le nord du Saint-Laurent et des Grands Lacs appartient aux Français ; les Indiens qui y vivent sont des sujets français ; que les Français s'y confinent et nous ne ferons rien pour les troubler, pas plus que leurs Indiens ou leur commerce. Mais à l'Angleterre appartiennent le sud des Grands Lacs et les Indiens qui y vivent ; laissez-nous tranquilles chez nous, nous vous laissons tranquilles chez vous ; je défends à nos Indiens de faire du commerce chez vous, de vous troubler, vous et vos Indiens, faites la même chose, donnez les mêmes ordres à vos Indiens et à vos traitants ; quant aux territoires et aux Indiens qui sont à l'ouest de notre pays et de l'Iroquoisie, nous les réclamons ainsi que les Indiens qui y vivent ; en conséquence, vous n'avez aucun droit de défendre aux Iroquois de les attaquer, puisque les uns et les autres nous appartiennent ; Michillimakinac, les territoires des Hurons et des Outaouais, sont dehors des limites, n'importe qui a le droit de traiter avec eux.

Telles sont les idées de Dongan. Elles sont en grande partie à l'origine des frontières actuelles et des guerres livrées pour ces frontières. Ni La Barre, ni Denonville, ni Lamberville ne l'ont compris. C'est un esprit réaliste, cynique, qui n'a aucun respect pour les questions de droit ; il réclame pour territoire ce que les circonstances lui permettent de réclamer avec quelque chance de succès ; il y aura toujours moyen de justifier ensuite, par des plaidoyers, des mémoires, ses revendications ; car que ne peut-on prouver quand on a un esprit fertile et un peu rusé ? La Barre a fait une faute, Dongan a vu l'immense parti qu'il pouvait en tirer ; il manœuvre pour mettre la main sur l'Iroquoisie et l'ouest qui sont d'une importance capitale pour les Anglais et il dira pourquoi. Il se moque des appels au sentiment de La Barre et de Lamberville qui sont pour lui de grands naïfs. Denonville s'engage à son tour dans une abondante correspondance avec lui. Ces plaidoyers lui importent peu. L'État de New York a besoin des Iroquois et de leurs fourrures. Il va s'arranger pour les avoir. C'est, pour lui comme pour la Nouvelle-France, une nécessité, elle devrait le comprendre.

Alors, dans sa lettre du 22 mai, il dit à Denonville : « C'est mon intention que nos Indiens [les Iroquois] ne fassent pas la guerre aux Indiens éloignés [Illinois, etc.]. Qu'ils le fassent ou ne le fassent pas, il ne semble pas raisonnable que vous vous engagiez en faveur d'Indiens auxquels nous prétendons, dans une querelle contre nos propres Indiens. »

Dongan a un si bon service d'informations qu'il sait en ce moment que Denonville veut construire un fort à Niagara « de ce côté-ci du Lac, dans les territoires de mes maîtres... » Ce serait une source de conflit entre les deux rois et les deux pays. Pour sa part, il est prêt à maintenir la paix.

Heureusement, Denonville abuse aussi ce trompeur. C'est une petite consolation après la très grande naïveté de La Barre. Il a l'intention de déclarer la guerre. Mais il jure que Dongan l'accuse à tort. Dans sa réponse du 20 juin, il affirme que s'il a transporté quelques munitions et vivres à Katarakouy, c'est pour la garnison. Pourquoi s'alarmer ? Il estime que si les Iroquois « sont alarmés de la guerre qu'ils imaginent que je vais leur livrer : leur conscience seule peut leur avoir imprimé cette idée, puisque je n'ai pas fait la moindre chose pour leur faire croire que je veux autre chose d'eux que de voir la paix bien établie dans tout le pays. Qu'ai-je fait pour leur causer la moindre inquiétude ? Et que veulent-ils ? » Denonville renvoie tous les problèmes de frontières aux rois, se contentant de mentionner les prises de possession et les résidences dans les territoires incriminés. Dongan sera tellement satisfait de ces réponses que dans une lettre du 27 juillet, il remerciera Denonville, lui dira combien il lui est agréable de négocier avec un tel homme, et lui avouera qu'ayant servi en France, il a quitté son service si vite que le roi lui doit encore vingt-cinq mille francs, ce qui est exact. Le gouverneur du Canada ne pourrait-il s'occuper de cette affaire ?

Les Iroquois n'ont pas la conscience tranquille, selon Denonville !

La meilleure !

Chapitre 157

1686

Mais les aménités ne peuvent durer longtemps entre Dongan et Denonville. Ce dernier ouvrira les hostilités par une violente attaque dans une lettre datée du 29 septembre. Elle a pour motif un conseil qui vient d'avoir lieu à New York, les 30 août et 1er septembre, entre les Iroquois et les Anglais. Il en existe un rapport officiel, car le conseil de l'État de New York était présent. Le père Jacques de Lamberville en enverra aussi un rapport à Callières, grâce à des indiscrétions des Iroquois probablement, et Callières envoie ce rapport à Denonville. Il est aussi question d'un conseil antérieur du mois de mai.

D'après le rapport officiel, Dongan offre des présents aux Iroquois et il leur dit: « Je désire aussi que ni les Français ni les Anglais... ne chassent ni ne traitent parmi vous sans ma passe et mon sceau... et s'ils le font, que les Iroquois les amènent à Albany et les livrent à l'hôtel de ville... » Les Goyogouins et les Onneyouts n'aiment guère cette politique: « Car un homme, si on lui enlève ses marchandises, se défendra lui-même, ce qui peut causer des troubles ou la guerre... » Et les Tsonnontouans diront: « Nous reconnaissons les Français par leurs habits, et les autres chrétiens par leurs habits, et si nous leur enlevons leurs marchandises, ceci va créer des troubles ou la guerre... » Les tribus refusent donc de piller les traiteurs qui n'auront ni la passe ni le sceau; ils craignent les remous que ces procédés provoqueront.

«Ils sont seulement des espions parmi nous.»

En second lieu, Dongan désire que les missionnaires soient les seuls Français en Iroquoisie plus un homme pour chaque missionnaire; il prononce même cette phrase brutale: « ...Ils sont seulement des espions parmi vous. »

En troisième lieu, il est question des prisonniers de guerre, c'est-à-dire des Hurons et des Outaouais. Les Goyogouins et les Onneyouts disent qu'ils n'en ont pas. Et les Tsonnontouans que l'affaire regarde, ne répondent pas d'après le rapport officiel.

En quatrième lieu, Dongan parle aux Iroquois des Iroquois catholiques de Montréal, qu'il veut ramener. Goyogouins et Onneyouts disent ce qui suit: « Ce que Votre Honneur a dit au sujet des Indiens qui sont au Canada, nous ferons les plus grands efforts pour les ramener et nous désirons que Votre Honneur leur écrive une lettre, qui aura plus d'influence sur eux que nos simples mots. » Les Agniers pensent aussi qu'un bon nombre de leurs frères de Montréal reviendront, si on leur donne des prêtres et des territoires où habiter.

Goyogouins et Onneyouts répondent aussi que ce que le gouverneur a dit au sujet des Indiens qui vont à Katarakouy, ne les concerne pas, car ils n'y vont pas. Ce sont les Onnontagués qui s'y rendent. Mais on ignore ce que Dongan a pu dire à ce sujet.

Ce rapport du conseil de New York est évidemment résumé de façon très sommaire.

Mais les autres informations qui parviennent en Nouvelle-France, soit par le père Jacques de Lamberville, soit par d'autres, sont plus précises et plus élaborées.

La position de Dongan se radicalise.

Dongan aurait défendu aux Iroquois de se rendre à Katarakouy ou d'entretenir des relations avec les Français. Il ordonne aux Iroquois de libérer leurs prisonniers hurons et outaouais, car Iroquois et Anglais doivent s'efforcer de faire paisiblement la traite avec les peuples qui contrôlent et conduisent un grand commerce de pelleteries. Il a décidé d'envoyer trente Anglais pour prendre possession de Michillimakinac, des lacs, rivières et terres de la région et il demande aux Iroquois de les escorter et de leur offrir assistance. Il veut rappeler les Iroquois catholiques des deux villages de Montréal qui sont de la tribu des Agniers; il donnera à ces Iroquois d'autres terres et leur procurera d'autres missionnaires. Lui-même catholique irlandais, il demande aux Iroquois d'accepter des missionnaires catholiques d'une autre race et d'exiger des missionnaires français qu'ils quittent leur pays. Dongan assure aussi aux Iroquois que si le gouverneur du Canada les attaque, ils le trouveront derrière eux ; il leur offre assistance et secours. Il leur permet de piller les Français qui viendraient les visiter, leur ordonne de les attacher et de les lui conduire; le produit du pillage sera pour eux.

Certaines de ces dernières propositions sont confirmées par divers documents dont certains donnent d'elles une explication précise les rendant plus explicites et plus concrètes. D'autres complètent aussi les premières, quant aux missionnaires que les Iroquois devraient chasser pour en recevoir d'autres de la main de Dongan. Toutes semblent parfaitement exactes et cadrent bien avec tous les documents de cette période.

Denonville, en plus de ces propositions, formule aussi certaines autres accusations, soit dans ses lettres à la Cour, soit dans ses lettres à Dongan. Un émissaire de Dongan aurait invité les Iroquois, à Onnontaé, à faire la guerre aux Français et à les piller. Les déserteurs du Canada trouvent dans l'État de New York un refuge certain, car Dongan veut les utiliser dans ses entreprises. Par l'intermédiaire des marchands, Dongan donne des armes et des munitions aux Iroquois. Il affirme sans cesse aux Iroquois que Denonville va leur déclarer la guerre. Le père Jacques de Lamberville vient à Québec faire un rapport sur les intrigues qui se jouent en Iroquoisie, et Dongan profite de son absence pour pousser les Iroquois à entrer immédiatement en guerre; et, pour que ses conseils réussissent, il rappelle en même temps le père de Lamberville, le jeune, afin que personne ne soit plus là pour défendre les intérêts français. Il envoie aussi des émissaires aux Iroquois catholiques de Montréal.

Voilà un acte d'accusation bien chargé, si on y ajoute, en plus, les événements qui se sont déroulés depuis le début de l'année : envoi de canots à Michillimakinac ; capture de plus de cent Outaouais et Hurons ; attaque contre les Miamis ; d'autres attaques contre les Miamis qui se préparent et attaques contre les Illinois et les Mascoutins ces deux dernières années.

Denonville dira avec justesse : « Ces intrigues... ont atteint un tel point que, sans doute, il serait préférable qu'ils aient recours à des actes d'hostilité ouverte en brûlant nos établissements, que de faire ce qu'ils font par les Iroquois, pour notre destruction. »

Ces accusations sont sans doute en bonne partie justes. Les Iroquois, se sentant appuyés par les Anglais, se permettent plus de choses qu'auparavant ; les Anglais lancent aussi directement les Iroquois sur plusieurs pistes, comme la destruction des missions françaises en Iroquoisie, l'arrêt de la traite avec les Français, etc. Mais il est difficile de défendre Denonville, car le gouverneur du Canada s'est prononcé en faveur de la guerre. Et, dans les lettres où il accuse Dongan, il parle aussi de ses préparatifs ; il révèle même qu'un déserteur français influent a pu révéler ses projets et ses secrets à Dongan. Ses ordres sont donnés à Du Lhut, à Tonty, à La Durantaye. Perrot, le père Enjalran surtout, connaissent tous ses plans pour 1687. Comment peut-il alors s'indigner contre Dongan, puisque, usant lui-même de duplicité et de dissimulation, il met sur pied sa campagne de 1687 pendant que Dongan agit de la façon indiquée plus haut. Ces agissements lui fournissent des arguments supplémentaires pour la guerre, mais celle-ci était décidée depuis bien longtemps, juste quelques mois après son arrivée en 1685.

Dongan joue un jeu de provocation sans trop s'émouvoir : s'il y a des coups à encaisser, les Iroquois seront là pour les prendre. Et si Denonville attaque les Iroquois, ce sera cette fois la fin de l'influence française en Iroquoisie. Les Anglais sont assurés d'une alliance avec un peuple fort ; toute l'Iroquoisie et son peuple seront aux Anglais.

L'habileté de Dongan est réelle, mais elle n'explique pas tout.

Il est très difficile de reconstituer cette année mouvementée et de bien la comprendre. Dongan, c'est certain, veut mettre la main sur le commerce huron-outaouais qui fait vivre la Nouvelle-France ; il travaille à élargir le fossé qui sépare les Iroquois des Français ; il veut donner aux Anglais la possession des terres qui se trouvent à l'ouest des colonies anglaises et de l'Iroquoisie. Toutes ses manœuvres se regroupent autour de ces principaux points. Comme c'est un homme très actif, habile, énergique, audacieux, une intrigue n'attend pas l'autre. Cependant, il serait oiseux d'expliquer tous les faits à travers Dongan seulement. Les Iroquois forment un peuple libre, très remuant, belliqueux et agressif. Dans la mesure où ils craignent de moins en moins la Nouvelle-France après leur alliance avec les Anglais, ils reprennent leurs anciennes méthodes. Après une interruption de près de vingt-cinq ans, ils recommencent à harceler les Indiens alliés ; en 1669-1670, il avait fallu toute la fermeté de

Courcelles pour arrêter leurs incursions. Maintenant qu'ils se sentent plus forts, elles reprennent, que leur but soit simplement d'exterminer ces nations, ou de mettre la main sur le commerce des fourrures, en exerçant des pressions. Les Iroquois ne semblent donc pas disposés à obéir à tous les ordres de Dongan, ils prennent des initiatives et ne manquent pas d'habileté et s'arrangent pour conserver la promesse d'assistance faite par Dongan, lorsqu'ils en auront besoin contre les Français.

Les actions des uns et des autres, des Anglais et des Iroquois, de leurs manœuvres, ont des résultats précis. Comme une île flottante emportée par un fort courant, l'Iroquoisie s'éloigne de plus en plus de la France, de l'influence française. Le fossé s'élargit entre elles. Son emprise est relativement maintenue dans la capitale, par le père Jacques de Lamberville, un bon orateur. Elle est complètement détruite chez les Tsonnontouans, les Goyogouins, les Agniers. L'Iroquoisie devient une dangereuse menace pour la Nouvelle-France. En second lieu, le commerce des fourrures de la Nouvelle-France est en péril. Non seulement celui de Katarakouy, mais aussi celui des traiteurs de Katarakouy, chez les Tsonnontouans, celui de Niagara. Mais encore celui, plus considérable et plus important des Hurons-Outaouais. L'empire commercial de ces deux tribus s'étend actuellement à tout le Wisconsin, à tout le vaste bassin du lac Supérieur. Le commerce des Illinois et des Miamis ne s'est pas stabilisé, il demeure plein d'incertitudes. La troisième conséquence, non moins grave, est que les Indiens alliés ne recevant aucune protection, ils sont lentement grignotés par les Iroquois. Frontenac avait ébauché en 1682 la coalition de ces tribus. Sa politique n'a pas été menée à son terme. Il aurait fallu bien armer ces tribus, les mettre continuellement en garde contre le danger, leur apprendre à se défendre et maintenir un poste puissant à Chicago. Tonty se tire assez bien d'affaire à Saint-Louis. Il a du mordant, de l'allant et de l'énergie, les Iroquois le craignent. Bras de Fer n'est pas facile à vaincre. Il garde les Miamis en bonne intelligence avec les Illinois et il les réconcilie parfois. En 1684, La Barre a fait entrer ces tribus en lice, ouvertement, contre les Iroquois, pour les détruire ; il a fait la paix sans combattre, les laissant exposées aux représailles des Iroquois. Ceux-ci, en 1686, attaquent les Mascoutins, les Miamis, les Hurons-Outaouais, que la France ne défend pas. Denonville pense, vers la fin de l'été, à les avertir de se mettre en garde, etc. ; mais c'est trop tard. Une main ferme n'a donc pas maintenu la coalition de ces peuples qui, maintenant, subissant des défaites, cherchent à faire des compromis avec les Iroquois ou les Anglais qui donnent de si bons prix pour les fourrures, et sont sur le point d'abandonner la France. Ainsi un répit des Iroquois-Anglais modifie la situation. À l'automne 1686, l'alliance de la France avec ces tribus vacille, et Denonville craint une coalition des Anglais-Iroquois avec toutes ces peuplades de l'ouest, coalition qui enlèverait à la Nouvelle-France toutes ses fourrures, la laisserait isolée, enfoncée parmi des peuples hostiles, Anglais et Iroquois au sud, Indiens alliés au nord-ouest et à l'ouest.

Bras de Fer est le surnom de Tonty.

En plus, les possessions et découvertes des Français, leur route vers le sud à l'ouest de l'Iroquoisie, le début de leur emprise sur le centre américain sont menacés et remis en question. L'édifice de La Salle et de Frontenac chancelle. On menace de faire disparaître l'ébauche d'un vaste empire français.

Denonville prépare secrètement la guerre, alors que...

On le voit bien, Denonville est manœuvré, dépassé par son adversaire. Ce sont Dongan et les Iroquois qui mènent le jeu. Denonville ne semble pas avoir la capacité de mener cette guerre d'intrigues et de rumeurs. Il concentre de plus en plus ses forces sur la préparation de la guerre. Une politique de paix franche, large, ferme, loyale avec l'Iroquoisie est-elle encore possible à cette date ? Il est bien possible que oui, si Denonville avait rallié les tribus de l'ouest autour de lui, les avait fait venir comme dans l'ancien temps, les avait animées, vraiment conduites, en avait fait une force et s'il avait agi franchement avec les Iroquois. Mais ses préparatifs de guerre peuvent difficilement se concilier avec une politique de paix envers l'Iroquoisie, politique absolument nécessaire, parce que la Nouvelle-France n'était pas prête pour un autre conflit. Étant donné les préparatifs secrets de la décision de Denonville, les actes des Iroquois et des Anglais en 1686 n'en sont que la conséquence directe.

Chapitre 158

1686

Un agent double loyal.

La succession des mauvaises nouvelles s'interrompt très tard en automne. Au mois de novembre, Denonville en aura d'autres à envoyer à Paris. Un Français du nom d'Antoine L'Epinart, résidant chez les Hollandais, est venu Montréal. On retrouvera son nom plus d'une fois, car il renseigne les Français sur ce qui se passe à New York, ou à Albany, et les Anglais sur les événements qu'il apprend pendant ses voyages en Nouvelle-France. Mais il semble renseigner loyalement les uns et les autres.

Le fait le plus important qu'il révèle est le suivant : « ...Les Anglais qui se sont rendus chez les Outaouais ont été bien reçus ; les Outaouais les ont invités à revenir avec des marchandises ; les Anglais leur ont presque procuré la libération de leurs prisonniers détenus par les Iroquois ; par ce moyen, les Outaouais seront plus attachés aux Anglais qu'à nous ; les marchands d'Albany ont demandé instamment au colonel Dongan de demander aux Tsonnontouans de remettre les prisonniers ; le Colonel a convoqué un conseil des Cinq Tribus qui sont allées le voir de concert ; c'est la croyance commune que le Colonel obtiendra ce qu'il veut des Iroquois et ainsi les Anglais attireront à eux et les Hurons et les Outaouais, et leurs prix élevés ruineront notre commerce. Ledit Antoine L'Epinart assure en plus que l'on a formé une société de cinquante hommes pour se rendre à Michillimakinac ; ils ont acheté leurs canots, mais le bas niveau de l'eau les a empêchés de partir ; ils attendent seulement que les pluies haussent ce niveau ; les Tsonnontouans ont promis de les escorter. »

Le père Jacques de Lamberville donnera d'autres nouvelles de cette expédition de commerce le 4 novembre, lorsqu'il écrira au père Bruyas. Au conseil du 30 septembre, à New York, Dongan aurait dit aux Iroquois : Pourquoi avez-vous tué les Hurons ? Je veux que les prisonniers de cette nation soient remis. Mes compatriotes vont chez les Hurons ; que deux Iroquois de chaque tribu les accompagnent. Et Lamberville ajoute que peu avant le 4 novembre, vingt canots hollandais sont récemment passés dans la capitale, s'en allaient vraiment chez les Hurons et « ils sont principalement chargés de rhum ». Trois Agniers les accompagnent de même que deux Iroquois de chaque tribu : « ...Trente canots additionnels partiront de bonne heure au printemps du même quartier pour un voyage aux Outaouais ». Puis un Onneyout s'est aussi rendu chez les Népissingues pour leur demander de venir vivre en Iroquoisie.

Denonville parlera en particulier de cette affaire dans une lettre du 16 novembre. Il a envoyé un homme très intelligent à New York. Celui-ci a eu

Des menées anglaises dangereuses.

des entretiens particuliers avec Dongan. Il a appris de lui qu'il avait envoyé cinquante citoyens de New York et d'Albany, parmi lesquels il y avait des Français, pour hiverner chez les Tsonnontouans ; ils partiront de ce pays à la fin de l'hiver, avec une escorte de Tsonnontouans, pour Michillimakinac. Ils conduiront avec eux les prisonniers Hurons pour les remettre de la part du gouverneur anglais. Celui-ci espère décider les Outaouais, par les services qu'il leur rend, d'abandonner leur alliance avec la France pour se rattacher aux Anglais. Ils apportent une grande quantité de marchandises qu'ils vendront à beaucoup plus bas prix que les Français. Dongan aurait encore donné des ordres pour que cent cinquante autres Anglais, accompagnés de plusieurs Mohicans, suivent les premiers avec d'autres marchandises. Ceux-là ne partiront pas avant le printemps. Denonville croit que ce second groupe tentera de se poster à Niagara ; si les Anglais s'installent là, il faudra les en chasser, sinon adieu le commerce des pelleteries.

Avec Dongan, les Anglais innovent. Ils vont au devant des fourrures.

Dongan confirmera lui-même ces nouvelles dans son rapport du mois de février 1687 : « Avant mon arrivée ici, écrira-t-il, aucune personne de ce gouvernement n'avait jamais été au-delà du pays des Tsonnontouans. L'an passé, quelques-uns de nos gens allèrent en traite parmi les Indiens éloignés nommés Outaouais qui habitent à une distance de trois mois de voyage à l'ouest et au nord-ouest d'Albany et ils en rapportèrent beaucoup de castors. Ils trouvèrent ce peuple plus disposé à traiter avec eux qu'avec les Français, ceux-ci étant incapables de les protéger contre les armes de nos Indiens, avec qui ils sont continuellement en guerre ; nos Indiens ont ramené de là l'an passé un bon nombre de prisonniers. La semaine dernière, j'ai appelé quelques-uns de nos Indiens à New York ; quand ils furent ici, j'obtins d'eux que certains de leur tribu accompagnent nos compatriotes qui, d'Albany et d'Esopus, se rendent chez ces peuplades éloignées ; et qu'ils ramènent avec eux les prisonniers qu'ils ont capturés afin de les remettre en liberté et d'enterrer la hache de guerre avec ces ennemis ; afin, par ce moyen, d'ouvrir un chemin à ces Indiens éloignés pour qu'ils puissent venir traiter en sécurité à Albany, et que nos gens puissent se rendre chez eux sans trouble et sans difficulté. »

D'après Dongan, toute l'affaire est exacte, avec ce détail important qu'il ajoute : on projette un traité entre les Tsonnontouans, ou les Iroquois et les Outaouais, en vertu duquel la hache de guerre serait enterrée. La paix régnerait pour que les échanges commerciaux puissent se faire librement dans le nouveau chenal.

D'autre part, il en donnera lui-même avis à Denonville, dans une lettre du 1er décembre 1686 : « J'ai seulement permis, dira-t-il, à plusieurs personnes d'Albany de faire la traite avec les Indiens les plus éloignés, leur donnant des ordres sévères de ne pas se mêler avec vos gens, et j'espère qu'ils recevront la même civilité de vous... » Et il est aussi « légal pour les Anglais que pour les Français de faire la traite là, puisqu'ils en sont plus rapprochés de plusieurs lieues ».

En colère, Denonville proteste : « Nos Français sont là depuis plus de 60 ans. »

Naturellement, Denonville répondra avec colère à Dongan sur ce sujet. Les Français sont en possession de ces territoires depuis longtemps ; ils en ont pris possession, ils y ont établi des postes, des missions, ils ont organisé ce commerce. « Vous avez donné des ordres et vous avez envoyé des passeports pour que des canots aillent en traite à Michillimakinac, où les Anglais n'ont jamais mis le pied et où nos Français sont établis depuis plus de soixante ans. Je ne dirai rien des intrigues et des manœuvres auxquelles vos gens ont eu recours, et de vos ordres pour tourner contre nous toutes les tribus indiennes établies parmi les Français. »

Enfin, Dongan donne une commission à un certain McGregory le 4 décembre 1686 et il l'établit ainsi chef de l'expédition des gens d'Albany allant en traite au pays. Cet homme, c'est le colonel Patrick Magregorie ; il parle les langues indiennes et a été maître-général de la milice de New York. Il procède en toute connaissance de cause. A-t-il conscience des réactions profondes qu'il va provoquer ? Veut-il déclencher une nouvelle expédition des Outaouais et d'une compagnie française en Iroquoisie qui éloignera encore et pour toujours les Français des Iroquois ? Croit-il que son acte va passer tout doucement grâce à la faiblesse de Denonville ? Sait-il qu'il attaque vitalement la Nouvelle-France ? Ignore-t-il tous les titres de la Nouvelle-France sur ces régions ? On se perd en conjectures.

Mais dans cette affaire s'amorce l'origine d'un grand désastre : le massacre de Lachine.

Chapitre 159

1686

Inutile d'ajouter que tous les événements de l'année 1686, le voyage des Anglais à Michillimakinac, l'attaque contre les Hurons-Outaouais, l'attaque contre les Miamis, la défense aux Iroquois de se rendre à Katarakouy, l'ordre de piller les traiteurs français qui n'auraient pas la passe de Dongan, la tentative de remplacer les missionnaires français en Iroquoisie, par des prédicateurs anglais, les prétentions des Anglais sur tout le centre américain, confortent un peu plus et plongent de plus en plus M. Denonville dans ses plans et projets de guerre. Mais comment ferait-il de cette guerre, lui qui s'y essaie après bien d'autres ? Serait-elle pour lui un problème insoluble comme elle l'a été pour ses prédécesseurs ? Il a le temps de s'y préparer, d'ajuster la fin aux moyens, de juger les divers éléments et de jauger les différents facteurs ; ce n'est pas une entreprise à la hâte, faite sous le coup de la colère, comme l'expédition de La Barre ; c'est un projet mûri, réfléchi, préparé depuis longtemps et de sang-froid.

Pour le gouverneur Denonville, la guerre contre les Iroquois est inévitable.

En premier lieu, la guerre lui semble inévitable : « Notre réputation est absolument détruite parmi nos amis et nos ennemis. » Si elle n'est pas entreprise, les Indiens alliés quitteront les Français, les Iroquois aussi. Il le faut absolument et « nous ne pouvons hésiter, et que la colonie doit être considérée comme perdue si nous ne faisons pas la guerre l'an prochain ; de tous côtés ils détruisent nos alliés qui sont sur le point de nous tourner le dos si nous ne déclarons pas pour eux ». Puis « les Iroquois n'ont d'autre dessein que de détruire tous nos alliés, l'un après l'autre, afin de nous annihiler ensuite ; et, en ceci consiste aussi la politique de M. Dongan et de ses commerçants... » Les « Tsonnontouans et les Anglais se comprennent de façon charmante, et sont en parfaite harmonie... » « la principale affaire dans le moment est la sécurité de la colonie qui est dans un danger évident de périr... » Si les Français ne font pas la guerre « je ne crois absolument pas que la prochaine année se passe sans que nous ne perdions absolument tout notre commerce ; les Indiens, nos amis, se révolteraient contre nous et se placeraient à la merci des Iroquois, plus puissants qu'aucun d'entre eux parce que mieux armés. » Sans le père de Lamberville, aucun canot ne serait venu de l'ouest l'été passé sans avoir été pillé sur l'Outaouais. « Et ceci, mon Seigneur, est un long récit des affaires du pays en relation avec les Iroquois, état qui exige absolument que nous fassions la guerre sans aucun autre délai. Chacun voit si clairement qu'elle est nécessaire, que ceux qui, jusqu'ici, y ont été le plus opposés, l'approuvent maintenant.

Puis les ordres de Dongan aux Iroquois, et le discrédit où nous sommes tombés parmi les sauvages pour avoir abandonné nos Alliés dans le temps de M. La Barre, pour avoir enduré qu'ils soient exterminés par les Iroquois et pour avoir supporté les insultes de ces derniers, rendent la guerre absolument nécessaire pour éviter une révolution générale des Indiens qui ruinerait notre commerce et conduirait finalement à l'extirpation de la Colonie. » Sans la guerre, la religion, le commerce et le pouvoir du roi dans l'Amérique du Nord seront détruits. La religion ne peut se répandre sans la destruction des Iroquois.

La guerre, seule issue possible.

Voilà quelques phrases glanées parmi plusieurs autres. Pour de nombreuses raisons, Denonville considère la guerre comme une nécessité. Sa conviction est absolue et il n'a aucune hésitation. Il ne se demande pas s'il aurait pu répondre aux manœuvres par des contre-manœuvres, s'il aurait pu se rendre aussi désagréable à Dongan que celui-ci à son égard, par des actions se rapprochant de la guerre, sans l'être vraiment. Il est carrément et définitivement en faveur d'une guerre offensive au printemps de l'année 1687. Il la recommande donc au roi.

Chapitre 160

1686

Denonville a donc commencé ses préparatifs de guerre, au printemps 1686, en envoyant des approvisionnements à Niagara. Il s'occupe ensuite des Indiens alliés dont il a sans doute appris en 1684 l'arrivée à Niagara à la fin du mois d'août, alors que le 9 août, La Barre était à Fort Frontenac. Cette leçon lui a profité. Il désire coordonner les mouvements de son armée avec ceux des Indiens alliés et c'est pourquoi il s'en occupe de bonne heure en 1686. Le problème est difficile, les distances sont grandes et les guerriers indiens capricieux à l'heure du départ et des marches. De plus, le gouverneur considère comme très importante cette partie de sa campagne militaire. S'il réserve aux Français le droit de battre les Iroquois, il attribue aux troupes Indiennes la tâche de les retrouver ensuite en forêt, de les disperser et de les détruire définitivement.

Dans sa lettre du 8 octobre, il dira donc ceci : « Je vous envoie de nouveau... copie des ordres que j'ai émis pour la rassemblement, pour l'ordre de marche, pour l'arrivée de nos Indiens alliés à Niagara avec les sieurs Du Lhut et de La Durantaye. Vous verrez aussi, mon Seigneur, les ordres que j'ai donnés pour que les Illinois attaquent dans le dos des Iroquois. Tout ceci paraît bien sur le papier, mais l'affaire est encore à être exécutée. »

Le gouverneur Denonville et Henry de Tonty préparent la guerre de 1687.

Tout d'abord, voyons les ordres à Tonty, Bras de Fer, l'énergique commandant du fort Saint-Louis, sur la rivière des Illinois, près du Mississipi. Cet homme a quitté son poste à la mi-février. Alarmé sur le sort de La Salle qui devait remonter le Mississipi, il est parti en canot avec quelques hardis aventuriers pour tâcher de le trouver. Ayant atteint les bouches du Mississipi, il s'est aventuré sur une très longue distance, le long des grèves, en direction de l'est et de l'ouest, sans trouver la trace de son chef, qui, par suite d'une erreur, est en fait dans un poste beaucoup plus à l'ouest. Il est revenu, et comme il avait reçu les ordres de Denonville, il a laissé fort Saint-Louis une seconde fois ; il arrive à Montréal vers la mi-août. Denonville dit en juillet. Des conférences ont lieu avec le gouverneur au sujet du futur contingent illinois et de l'attaque qu'il pourrait lancer par le sud de l'Iroquoisie, contre les Tsonnontouans, pendant que Denonville attaquera par le nord. « Je lui ai donné, dira Denonville, vingt bons Canadiens, avec huit canots chargés avec cent cinquante mousquets, je n'avais pu en trouver plus dans le pays. Il apporte de la poudre et du plomb et d'autres marchandises pour le commerce. Si les fusils que vous avez envoyés étaient arrivés, je lui en aurais donné un bon nombre. Il est parti à la fin d'août et il calcule qu'il arrivera au fort Saint-Louis avant le départ des chasseurs. » Tonty ignore le nombre d'Illinois qu'il pourra conduire sur le champ de bataille. Mais il a produit une excellente impression sur le gouverneur qui en est très content. Deux chefs illinois l'accompagnaient dans ce voyage. Mais il ne faut jurer de rien, car les Indiens sont capricieux. Si les Illinois viennent, les Canadiens les encadreront. Ce sera une marche de trois cents lieues par terre, car ce peuple ne connaît pas le canot. Dès son retour, Tonty envoie des coureurs des bois pour déclarer la guerre contre les Iroquois et demander de se rassembler au fort au printemps. En avril 1687, un grand rassemblement de tribus a lieu autour de Saint-Louis. Tonty leur offre un festin où le mets principal est composé de chiens. Tonty quitte son poste avec seize Français, cinquante Chouanons, quatre Loups, sept Miamis, et seulement cent quarante-neuf Illinois. Un nombre égal d'Illinois retournera en effet sur ses pas : ils ont appris qu'un parti tsonnontouan est en marche pour l'attaquer. La nouvelle était exacte, mais ce dernier parti ne se rendra pas à destination, il rebroussera chemin. Les Tsonnontouans ayant eu vent de l'attaque des Français, ils rappellent rapidement tous leurs partis de guerre. La troupe de Tonty est donc trop faible alors pour attaquer l'Iroquoisie par le sud comme prévu. Son commandant la conduit alors à Détroit où elle arrivera le 19 mai 1687.

Le grand rassemblement de tribus au fort Saint-Louis au printemps de 1687.

Tonty choisit de gagner Détroit. Il ne juge pas ses effectifs suffisants pour attaquer les Tsonnontouans par le sud.

Dans le district de Michillimakinac et des Indiens alliés proprement dit, les hommes du gouverneur sont La Durantaye, Dulhut, Perrot, La Forest et le père Enjalran qui semble jouer un rôle important en tant que porteur des ordres de Denonville. Les plans ne sont pas faciles à exécuter dans cette région où dominent des intrigues anglaises et iroquoises, les bas prix, les attaques répétées des Iroquois, parmi ces peuples que la paix de La Barre en 1684 a laissé exposés aux coups de main et à la vengeance. Mais la France y a des hommes habiles et qui savent manœuvrer l'indigène.

Ainsi, pour obtenir l'assistance des Miamis, on leur dit que Denonville veut les venger « pour leur ôter l'opinion qu'ils avaient que l'on eût le dessein de les sacrifier aux Iroquois ». Perrot s'adressera à tous ces peuples qui, au fond, espèrent toujours qu'un jour ou l'autre, on les délivrera de la crainte et des attaques des Iroquois. Les incidents sont nombreux. Il y a les Sokokis, ou Loups, ou Mohicans dans cette région qui jouent le jeu des Iroquois en répétant inlassablement que les Français veulent les livrer aux Iroquois et les abandonner à la colère de ces derniers.

Enfin, un rassemblement se fera à Michillimakinac où arriveront les dernières instructions de Denonville sur le jour de la rencontre des troupes. La campagne réussira auprès des Outaouais, des Outagamis ou Renards, des Potéoutamis. Les Hurons hésiteront jusqu'à la dernière minute. Ils sont déjà loin sur le chemin de la trahison. Pendant l'hiver 1686-1687, ils négocient. Ils ont envoyé des affidés à New York ; ceux-ci doivent inviter les Anglais à s'établir chez eux. La Durantaye et le père Enjelran combattent cette dissidence, ce schisme. Les Français finiront par les gagner : et ils enverront deux ambassadeurs à Denonville pour les assurer de leur fidélité. Les Outaouais eux aussi sont hésitants.

Peu à peu les Indiens alliés répondent à l'invitation des Français.

Chapitre 161

1686

Les plans de guerre de Denonville ne sont malheureusement pas très bien définis. En 1686, il doit s'occuper des Indiens alliés, des Miamis-Illinois, des Abénaquis aussi probablement, car s'il veut que les guerriers de ces nations soient au rendez-vous, il doit s'y prendre de bonne heure. L'expédition se mettra en route de bonne heure. Denonville parlera du 15 mai. Les miliciens doivent y jouer une part, les troupes réglées de l'autre. On parle probablement aussi d'intégrer dans l'armée les Iroquois catholiques des deux villages de la Montagne et de La Prairie, et les Algonquins et les Hurons des environs de Québec.

Le gouverneur annonce au mois d'octobre son projet d'assembler « toutes les tribus iroquoises le printemps prochain à Katarakouy, pour tenir un conseil sur nos affaires. Je suis persuadé que bien peu viendront, mais mon principal dessein est de les attirer là. Le père jésuite [Jacques de Lamberville] demeurant seul car il doit cette année renvoyer son jeune frère, afin qu'il ait moins de difficulté à se retirer. Cependant le pauvre père ne connaît rien de nos desseins. C'est un homme de talent, et qui dit lui-même que les affaires ne peuvent demeurer dans leur état présent. Je suis très malheureux de le voir ainsi exposé ; mais si je le fais revenir cette année, la tempête éclatera plus tôt sur nous, car son retour leur révélerait quels sont nos plans ».

Le conseil, dans l'esprit de Denonville, doit donc avoir lieu pour permettre au père Jacques de Lamberville de venir à Katarakouy, avec les sachems iroquois, et d'y rester pendant que la guerre commencera ; ou s'il ne vient pas à Katarakouy, le père pourra dans le même temps se rendre en Nouvelle-France, ou plutôt on l'y fera venir. Car Denonville ne lui a pas révélé ses intentions. Si la guerre commençait, alors qu'il est dans la capitale iroquoise, son existence serait menacée.

Surprendre les Iroquois. Les détruire.

Quant au plan général de la campagne, il est incertain. Denonville veut surprendre les Iroquois. Il veut détruire, c'est-à-dire disperser et déraciner cette nation, mais pour ne pas faire le travail à moitié, il lui faut, comme on l'a dit, beaucoup d'Indiens pour les poursuivre dans les profondeurs de la forêt. Les Illinois lui semblent très doués pour cette poursuite et s'ils pouvaient venir nombreux, par le sud, alors que lui viendra par le nord, Denonville suppose assez justement que les Iroquois ne les attendront pas pour livrer une bataille rangée. Il n'a pas une confiance absolue dans les Indiens alliés bien qu'il ne néglige rien les concernant. L'expédition sera dirigée en particulier contre les

Fort Frontenac = Katarakouy

Tsonnontouans. Le fort Frontenac, mis en état et approvisionné, servira de base à l'expédition. Cependant, les distances qui séparent le champ de bataille des Indiens alliés sont si grandes que Denonville doit penser « à se mettre en état d'être lui-même suffisamment fort pour les combattre sans autre assistance que celle de ce pays ». Au mois d'octobre 1686, il demande de nouvelles troupes pour la guerre et pour servir de garnison dans les redoutes érigées dans les campagnes. Mais c'est bien tard pour demander de nouvelles troupes s'il veut commencer sa campagne de bonne heure en 1687. À ce moment-là, il a la ferme intention de construire un fort au pays des Tsonnontouans ou à Niagara « pour servir de retraite à ceux de nos Indiens qui seront désireux de les harasser [les Iroquois] durant l'hiver et durant l'année suivante. Sans ceci, rien d'effectif n'aura été fait pour humilier cette Nation, car être satisfait de se retirer après les avoir chassés de leur village, n'est pas accomplir une grande chose, car ils reviennent immédiatement et se rétablissent dans leurs bourgades ». Denonville compte donc sur les Indiens alliés pour terminer la besogne qu'il aura commencée. Le fort Niagara sera construit pour leur faciliter la tâche.

Denonville demande de nouvelles troupes, car il veut établir des postes solides avec une bonne garnison à Chambly, au bout de l'île de Montréal, à Châteauguay, à la Chesnaye et à l'île Jésus pour bien couvrir la Nouvelle-France. Pour ne pas commettre la même erreur que La Barre, il doit protéger les centres de colonisation, construire des redoutes où les habitants pourront se retirer et concentrer la population en cas de danger.

À la fin de l'année 1686, il pense aussi à attaquer l'Iroquoisie par les deux extrémités. Il voudrait être en position de faire attaquer les Agniers, pendant que le corps principal attaquera les Tsonnontouans. Le contingent de l'est provoquerait une alerte chez les Anglais, les occuperait chez eux, et forcerait les Iroquois à se diviser. Le corps principal pourrait détruire les provisions de maïs, de sorte qu'ensuite une tribu ne pourrait plus nourrir l'autre ; et ce serait peut-être pour les Anglais une tâche au-dessus de leurs forces que de tous les nourrir. Mais Denonville reconnaît qu'il n'a pas assez d'hommes pour cela. Il en demande d'autres, de bons soldats entraînés qui pourraient arriver à la fin de mai. Un mémoire du mois de janvier 1687 estime à 1 500 le nombre des nouveaux soldats qu'il faudrait, pour disperser les Iroquois et en finir avec eux. Sinon, la guerre pourra traîner en longueur, et coûter au roi plus cher que l'envoi d'un secours immédiat. En somme, il faudrait à peu prêt 3 000 Français pour cette tâche. Denonville a seize compagnies, ce qui fait 800 soldats et 800 miliciens, soit un total de 1 600, ce qui est la moitié environ des troupes nécessaires ; sur ce 1 600, il faut enlever 100 miliciens qui conduiront les canots pour les approvisionnements. De plus, il faudra mettre des garnisons dans bien des postes. Contre ces soldats se battront 2 000 guerriers d'élite iroquois, « braves, actifs, plus habiles que les Européens dans l'usage du fusil et bien armés ». Sans compter 1 200 Mohicans et les Anglais qui peuvent les conduire, les aider à se fortifier. « S'ils ne sont pas tous attaqués

Denonville se rend compte qu'il lui faudrait 1500 soldats de plus.

en même temps aux deux points indiqués, il est impossible de les détruire ou de les chasser de leur retraite, mais s'ils sont cernés des deux côtés, toutes leurs plantations de maïs seront détruites, leurs villages brûlés, leurs femmes, enfants et vieillards capturés, et leurs autres guerriers chassés dans les forêts où ils seront poursuivis et annihilés par les autres sauvages. » Après la destruction des Tsonnontouans, il faudrait fortifier Niagara pour empêcher les Iroquois de retourner dans leurs anciennes bourgades et de s'y établir.

Les points faibles du plan de guerre du gouverneur Denonville.

Comme on le voit, il y a d'abord du flottement dans le plan général. Pour que sa campagne soit efficace, Denonville affirme qu'il lui faut 3 000 soldats et qu'il devra attaquer l'Iroquoisie par l'est et par l'ouest, par les Agniers et par les Tsonnontouans. Il aurait donc dû attendre ces 3 000 soldats ou les exiger avant de commencer sa campagne. Quand on a un plan précis, il faut s'y tenir.

On voit aussi les points faibles, ce qui est plus facile aujourd'hui qu'en 1687. Denonville attend trop des Indiens alliés. Ceux-ci, comme les Iroquois, peuvent provoquer des surprises, mais ils ne sont pas faits pour une longue campagne, insistante, continue, acharnée, à mort, ce qui était nécessaire pour chasser les Iroquois de leur habitat. De plus, le gouverneur ne fait pas suffisamment confiance à la milice de Canadiens. Pourtant, ils sont maintenant des familiers de la forêt où ils peuvent se tirer d'affaire, ils sont audacieux, endurcis et plus forts que les Indiens à leur propre jeu. Enfin, pas plus que ses prédécesseurs, il ne réalise que pour abattre les Iroquois, il faut soit un corps spécialisé, entraîné, qui détruira la nation peu à peu, ou un corps puissant de cinq ou six mille hommes, procédant méthodiquement, marchant lentement et lourdement, qui écrasera les nids de résistance de son poids.

Denonville sous-estime les uns et surestime les autres.

M. Denonville surestime aussi les Iroquois. Il pense qu'il y aura une levée en masse de toutes les tribus pour défendre la tribu attaquée. Il ne sait pas à quel point les Cinq Nations sont faibles et démunies devant une attaque ferme et soutenue. Les Iroquois savent mener des attaques surprises et se battre en forêt, en s'abritant derrière un arbre ou une souche, se glisser et se dérober. Mais ils rejettent la conception européenne du combat qui est d'avancer, de soutenir le combat, de mourir plutôt que de fuir, laquelle n'est d'ailleurs pas adaptée au mystère de la forêt que les Européens ne connaissent pas, admet-il.

Enfin, dans ces plans incertains de l'automne 1686, M. Denonville a des inquiétudes et des incertitudes. Les distances sont terribles et empêcheront peut-être la jonction des troupes de l'est et de l'ouest ; en quel nombre viendront les Indiens alliés ? Il faut aussi rassembler les habitants en Nouvelle-France. Comment faire ? Comment être sûr de remporter une victoire si les Iroquois peuvent obtenir de l'aide ? Denonville manque d'un certain sens psychologique et de la lucidité indispensables aux gouvernants. Son regard se heurte aux apparences. Il ne réalise pas qu'avec l'aide de Du Lhut, La Durantaye et Tonty, il peut dormir en paix, car les Indiens alliés arriveront à temps. Il ne pressent pas que le tribu iroquoise attaquée combattra seule, que l'assistance des Anglais se bornera à la fourniture d'armes et de munitions, et aussi que son expédition, si elle échoue, va rejeter à tout jamais les Iroquois du côté des Anglais. On peut comparer ces inquiétudes aux certitudes absolues de Frontenac qui, ayant su évaluer rapidement et instantanément les facteurs en jeu, les éléments impondérables, ayant d'immenses ressources pour manœuvrer et intriguer, n'a jamais connu ces hésitations ou ces doutes.

Pour montrer le manque de psychologie de Denonville, il faut rappeler la partie de sa dépêche où il parle des troupes qu'il faudrait pour garnir les redoutes qu'il veut ériger pour servir de refuge à la population. Comment commencer ces redoutes ? Le moindre mouvement, dit-il « et j'attirerai assurément tous les Iroquois sur nous avant que je sois en condition de les attaquer ». Justement, en 1682, pour empêcher toute attaque des Iroquois, Frontenac préparait la construction de redoutes, amassait de grandes quantités de blé, faisait à ciel ouvert de grands préparatifs de guerre. Et il a vu arriver Teganissorens pour négocier.

Comparaison entre Denonville et Frontenac.

Les deux hommes partent de deux idées opposées : l'un de la paix à préserver ; l'autre d'une guerre décidée en arrivant au pays. Ils utilisent des moyens différents : l'un exhibe tous ses préparatifs de guerre, l'autre les dérobe et les dissimule. La réaction des Iroquois est très différente : à Frontenac qui se tient prêt et ne bouge pas, ils viennent se soumettre ; avec Denonville, ils deviennent de plus en plus insolents. Le résultat de ces deux attitudes ne peut pas être le même : Frontenac préserve la paix, ce qui était son but ; Denonville rend nécessaire une guerre qu'il avait toujours envisagée.

Sauuage des Mascoutensak p. 72
qui est La Nation du feu, Il est armé de son bouclier, de son dard, et de ses fleches
f. 16.

Chapitre 162

1686

La correspondance du gouverneur Denonville avec le gouverneur Thomas Dongan.

Lorsque les soucis des affaires lui en laissent le temps, Denonville revient à sa correspondance avec Dongan. Elle est aussi longue et importante que sa correspondance avec les autorités françaises. Denonville s'indigne, confie ses sentiments, argumente avec chaleur, sans jamais se rendre compte qu'il a en face de lui un jouteur froid, calculateur, qui sait quelle réponse donner et qui avancera n'importe quoi tout en gardant son opinion et son objectif; peu lui importent les mots.

Il lui dit d'abord des choses qu'il ne devrait jamais lui dire, comme ce qu'il pense des Iroquois, ce dont Dongan se servira contre lui...et contre les Français: «La perfidie naturelle d'un peuple sans foi et sans religion, exige tellement de nous que nous n'ayons pas de confiance en eux que vous ne devriez pas nous blâmer d'user de précaution contre leur *restlessness* et leurs caprices.» Dongan, en lisant cette phrase, se dit sans doute qu'il peut facilement élargir le fossé qui existe déjà entre Anglais et Français.

Trop parler nuit; c'est un proverbe que le gouverneur ne semble pas connaître. Reprocher à Dongan tous ses agissements, commis en toute connaissance de cause, ne change rien à l'affaire. Le 28 septembre, il l'injurie presque pour avoir armé les Iroquois, leur avoir offert des présents pour qu'ils fassent la guerre à la Nouvelle-France en 1686, les avoir incités à piller les Français, avoir envoyé des marchands à Michillimakinac, territoire français depuis longtemps, avoir attiré les déserteurs français afin de les utiliser, ne pas avoir exécuté les ordres de son roi, ce qui semble souvent le cas. Et après? Denonville a les preuves de ce qu'il avance. Alors qu'il agisse en conséquence. Dongan a agi de sang-froid, délibérément, et les indignations de Denonville n'y feront rien, excepté fournir au gouverneur de New York l'occasion de nier ces accusations ou d'en accepter une, comme celle d'avoir envoyé des Anglais à Michillimakinac, ce qui constitue une bonne et forte provocation à la guerre. Ou encore d'avancer des prétentions encore plus effrontées et plus grandes sur des territoires qui ne peuvent être autres que canadiens. Par sa correspondance avec La Barre et Denonville, Dongan fonde sa théorie sur la propriété du pays iroquois et du droit des Anglais sur le centre américain. Dans ses lettres à Denonville, il laisse passer peu d'informations que l'on pourra utiliser contre lui et dans celles adressées à son gouvernement il introduit ses idées, particulièrement dans un mémoire du mois de février 1687.

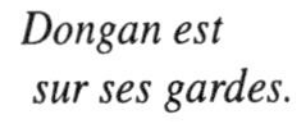
Dongan est sur ses gardes.

Dongan agit ainsi tranquillement ; en 1686, il renouvelle une partie des fortifications d'Albany ; des hommes sont sur le qui-vive pendant trois mois, car craignant des représailles, il se prépare. Il dit : « Les Cinq Cantons forment le peuple le plus belliqueux d'Amérique, ils sont un boulevard entre nous et les Français, et entre nous et tous les autres Indiens... Tous les Indiens dans ces parties de l'Amérique leur sont tributaires. Je ne supporte pas que des Chrétiens aient des conseils avec eux à quelque endroit que ce soit, sauf à Albany et qu'ils le fassent sans ma permission. » Plus loin encore : « Ce gouvernement a toujours et il prend encore soin de les tenir en paix, et annexées à notre état, et ceci est si important qu'à la moindre occasion que je peux avoir, en les appelant simplement, trois ou quatre mille hommes. »

Dongan connaît bien, lui, les noms des cinq tribus et n'en fait pas arbitrairement deux groupes, Agniers et Sénèkes, comme ses prédécesseurs. Il sait que de nombreux Iroquois, six à sept cents, sont partis pour Montréal et que plusieurs projettent de s'y retirer, « au grand préjudice de ce gouvernement si on ne l'empêche pas ». Il pense que ceux-ci reviendront, il a mis à leur disposition une portion de terre à quarante milles au-dessus d'Albany, et il veut leur fournir des prêtres. « Par ce moyen les prêtres français devront se retirer au Canada, et les Français perdront de ce fait leur prétention à ce pays, et alors nous jouirons de ce commerce sans aucune crainte qu'il soit diverti. »

Dongan reconnaît que les Français ont devancé les Anglais. Et après ? Les diplomates français sauront-ils invoquer le droit de découverte (par ailleurs fort peu apprécié des Indiens !) ?

Si les diplomates français qui rédigeaient des mémoires, avaient pu lire celui-ci en particulier, ils auraient trouvé de bons arguments pour leur cause : « La grande différence entre nous [Anglais et Français] est au sujet du commerce du castor, et, en vérité, écrit-il, ils y ont l'avantage sur nous, et cela par aucun autre moyen que par leur industrie à faire avant nous des découvertes en ce pays. Avant mon arrivée ici, aucun homme de cet état était jamais allé au-delà du pays des Tsonnontouans. » Alors que fait M. Dongan, de cette réalité, du droit de découverte ? Qui possède ?

M. Dongan dit que depuis son arrivée, il a, avec bien du mal cependant, empêché les Tsonnontouans de faire la guerre aux Français, surtout depuis l'expédition de M. de La Barre. Les gens de cette tribu « vinrent à moi pour la permission d'entrer en Canada avec le feu et le sabre, ce que je refusai... »

Dongan a des idées bien arrêtées sur les divers points de cette controverse. Les Iroquois fournissent à la colonie les peaux de castor ; ce sont des alliés sûrs contre les Français et les autres Indiens. C'est une bonne avenue, il veut donc rendre cette affaire stable.

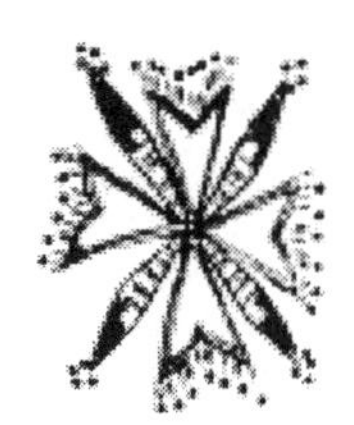

Chapitre 163

1687

L'appui royal à Denonville.

Le 30 mars, le roi reçoit les nombreux mémoires et les longues dépêches de La Barre. Il donne son avis : « Sa Majesté a vu le mémoire des mesures que le Sieur de Denonville a prises et les ordres qu'il a donnés pour la prochaine campagne. Il les approuve et ne doute pas de leur succès et qu'elle sera aussi favorable que l'on peut s'y attendre, n'ayant affaire qu'à des sauvages qui n'ont aucune expérience d'une guerre régulière... Enfin, elle s'attend d'apprendre à la fin de l'année la destruction entière de la plus grande partie de ces Indiens. Et comme on peut faire un certain nombre de prisonniers et que Sa Majesté croit qu'elle peut les utiliser sur les galères, elle désire qu'il arrange les affaires de façon à les retenir jusqu'à ce que nous ayons des navires pour la France ; par le retour des navires de Sa Majesté qui transporteront des troupes, il peut même envoyer ceux qui auront été capturés avant le départ de ces navires. » Le roi a donc donné ordre d'envoyer des troupes supplémentaires. Il est « convaincu de la nécessité de cette guerre ». Il approuve la convocation des Iroquois à Katarakouy. Un traité de neutralité est conclu qui mettra fin aux entreprises de Dongan. Il faut garder avec soin les passages qui conduisent au nord-ouest pour empêcher les commerçants anglais d'y passer.

Chapitre 164

1687

Vers le huit juin, Denonville, qui est à Ville-Marie, a cette lettre entre les mains. Il remercie le roi et fait des préparatifs pour le départ en attendant les réponses de Lamberville. Celui-ci a décidé de venir à Katarakouy avec les chefs iroquois : il lui sera difficile de leur échapper.

Denonville a voulu marcher avec l'approbation de toute la population. Il a en effet publié un manifeste sur les motifs de la guerre ; le vicaire-général a émis une lettre pastorale pour motiver la population, et cela au moment du rassemblement de la milice. Il en attend de bons résultats.

Il a appris que La Durantaye avait eu bien du mal à empêcher les Hurons et les Outaouais de se rendre chez les Tsonnontouans, après s'être entendus avec eux pour porter leurs pelleteries aux Anglais. Les bons prix que les Anglais leur ont donnés à Michillimakinac, les ont conquis et redoutant aussi les armes iroquoises, ils ont décidé de livrer aux Anglais-Iroquois le commerce des pelleteries des nations éloignées. À la fin de l'hiver, Hurons et Outaouais ont envoyé leurs deux grands chefs, avec quatre Français, sur la glace. Mais on n'a obtenu ce résultat qu'à coups de menaces, alors que de nombreux Français étaient assemblés à Michillimakinac. Ces chefs sont repartis ; ils étaient au lac Huron en mai ; ils avaient pris la décision de mener leurs peuples en guerre. Tout semble donc devoir marcher de travers.

Les Anglais ont avisé les Tsonnontouans d'une attaque prochaine, dit M. Denonville. Ils les ont obligés à envoyer des messagers à des partis de guerre de six cents hommes de leur tribu qui étaient en guerre contre les Miamis, nos alliés, afin de les décider à revenir pour défendre leur propre pays. D'autres partis de guerre qui étaient allés du côté de la Virginie sont aussi revenus. Mais nombre de guerriers ont chassé dans les alentours de Katarakouy. Denonville fait entourer Ville-Marie de palissades. La moitié du travail est fait, l'armée doit partir le 13. L'intendant est arrivé avec la milice. Denonville entend suivre la rive sud du lac Ontario. La Durantaye et Du Lhut doivent se rejoindre au poste de Détroit.

Philippe de Rigaud de Vaudreuil (v. 1643-1725), fraîchement débarqué en Nouvelle-France en 1687, agit en tant que commandant de la colonie durant l'expédition du gouverneur Denonville contre les Iroquois à l'été de 1687.

En ce moment, c'est-à-dire au moment de l'action, Denonville a abandonné son projet d'attaquer l'Iroquoisie à la fois par l'est et par l'ouest. Bien plus, il a perdu presque toutes ses espérances. Il ne croit à cette date pouvoir faire autre chose que détruire les récoltes et capturer des femmes et des enfants. Seuls les Indiens et les coureurs des bois sont utiles en forêt. Vaudreuil reste dans la colonie. L'expédition semble s'engager sous d'assez tristes auspices.

Chapitre 165

1687

Un traité de neutalité européen.

Le traité de neutralité est du 16 novembre 1686. Le roi de France l'apprend à Denonville dans sa lettre du 30 mars 1687. Il en parlera de nouveau dans une lettre du 17 juin 1687. Denonville écrira sur ce sujet une lettre à Dongan le 11 juin 1687. Le roi de France pense que ce traité mettra fin aux entreprises de Dongan.

Le roi de France, dans la lettre du 17 juin à Denonville, écrit: «je vous défends de faire aucune attaque contre les Anglais, et je vous ordonne même d'empêcher qu'aucun dommage leur soit fait, soit dans leurs personnes, soit dans leur propriété, durant le temps que les négociations actuelles se continuent à Londres.»

Dongan assure à Denonville qu'il observera le traité et espère que le gouverneur du Canada en fera autant.

«...J'espère que vous serez assez bon de ne pas désirer ou de ne pas chercher des relations avec nos Indiens de ce côté-ci du Grand Lac. S'ils font quelque injustice à quelqu'un de votre gouvernement, et que vous me le fassiez connaître, pleine justice vous sera faite; et, si quelqu'un de votre colonie nous trouble j'aurai recours à la même procédure pour obtenir satisfaction...» La dispute continue, traité ou pas. Comme le dit Colden: «Le grand conflit entre le Colonel Dongan et les Français était dans le fait que le colonel Dongan voulait forcer les Français à recourir à lui, dans toutes les affaires relatives aux Cinq Nations, et que les Français voulaient négocier avec eux indépendamment des Anglais. Le Colonel Dongan refusa toute assistance aux Français jusqu'au jour, ou par telle demande, ils reconnaîtraient la dépendance des Cinq Nations envers la Couronne d'Angleterre. Mais le Roi Jacques lui ordonna de céder sur ce point...»

Colden Cadwallader publie, en 1747, The History of the Five Indian Nations of Canada, *which are dependant of the Province of New-York in America, and are the barrier between the English and French in that Part of the World...*

Depuis qu'un gouverneur de la Nouvelle-France s'est adressé au gouverneur de New York pour obtenir le redressement d'un tort commis par les Iroquois, il a reconnu que l'Iroquoisie dépendait de l'État de New York et donc était sur une terre anglaise. Or, c'est un point en litige, depuis 1684. En faisant cette demande, Dongan veut juger en Amérique un point soumis aux rois et en discussion entre les plénipotentiaires.

Dongan parle aussi des nations éloignées, c'est-à-dire des Indiens alliés: «...Quant aux Nations les plus éloignées, je suppose que faire la traite avec eux est libre et commun à nous tous, jusqu'à ce que les frontières et limites soient ajustées, bien que vraiment, la location de ces quartiers révèle que le

Roi d'Angleterre a un plus grand droit sur eux que le Roi de France, parce qu'ils sont situés au sud de nous, à l'arrière des autres parties des territoires du Roi et à une grande distance de vous. » Comme on le voit, l'effronterie de Dongan était à peu près sans bornes, et traité de neutralité ou pas, il réclamait tout ce qui lui passait par la tête.

Dongan touche un mot du rassemblement de Katarakouy. En vertu du principe énoncé plus haut, Denonville n'aurait pas pu négocier directement avec les Iroquois. « J'ai reçu l'information, dit-il, par quelques-uns de nos Indiens que Votre Excellence a désiré les rencontrer à Katarakouy ; j'ai pu à peine le croire jusqu'au jour où j'ai reçu une lettre du père de Lamberville, par laquelle il m'informe que c'est vrai. » Dans ses lettres au père de Lamberville, comme dans ses lettres à Denonville, Dongan fait toujours les mêmes affirmations : les Iroquois sont sujets anglais et ne peuvent négocier avec les Français sans passer par lui.

Constance de Dongan : les Iroquois sont sujets anglais.

Dans une lettre du 11 juin à Denonville, Dongan parle encore de la migration des Iroquois vers deux villages catholiques de Montréal et de la propagande des missionnaires en faveur de cette solution. Il s'en étonne. Ce n'est pas le moyen de maintenir de bonnes relations. Il s'attend à la venue prochaine de religieux anglais qu'il a l'intention d'envoyer dans les Cinq Cantons. « Je voudrais que vous donniez l'ordre à Mons de Lamberville de ne se mêler que des affaires qui regardent ses fonctions, aussi longtemps qu'il demeurera avec ces peuples, et que nos Indiens qui sont devenus catholiques et vivent en Canada, se contentent d'y être seuls et de ne pas tenter de débaucher les autres, et s'ils le font, et que je puisse en capturer, je les traiterai très sévèrement. » Cette lettre contient un post-scriptum : Dongan envoie des oranges à Denonville : il a appris qu'elles étaient rares en Canada.

Envoi d'oranges !

Dans une lettre au père de Lamberville, datée du 20 mai, Dongan avait émis une prétention encore plus monstrueuse. Des chrétiens, dit-il, l'ont informé « que c'est la coutume de ces peuples que les pays qu'ils conquièrent leur appartiennent en propre, cependant je n'insiste pas, mais je suis encore en doute sur la question de savoir si les territoires où les Indiens vont en guerre appartiennent à notre Roi ou au roi de France, mais en toute probabilité, si je suis bien informé, ils doivent être compris dans les territoires du roi d'Angleterre, parce qu'ils sont au sud-ouest de cette place, et votre pays est posé au nord de nous... »

Autre constance de Dongan : à vous le nord, à nous le sud.

Les Iroquois, dit-il, craignent une attaque des Français : « ...J'espère, dit-il, que monsieur de Denonville pèsera bien cette affaire avant de procéder à une invasion contre les sujets du roi d'Angleterre... »

En réclamant les territoires conquis par les Iroquois, Dongan aurait réclamé en particulier tout le Haut-Canada. Ce principe l'entraînait loin.

Au moment où il écrit au père Lamberville, Dongan est à la veille de rencontrer les Iroquois. Des auteurs affirment que, à ce moment-là ou un peu plus tôt, Dongan a soutenu que le conseil de Katarakouy où les Français les ont convoqués est un piège, de n'y pas aller, etc. Il semble que ceci soit inexact. Que Dongan demande ou commande aux sachems iroquois de ne pas aller au conseil est probable et même assez sûr. C'est, comme on vient de le voir, dans la ligne de sa politique. C'est dans ce sens qu'il manœuvre depuis son arrivée.

Dongan provoque. Une guerre entre Français et Iroquois l'arrangerait.

Que Dongan suppose ou pense que la guerre contre les Iroquois va arriver est aussi très probable. À moins de manquer d'intelligence sur de nombreux points comme La Barre, ou d'être dépourvu de toutes les qualités d'un homme d'état, Dongan ne peut ignorer ce que ses intrigues, ses réclamations, ses demandes, ses attaques sur le commerce français, etc. ont eu comme conséquence. À lire ses lettres, on réalise qu'il attire délibérément une guerre sur les Iroquois, étant certain que ceux-ci sauront s'en tirer, pour escamoter définitivement l'Iroquoisie aux Français, ainsi que d'autres territoires plus importants. Dans ses deux dernières lettres avant le combat il donne un dernier coup d'aiguillon pour être sûr que ses ennemis vont se lancer dans la bataille.

Dans tous les cas, il aurait fallu que les Français soient représentés au pays par des hommes plus froids, plus pondérés, moins susceptibles, ayant plus de ressources et qui auraient pu utiliser avec avantage, par exemple, la tentative des Anglais de faire directement du commerce avec les Iroquois, qui ne les aimaient pas, et ainsi retourner la situation.

Chapitre 166

1687

La décision de Denonville est prise et bien prise. Elle l'est depuis l'automne 1685; sa préparation s'est faite sous les deux conditions qu'il s'est fixées depuis le début: le secret tout d'abord et un long délai important pour mettre au point tous les préparatifs. Le secret n'a pas forcément été bien gardé.

Ce qu'en pense le chevalier de Baugy.

Il importe de donner l'opinion de quelques personnes sur cette affaire. Ainsi, le chevalier de Baugy fera un rapport très intéressant sur la campagne en disant ceci: «...Depuis 5 ou 6 ans les Tsonnontouans... s'étant fortifiés par la grande quantité d'esclaves qu'ils ont faits tant sur les sauvages nos alliés que sur d'autres nations éloignées, ont voulu remuer, bravant en tous lieux nos Français par mille algarades..., tuant nos alliés où ils les pouvaient rencontrer, ne croyant pas que nous soyons capables d'aller jamais chez eux, vu les difficultés qu'il y a à surmonter..., nos sauvages se moquant ouvertement de nous, disant que nous n'osions leur rien dire par la crainte que nous avons d'eux...» Et Denonville décide cette expédition pour punir «la fierté que le Tsonnontouan se donne depuis quelques années»; puis «se voyant fort nombreux, ils se croient en état de braver toute la terre...» Sauf ce point, ils ne sont pas si mal. Ils n'ont pas tué de Français. La guerre est entreprise pour «les ranger à leur devoir».

Et ce qu'en pense Lahontan.

Quant à Lahontan, plus cynique, il est porté à tout ramener à une question de commerce des pelleteries. Parlant de la lutte qui s'engage, voici ce qu'il dit: «Suivant toutes les apparences, elle sera chaude, cette campagne. Nous en voulons aux Iroquois: M. de Denonville a résolu de les exterminer, mais ils sont gens à vendre chèrement le terrain.» Il ajoute encore; «M. de Denonville avait pris ses mesures pour cela dès l'an passé. On lit qu'il envoya chez les sauvages nos alliés qui habitent le long des lacs et aux environs, des émissaires qui ont du crédit chez ces peuples pour les attirer dans le dessein qu'il a d'anéantir les Iroquois.»

Mais aucun document de l'époque ne semble faire état du vrai problème: à savoir si l'Iroquoisie passerait définitivement sous le joug de l'Angleterre, ce qui était à l'origine de cette guerre.

Chapitre 167

1687

Denonville se prépare chrétiennement à cette guerre. Des prières des quarante heures sont faites pour le succès de l'expédition dans la grande église de Québec. On fête « les trois fêtes de la Pentecôte ». On adresse des prières à la Sainte-Vierge. Le 22 mai, le gouverneur se rend à Notre-Dame « de l'Etvisse », probablement Sainte-Anne de Beaupré, à trois lieues de Québec, pour demander l'assistance du ciel. L'évêque publie une espèce de mandement, lors de la levée des milices. Le départ des milices de Québec a lieu de 26 mai ; le même jour, Denonville est aux Trois-Rivières ; le 28, il vient coucher à Saint-Sulpice ; le 29 mai, il arrive à Montréal où il trouve des personnes au travail pour « l'entourer de pièges pour le mettre à l'abri des insultes de nos ennemis ». Le 3 juin, le gouverneur apprend que des navires sont arrivés transportant non moins de huit cents soldats qui ont fait la traversée en un temps record de 33 jours. Combien de soldats se trouvaient alors en Nouvelle-France ? Louis XIV avait refusé des soldats à Frontenac, qui les voulait simplement pour faire preuve de force, afin de maintenir la paix ; depuis sont départ, il doit en fournir chaque année pour la guerre. Singulier retour des choses, et singulière ironie du destin. La Barre avait probablement obtenu de cinq à six cents hommes ; Denonville en avait amené cinq cents, paraît-il, et maintenant, il vient d'en obtenir huit cents. Mais si tard qu'il s'en servira peu pour la campagne, mais plus pour garder les parties habitées de la Nouvelle-France. Ces troupes sont en effet peu acclimatées et ne peuvent pas être très utiles.

Ou Lévis?

Un renfort de 800 soldats.

Branle-bas de combat à Montréal.

Pendant les premiers jours de juin, on se prépare activement dans l'île de Montréal. Le 7 juin, toutes les troupes qui prendront part à l'expédition, sont, semble-t-il arrivées et campent dans l'île Sainte-Hélène. Le 8 juin, l'intendant, M. de Champigny, en fait la revue. Les 9 et 10, on met les nombreux bateaux en état pour l'expédition. Le 10, huit compagnies partent. On apprend qu'un Onnontagué et trois autres Iroquois épient au Sault et se moquent des préparatifs du gouverneur. Quinze Français sont envoyés pour les capturer. Ils sont arrêtés à Châteauguay et mis en prison.

Pierre de Troyes, dit chevalier de Troyes (?-1688), arrivé à Québec en 1685, il s'était emparé de forts anglais à la baie d'Hudson en 1686.

Toujours d'après le chevalier de Baugy, il y a 1 800 hommes dont on fait huit bataillons, quatre de soldats et quatre de miliciens. C'est plus que n'en avait de Tracy. Vaudreuil, qui vient d'arriver de France, est le chef du corps des soldats. Ses commandants de bataillons sont d'Orvilliers, Saint-Cirque, le chevalier de Troyes, Varennes. Callières est le commandant général des milices et ses commandants de bataillons sont M. de Berthier, de la Valtrie, de Grandville et Dugué. Le gouverneur est présent avec sa suite. Une fois chargés, les bateaux commencent à monter le Sault Saint-Louis le 12 juin. Ils en ont fini avec ce mauvais passage le 14. Le 13, le gouverneur et l'intendant sont de retour à Montréal « pour donner les ordres de faire monter les compagnies qui sont venues afin de conserver les habitants et faire leurs travaux ». Ce qui signifie que les nouvelles troupes vont veiller sur la Nouvelle-France et remplacer les miliciens dans les travaux de la ferme. Le 14, l'un et l'autre quittent Montréal et arrivent à La Présentation. L'ordre de marche est le suivant : un bataillon de soldats suit un bataillon de miliciens afin que les premiers indiquent aux seconds le chemin dans les rapides et les portages. Des groupes d'Indiens ouvrent et ferment la marche de cette armée.

Ce M. de Berthier est Alexandre Berthier (1638-1708), capitaine au régiment de Carignan devenu seigneur de Bellechasse en 1672.

Le 16 juin, Denonville quitte La Présentation et revient sur ses pas. Il est difficile de maintenir l'ordre dans une telle armée. Les Indiens sont d'un grand secours ; les rapides présentent des difficultés inouïes ; on pousse, on tire dans l'eau, il y a des pieds blessés, des contusions. Denonville apprend ce même jour, par un canot qui revient de Katarakouy, que le chef de la tribu des Goyogouins et d'autres ambassadeurs se rendent actuellement au rendez-vous à Katarakouy. Denonville, écrit le chevalier de Baugy, envoie Louvigny et deux autres personnes afin de les surprendre et de les arrêter. Champigny, l'intendant, prend à ce moment les devants, pour arriver rapidement au fort et tout préparer. Le 17 juin, l'armée est aux Cèdres et Denonville surveille le passage difficile. Le 18, elle est à Coteau du Lac ou l'on fait un vrai portage : mais les Indiens ont ouvert un chemin. Le 19, on se rend jusqu'à la Pointe à Beaudet où, au soir, on fait prisonniers quatre Iroquois, quatre femmes iroquoises et deux enfants. Deux sont des chefs ; l'un de ces derniers est probablement celui qui deviendra un si grand ami de Frontenac, le grand chef goyogouin, Oureouaré et, comme dit le chevalier de Baugy, « ce chef des Goyogouins que l'on avait envoyé chercher ». Ils entonnent tout de suite leur chanson de mort ; ils sont résolus à mourir. Ils partent le 20 pour Montréal, non sans transmettre les menaces des Tsonnontouans. Le 20, l'armée passe le lac Saint-François et arrive aux îles. Le 21, elle arrive au Long-Sault ; le 22 juin, elle monte ce rapide ; un soldat s'y noie et des bateaux, mal manœuvrés, courent de grands dangers ; ce sont des difficultés et des misères inouïes. Vigilant, Denonville encourage et dirige la troupe. De fortes pluies s'abattent sur l'armée. Le 23, on fait halte pour se reposer, colmater les brèches des bateaux, sécher les vivres. On rencontre deux canots de Français qui descendent le fleuve : ils ont avec eux un Goyogouin, quatre femmes et un enfant que M. de Boucherville a capturés à La Galette ; un passager de l'intendant rapporte aussi que des Iroquois pêchent à Toniata, petite île à une journée de Katarakouy ; on envoie des Iroquois catholiques pour les surprendre et les capturer. Le 24, le départ a lieu, le 25, on franchit le Rapide plat qui est facile, comparé aux précédents ; mais un autre soldat s'y noie, des bateaux sont brisés ; vers le soir, on reçoit des nouvelles de l'intendant : les Iroquois invités ne sont pas encore à Katarakouy, mais ils devraient être en route.

Séraphin Margane de Lavaltrie (?-1699), membre du régiment de Carignan devenu seigneur de Lavaltrie en 1672.

Oureouaré, chef goyogouin, fait prisonnier par les Français.

Denonville envoie un message afin de donner ordre de « se saisir de ceux qu'ils pourraient rencontrer et qui n'auraient pas été au rendez-vous, avec ordre de ne point faire de mal au fils de la Grande Gueule qui est chef des Onnontagués ». On apprend que le père de Lamberville n'est pas arrivé, qu'on l'attend, « que l'on s'était saisi des Iroquois qui étaient au fort, auxquels ont ne fit pas grand mal... » De plus, dit encore de Baugy, « on s'assure seulement d'eux pour les empêcher d'avertir leur nation de notre arrivée... » Le 26, l'armée passe Les Galops et campent près de La Galette, en face de Prescott. Le 27, on attend quatre bataillons qui sont restés en arrière et on répare les bateaux. Vers l'heure du midi, un haut personnage que l'on nomme « M. le lieutenant » arrive à La Galette. « Il nous assura, dit le chevalier de Baugy, de la prise de tous les sauvages qui étaient dans ces quartiers, comme la garnison n'était pas assez forte pour le faire de haute lutte, on les convia à un festin pour cet effet, on les fit tous entrer dans le fort où ils furent arrêtés. Comme il vit que le fort en était rempli, qu'ils pouvaient être plus forts que la garnison, et que cela faisait discontinuer les travaux, on détacha 100 hommes de la milice dans 12 bateaux, un bataillon de Montréal conduit par MM. Longueuil et Saint-Paul afin de les soulager en cas de besoin et ordre à eux de faire diligence ; ils arrivèrent le 29 au soir. »

La Galette, aujourd'hui Ogdensburg (New York), en face de Prescott, Ontario.

Charles Le Moyne de Longueuil (1656-1729), l'aîné des célèbres frères Le Moyne, commandant de quatre compagnies de l'armée du gouverneur Denonville.

Jean-Amador Godefroy de Saint-Paul (1649-1730), interprète et capitaine de la milice à Trois-Rivières.

Ce passage signifie que la garnison de Frontenac s'est saisie, non pas des ambassadeurs, mais des sauvages de ces quartiers, c'est-à-dire des Iroquois qui vivaient à peu de distance du Fort Frontenac. Car il faut bien comprendre l'idée de Denonville : il veut et espère surprendre les Tsonnontouans, c'est-à-dire arriver à leurs bourgades sans que son armée n'ait été repérée, pour les battre, les vaincre et les détruire. C'est pourquoi il capture tous ceux qu'il a rencontrés sur sa route, à partir de Montréal et a ordonné de se saisir de ceux qui vivaient autour du fort Frontenac, car ils auraient averti leurs compatriotes ou se seraient joints à eux. Que ces précautions aient été vaines, on le verra bientôt. Une armée comme celle de Denonville ne peut se déplacer sans que les Iroquois l'apprennent et le sachent, surtout quand le voyage de Montréal à Katarakouy prend près d'un mois. Denonville dit que « Champigny avait saisi tous les Indiens afin de les empêcher de porter les nouvelles de notre marche à l'ennemi ». Les Iroquois de Toniata sont aussi invités à Katarakouy où ils sont capturés. Denonville indique que les Iroquois qu'il a rencontrés en cours de route ont été saisis comme espions, à commencer par ceux de Châteauguay « où ils étaient venus en qualité d'espions », pour finir par les autres. Les Iroquois arrêtés en cours de route l'ont donc été en tant qu'espions.

Quelques versions de cette affaire, qui a eu un grand retentissement, existent dans les archives. Gédéon de Catalogne, qui faisait partie de l'expédition, a été témoin et son témoignage semble sûr. D'après son récit, Champigny, l'intendant, qui avait pris les devants, invite à un festin les Iroquois qu'il rencontre en cours de route. Il est accompagné d'une trentaine d'hommes. Au Fort Frontenac, il trouve les chefs iroquois que Lamberville a réussi à envoyer au rendez-vous malgré les avertissements que Dongan leur a donnés. Parmi eux, il y a des femmes et des enfants. Au fort Frontenac, où il y a une bonne garnison, Champigny met les charpentiers au travail ; ceux-ci disposent des sièges de bois pour les convives. Des Iroquois sont « cabanés » autour du fort, mais sont-ils des Iroquois venus d'Iroquoisie pour le conseil, ou des Iroquois vivant autour au fort ? On ne le dit pas. « Le jour étant arrivé pour le festin, dit Gédéon de Catalogne, tous les convives furent arrêtés et comme il n'y avait pas de logement pour servir de prison, on les mit au nombre de 95 hommes, un sept [ceps] au pied. » Ce n'est pas tout. « Pendant que j'y étais, on y arrêta un bon nombre de sauvages iroquois, de crainte qu'ils donnassent avis de la marche et pour affaiblir d'autant nos ennemis. » Il est question d'une expédition du sieur Péré qui, avec un détachement de quarante Canadiens et ayant en sous-ordres Repentigny et Portneuf, a attaqué des villages iroquois situés non loin du fort Frontenac et fait prisonniers 51 hommes plus 150 femmes et enfants. Le père de Lamberville dit qu'il a trouvé 200 prisonniers en arrivant à Katarakouy le 29 juin. Sur ce nombre, il y aurait eu une cinquantaine de chefs.

Gédéon de Catalogne (1662-1729), arrivé au Canada en 1683, participa comme enseigne à l'expédition de 1687. Il se fit connaître plus tard pour ses travaux d'arpenteur et de cartographe.

Enfin, il semble, d'après Gédéon de Catalogne, qu'avant toutes choses, il fallait diviser les prisonniers en quatre catégories : les espions que l'armée a arrêtés en cours de route de Châteauguay au fort Frontenac ; les Iroquois qui vivaient autour du fort, car, d'après des témoignages sûrs, un groupe d'Iroquois s'était fixé autour du fort ; les Iroquois d'un ou de deux villages situés à une assez courte distance du fort, soit au nord, soit au nord-ouest ; finalement, les ambassadeurs proprement dits. Mais on verra plus tard que la tribu sur laquelle le père de Lamberville avait le plus d'influence — les Onnontagués —, d'après les déclarations de leurs sachems, à Albany, n'ont pas envoyé d'ambassadeurs. Alors, si les Onnontagués n'en ont pas envoyé, qui en a envoyé ? La confusion est due au fait que l'on a cru que les Iroquois cabanés autour du fort étaient des Iroquois venus d'Iroquoisie pour le conseil. Ils ne l'étaient pas a priori, et à moins que le fait ne soit bien spécifié, il faut savoir qu'un groupe d'Iroquois vivait là depuis plusieurs années, selon le témoignage de certains gouverneurs et de certains ministres.

Des Iroquois prisonniers au fort Frontenac.

Lahontan a écrit des pages dramatiques sur la présence de ces prisonniers dans la cour du fort. Il prétend avoir écouté leurs chansons : « ...Les cinq villages auront soin de notre vengeance, et nos compatriotes n'oublieront jamais l'horrible violence qu'on nous a faite. »

La guerre est la guerre : elle n'est ni tendre ni douce. Bien des actes coupables ont été commis. M. Denonville avait l'idée fixe de ne pas voir sa marche révélée, ce qui était assez naturel, mais impossible. Il ne voulait pas non plus que les Iroquois des villages du nord du lac Ontario se joignent aux Iroquois de l'Iroquoisie. Mais quelques-uns de ces prisonniers furent envoyés en France aux galères. Lesquels ? Qui fit le choix ? On ne sait. Il reste une lettre, attribuée à Callières, datée du 16 juillet 1687 : « J'ai reçu hier une lettre de M. Denonville,

Des Iroquois envoyés aux galères.

datée à Katarakouy le 3 de ce mois, m'informant qu'il m'envoie cinquante Iroquois capturés près de ce fort, afin de les envoyer en France dans les vaisseaux du roi, en conformité de ses ordres. Je prendrai avantage du retard du Fourgon, dans lequel je les ferai embarquer, et comme l'équipage est trop peu nombreux pour tant de prisonniers, très difficiles à garder, je le renforcerai par quelques passagers et matelots d'un navire marchand, la *Catherine*, qui a fait naufrage, l'an passé, près de Tadoussac, et n'a pu être renfloué. »

Le plus célèbre de ces prisonniers est Oureouaré, le chef goyogouin, qui reviendra avec Frontenac qui réussira à se l'attacher. Mais il avait une carrière peu intéressante : c'est lui qui avait chassé le missionnaire des Goyogouins, qui avait préparé et conduit en 1686 le coup de main contre les Hurons et Outaouais, alors qu'il avait capturé au-delà de cent prisonniers. Mais le chiffre de cinquante paraît très exagéré. Ou bien ces Iroquois sont morts très vite, ou bien on en a embarqué qu'un plus petit nombre, vingt à trente peut-être.

Ce coup de main était facile à exploiter contre la France et contre Denonville. Les incidents de ce genre le sont toujours. Ils trouvent rarement une approbation morale. Ils permettront à l'Angleterre de faire un pas de plus vers une prise de possession de l'Iroquoisie, et éloigneront encore davantage l'Iroquoisie de l'orbite de la France. On en prendra diplomatiquement avantage.

La Présentation (l'auteur écrit Prescott). Il est possible que les troupes aient accosté sur la rive nord où se trouve aujourd'hui Prescott).

Le 27 juin, l'armée quitte La Présentation et la flottille avance toute la nuit. Le 28 on campe à Garoron, à cause d'un orage qui commence ; il pleut toute la journée. On part le 29, on fait huit lieues, puis on campe. Et alors arrive un canot transportant le père de Lamberville, « dont on était en peine ». Celui-ci rapporte « que les Iroquois savaient notre marche et l'arrivée de nos troupes, ce qu'ils avaient appris des Anglais ». Il dit que les quatre premiers Onnontagués et le chef des Goyogouins qui avaient été capturés « n'étaient venus que pour nous épier ». Le 30, Denonville part avec ses canots et, à la fin de la matinée, il est au fort où l'armée n'arrivera que le 1er juillet. Les trois barques sont préparées. L'une est partie avec des provisions et des armes destinées aux Indiens alliés qui doivent arriver à Niagara. Il envoie quarante Canadiens à Ganeous, sous Repentigny et Portneuf, pour mettre la main sur les Iroquois de la région. Puis justement La Forest arrive du fort Saint-Louis. Il donne des nouvelles des Indiens alliés et des marchands anglais qui ont été capturés. L'aile de l'ouest de l'armée est au rendez-vous.

Ganeous, village onneiout

Le 3 juillet, date de la lettre qu'on suppose écrite par Denonville pour l'envoi des prisonniers en France, Péré revient de son expédition à Ganeous avec quatre-vingts personnes, parmi lesquelles il y a dix-huit guerriers. Il y aurait donc à Katarakouy, d'après le rapport de Denonville, cinquante et un prisonniers plus 150 femmes et enfants, qui sont des parents de ces guerriers. Denonville écrira à Seignelay, le 25 août, que les Iroquois prisonniers sont presque tous du nord du lac Ontario, « où il y avait des bourgades étendues et belles que les Iroquois... ont forcées de se rallier à eux. Ceci a commencé à augmenter le nombre de ces derniers, et à dépopuler la rive nord. Notre intérêt serait de repeupler ces bourgades parce qu'alors elles seraient de meilleurs alliés et plus sous notre contrôle». Denonville expliquera dans cette dépêche qu'il n'envoie pas les prisonniers qui ont des parents proches parmi les Iroquois chrétiens, ni les Onnontagués que le gouverneur veut détacher des Tsonnontouans, et dont il veut se servir dans les négociations. Il demande de garder ceux qu'il envoie dans un endroit d'où on pourra les faire revenir pour s'en servir en cas de besoin. Il a réparti les femmes et les enfants prisonniers dans les maisons de la colonie. Tous, hommes aussi, ont été baptisés. Denonville ne veut pas se séparer de tous les prisonniers, car il n'a pas de nouvelles des mouvements des Iroquois.

La version de Denonville.

Le rapport de Denonville diffère énormément de celui de Gédéon de Catalogne et des autres. Tout d'abord pour le nombre des prisonniers. Ceux du sexe masculin sont très peu nombreux, à peine une cinquantaine. Le rapport montre que l'intention du gouverneur est d'exclure de l'envoi en France les Iroquois qui ont des parents parmi les Iroquois chrétiens et les Onnontagués qu'il veut utiliser dans les négociations. Pour ceux qui seront envoyés en France, il demande de les garder dans une place d'où il pourra les faire revenir au besoin, et c'est ce qui s'appelle une détention. Enfin, il répartit femmes et enfants parmi les familles de la colonie. Il n'est pas question de galères dans son rapport. Au mois d'août, il en aurait libéré d'autres, mais il n'a pas de nouvelles des mouvements des Iroquois et il est peu certain de leur destination. L'action de Denonville est somme toute moins révoltante que l'opération des Tsonnontouans, Goyogouins et Onnontagués qui, pendant la saison de chasse 1685-1686, ont capturé une centaine de Hurons et d'Outaouais, faisant certains prisonniers, en tuant d'autres, sous la direction de cet Oureouaré qui est à son tour prisonnier de Denonville et que Frontenac réconciliera plus tard à la cause française.

Le journal du chevalier de Baugy confirme les rapports de Denonville. Ses chiffres ne diffèrent pas trop de ceux de Denonville. Voici ce qu'il écrit pour le 3 juillet: «Il y a à présent au fort deux cents esclaves, cinquante hommes et le reste femmes et enfants; on a lié les hommes en attendant que le convoi arrive qui apporte des vivres et retournant doit emmener tous les hommes.»

Chapitre 168

1687

La capture de soixante marchands anglais.

La Forest, quand il arrive à Katarakouy, le 3 juillet, apporte deux grandes nouvelles : l'arrivée des Indiens alliés et la capture de soixante marchands anglais.

La capture des marchands anglais est un événement international et met directement aux prises l'Angleterre et la France. D'après Lahontan, les canots contenaient pour cinquante mille écus de marchandises. C'était donc une grande entreprise commerciale et on pouvait s'attendre à des complications.

La première capture a lieu non loin de l'île même de Michillimakinac. Ce premier convoi avait réussi à tromper la vigilance du poste de Détroit. Du Lhut, ayant reçu des nouvelles de l'arrivée de cette flottille, va au-devant d'elle, alors que les Hurons et les Outaouais sont non seulement hésitants, mais sont tentés de s'interposer en faveur des étrangers. Il réussit à les entraîner dans la bataille et à les aligner contre les Anglais. Il leur abandonne les marchandises et articles de traite, les ralliant ainsi à la cause de la France.

Les Indiens alliés se mettent ensuite en route. Au Détroit, ils apprennent la capture des trente autres marchands et trouvent Tonty avec ses Illinois, coureurs des bois et autres Indiens alliés.

Les auteurs de l'époque s'accordent à reconnaître que si ces marchands n'avaient pas été interceptés, ils auraient fait beaucoup de mal à la cause française parmi les Indiens alliés. Il faut lire dans La Potherie et dans Perrot, les difficultés rencontrées par les commandants et les interprètes de l'ouest. Ils doivent continuellement haranguer ces peuples sur la nécessité de détruire les Iroquois, leurs vieux ennemis qui leur ont déjà fait tant de mal. Les Hurons-Outaouais sont les pires. Ils n'auraient peut-être pas voulu d'un commerce de fourrures avec les Anglais où les Iroquois auraient été les intermédiaires et auraient récolté les bénéfices ; mais un commerce direct avec les Anglais leur aurait laissé ces bénéfices d'intermédiaires, bénéfices beaucoup plus substantiels que ceux obtenus des Français.

Au printemps 1687, les conduire sur les champs de bataille de l'Iroquoisie n'est pas une entreprise facile. C'est une lutte permanente. Les chefs français doivent convertir à la cause de la guerre et traîner ces alliés récalcitrants. Ils ne sont jamais définitivement gagnés et ils regardent toujours en arrière, vers leurs foyers où ils voudraient retourner. Mais, en fin de compte, l'habileté, la patience et l'énergie des chefs français ont gain de cause.

Chapitre 169

1687

L'armée ne peut traîner à Katarakouy. Le problème du ravitaillement est toujours préoccupant. L'armée des alliés est retranchée à Niagara et attend. Il n'y a pas de temps à perdre.

Le 3 juillet, trois barques de vivres quittent Katarakouy. On laisse cinquante hommes au fort et des ouvriers. Le départ de l'armée a donc lieu le 4 juillet. On campe le soir à l'île du Galot, à une dizaine de lieues. Et là, cent Iroquois chrétiens, d'après le chevalier de Baugy, quittent et abandonnent l'armée à cause d'un différent entre eux portant sur l'arrestation de leurs compatriotes. Ce contingent avait rejoint les Français le 14 juin, à Châteauguay ; il avait chanté et dansé toute la nuit. On ignore de combien de personnes il se composait. L'idée de se battre contre des compatriotes ne lui avait pas semblé trop pénible. Mais l'arrestation d'un certain nombre d'entre eux, a dégoûté de la guerre une centaine d'Indiens alliés. C'est leur premier pas vers cette guerre contre l'Iroquoisie et sans doute des pensées pénibles les assaillent-elles.

Des Iroquois chrétiens abandonnent l'armée du gouverneur Denonville.

Après cette défection, la flottille de plus de trois cents voiles poursuit sa route sur le lac. Elle longe la rive sud. Elle n'a pour se nourrir que du biscuit, des pois et du lard ; il ne faut pas que la pluie ou l'eau les atteignent. Les bateaux ont été attachés solidement, trois par trois, les plus étanches transportant la poudre. Des ordres sont donnés pour que l'on veille précieusement sur la poudre, les balles, les pierres à fusil et que l'on prenne soin des armes et des haches dont on aura besoin pour les abattis. Il y a des chiens qui serviront aux hommes que l'on mettra en sentinelle. Avec tout cet attirail on fait parfois douze lieues par jour. Le 7, la flotte passe à l'embouchure de la rivière des Onnontagués, ou Oswego : « Il semble que cette nation veuille s'unir aux Tsonnontouans » dit le chevalier de Baugy. Des Iroquois sur la rive suivent la marche de l'armada ; ils captureront un Indien de Denonville. La rive sablonneuse se dessine non loin. Parfois on doit s'arrêter à cause du vent et camper sur la rive.

Les Français ont des chiens pour le guet.

Le 9 juillet, Boisguillot, un émissaire des Indiens alliés, trouve la flotte. La jonction entre la flotte des bateaux et la flottille des canots des Indiens alliés a lieu le 10, vers les deux ou trois heures, dans la baie Irondequoit. Tous sont contents qu'elle se soit ainsi accomplie, à point nommé et à l'heure dite. Des éclaireurs se rendent au rivage et découvrent des pistes faites le matin même, mais ils ne voient personne. Le débarquement a lieu dans la paix. On choisit l'emplacement d'un fort à la rivière des Sables ; il faut 2 000 pieux et

Construction d'un fort français à la rivière des Sables.

fascines pour le construire. Les embarcations sont remplies d'eau et coulées. Le 11, le fort est terminé. D'Orvilliers est chargé avec 440 hommes. Denonville aurait certainement eu plus de succès s'il avait brûlé sa flotte, et lancé à fond son armée sur la piste de l'Iroquoisie. Mais ce bonheur ne lui arriva pas. Trois ou quatre Tsonnontouans viennent braver l'armée, tirent des coups de feu ; et l'on se lance des invectives comme dans Homère.

Sylve, de sylva ou silva, forêt, qui a donné silvaticus et salvaticus d'où le français a fait salvage, puis sauvage.

Le départ a lieu le 12 juillet. L'armée s'enfonce sous le dôme de la vieille forêt. Elle peut y circuler assez facilement ; les arbres sont immenses et il y a peu de sous-bois. C'est la sylve d'autrefois. Les hommes peinent, car ils transportent des vivres pour deux semaines, fardeau en partie inutile. Ce jour-là, ils parcourent trois lieues.

Les bourgades des Tsonnontouans ne sont pas éloignées de la rive du lac. Le 13, le départ a lieu au petit matin ; la troupe franchit deux défilés dangereux et il en reste encore un avant d'atteindre le village. Dans la chaleur accablante, les hommes fatiguent vite sous les lourds fardeaux de vivres, de munitions et d'armes. On fait une halte avant de s'engager dans la troisième passe. Des éclaireurs indiens rapportent qu'ils ont vu des guerriers iroquois, mais on ne les croit pas. Les Français sont trop sûrs d'eux. Les troupes régulières ne prennent pas au sérieux ces escarmouches. Il y a dans l'armée, 376 coureurs des bois et 423 Indiens alliés. Les Outaouais sont à l'avant-garde avec Callières ; les Iroquois chrétiens sont sur les ailes et, un peu partout, il y a les Abénaquis de Saint-Castin. C'est une armée formidable. L'avant-garde est composée des coureurs des bois de l'ouest encadrant les troupes indigènes de la même région, les Indiens alliés ; à droite, trois cents sauvages chrétiens sous les ordres de Sainte-Hélène.

Le Moyne de Sainte-Hélène (1659-1690) s'était illustré en 1686 dans la capture des forts anglais de la baie d'Hudson.

Les Tsonnontouans sont au courant de l'attaque. Des Agniers prisonniers des Indiens alliés se sont échappés ; les renseignements sont aussi venus de l'est par Dongan et les autres tribus. Ils brûlent un premier village et prennent la fuite. Puis, la première frayeur passée, les guerriers reviennent sur leurs pas. Trois cents d'entre eux se postent le long d'un ruisseau, entre deux collines boisées ; cinq cents autres dans un marais où poussent des herbages épais. Pour créer une confusion, ils se ceinturent la tête de bandeaux d'étoffe rouge, comme les guerriers indiens alliés Français. Ils se tiennent à l'affût, près à attaquer quand l'armée française se trouvera entre les deux groupes en embuscade.

Les Tsonnontouans attaquent l'avant-garde de l'armée du gouverneur Denonville.

Le contingent des coureurs des bois et des Indiens alliés arrive sur les lieux bien avant le corps principal. La Durantaye, Du Lhut et Tonty sont à l'honneur. Les Tsonnontouans prennent ce groupe pour le corps principal, et ils attaquent en poussant leurs clameurs de guerre. Dissimulés dans les herbes, en arrière des arbres, ils dirigent un feu bien nourri sur l'ennemi. Les alliés de l'ouest et les troupes régulières supportent mal le choc. Mais les coureurs des bois et les Indiens chrétiens montrent plus de fermeté ; ils répliquent et tiraillent à la manière de l'ennemi qui, momentanément, est plus nombreux. Pendant que l'on escarmouche ainsi, le centre avance peu à peu. Denonville est là.

Beaucoup de soldats abandonnant le combat, les caisses battent pour rappeler les fuyards et les rangs se reforment. Devant l'attaque déterminée et la résistance de l'armée réunie, les Tsonnontouans cèdent rapidement et prennent la fuite.

caisses = tambours

L'embuscade avait été habilement disposée et l'attaque vivement conduite. Les Iroquois avaient mis en panique des troupes aguerries.

La version de Lahontan.

Lahontan raconte l'incident à sa manière. L'armée était partie du lac, « chacun était muni de ses dix galettes, c'était toute notre cuisine ». La marche était facile sous la haute futaie, sur un sol uni. La distance à parcourir était de sept lieues. Le second jour, dit-il, les éclaireurs se rendent jusqu'au village situé au haut du coteau que l'armée avait en vue. Ils ne découvrent aucune trace de l'ennemi. Alors, croyant qu'elle ne rencontrera aucune opposition, l'on marche sans ordre et avec précipitation. « ...On nous eut pris pour des chasseurs qui courent après un gibier abattu. » L'avant-garde arrive ainsi jusqu'à un quart de lieue du village. Cependant les Tsonnontouans étaient en embuscade : les éclaireurs étaient passés à côté d'eux sans les voir, car ils étaient bien dissimulés. Leur brusque attaque est, en conséquence, « un coup de foudre pour nos troupes. Toute l'armée perdit la tramontane ». C'est la panique, les rangs sont mêlés, on tire d'abord au hasard. Les Indiens, plus habitués que les Français, tiennent ferme, se rallient et combattent pendant que les autres reprennent leurs esprits. Les Iroquois cèdent.

Et celle de Baugy.

Le chevalier de Baugy donne un récit moins net de cette action. Il affirme cependant que « ce ne fut pourtant pas sans peine que nous fûmes maîtres du champ de bataille... » Pour lui, les troupes qui se conduisirent le plus mal furent celles des Indiens alliés, particulièrement les Outaouais qui lâchèrent pied un moment « ce que ne firent pas nos Français qui assurément se firent distinguer aussi bien que nos sauvages chrétiens qui firent des actions de valeur, nos Iroquois se surpassèrent et firent voir qu'ils surpassaient de beaucoup les Tsonnontouans et que l'on devait doresnovant se fier à eux ».

Le nombre des victimes varie selon les rapports. Le chevalier de Baugy, aide de camp, parle de deux tués, de quinze blessés, de quinze sauvages tués ou blessés. Les chiffres de Charlevoix sont un peu supérieurs à ceux-ci. Cet auteur dit qu'en ce combat périt la Cendre Chaude, l'un des bourreaux du père de Brébeuf. Le père Enjalran est blessé. C'est un missionnaire des Indiens alliés qui, depuis longtemps, travaille dans le Wisconsin. Denonville en fait des éloges à Seignelay : plus que personne, dit-il, il a contribué à maintenir les Indiens alliés sous l'aile des Français, particulièrement les Hurons et les Outaouais. Sans lui, Michillimakinac serait depuis longtemps au pouvoir des Iroquois et des Anglais. Dans leur fuite, les Tsonnontouans ont laissé leurs cadavres sur le champ de bataille. On en trouve quatorze qui sont tout de suite découpés et mangés.

Quoique Cendre Chaude aurait été trop jeune pour tuer de Brébeuf... Cendre Chaude ou Ogenhératarihiens (v. 1646-1687)

Après cette escarmouche, l'armée campe sur le champ de bataille. Denonville est fatigué, dit le chevalier de Baugy et toutes les troupes sont dans le même état. Mais les Français ne connaissent pas les lieux et se sentent vaguement mal à l'aise sur ce terrain.

Les mettre en chaudière = se préparer à les manger.

Denonville dira lui-même dans son rapport qu'il a été obligé de camper là à cause de la fatigue générale. La cruauté des sauvages pour les Iroquois morts ou mourants, la boucherie qu'on en fait pour les mettre en chaudière, l'indignent. Les Outaouais se distinguent dans cette besogne, comme ils se sont fait remarquer dans la fuite. Mais les Hurons se sont bien conduits, de même que les Indiens chrétiens, « particulièrement nos Iroquois de qui nous n'osions pas être sûrs, car ils avaient à se battre contre des parents. Les Illinois remplirent très bien leur devoir ». Denonville dit que le nombre des tués est de cinq ou de six, tant Français qu'Indiens ; que le nombre des blessés est d'environ vingt. Les Français, dit encore Denonville, apprennent de personnes qui ont déserté de chez les Tsonnontouans, que cette action aurait coûté à l'ennemi quarante-cinq guerriers et qu'une soixantaine sont blessés.

D'après Lahontan, les Iroquois compteraient quatre-vingts victimes, les Français une centaine, et les Indiens, une dizaine.

Ce dernier est aussi le seul à signaler que les Indiens de l'expédition Denonville avaient été fort mécontents de la halte après la bataille. Ils auraient voulu poursuivre l'ennemi en retraite, s'attacher à ses pas, le garder accroché. À défaut de guerriers, il aurait peut-être été possible de massacrer les femmes, les enfants et les vieillards. Ils auraient même décidé de poursuivre seuls le combat commencé, si l'armée française ne suivait pas. Denonville les aurait fait prier, par un interprète, de ne pas quitter le camp, que l'attaque continuerait le lendemain. Cette proposition « ne plut point du tout aux Sauvages ; la plupart s'en retournèrent chez eux, et disaient pour justifier leur conduite que les Français n'allaient point rondement en besogne, qu'ils ne voulaient point la guerre de bonne foi, et qu'ils semblaient avoir plus d'envie d'éprouver les Iroquois que de les combattre, puisqu'ils perdaient volontairement les plus belles occasions... » C'était la deuxième fois qu'on les appelait et la guerre tournait court. Il ne resterait rien d'autre à faire que de « brûler des cabanes d'écorce ».

Les Français perdent de belles occasions, selon les Indiens alliés.

Est-il impossible que cette altercation se soit produite ? Elle est assez dans la nature des circonstances. Les Indiens savaient qu'il ne serait pas facile de retrouver les Iroquois dans la forêt si la poursuite n'était pas décidée et si on perdait leurs traces. Denonville et le chevalier de Baugy ne parlent pas de cette affaire. Ce dernier dit que Denonville ne connaît ni le terrain ni le nombre des ennemis. D'Iberville aurait probablement eu plus d'audace. De plus, les soldats ne sont pas habitués à la guerre en forêt dans un pays inconnu. Un blessé dit qu'il y avait 800 Tsonnontouans et que 250 Goyogouins venaient à leur secours et peut-être aussi des Onnontagués.

Des soldats trouvent des postes d'observation ; une alerte est lancée pendant la nuit. Le 14, l'armée part en ordre de bataille. La pluie la retarde. On s'attend à une attaque des Goyogouins. Rien ne se produit. Après la pluie, les troupes se remettent en marche et atteignent les déserts. Le 15, le village voisin est brûlé. On ne trouve personne excepté les cadavres de sept Iroquois blessés pendant la bataille. La bourgade, située à une vingtaine de milles du lac, est très grande et se nomme Ganaguiara. De belles plantations de maïs l'entourent. À un quart de lieue de la bourgade, un fort est construit sur un emplacement stratégique, escarpé de tous côtés, bien flanqué, avec une allonge pour aller puiser de l'eau à une source au bas de la pente. Mais point de Tsonnontouans comme dit Lahontan. L'ennemi a disparu sans laisser de traces. On campe dans les ruines de la bourgade détruite.

Désert = prairies défrichées.

« De belles plantations de maïs. »

Que faire ? Denonville fait part de sa décision dans ces termes : « Je jugeai que la meilleure conduite était de nous employer à détruire le maïs qui était en grande abondance dans les champs, plutôt que de suivre un ennemi qui s'enfuyait à distance, et d'exciter nos troupes à attraper seulement quelques fuyards perdus. » Le sort de la bataille, de cette vaste expédition en est jeté : c'est presque une campagne blanche, comme celles de M. de Courcelles et de M. de Tracy.

Denonville prend-il cette décision, justement parce que les Indiens, de mauvaise humeur et fâchés, ont décidé de rentrer dans leur pays et de quitter l'armée et que, comme l'a affirmé Lahontan, sans ces Indiens habitués à la forêt l'armée française est pratiquement impuissante ? Non, car Denonville en parle, mais en termes revêches : « C'est un métier infortuné, mon Seigneur, que de commander des Indiens qui, après la première tête brisée, demandent seulement à retourner à la maison, portant avec eux le scalp qu'ils élèvent comme un cap de cuir. Vous ne pouvez concevoir le trouble que j'eus à les détenir tant que le maïs ne fut pas coupé. Durant tout le temps que nous fûmes dans le pays des Tsonnontouans nous ne vîmes pas un seul ennemi... » Ces mots montrent des relations assez tendues. Les Indiens alliés méprisaient sans doute la façon dont les Français exécutaient leur tâche, irritant l'ennemi sans lui faire vraiment du tort et sans diminuer ses forces vitales. C'était comme vouloir envenimer une petite blessure et pour la rendre mortelle.

Mais pas plus que les autres tribus n'étaient venues au secours des Agniers en 1666, les autres tribus ne viennent au secours des Tsonnontouans en 1687. Ceux-ci ne peuvent même pas concentrer toutes leurs forces. Le nombre des guerriers présents au combat est loin du nombre total des guerriers de la tribu. La Confédération iroquoise n'est pas liée à ce point. Surtout, malgré la ressemblance des noms, c'est une confédération indienne, qui participe largement du caractère indien égoïste et capricieux. Les mouvements de masse sont impossibles, ils ont peu de discipline nationale ou tribale et de patriotisme au sens européen du terme. On voit en effet dans cette campagne les Iroquois catholiques se battre pour la première fois contre leurs compatriotes. Les institutions manquent et un pouvoir fort n'existe pas pour toute l'Iroquoisie ou chaque tribu, afin de conscrire chaque homme pour la guerre, le maintenir

Une Confédération aux liens faibles ?

ensuite sur le champ de bataille et imposer une défense du territoire. L'intérêt de chacun en particulier prime avant tout.

Le chevalier de Baugy donne une version qui explique probablement celle de M. de Denonville. Un vieillard que l'on a capturé affirme que pendant l'escarmouche, 220 Tsonnontouans seulement avaient pu attaquer franchement ; que 550 autres étaient sur la droite, prêts à l'attaque, si les Français avaient reculé ; mais comme l'armée a gardé une assez bonne tenue, ce contingent n'a pas bougé, se contentant de tirailler un peu en fuyant à la fin ; les Tsonnontouans, dit-il, s'enfuient actuellement vers Onnontaé, avec les Goyogouins. Le narrateur ajoute que « malgré l'envie que l'on a de les poursuivre il faut se contenter de ruiner leurs blés... » ; autrement, il y aurait risque de perdre une partie de l'armée. Puis il dit enfin : « M. le Marquis a tâché d'inviter nos sauvages à courir après nos ennemis qui fuient, mais voulant avoir des Français avec eux il n'a pas jugé à propos de leur en donner parce que s'ils venaient à être attaqués ils s'abandonneraient et seraient bientôt taillés en pièces. »

C'est la seconde partie du programme de M. Denonville qui s'écroule. Les Indiens alliés, les Indiens catholiques de la colonie, les Abénaquis de Saint-Castin, devaient y jouer le rôle principal après la défaite des Tsonnontouans. Ce sont eux qui devaient poursuivre l'ennemi en forêt, le pourchasser, le disperser, l'exterminer. M. Denonville savait que ses propres troupes n'étaient pas aptes pour ce combat en forêt, qui devait se poursuivre l'hiver, avec son centre au fort Niagara que l'on devait construire. C'était remettre à d'autres, une tâche trop lourde, longue et difficile. Les Indiens alliés ont un complexe d'infériorité face aux guerriers iroquois. Ils ne pouvaient se transformer du jour au lendemain en féroces chasseurs d'hommes. M. Denonville refuse d'encadrer ces Indiens avec quelques troupes de miliciens ou de soldats qui leur auraient donné confiance et tenue : la fuite des Outaouais l'a trop mal impressionné. Le gouverneur a tort sans doute : des groupes de miliciens acclimatés au pays auraient pu rendre un fier service. Dans le fond, le projet du gouverneur était chimérique ; y avoir cru dénote un grand manque de jugement. Les Indiens alliés seront capables d'une tâche de ce genre en 1698-1699, quand une décade de guerre les aura aguerris et les aura habitués à leurs ennemis. En 1687, il n'y avait aucune chance d'arriver à un résultat. D'autant plus que ces Indiens ont dû être indisposés de voir que les Français se réservaient la tâche de couper les maïs alors qu'on voulait les lancer, eux, à une poursuite dangereuse des Iroquois réfugiés dans la forêt. On aurait dû se rendre à leurs demandes. Et, surtout, il aurait fallu, au lieu d'un prudent Denonville, un fougueux d'Iberville, qui aurait engagé toutes ces bonnes troupes dans une poursuite et parcouru en vainqueur la route de l'Iroquoisie. Comme les Agniers qui n'avaient pu faire face à Tracy, les Tsonnontouans n'auraient fait face à l'armée après cette première défaite tout près de leurs bourgades. Les Iroquois n'auraient pas eu cette audace devant les soldats européens qu'ils redoutaient. La victoire aurait été acquise si on avait saisi cet avantage, mais on a surestimé l'Iroquois.

Denonville doit changer de plans.

Donc, personne ne poursuivra les Tsonnontouans qui resteront tranquilles dans leur refuge. Mais, pourquoi l'armée ne s'avance-t-elle pas ensuite vers les bourgades des Goyogouins pour les détruire elles aussi ? Denonville donne une réponse : « ...J'aurais grandement désiré être capable de visiter d'autres villages, mais la maladie, la fatigue extrême de tous et le malaise des sauvages qui commencent à se débander, me déterminèrent à me rendre à Niagara pour ériger là un fort en leur présence et leur indiquer un asile sûr pour les encourager à venir à la guerre cet hiver en petits partis. »

Le problème de la dysenterie semble assez évident. Les Iroquois pratiquaient l'élevage du porc ; on en trouve de grandes quantités dans les bourgades et autour ; il y a le maïs nouveau et ancien. Astreints à un régime sévère depuis le départ, l'armée fait bombance et la dysenterie sévit. Quant à la fatigue, elle est moins acceptable. Si l'armée a peiné depuis Montréal jusqu'à Katarakouy, le voyage sur le lac Ontario ne semble pas avoir été trop pénible. La marche en forêt a été fatigante et le jour du combat il faisait très chaud. Mais c'est tout. On ne voit rien là qui ait pu épuiser des troupes aguerries et solides.

Dans le territoire ennemi même, le succès de l'expédition est réduit à presque rien. On ne poursuit pas les Iroquois ; on limite les dommages aux territoires des Tsonnontouans ; les relations entre Français et Indiens alliés deviennent très mauvaises, même en ne tenant compte que du rapport de Denonville et de son aide de camp, le chevalier de Baugy. Denonville veut leur faire exécuter, seuls, 90 pour cent de la tâche de détruire les Iroquois, et ils s'y refusent. Il aura cette idée longtemps. Il se conduit comme si les Français n'avaient pratiquement rien à faire dans l'issue de cette lutte. Somme toute, le rapport de Lahontan, toutes circonstances bien envisagées, n'est pas si exagéré dans ses conclusions qu'on le croirait tout d'abord. Des difficultés futures sont comprises dans le heurt actuel.

Que reste-t-il à faire ? Détruire les bourgades des Tsonnontouans, brûler leur maïs et tuer leur bétail. On l'a vu, on s'y met le 15 juillet. Tonty va incendier le petit fort bien flanqué. La moitié de l'armée sous Callières s'attaque aux champs de maïs : « ...On vous le renversait à grands coups d'épée, nous employâmes cinq ou six jours à cette vigoureuse occupation » dit ce polisson de Lahontan. Les Indiens alliés cherchent les biens que l'ennemi a pu cacher en forêt. On casse la tête à un petit vieillard hébété. On apprend que les Tsonnontouans attendaient l'ennemi depuis neuf jours. Denonville veut renvoyer les blessés, et surtout le père Enjalran, au rivage, avec une escorte de cent hommes ; mais les Indiens refusent d'exécuter cette tâche.

Goiogonen ou Goioguen, village goyogouin

Les champs de maïs coupés, les provisions de maïs détruites à ce premier endroit, l'armée se déplace jusqu'à Goiogonen ou Goinguerra, autre bourgade où l'on trouve encore du maïs en prodigieuses quantités. Le soir, les Indiens alliés manquent à l'appel, mais ils reviennent bientôt chargés de butin. Le 17, on fauche les blés qui ne sont encore parvenus à maturité. La pluie tombe. Le

18, on campe près du fort sur la hauteur où se trouvent force réserves de maïs : « ...C'est quelque chose d'étonnant, dit Lahontan, que les blés tant vieux que nouveaux que nous avons déjà gâtés... » dit le chevalier de Baugy. Le 19, l'armée va à Totiaeton, une bourgade située à quatre lieues de la précédente. On y trouve plus de maïs encore que dans les premières bourgades. Le 20, l'armée s'établit dans une meilleure position, sur une hauteur. Des alarmes se produisent. Quelques prisonniers des Iroquois sont capturés. On pense que les Iroquois chrétiens ont probablement averti leurs compatriotes d'une attaque prochaine. Le 21 juillet, l'armée est deux lieues plus loin, dans la bourgade de Ganotata. Un Huron revient avec des chevelures ; les Tsonnontouans se sont dispersés, apprend-on ; « ...Il paraît qu'ils prennent les chemins des Andastogues... » On trouve les armes de l'Angleterre affichées à l'époque de La Barre en 1684, mais datées d'un an plus tôt. Le 22 juillet, l'armée revient à Totiaeton. On détruit toujours le maïs vert et les provisions de maïs. Baugy n'en peut croire ses yeux : « ...C'est une chose surprenante que la quantité de réserves qu'ils ont.. », peut-être 400 000 minots en maïs ancien et nouveau. On trouve une planchette qui, sur un arbre, donne à la façon indienne, en hiéroglyphes, des renseignements intéressants : l'Onnontagué est dépeint comme un oiseau qui voit de haut et de loin ce qui se passe, mais sans vouloir s'en mêler ; les Agniers et les Onneyouts n'ont pas voulu prendre de décision.

Totiaeton ou Totiakton, village Tsonnontouan.

Partout, des quantités étonnantes de maïs.

L'expédition quitte le pays des Tsonnontouans après l'avoir dévasté.

Enfin, le 23 juillet, au matin, soit neuf jours après son arrivée dans la première bourgade, « tous les blés ayant été coupés et brûlés » l'armée quitte le champ de ses déprédations. Elle s'enfonce de nouveau sous la haute futaie pour redescendre vers la baie Irondequoit et atteindre l'embouchure de la rivière des Sables. Elle marche en ordre de bataille, avec prudence, craignant toujours cet ennemi insaisissable qu'elle n'a jamais vue, si ce n'est le 13, au cours du bref engagement. Cependant, un guerrier iroquois est capturé et mis à mort, de sorte que l'on estime que des groupes ennemis surveillent toujours, de loin, dans l'ombre des taillis, le départ et les mouvements de l'armée. Denonville « aurait bien souhaité apprendre des nouvelles de nos ennemis et la cause pourquoi ils ne paraissaient point. » Mais il n'obtiendra pas satisfaction. La route du retour est un peu différente de celle de l'aller ; l'armée côtoie deux beaux petits lacs en moins de deux lieues de marche ce jour-là. Le 24, elle franchit « six mortelles lieues » pour atteindre enfin le lac Ontario. Quatre blessés meurent. Tous sont fatigués. À la chaleur accablante du jour succède le froid vif de la nuit. Ils n'ont rien pour se couvrir, la fièvre et les rhumes se propagent. Le voyage aller et retour aura duré une douzaine de jours.

Le chevalier de Baugy parle de Callières et de Vaudreuil qui se sont occupés de la destruction des récoltes. Denonville considérait cette tâche comme très importante. Il surveillait, se rendait dans tout ce qui semblait un désert pour qu'aucune récolte ne soit oubliée ; s'il y avait une moisson, il mettait ses gens au travail, « et lui-même travaillait pour donner courage aux autres... »

Le 25 juillet, une barque quitte la baie pour donner des nouvelles à Montréal et à Québec, pour transporter aussi les blessés. Le fort du bord de l'eau est brûlé. Le 26, la flottille se met en route pour Niagara. Les Iroquois catholiques ne veulent pas venir, mais le gouverneur les fait changer d'avis. Ce jour-là, la flottille franchit dix milles. Mais le 27, le 28, l'armée les passe dégradée attendant des circonstances plus favorables. On peut partir dans l'après-midi du 28 et, le 29 juillet, on se rend jusqu'à trois lieues du but. On y arrive le 30.

Dégradé = ne pouvant avancer.

Denonville choisit tout de suite l'emplacement du fort à construire : « Je choisis l'angle du Lac sur la rive de la rivière, qui est du côté des Tsonnontouans ; c'est l'emplacement le plus beau, le plus plaisant et le mieux situé qu'il y ait sur tout le lac... » Le chevalier de Baugy dit que c'est à l'embouchure de la rivière, au bord du lac, sur une éminence escarpée ; la rive y forme une pointe.

Construction du fort Niagara.

C'est le deuxième édifice français qui s'élève là. La maison de commerce de La Salle a été incendiée en 1685 après les aventures de La Barre. Elle avait fait naître de grande espérances, mortes aujourd'hui. La Salle s'est éteint dans le lointain Texas emportant avec lui son caractère indomptable et intrépide. Quelques-uns vont voir les célèbres chutes. Denonville est trop occupé, il n'a pas le temps. Le plan est simple : un simple carré entouré de pieux. Les soldats se mettent immédiatement au nettoyage de l'endroit ; on creuse les fosses où l'on plantera des palis de seize pieds de haut. Deux barques arrivent du fort Frontenac avec des outils ; on donne forme à trois bastions. Des messagers partent pour le fort de Détroit, pour qu'on en envoie des chasseurs-pourvoyeurs pendant l'hiver et des partis d'Indiens alliés pour harceler les Iroquois. Tonty est chargé de cette mission.

Baugy explique les raisons de la construction de ce fort : c'est pour enfermer les Iroquois, les confiner, les boucler dans leur pays, contrôler leurs mouvements ; pour donner une base d'expédition et un lieu d'asile aux partis de guerre des Indiens alliés ; c'est pour couper l'herbe sous le pied aux Anglais, occuper un endroit stratégique qu'ils convoitent, intercepter leurs flottilles de traite ; les empêcher aussi de passer et de s'emparer des territoires de l'ouest. Mais le but immédiat, c'est d'attaquer les Tsonnontouans, de les harceler, de les disperser et de les détruire. M. Denonville veut fournir à messieurs les Indiens alliés un pied-à-terre à proximité. Il leur dira : voilà : vous pouvez venir exécuter notre besogne. Et les Indiens alliés diront : grand merci. Et ils viendront peu, très peu : l'expérience de ces derniers mois aurait pu le faire deviner sans beaucoup d'effort. Il restera un fort, en pleine forêt, en plein territoire ennemi, avec une garnison qui n'osera franchir la porte, car l'ennemi rôdera dans le bois aux alentours, prêt à assommer, à capturer.

Des alarmes se produisent : on a vu des Iroquois. La milice canadienne part presque tout de suite, le 2 août ; Vaudreuil reviendra le dernier ; le 3 août,

Denonville s'embarque ; la flottille avance sous la lune dans ce décor grandiose de la forêt canadienne et du grand lac ; puis, les jours suivants, il y a des orages, de la pluie, du vent ; il faut dégrader. Mais la flottille aux voiles innombrables fait de longs parcours quand le vent est favorable et la température idéale. Il y a une grande quantité de malades dans les embarcations. On passe à Tonnaousté, lieu célèbre pour la pêche. Le 9 août, l'armée arrive enfin à Katarakouy. Denonville s'arrête à peine à ce port, et le quitte le lendemain pour Montréal. Le 12, il descend les Galops, et le 13 au soir, il réintègre Montréal. La milice y arrive le 14. Le 17 et le 18, un dernier convoi quitte cette place pour Katarakouy. Denonville a trouvé un émissaire de Dongan à Montréal.

Nouvelle prise de possession du pays des Tsonnontouans.

Pour alimenter la guerre de plume des chancelleries et fournir une matière aux mémoires, M. Denonville prend possession le 19 juillet du pays des Tsonnontouans que le traité de 1665 donnait déjà à la France ; les bourgades de Gannagaro, de Gannondata et de Gannongaras, du fort isolé, y sont particulièrement mentionnées. On en dresse un acte en bonne et due forme. Le 31 juillet, M. de Callières et de Vaudreuil prennent officiellement possession de Niagara ou, plutôt, ils en reprennent possession, car La Salle y a eu une factorerie.

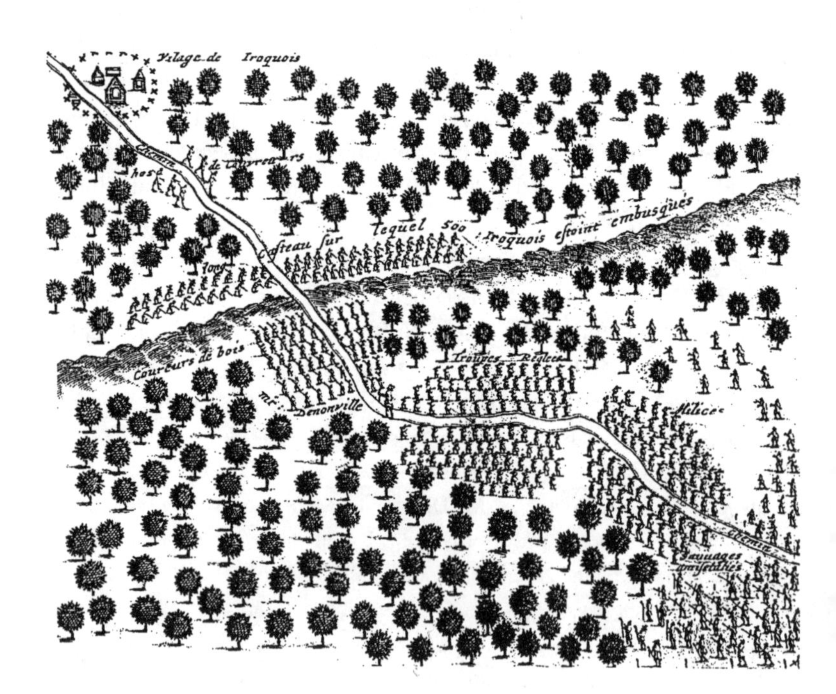

Chapitre 170

1687

Denonville a à peine quitté Niagara pour revenir, que les sachems des Cinq Nations sont rassemblés à Albany, dans l'hôtel de ville, en présence de Dongan. C'est la réponse à l'expédition de Denonville. L'expédition de La Barre avait presque détaché les Iroquois des Français ; la deuxième a pour résultat un rapprochement anglo-iroquois encore plus étroit.

Dongan rencontre les Iroquois et les semonce.

Le 5 août, Dongan parle aux ambassadeurs des Cinq Nations. Il est content que les pertes n'aient pas été plus considérables ; car, dit-il, les Français voulaient vous détruire en vous surprenant dans vos bourgades. Il les a avertis du danger. Et lorsque celui-ci est apparu, il est venu rapidement à Albany pour offrir des conseils et donner des instructions. Il va envoyer un messager spécial au Grand Roi anglais pour l'avertir de cette invasion et des attaques contre ses sujets. Une guerre peut avoir lieu entre la France et l'Angleterre. Mais il reproche aux Iroquois d'avoir conclu en 1684 un traité avec La Barre « contrairement à mes ordres » et de s'être attiré la guerre actuelle : « Des sujets comme vous ne doivent pas traiter avec aucune nation étrangère. » Dongan va plus loin encore : « J'ai mal pris qu'après vous être placés au nombre des sujets du grand Roi d'Angleterre, vous offriez jamais de faire la paix ou la guerre sans mon consentement ; vous savez que nous pouvons vivre sans vous, mais vous ne pouvez vivre sans nous... » Plus brutalement encore, Dongan dit aussi : « ...Je désire, et j'ordonne que vous n'entriez dans aucun traité, si ce n'est par mes avis, qui, si vous les suivez, vous donneront le bénéfice de la grande alliance d'amitié qui a été conclue récemment entre le grand Roi d'Angleterre et le roi français. » Ce qui signifie que, si les Iroquois étaient des sujets anglais, ils bénéficieraient immédiatement du traité de neutralité qui existe entre la France et l'Angleterre ; tandis qu'en étant indépendants, ils risquent d'être attaqués par les Français. Dongan conseille ensuite aux Iroquois de garder leurs prisonniers français, mais de ne pas leur faire de mal pour les échanger plus tard. Ils doivent ensuite organiser un conseil de guerre qui tiendra ses affaires secrètes et qui communiquera avec lui. Dongan leur donne ensuite un conseil qui fera l'affaire des marchands d'Albany : envoyer des émissaires aux Outaouais et aux autres tribus, renvoyer les prisonniers de ces nations « pour enterrer les haches de guerre et pour faire la paix, afin qu'ils puissent renvoyer tous les Français qui sont parmi eux ». Car les Outaouais et les autres tribus de ces régions sont des sujets du roi d'Angleterre. Si la paix règne, ils pourront venir librement à Albany où ils auront toutes les marchandises à meilleur marché, et ils vous paieront à vous, Iroquois, des droits de passage annuels, « et que vous et eux s'unissent ensemble contre les Français et fassent une Ligue si ferme, que quiconque est ennemi de l'un, doit l'être des deux ». Il faut aussi envoyer des messagers aux Iroquois chrétiens pour les inciter à revenir dans leur pays, leur promettre une totale protection ; s'ils refusent, ils doivent s'attendre à des représailles. Pour que les Iroquois soient en sécurité et puissent infliger des pertes aux Français, il est nécessaire « de construire un fort sur le Lac, où je puisse emmagasiner des approvisionnements et des vivres, en cas de nécessité » ; les Iroquois indiqueront le meilleur endroit et cacheront ensuite leurs provisions de maïs dans la forêt.

Les Iroquois « peuvent se rappeler le conseil que je leur ai donné au printemps de ne pas aller à Katarakouy... » Mais les missionnaires d'Onnontaé apprennent les conseils qu'il donne aux Iroquois, et ils les transmettent par écrit au gouverneur du Canada. Dongan les supplie « de ne plus le recevoir, ou tout autre prêtre français, plus longtemps, car il a demandé des prêtres anglais qu'il leur fournira... » Qu'ils soient sur le qui-vive pour ne pas être surpris à Katarakouy, Niagara, Trois-Rivières, Montréal et Chambly. Et « laissez-moi vous rappeler de ne pas faire des traités sans mon entremise... »

Dongan aborde ensuite un autre sujet. Malgré les traités conclus par l'Iroquoisie, le Maryland et la Virginie, les Iroquois ont tué un Anglais, un parti d'Onneyouts est actuellement dans cette région, ils ont fait la guerre aux Indiens de ces endroits. Que les Iroquois réfléchissent : ils ne peuvent faire la guerre à tout le monde. Lui, Dongan, il les a toujours protégés. Et, « en conséquence, je vous commande et vous ordonne... de m'envoyer tout de suite ces prisonniers... et je dois vous dire carrément que si vous ne cessez de commettre des troubles, là, à l'avenir, je déterrerai les haches de nouveau, et je les mettrai entre les mains de Lord Howard, et je me joindrai à lui, et je vous ferai la guerre, et alors vous serez totalement détruits. » Denonville a dit en effet au roi d'Angleterre que Dongan protège ceux qui tuent les Anglais en Virginie et au Maryland : « N'agissez plus ainsi, n'allez plus à l'ouest en Virginie, car si vous le faites, il sera impossible pour moi de vous protéger plus longtemps... » Il tâchera d'apaiser le gouverneur de la Virginie.

Et pour terminer cette allocution : « Je vous fournirai... les nécessités dont vous avez besoin. »

Ce sont les discours de ce genre qui donnent enfin aux personnes ordinaires de la sympathie pour cette nation iroquoise. Brutalement et durement, Dongan utilise l'avantage que Denonville lui a donné et l'exploite à fond contre les Français. C'est assez naturel. Il ouvre les bras tout grands pour recevoir cette Iroquoisie que l'expédition de juillet a repoussée vers lui. C'est d'assez bonne guerre et Denonville ou La Barre auraient dû le prévoir. Mais il exploite aussi la situation contre les Iroquois. Ayant une guerre du côté de la Nouvelle-France, ceux-ci doivent se procurer des armes et des munitions pour se défendre.

Le collier doré de la servitude.

Dongan, d'un mot, peut leur en interdire la vente, et les laisser à la merci des Français. Il l'autorise donc, leur apporte d'une main fusils, poudre et plomb et de l'autre il leur attache le collier doré de la servitude. Il leur dit votre pays est devenu une parcelle du territoire anglais, vous êtes devenus des sujets anglais, vous n'avez plus de politique étrangère que sous ma direction et ma surveillance. Et vous allez recevoir mes conseils. Mais ces conseils sont d'un égoïsme féroce, car la ville d'Albany a besoin de fourrures. Dongan est d'ailleurs plus prodigue en conseils que de toute autre chose au monde. Les Anglais donneront à profusion des conseils aux Iroquois : ce sera leur principale contribution à l'alliance anglo-iroquoise. Ils ne fourniront pratiquement jamais autre chose, à part des munitions, que les Iroquois paieront en fourrures, d'ailleurs. Les Français, pour leur part, réclament aussi la possession de l'Iroquoisie et des Iroquois. Pour ramener ceux-ci vers eux, temporairement, en cachette, ils favoriseront leurs idées d'indépendance, les attiseront. Quand ils verront que l'État de New York gagne du terrain, ils les exciteront pour les tourner contre les Anglais en attendant de pouvoir faire comme eux.

Qui blâmerait les Iroquois ?

Le spectacle de cette convoitise n'est pas beau. Mais qui blâmerait les Iroquois de manœuvrer entre la cupidité des deux pays pour maintenir, en fait, l'intégrité de leurs territoires et l'indépendance de leur nation ?

Le 6 août, c'est-à-dire le lendemain du jour où Dongan prononce sa semonce, les Cinq Nations répondent. C'est un sachem agnier qui parle tout d'abord. Il semble relativement à la solde des Anglais, comme tous les Agniers qui n'ont pas émigré à Montréal. Ceux-ci jouent le jeu des Anglais, comme ils ont autrefois joué celui des Hollandais. La proximité d'Albany leur enlève toute véritable indépendance. Celui-ci parle tout d'abord aux autres sachems ; il leur rappelle les propositions de Dongan, qu'il serait avantageux de ne pas conclure la paix sans passer par Son Excellence, et que la paix conclue avec La Barre a été un insuccès complet. Il répète combien Dongan a raison au sujet des meurtres de la Virginie : à l'avenir les Iroquois ne s'intéresseront plus aux guerriers qui iront commettre des meurtres dans ces régions.

Puis, il se demande quelle provocation les Iroquois ont faite aux Français dans cette guerre. Il est vrai qu'en 1681, des Tsonnontouans et des Onnontagués montent à bord d'une barque française à Niagara, enlèvent un baril de cognac, coupent le câble. Mais Andros avait donné l'ordre « de ne pas souffrir qu'aucun Français fasse là la traite ». Depuis la paix de 1684, les Iroquois n'ont pas fait de provocation ; sauf peut-être en 1686, non loin de Niagara, des Tsonnontouans et des Onnontagués encore, ont enlevé 100 castors à un individu du nom de Grandmaison et à son associé ; mais ils n'avaient pas la passe du gouverneur du Canada ; et, en agissant ainsi les Iroquois obéissaient aux ordres de Dongan lui-même, « qui nous avait dit de porter les mains sur toutes les gens qui viendraient sans passe dans toute partie des territoires du Roi d'Angleterre... » ; et, de plus, La Barre leur avait souvent dit « qu'ils devraient piller toute personne française qui viendrait du côté d'Albany pour faire la traite». Dans tous les cas ces cent peaux ont été remises. La seule raison de l'expédition de Denonville, de l'avis des Iroquois, est «le fait que nous avons donné notre pays et que nous nous sommes soumis au roi d'Angleterre...» Enfin, si des Iroquois combattent en Virginie, c'est parce que certains d'entre eux ont été tués en allant à la chasse dans cette région.

Ce sachem demande une alliance étroite des Iroquois et des Anglais; car si les Français détruisent leur nation, toutes les peaux de castor iront à l'avenir en Nouvelle-France et l'Iroquoisie deviendrait terre française. D'autre part les Anglais ne sont-ils pas responsables de cette guerre? Les Français sont en effet fâchés parce que Dongan «donne des passes à des Chrétiens d'ici, pour se rendre chez les Nations éloignées afin d'y traiter, et parce que nous les accompagnons pour leur montrer le chemin, ce qui fait que les Français croient qu'ils perdront tout leur commerce, et qu'il y aura un sentier ouvert pour que ces peuples éloignés viennent à Albany pour la traite, ce qui exaspère les Français, et qui est la cause de leurs attaques». Le sachem agnier entre dans le cœur du problème: les expéditions de traite des Anglais à Michillimakinac sont en effet au centre de cette affaire. C'est la raison profonde du conflit. Ce sont les Anglais qui en sont responsables. Les Iroquois prennent sans doute d'autant plus de plaisir à le signaler à Dongan, que cette politique ne fait pas du tout leur affaire, et qu'ils sont opposés à des relations commerciales directes, à travers leur territoire, entre Anglais et Indiens alliés.

L'expédition de Denonville: n'est-ce pas la faute des Anglais?

Le sachem parle de l'incident qui a déclenché l'expédition de La Barre en 1684, c'est-à-dire le pillage de certains canots. Mais, disent-ils, «ils les ont trouvés dans le pays de leurs ennemis, les fournissant de munitions, et ils ont cru ceci très irraisonnable...» Ils ont fait des Outaouais prisonniers; oui, mais ils les ont renvoyés l'automne passé par le traiteur, Roseboon, et par le capitaine Magregorie, bien que les Outaouais aient tué des Iroquois qui étaient à la chasse ou qui semaient du maïs.

Enfin, après avoir prouvé que les Anglais, par leurs ordres ou par certaines de leurs actions, ont provoqué cette guerre et qu'ils sont vitalement intéressés par le maintien de la nation iroquoise, le sachem agnier fait part des décisions que les cinq nations ont prises. Ils tenteront de faire la paix avec l'un des peuples des Indiens alliés: les Outaouais; ils enverront des prisonniers pour amorcer des négociations. Ils ne maltraiteront pas les prisonniers français et ils prient Dongan d'écrire à Denonville pour l'échange des prisonniers. Quant aux Jésuites, dit-il, «nous sommes résolus de ne plus les recevoir, et de ne pas en recevoir des Français» et si des tribus veulent des Jésuites anglais, elles le feront savoir à Dongan. L'endroit choisi pour la construction d'un fort est à Cajonhago, près de la capitale. Quant aux Miamis «qui sont nos ennemis mortels ... nous ne savons pas si nous pouvons faire la paix avec eux». Les Iroquois, en tant que nation, précise l'orateur, ne défendront plus ceux qui vont à la guerre du côté de la Virginie et du Maryland. Ils ouvriront un chemin

Les Iroquois acceptent de ne plus recevoir de missionnaires français?

dans leur pays pour le commerce des Outaouais, des Hurons, des Miamis et avertiront ces nations. Ils ont l'intention de continuer la guerre jusqu'au dernier homme ; si les Français leur soumettent un projet de traité, ils le soumettront à Dongan. Ils ne savent comment ramener les Iroquois chrétiens de Montréal ; ils tâcheront d'en faire quelques-uns prisonniers et de leur faire part des offres de Dongan. Ils demandent à Dongan de leur communiquer toutes les nouvelles de nature militaire qui lui viendront du Canada ; ils lui divulgueront les leurs.

Les Iroquois ont leurs raisons d'agir ainsi. Ils se soumettent en partie aux demandes de Dongan. Ils tâchent de consolider leur alliance avec les Anglais. Ils sont en mauvaise posture pour refuser la plupart des demandes et les accepter ne peut pas leur faire grand tort. Alors, quel mal y a-t-il ?

Ce conseil, comme celui de l'année 1684 à la même date, est le contrecoup de l'Iroquoisie à l'expédition de Denonville, comme l'autre avait été le contrecoup de l'expédition de La Barre. Ces deux réactions sont désastreuses pour la France : l'alliance anglo-iroquoise devient de plus en plus étroite ; les liens entre la Nouvelle-France et l'Iroquoisie se brisent : on les voit craquer, céder et se rompre sous nos yeux ; l'Iroquoisie court se jeter sous la juridiction anglaise, sous sa coupe, sous sa protection. L'État de New York étend, affermit, établit son emprise sur l'Iroquoisie ; l'Iroquoisie est poussée dans le camp anglais. L'avenir se dessine ; La Barre et Denonville perdent une cause qui au départ était incertaine : avant eux, on ne savait pas qui gagnerait cette lutte, car les Français avaient d'excellents atouts. Après leur passage, la cause est perdue. Par les dépêches de l'un et de l'autre, on voit qu'ils n'ont jamais pensé que l'enjeu de cette lutte était vital, primordial et les conséquences de leurs expéditions ratées, un désastre. Ils viennent de perdre l'Iroquoisie et les Iroquois pour la Nouvelle-France.

La version des Tsonnontouans.

Il existe aussi des déclarations d'Iroquois présents à l'engagement, près de la première bourgade des Tsonnontouans. Il paraît évident que les Tsonnontouans ont suivi la marche de l'armée, au moins depuis l'apparition de la flottille le long de la rive sud du lac Ontario. Des espions sont là, comme c'est assez naturel. Pendant un temps, une centaine de guerriers observent les mouvements de la flotte ; puis vingt, et, au moment du débarquement, trois sur lesquels les Français ou leurs alliés tirent, mais ils s'enfuient dans les bourgades ; les sachems, après avoir tenu conseil, décident d'envoyer au loin femmes, enfants, vieillards, soit à un lac plus au sud, soit chez les Goyogouins : puis ils brûlent la place. Ces hommes disent que l'aile gauche de l'armée française a été mise en déroute. Après l'engagement, les Tsonnontouans ne sont poursuivis qu'un demi-mille ; si on les avait pourchassés plus loin, ils auraient perdu beaucoup d'hommes car ils portaient leurs blessés.

Aussi longtemps que les Iroquois seront nos amis...

La Barre et Denonville auraient pu méditer une phrase d'un rapport de Dongan : « Nous n'avons pas besoin de les [les Français] craindre aussi longtemps que les Indiens [Iroquois] continueront à être nos amis... »

Des Iroquois catholiques font aussi des déclarations à Albany. Ils racontent la marche de l'armée française. Ils ajoutent parfois des détails pittoresques comme, par exemple, le fait que la flotte jetait parfois l'ancre et que l'armée passait la nuit sur le rivage. Ils accordent beaucoup d'importance à la ferme résistance du corps d'Iroquois catholiques. Ils prétendent aussi que Denonville aurait arrêté la poursuite des Tsonnontouans en déroute.

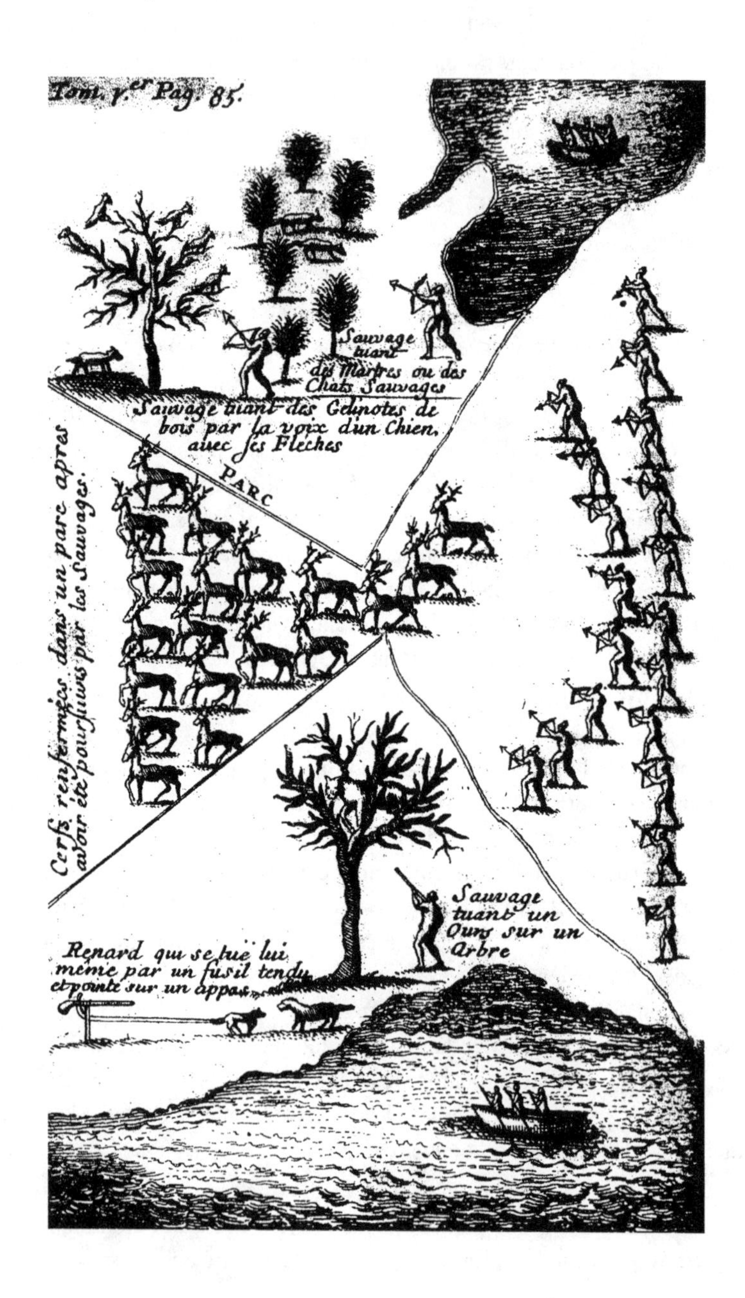

Chapitre 171

1687

L'expédition de Denonville est terminée. Les Iroquois se sont rapprochés un peu plus des Anglais au cours du conseil tenu à Albany. Et maintenant commence une autre réaction : les attaques des Iroquois sur la Nouvelle-France.

Les Iroquois répliquent à l'expédition de Denonville.

Elles débutent au mois d'août, dans la région de Katarakouy. On en trouve quelques détails dans une dépêche du gouverneur du Canada datée du mois d'octobre 1687, dans une lettre du 2 septembre de Livingston à Dongan, et dans les lettres de M. de Belmont, entre autres. Cependant les détails ne concordent pas toujours.

François Vachon de Belmont (1645-1732), sulpicien.

Vers le 20 août, les Iroquois ont groupé un contingent de guerriers assez imposant : de trois à cinq cents. Ce parti vient rôder autour du fort. Mais des hommes qui récoltent des pois et une dizaine de soldats qui sont dans la forêt, découvrent leur présence. Trois soldats, semble-t-il, sont capturés en dehors du fort ainsi que Mademoiselle d'Allonne. Il se peut même que le nombre des hommes prisonniers soit de quatre. Le père de Lamberville, qui est dans ce poste, sort avec un drapeau blanc. Il demande à parlementer et leur demande d'abord qui ils sont. Des Onnontagués, répondent-ils. En réalité, ce parti est formé de guerriers de toutes les tribus. Que font-ils ? Ils viennent pour venger les Tsonnontouans. À leur tour, les Iroquois demandent au père de Lamberville ce qu'il veut. Celui-ci répond que le gouverneur du Canada l'a laissé au fort pour savoir si les Iroquois voudraient conclure la paix avec lui. Il ajoute que les autres missionnaires d'Iroquoisie et lui-même ont sincèrement voulu la paix, demandé la paix, mais qu'on ne les a pas écoutés. Les Iroquois répondent par dérision qu'ils sont venus pour savoir si les Français voulaient conclure la paix. Ils ont cinq prisonniers et les montrent.

La capture de Madeleine de Roybon d'Allonne (v. 1646-1718), seigneuresse, compagne de Cavelier de La Salle.

D'après la version anglaise, l'armée iroquoise est d'abord arrivée à Katarakouy où elle a brûlé la grange et les maisons autour du fort. Un groupe nombreux s'est détaché du premier pour se rendre à La Galette, à la tête des rapides et des chutes du Saint-Laurent, à dix-huit lieues environ en aval de Katarakouy. C'est là que les flottilles de canots parties de Montréal transbordent leurs cargaisons dans les barques qui circulent sur le lac Ontario, pour revenir. Quand les Iroquois y parviennent, un convoi vient justement d'arriver. Mais la cargaison de vivres qu'il transporte est si importante que les barques ne peuvent toute la charger. Huit canots doivent donc continuer leur route jusqu'à Katarakouy, de conserve avec les barques. Une quinzaine de Canadiens les montent. La douzaine d'Iroquois qui observe le spectacle profite de l'occasion

de conserve = ensemble

et attaque les canotiers par surprise. Denonville écrira lui-même que huit sont tués, que l'un d'entre eux est fait prisonnier et que sept s'échappent. Les chiffres varient, mais ceux de M. Denonville semblent exacts.

Les Iroquois rentrent avec environ six prisonniers, y compris Mademoiselle d'Allonne. Ils sont si satisfaits de leur expédition qu'un autre parti de trois cents guerriers part pour la même région.

Denonville protège Montréal en l'enveloppant de palissades. Il envoie un corps de 120 coureurs des bois sous les ordres de M. de Vaudreuil, afin de protéger les établissements français du côté de l'ouest ; ce parti se poste à la pointe de l'île.

Grand Agnier, ou Togouiroui (?-1690), chef des Agniers alliés aux Français.

À la fin du mois d'août, Grand Agnier, le célèbre chef iroquois catholique, part avec cinq compagnons pour avoir des nouvelles des Iroquois. Au lac Champlain, il rencontre un parti de soixante Agniers qui viennent pour faire des prisonniers, afin d'obtenir la libération des prisonniers anglais et iroquois captifs des Français. Ils veulent pouvoir faire un échange, un jeu bien connu. Grand Agnier obtient de ses compatriotes qu'ils retournent chez eux, en leur disant que les Français ne leur font pas la guerre. Naturellement, Denonville tente de briser la cohésion de la Confédération pour éviter d'avoir à faire face à des attaques nombreuses ou combinées.

La mission du Sault Saint-Louis = Caughnawaga.

Il y aura aussi un détachement à Caughnawaga pour protéger les Iroquois catholiques.

Cependant, au mois d'octobre, Denonville parle de plusieurs attaques. De petits partis d'Iroquois circulent dans la forêt en surprenant et tuant des habitants de temps à autre. Soixante d'entre eux ont attaqué la maison de Le Ber à la pointe de l'île.

Cinq ou six personnes ont été tuées ou blessées. Au début d'octobre, un parti a tué quatre hommes et en a blessé un sur l'île de Montréal même. Trois Iroquois sont cependant tués dans cette escarmouche et plusieurs sont blessés. Vaudreuil et ses Canadiens les ont poursuivis sans pouvoir atteindre cependant le corps principal. Celui-ci devait compter, d'après Denonville, non moins de deux cents guerriers. Ce parti est évidemment celui dont il est question dans la lettre de Livingston, qui était parti après le retour du premier qui avait fait des victimes à Katarakouy et à La Galette et qui comptait alors 300 guerriers.

Comme il faut s'y attendre, de petits partis ont gagné l'Outaouais où ils observent les allées et venues. Les communications avec l'ouest semblent complètement interrompues.

Chambly est assiégé, probablement au mois d'octobre 1687, par cent cinquante Agniers et Mohicans. Mais c'est un échec pour l'ennemi qui doit repartir après avoir fait quelques prisonniers et brûlé quelques habitations.

Une vingtaine de redoutes sont construites dans la région de Montréal pour la protection de la population.

Puis, au printemps 1688, a lieu l'attaque contre le convoi à Toniata ; quatre ou cinq tués d'après les uns et deux selon les autres.

Des Iroquois catholiques quittent le Sault Saint-Louis.

Des Loups ou Mohicans, ayant vécu un temps en Nouvelle-France, retournent près d'Albany et reviennent au printemps ; des Agniers les accompagnent. Au mois de juillet 1688, ils attaquent et brûlent les habitations de Saint-François-du-Lac, de la rivière du Loup, puis à Sorel, Contrecœur, Saint-Ours et Boucherville. Ils y tuent des bestiaux et incendient des bâtiments. M. Denonville a organisé un grand convoi pour ravitailler Katarakouy. Il lui faut non moins de 1 100 hommes. Callières les commande. Les autorités ont enrôlé beaucoup de miliciens dans ces campagnes qui se trouvent momentanément sans défense contre un envahisseur prompt et rapide.

En plus des redoutes du gouvernement de Montréal, Denonville parlera, le 8 mars 1688, d'un poste avec garnison établi non loin de Crown Point, sur le terrain de la première bataille entre Iroquois et Français. Plus tard, il parle de 50 à 60 soldats à envoyer là.

Crown Point = aussi appelé Pointe à la Chevelure.

Voilà qui résume pour le moment les attaques iroquoises qui prennent Denonville au dépourvu et le désorientent. Il ne sait pas comment y faire face et ne semble pas pouvoir trouver en lui-même les ressources nécessaires pour vaincre cet adversaire.

Chapitre 172

1687

Dans l'État de New York, le gouverneur, le conseil, et les marchands d'Albany et de Shenectady sont profondément intéressés par ce qui se passe devant eux. Ils suivent attentivement les événements, habiles à profiter de tout pour faire avancer leurs affaires.

De grands conseils ont eu lieu à Albany au début du mois d'août, alors que l'armée française vient à peine de quitter Niagara. Le 18 août, le conseil étudie le mémoire des dépenses qui ont été faites « au sujet des Tsonnontouans et des Français ». Le 19, pour trouver les sommes nécessaires, il impose une taxe particulière. Le bill est tout de suite signé.

Le 5 septembre, le même conseil se penche sur l'affaire de l'expédition commerciale Magregorie qui a si mal tourné. Tous les membres de ce groupe sont maintenant prisonniers en Canada. Le conseil décide d'envoyer à Denonville un messager particulier.

Des rumeurs d'invasion.

À cette même date, des rumeurs d'invasion de l'État de New York ou de l'Iroquoisie ont pris corps. On redoute une invasion par l'armée de Denonville ou des attaques sournoises. Le conseil ordonne donc aux habitants de la ville et du comté d'Albany de couper des palissades pendant l'hiver, de les transporter à Albany et à Shenectady, de sorte qu'au printemps, ils puissent entourer ces deux villages de palissades. Le maire d'Albany revoit aussi l'ordre d'observer, du côté du lac Champlain, trente à quarante Indiens. Il devra également envoyer un collier de perles de nacre à chacune des cinq tribus pour leur dire que si des Iroquois catholiques du Canada viennent en visite, il faudra les inciter à se rendre à New York rencontrer le gouverneur et le conseil, aussi pour les inviter à agir avec précaution, ajoutant que le gouverneur sera à Albany de bonne heure au printemps.

Le conseil ordonne également la rédaction d'une proclamation défendant aux habitants des comtés d'Albany et d'Ulster de transporter du maïs ou des pois en dehors de leur territoire. On en prévoit sans doute la vente ou le don aux Tsonnontouans qui n'en ont plus.

Peter Schuyler (1657-1723/24), spécialiste hollandais des questions indiennes.

Enfin, Peter Schuyler, un nom qui se retrouvera de temps à autre, un habitant d'Albany, reçoit l'ordre de prendre les dépositions que pourront lui faire les plus anciens traiteurs d'Albany sur le sujet suivant : À quelle époque ceux-ci ou d'autres marchands ont-ils fait la traite pour la première fois avec les Nez-Percés et les Indiens éloignés ? Le conseil veut en fait établir le droit des marchands d'Albany à faire la traite avec les Hurons-Outaouais ; ou bien il veut justifier l'expédition Magregorie.

Enfin, le 9 septembre, le conseil étudie le renseignement qu'il vient de recevoir au sujet de 1 500 paires de raquettes que les Français font actuellement préparer. Ces préparatifs laissent supposer une invasion pour l'hiver.

Le conseil prend une décision radicale : le maire et les magistrats d'Albany enverront l'ordre aux Cinq Nations d'amener leurs femmes, vieillards et enfants, de peur que les Français ne viennent pendant l'hiver ; personne ne restera dans les bourgades sauf les guerriers. Le conseil leur fixe des localités pour s'établir, afin qu'il puisse les assister en cas de besoin. Les émigrés devront emporter tout le maïs dont on n'aura pas besoin dans les bourgades.

À la même assemblée du conseil, on lit des lettres d'Albany qui expriment la consternation : le danger d'une invasion pour l'hiver prochain semble grand. Les conseillers décident d'envoyer des troupes régulières, et une partie de la milice, pour protéger la place.

Lespinard, un informateur volubile !

Inutile de dire qu'en même temps, bien d'autres incidents se passent dans l'État de New York. Le 2 septembre, par exemple, Antoine Lespinard arrive du Canada avec un dénommé Jean Rosie. Leur voyage a duré vingt jours. Ils apportent des nouvelles officielles ou semi-officielles. Ainsi, le père Vaillant leur aurait dit que les Français ne libéreraient pas leurs prisonniers anglais tant que Dongan ne promettrait pas de ne plus fournir d'armes et de munitions aux Iroquois. Les Français échangeront leurs prisonniers avec les Iroquois, homme pour homme ; mais dans ces échanges, les Français ont l'avantage, car ils ont plus de prisonniers. Les Iroquois chrétiens ne sont pas prêts à faire la guerre contre les Agniers, les Onneyouts, les Onnontagués, car ils ont trop de parents parmi eux ; on emploie tous les moyens pour tenir ces trois tribus en dehors du conflit ; cinq Iroquois chrétiens sont partis dans ce but, vers la mi-août, avec des présents et des colliers, pour se rendre chez les Onnontagués. Les Français ne veulent pas entrer en guerre contre d'autres Iroquois que les Tsonnontouans et ils feraient la paix avec ceux-ci s'ils leur donnaient dix à douze enfants comme otages. Les fourrures des coureurs des bois entassées dans l'ouest ont brûlé. On croit au Canada que les Tsonnontouans viendront demander la paix, car ils n'ont pas de maïs. Si Albany leur en fournit, les Français viendront à Albany, ils ont fait faire 1 500 paires de raquettes, et pilleront la ville. Antoine Lespinard semble ainsi croire possible cette rumeur qui fera long feu. Les Anglais et le conseil de New York s'en occuperont tout l'hiver et feront toute une série de préparatifs pour repousser une invasion éventuelle. Ces deux hommes disent également que les Français du Canada sont convaincus de la destitution de Dongan.

Ainsi, Antoine Lespinard répand allègrement un fameux canard : les Anglais et les Iroquois passeront tout l'hiver sur le qui-vive, surtout à Albany, ou l'on concentrera des troupes assez nombreuses. Pendant ce temps-là, les Français pourront vivre assez tranquilles.

Le 9 septembre, d'autres conseils ont lieu à Albany. Les sachems agniers sont présents. Ils parlent au maire et aux échevins de la ville. Ils renouvellent leur traité d'alliance avec les Anglais et affirment que Denonville ne pourra pas briser cette alliance. Dongan a eu raison de leur dire de ne pas avoir confiance dans le gouverneur du Canada. Les Agniers ne resteront pas neutres; ils lèvent maintenant ouvertement la hache de guerre contre la Nouvelle-France; il y a actuellement tout près de Shenectady, une bande de 130 guerriers qui partiront demain pour le lac Champlain et trois compagnies sont déjà parties. Dongan incitera le plus de tribus possible à faire la guerre aux Français et autant de tribus hostiles qu'il le pourra à faire la paix avec lui.

Les Agniers ne veulent pas rester neutres, disent-ils.

Les Agniers ne veulent pas rester neutres. Ils ont quelques difficultés avec les Anglais à propos d'un des leurs qui a commis quelque méfait. Mais tout ceci s'arrange. Une soixantaine de guerriers ont passé des jours et des jours à boire près des villages. Ils ne semblent pas avoir un enthousiasme débordant pour cette guerre.

Le maire d'Albany leur répond en les remerciant tout d'abord pour les prisonniers livrés. Il ne faut pas tuer les prisonniers mais les remettre à Dongan. Celui-ci observera le traité d'alliance; que les Iroquois purgent leur pays de tous les espions, qu'ils poursuivent la guerre avec courage et prudence. Si de mauvaises rumeurs circulent, qu'ils se renseignent auprès des magistrats.

Après les Agniers, ce sont les Onnontagués qui paradent devant le conseil de ville d'Albany.

Le 14 septembre, les sachems onnontagués viennent renouveler leurs traités. Ils voudraient six canons pour défendre leur bourgade. Ils soutiennent qu'ils n'ont pas envoyé d'ambassadeurs à Katarakouy au printemps, mais les Anglais démentiront cette fausse affirmation. Les Onnontagués n'ont pas tué leurs prisonniers, ils les ont remis. Ils ont reçu des armes et des munitions, pour lesquelles ils font des remerciements. Les Français ont de grandes forces à Katarakouy, d'autres à Niagara; les Goyogouins et les Tsonnontouans ont trouvé que les Français étaient si puissants, si bien fortifiés, qu'ils perdaient courage et désiraient la protection de Son Excellence «sans laquelle nous ne pourrons subsister». Et les échevins d'Albany disent aux Onnontagués qu'ils ne font pas preuve d'esprit pratique en demandant des canons. Que les cinq tribus soient dans le même état d'esprit, aient une même volonté, et Dongan les aidera. On leur conseille «de ne pas admettre la moindre proposition de paix sans mettre le gouverneur au courant», car Denonville se jouera d'eux de nouveau. Enfin, les Anglais conseillent diverses mesures de guerre: ne laisser que des guerriers dans les villages cet hiver, enfouir le maïs dans la forêt, se tenir prêts à repousser une invasion, envoyer à Shenectady pour l'hiver, afin de repousser l'attaque probable des Français, cent Tsonnontouans, cinquante Goyogouins, soixante Onnontagués, cinquante Onneyouts et quarante Agniers.

Le conseil de ville d'Albany se comporte comme Dongan. Il s'efforce de maintenir toutes les tribus en lutte contre les Français, de les lancer à l'attaque de la Nouvelle-France, de leur fournir des armes et des munitions, et il les oblige à se tenir sur le qui-vive. L'accord entre les deux est de plus en plus complet.

Par la même source, on a aussi confirmation du fait que les Indiens alliés et les Français ne se sont pas séparés en très bons termes après la bataille de la baie Irondequoit. Ce sont les Iroquois du parti Magregorie qui le racontent. Ils étaient, disent ces témoins, « très opposés à aller à la guerre contre les Tsonnontouans, et retournèrent directement chez eux aussitôt que la bataille fut terminée, avec l'intention de ne plus revenir pour assister les Français... »

Chapitre 173

1687

Denonville se vide le cœur.

Cette fameuse expédition et toutes les conséquences qui en découlent donnent lieu à une très importante correspondance. Naturellement, Denonville et Dongan continuent leur échange de lettres.

À son retour, Denonville répond à la lettre du 11 juin de Dongan, lettre qu'il n'avait pas reçue avant son départ. C'est, pour ainsi dire, sa maîtresse lettre. Le gouverneur y accumule tous les chefs d'accusation qu'il a pu trouver contre son adversaire et qui sont venus à sa connaissance depuis plusieurs mois. Dongan, dit-il, a accepté la proposition de laisser les rois en Europe trancher sur les questions de frontières et autres chicanes. Cependant, en même temps, il donnait des passes à des Anglais pour faire la traite à Michillimakinac où aucun Anglais n'avait jamais mis le pied et où les Français étaient établis depuis longtemps ; il incitait les Indiens établis parmi les Français à se révolter ; il engageait les Iroquois à déclarer la guerre aux Français ; il faisait des présents de munitions de guerre aux Iroquois ; il empêchait les Tsonnontouans de livrer aux Français les Outaouais et Hurons capturés traîtreusement ; en 1684, en particulier, il a armé les Iroquois contre l'armée française ; il leur a promis des renforts en hommes ; il a voulu chasser les Français de Michillimakinac et obtenir l'allégeance de ces tribus ; s'assurer de leur commerce ; il a empêché les Iroquois de se rendre à Katarakouy pour régler leurs différends avec les Français et de donner la réparation promise aux Français, pour les pillages, les vols, les insultes aux missionnaires. Bien plus, Dongan n'a pas observé le traité de neutralité de l'année 1686, passé entre la France et l'Angleterre, en vertu duquel il ne devait offrir ni secours ni protection, ni assistance en munitions aux sauvages ennemis de la colonie française. Il a reçu la copie de ce traité que Dongan lui a envoyée le 11 juin et qu'il a renvoyée conformément aux instructions. Dongan aurait dû s'en inspirer pour diriger sa conduite. Pour cela, « vous devez discontinuer de protéger les ennemis de la Colonie et cesser de les recevoir parmi vous, et de leur fournir des munitions comme vous l'avez fait ». De plus, Dongan ne doit pas faire d'expéditions contre les établissements français et Michillimakinac en est un. Il a fait expulser tous les missionnaires catholiques français de l'Iroquoisie. Seuls, les pères de Lamberville ont résisté plus longtemps aux insultes et aux attaques qui étaient inspirées par Albany ; Dongan les a fait solliciter de partir. « Vous avez prévu la guerre que je ferais parce que vous désiriez que je la fasse contre eux, et parce que vous m'avez obligé à faire la guerre aux Tsonnontouans. » Denonville avoue ainsi que son

« Cette guerre que vous désirez que je fasse contre les Iroquois », écrit Denonville.

adversaire l'a manœuvré et lui a fait faire ce qu'il voulait et qui servait ses intérêts.

Puis Denonville menace à son tour de faire naître des difficultés internationales auprès du roi d'Angleterre. Il retiendra, dit-il, les membres de l'expédition Magregorie « tant que vous n'agirez pas en conformité des intentions du Roi, votre maître, et que vous n'exécuterez pas le traité, étant obligé de vous considérer comme l'ennemi du Roi tant que vous "entertain" ses ennemis et que vous contrevenez aux traités négociés entre le Roi d'Angleterre et le Roi mon maître ». Et plusieurs phrases du même genre suivent celle-ci.

Dongan : toujours le même refrain.

Dongan répondra à cette lettre le 8 septembre en répétant sa position qui n'a pas changé. Les Iroquois sont des sujets anglais. S'ils portent préjudice aux Français, que Denonville s'en plaigne à lui. L'Iroquoisie étant une terre anglaise, Denonville ne pouvait pas l'envahir. S'il a donné de la poudre, des munitions aux Iroquois, c'est pour repousser l'invasion dans une terre anglaise et une attaque contre des sujets anglais. Dongan reprend ce thème à l'infini. Denonville répète inlassablement que ces points en litige doivent être réglés en Europe et que Dongan ne peut décider que l'Iroquoisie et les Iroquois sont à l'Angleterre et continuellement l'affirmer. Le traité prévoit que les choses doivent être laissées en état, aucune innovation ne doit être faite. « Vous savez, dira Denonville, que nous sommes depuis plus de vingt ans en possession des cinq nations iroquoises. »

La libération de Magregorie et des membres de son expédition.

Le 2 octobre 1687, la correspondance prend une autre tournure. C'est Denonville qui écrit à cette date, et qui oriente le débat vers une solution. Il a reçu, dit-il, une lettre du roi qui lui ordonne de vivre en bons termes avec Dongan et qui voudrait que les deux gouverneurs soient en bonne intelligence. Il envoie copie de la lettre à Dongan. Denonville, comme preuve de sa bonne volonté, libère immédiatement Magregorie et son groupe de traiteurs. Il en garde qui feront office d'otages en attendant une réponse. Il agit ainsi à cause « de l'engagement que vous avez pris envers moi et que j'ai accepté, par lequel vous avez promis de n'entreprendre aucune nouvelle expédition..., moi, promettant de faire la même chose ». Denonville reproche à Dongan d'avoir envoyé un parti d'Agniers attaquer Chambly. Mais c'est quand même une détente.

La correspondance se poursuit et elle est parfois acerbe. Dongan est catégorique : « Je défendrai toujours ces Indiens qui se sont soumis, eux, leurs terres et leurs conquêtes à l'obédience du roi d'Angleterre... » Les Agniers qui ont attaqué Chambly n'étaient pas à sa solde.

Une lettre du 31 octobre 1687 est plus explicite que les précédentes. Dongan explique encore qu'attaquer les Tsonnontouans, c'est attaquer ses sujets anglais, envahir le pays des Tsonnontouans, c'est comme envahir l'État de New York. Les Iroquois étaient aux Hollandais avant d'être aux Anglais et les Anglais sont les héritiers de tous leurs droits. Dans toutes relations avec les Iroquois, les Français doivent s'adresser au gouvernement de New York, leur maître. Cette controverse perd son intérêt et devient monotone ; les arguments présentés sont toujours les mêmes. Denonville répond inlassablement que c'est un problème que les commissaires de France et d'Angleterre doivent régler en Europe et que Dongan prend pour acquis une décision qui n'est pas rendue, et qui ne le sera probablement jamais dans le sens qu'il attend. Il ne faut donc pas présumer de la situation.

Dans cette lettre du 31 octobre, Dongan propose une entente au gouverneur sur certains points : il demande des réparations pour les marchandises enlevées à l'expédition de Magregorie ; que les forts de Niagara et de Détroit soient détruits et démolis et que les Iroquois prisonniers soient libérés. C'est sa base de négociation. Pour sa part, Dongan demande aux Iroquois de ne pas maltraiter les prisonniers français et de les échanger pour des Iroquois prisonniers en Nouvelle-France. Il réclame les prisonniers français qui étaient dans les bourgades et, en particulier, « une femme de la noblesse qui, d'après mes renseignements, a été prise à Katarakouy, et aussi quatre enfants, qui ont été capturés à Chambly... »

François Vaillant assistait Jacques de Lamberville chez les Agniers et était avec l'expédition de Denonville.

Enfin, cette correspondance atteindra son point culminant dans une lettre de Denonville à Dongan, datée du 28 décembre. Le gouverneur est prêt à collaborer pour rétablir la paix entre les sauvages. Il envoie, sur la demande de Dongan transmise par Magregorie, comme ambassadeurs à New York le père Vaillant, jésuite, qui était missionnaire chez les Agniers quand Dongan est arrivé et, avec lui, M. Dumont qui parle anglais.

Chapitre 174

1687

Louis XIV aurait obtenu le rappel de Dongan. Mais... il rentrera plus tard. Pour l'instant, il se contente de faire rapport avec lucidité et clarté.

À côté des lettres de Denonville à Dongan qui parlent de leur différend sur la propriété et la possession de l'Iroquoisie, il y a la correspondance de Dongan avec Londres. Les jours de Dongan à New York sont comptés. Il a manqué nettement aux articles du traité de neutralité de 1686; l'influence de Louis XIV est assez forte à Londres pour provoquer son rappel. Mais cet acte a peu de valeur et cette concession est presque annulée par d'autres faits. Rappelé en octobre, le gouverneur de New York passera l'hiver en Amérique, et même à Albany, où il appréhende l'invasion des Français.

Le 8 septembre, Dongan donne des instructions au capitaine Palmer qui se rend à Londres pour raconter l'entreprise de Denonville au pays des Tsonnontouans. Le même jour, il écrit au lord Président pour lui dire qu'il envoie Palmer. Il lui dit franchement ce qu'il a fait: «Les Tsonnontouans désiraient des secours en hommes, mais je les ajournai en leur donnant de la poudre, du plomb, des armes et autres nécessités... », « n'étant pas prêt à engager les Français tant que je ne connaîtrais pas le plaisir de Sa Majesté». Dongan répète que pour lui l'Iroquoisie est un territoire anglais, et qu'il a proposé d'obliger les Iroquois à donner satisfaction aux Français. « ...Le commerce du castor est la seule fin de leurs desseins, dit-il, quelque couleur qu'ils donnent à leurs actions, auxquelles s'opposent seulement les Cinq Nations d'indiens qui sont de ce côté-ci du Lac qui se sont soumis, eux et leurs terres, à la sujétion du Roi. Ces Cinq Nations sont très braves, et sont l'appréhension et la crainte de tous les Indiens de cette partie de l'Amérique, et sont une meilleure défense pour nous qu'un nombre égal de chrétiens. » Les prétentions des Français sur les Outaouais-Hurons, ou les Indiens alliés, ne sont pas plus réalistes que s'ils prétendaient avoir des droits sur les Japonais.

Palmer devra raconter ce que nous savons déjà. Le départ de Denonville avec son armée ; dire que Dongan se rend à Albany veiller sur les affaires ; que les raisons de cette guerre pour les Français est que les Iroquois font la guerre aux Indiens alliés, aux Miamis-Illinois ; qu'elle fait plus de tort aux Anglais qu'aux Français, car ces Indiens éloignés sont plus disposés à faire la traite avec eux qu'avec les Français ; et qu'il a offert d'intervenir auprès des Iroquois pour que justice soit rendue ; et que « leur raison pour cette guerre est que les Indiens ne veulent pas se joindre et se soumettre aux Français, qui se sont servi de tous les moyens pour en venir à cette fin, et n'ayant pas réussi, ont monté cette expédition... »

Contrairement aux Canadiens, ici les gens vivent dans l'abondance.

Mais Dongan présente un bon argument en disant que si les Français mettent la main sur l'Iroquoisie et sur les nations éloignées, les conséquences seront désastreuses pour les colonies anglaises, car « le Roi d'Angleterre n'aura pas cent milles à partir de la mer nulle part, car le peuple du Canada est pauvre, et subsiste avec le castor et les pelleteries, et les sujets du Roi vivant ici dans l'abondance, ne sont pas soucieux de faire des découvertes dans le continent, si ce n'est récemment, alors qu'un nommé Roseboon, encouragé par moi, a eu la permission en l'année 1685 d'aller avec de jeunes gens aussi loin que les Outaouais et les Hurons, où ils ont été bien reçus et invités à venir chaque année, et les Tsonnontouans étant leurs ennemis, ils désiraient qu'un chemin soit ouvert pour eux afin qu'ils puissent venir à Albany ». Dans ce passage, comme dans d'autres du même genre, Dongan ne pouvait dire en termes plus clairs, plus nets, plus explicites, plus forts : nous n'avons pas de droit sur l'Iroquoisie ni sur aucun territoire du continent, sauf sur une bande de terrain d'une centaine de milles sur l'Atlantique ; nous n'avons pas découvert, nous ne nous sommes pas souciés de faire des découvertes, de nous donner le mal d'en faire, nous n'avons pas dépassé Albany ; nous n'avons envoyé ni missionnaires pour évangéliser, ni traiteurs pour nouer des relations commerciales, ni officiers ou autres pour établir des postes et des factoreries ; nous n'avons pris officiellement possession de rien ; nous n'avons pas distribué nos marchandises chez ces peuples ou eu des conseils réguliers et des relations suivies avec eux ; nos hommes ne sont pas morts dans ces entreprises comme La Salle, Marquette, ni eu les peines et les difficultés énormes que d'autres ont eues ; cependant, nous avons besoin de ces territoires, il nous les faut. Les meilleures preuves de l'absence des droits des Anglais, on les trouve ainsi dans la correspondance de Dongan, c'est-à-dire sous la plume du gouverneur de New York. Cependant, à l'époque, les Français n'y ont pas accès ; ils ne voient que les savants mémoires bien préparés qui sont présentés aux commissaires. Les Anglais tâchent de présenter leur cause comme juste lorsqu'ils réalisent l'effet désastreux de leur incurie, de leur inertie, et qu'ils sont en train de se faire évincer du continent.

Dongan demande à Palmer de raconter l'affaire Magregorie : des marchandises pillées, des Anglais prisonniers. New York aurait besoin de secours en hommes et autre des colonies avoisinantes et de la mère patrie pour soutenir cette guerre ; elle est pauvre et la guerre lui est fatale ; 9 000 peaux seulement sont arrivées cette année au lieu des 30 000 à 40 000 habituelles. Les impôts sont déjà lourds. Dongan voudrait construire des forts pour s'emparer du commerce : un au lac Champlain, un à La Famine, un autre à Niagara et deux ou trois de Shenectady au lac Ontario. Triste misère humaine, car au moment où Dongan accuse les Français de vouloir monopoliser l'intégralité du commerce des peaux de castor, il propose des mesures pour s'en accaparer. Il a les mêmes intentions et le même but que les Français. Les efforts que l'on fait actuellement pour s'emparer du commerce des fourrures entraînent la guerre et provoquent sa ruine.

Le roi d'Angleterre fait sienne la politique du gouverneur Thomas Dongan.

Dongan est rappelé, mais sa politique obtient gain de cause. Le roi d'Angleterre l'adopte. Le 10 novembre 1687, il signe un mandat autorisant Dongan à protéger les Iroquois. C'est un document peu connu ; on le trouvera ensuite dans les instructions aux gouverneurs. Le roi innove lui aussi. Il n'attend pas le traité de neutralité et la décision des commissaires pour mettre la main sur l'Iroquoisie, car cette pièce se lit comme suit : le roi est au courant « des récentes attaques que les Français ont lancées sur les Cinq Nations... qui, de temps immémorial, se sont soumises elles-mêmes à notre gouvernement et qui, en reconnaissant plusieurs fois notre souveraineté, sont devenues nos sujets ; elle est aussi au courant des actes injustes des Français qui ont surpris et détiennent au Canada quelques-uns de nos sujets, Indiens et autres... » Sur réception du présent document, le gouverneur doit demander la libération des sujets anglais et la remise des marchandises. Il doit donner avis au gouverneur du Canada « qu'après mûre délibération, nous avons jugé convenable de posséder les Cinq Nations ou Cantons d'Indiens », soit les Agniers, Onneyouts, Onnontagués, Goyogouins et Tsonnontouans, « comme nos sujets, et avons résolu de les protéger tels ». Et si ces Iroquois portent préjudice aux sujets du roi de France, le roi d'Angleterre, sur preuve établie, leur fera rendre satisfaction entière ; il empêchera cette nation de troubler les Français en quoi que ce soit « pourvu que, de leur part, ils s'abstiennent de faire la guerre à ces Indiens nos sujets ». Et si, malgré la présente déclaration, les Canadiens envahissent les domaines des Iroquois, molestent ces Indiens, Dongan devra, avec toutes les forces disponibles, les défendre et les protéger, recruter, armer les recrues, employer toutes personnes pour empêcher une invasion. Enfin, le mandat donne aussi l'autorisation de construire des places fortes et de faire tout ce qui est nécessaire pour exécuter les instructions mentionnées plus haut.

La politique extérieure ressemble à un jeu d'échec. L'expédition de La Barre a fourni à l'Angleterre l'occasion d'avancer quelques pions importants ; celle de Denonville, une superbe occasion d'en avancer encore quelques autres. En 1684, l'Iroquoisie s'est donnée à l'Angleterre par acte officiel ; en 1687, l'Angleterre l'accepte officiellement. Les attaques des Français ont réduit, en apparence, les droits de la France sur ce peuple et ce territoire ; les Iroquois vont maintenir et soutenir à mort qu'ils n'appartiennent pas aux Français ; la capture de prisonniers à Katarakouy donne quelque lueur de justice à la mainmise des Anglais ; les missionnaires ont disparu de l'Iroquoisie ; les relations commerciales ont cessé ; les Français faisant la guerre aux Iroquois, ceux-ci ne peuvent s'approvisionner en marchandises européennes qu'à Albany, auprès des Anglais qui ont la possibilité d'exiger en retour tout ce qu'ils veulent. C'est donc un désastre majeur.

Mais rien n'est perdu. Même si l'Iroquoisie s'est donnée officiellement, elle ne se considère pas du tout assujettie et l'État de New York a peu de moyens à sa disposition pour les contraindre. Quant aux autres colonies, elles sont indifférentes et il faut ajouter que les forces militaires de la Nouvelle-France sont importantes.

Un deuxième traité de neutralité.

Pendant ce temps, en Europe, les deux rois approuvent un second acte pour prévenir des actes d'hostilité en Amérique : celui-ci est du 1er décembre 1687. Aucun gouverneur n'aura le droit d'envahir les territoires de l'autre. Mais, depuis le mandat du 10 novembre 1687 signé par le roi d'Angleterre, l'Iroquoisie est-elle un territoire anglais ? Les expéditions françaises contre les Iroquois sont-elles interdites ? Non, car les deux pays commencent en octobre et décembre à présenter des mémoires sur l'Iroquoisie. Il serait trop long de raconter cette lutte diplomatique. Les Français diront que la prétention des Anglais sur l'Iroquoisie et les Iroquois est d'une audace inouïe car les Iroquois ont accepté la domination française depuis les victoires de Champlain et les premiers traités. Celui-ci « aurait pris possession de tous ces pays ». Mais les Français s'appuient surtout sur les traités de M. de Tracy « par lesquels ils se sont placés sous la protection de Sa Majesté et se sont déclarés ses sujets ». Tracy a pris possession de leurs pays et de leurs bourgades. Ces actes, inscrits sur des documents officiels et précédant ceux de 1684, détruisent donc les autres.

Un rappel des événements.

La véritable histoire est la suivante : les Hollandais ont fait les premiers le commerce avec les Iroquois ; à l'époque, Albany, ou Fort Orange, se trouvait dans le pays des Mohicans et parmi ceux-ci. Ils n'avaient pas encore été rejetés vers l'est, les Français faisaient la traite avec eux et avaient conclu le premier traité de paix. Les Hollandais, par l'entremise de Corlaer, passeront leur premier traité en 1643, avec les Agniers seulement, alors que celui des Français était de 1624. Les Français signeront un traité avec toutes les tribus iroquoises et particulièrement avec les tribus de l'ouest, en 1653. Les Hollandais passeront un traité d'alliance avec les tribus de l'ouest, les « Sinekes », en 1658 ou en 1659. Puis les armées victorieuses de Tracy arriveront en 1665. En 1665 et 1666, toutes les tribus iroquoises reconnaîtront, par des traités signés, être sujets français et leurs terres, terres françaises. Tracy, au milieu des bourgades des Agniers, prendra officiellement possession de leurs territoires en 1666. Les Anglais sembleront accepter cet état de fait, et c'est à la fin de la première administration de Frontenac qu'ils réclameront timidement les Agniers et leur pays pour l'Angleterre. Ensuite Dongan est arrivé, sous La Barre en 1684, en réclamant toute l'Iroquoisie et tous les Iroquois. Il obtiendra d'eux un acte par lequel ils se donnent aux Anglais qui insisteront sur cette soumission volontaire du 30 juillet 1664, faite devant les gouverneurs de la Virginie et de New York. Puis les commissaires anglais adopteront les arguments et les raisonnements de Dongan.

Corlaer, surnom du gouverneur de New York, en souvenir de Arent van Curler responsable d'ailleurs du traité de 1643.

Les deux gouverneurs sont mis au courant des négociations, du nouvel acte pour prévenir les hostilités en Amérique, et sont priés de s'y conformer. Il ne faut pas oublier que les deux cours européennes agissent fortement sur les gouverneurs pour réprimer les mots et les actions violentes qu'ils pourraient avoir, les faire vivre en bonne intelligence et prévenir un conflit éventuel. Sans aucun doute, les pressions et l'autorité qui viennent d'outre-mer empêcheront le conflit franco-iroquois de s'envenimer. Tout est mis en œuvre pour le limiter : les prisonniers ne sont pas torturés, les partis de guerre sont peu nombreux, les relations se maintiennent, les espions et les envoyés peuvent circuler, de même que les personnes de confiance, et les négociations peuvent se poursuivre.

Chapitre 175

1687

Denonville sait, quand il part, que le roi approuve ses projets. Il lui a, en fait, envoyé des soldats. Il était « convaincu de la nécessité de cette guerre ». Il lui a expédié des vivres et des munitions. Il est en faveur de la convocation des Iroquois à Katarakouy. Il a parlé du traité de neutralité, affirmé que celui-ci mettrait fin aux entreprises de Dongan. Il a insisté sur la nécessité de garder les passages de l'ouest pour empêcher les commerçants anglais de s'y rendre. Enfin, il s'attend à apprendre « à la fin de l'année, la destruction entière de la plus grande partie de ces Indiens » et il répète l'ordre donné à La Barre d'envoyer, pour les galères, les Iroquois qui seront prisonniers de guerre.

Denonville ne se rend pas compte qu'il a commis les mêmes erreurs que La Barre. Il a fait le jeu des Anglais.

Le 25 août, Denonville rédige un récit complet de sa campagne. Mais il oublie une phrase qu'il a écrite au sujet de La Barre et qui est sa propre condamnation : « La guerre que M. de La Barre a commencée, dit-il, mais qu'il a mal exécutée, a été la cause de tous nos malheurs ; elle a réuni les Anglais et les Iroquois... » La sienne a eu le même résultat. Denonville n'a ni détruit ni dispersé la nation iroquoise ; il n'a même pas entamé ses forces. Il a repoussé de nouveau ce peuple dans les bras des Anglais, il l'a mis temporairement à leur merci et multiplié les liens qui les unissent. L'Iroquoisie s'éloigne de plus en plus de la Nouvelle-France ; l'affaire des prisonniers de Katarakouy et l'attaque contre les Tsonnontouans y contribuent encore. Il n'y a pas de missionnaires français en Iroquoisie. La haine des Français monte chez les Iroquois : les Anglais attisent cette flamme, qui monte, dangereuse et dévorante. Les liens se brisent ; les relations entre les deux peuples sont interrompues.

Mais la situation ne semble pas trop dangereuse pour Denonville. Il a environ 1 500 soldats et la milice du pays pour se défendre. Avec les trois postes de Katarakouy, de Niagara et de Détroit, il conserve le commerce de l'ouest et la fidélité des Indiens alliés. Il peut protéger la route du Mississipi par les forts de Chicago et de Saint-Louis. Il a humilié la plus insolente des tribus iroquoises, détruit ses provisions, ses bourgades et il peut s'attendre à un genre de répit. Il a même entre les mains des prisonniers anglais et iroquois pour protéger la vie des Français captifs en Iroquoisie.

« Tout est en bon ordre et promet bien ».

Dès les premiers jours de son retour, il semble assez satisfait : « Nous avons humilié les Tsonnontouans, abaissé leur orgueil, et augmenté le courage des Indiens alliés. » « Je crois que tout est en bon ordre et promet bien. »

Sa campagne a conservé, croit-il, l'allégeance des Indiens alliés : « il est certain que si les deux partis anglais n'avaient pas été arrêtés et pillés, et si leurs eaux-de-vie et autres marchandises eussent entré dans Michillimakinac, tous nos Français eussent eu la gorge coupée par une révolte de tous les Hurons et Outaouais, qui aurait été suivie de toutes les autres les plus éloignées. C'est une vérité connue à tout ce que nous avons de Français, par les présents qui avaient été envoyés secrètement à tous les sauvages éloignés... »

Cette dépêche qui contient un récit complet de la campagne est aussi intéressante parce qu'elle parle de la façon dont il faut disposer des prisonniers de Katarakouy : « Vous m'avez ordonné d'envoyer les prisonniers que nous prendrions. Vous avez noté, mon seigneur, qu'il nous a été impossible d'en faire parmi les Tsonnontouans, et même si nous en avions fait, nous aurions dû les distribuer parmi nos Alliés indiens et ceux qui ont fait la capture dans le voisinage de Katarakouy. Parmi ces prisonniers, il y en a quelques-uns que je ne peux vous envoyer parce qu'ils sont de proches parents de nos Iroquois catholiques. En plus, il y en a de la bourgade des Onnontagués que nous devons traiter de façon à les détacher des Tsonnontouans et dont nous devons nous servir, si c'est nécessaire, pour négocier. Comme je n'ai aucunes nouvelles des mouvements des Iroquois, je n'aimerais pas à disposer de tous ces prisonniers. Cependant, mon seigneur, comme vous les désirez, je me contenterai de retenir seulement ceux qui me seront utiles et sont moins coupables des désordres que les autres. Cependant, mon seigneur, soyez assez bon de les garder dans une place d'où on pourra les retirer, en cas de besoin, et dans le cas où nous en viendrions à un arrangement général, je crois que cet arrangement serait très utile. Tant qu'aux femmes et aux enfants, je les ai fait distribuer parmi toutes nos missions dans la colonie. Tous les hommes, femmes et enfants se sont fait baptiser, témoignant de la joie à cette occasion. Il reste à voir si c'est de bonne foi. »

Voir les pages 290-293 pour une première présentation de cette dépêche du 25 août 1687.

Si les compagnies qui sont arrivées au moment de son départ de Montréal, étaient parvenues plus tôt, il aurait attaqué plus d'une tribu en même temps. Denonville pense déjà à une autre campagne. Mais, dit-il, il faudra compter que dans une prochaine expédition, il aura avec lui moins de miliciens, d'Indiens alliés et de coureurs des bois. Il aimerait attaquer maintenant les Onnontagués, mais ce serait difficile. Et Denonville en arrive, lui aussi, comme tous ses prédécesseurs à la conclusion suivante, presque traditionnelle : le roi devrait acheter l'État de New York ou s'en emparer. Ce serait la solution la plus radicale au problème iroquois.

La vraie solution : acheter New York ou s'en emparer !

Denonville s'occupe activement de la construction de redoutes dans les campagnes de la Nouvelle-France. Il faut obliger les habitants à construire des réduit fortifiés où ils pourront s'abriter et se défendre en cas d'attaques. Il faut fortifier Chambly, Ville-Marie, La Prairie, etc. Denonville redoute maintenant les petits partis iroquois qui viendront semer la terreur dans les campagnes, ces partis que les Français d'avant 1665 ont bien connus, qui leur ont fait subir des souffrances et des tortures, verser des larmes et du sang.

Au mois d'octobre, Denonville écrit un autre de ses volumineux mémoires où il dit des choses candides. Par exemple, que le danger de la guerre iroquoise est très grand pour les habitants ; qu'à son arrivée, tout le monde jugeait la guerre contre les Iroquois facile, mais qu'à l'usage il a découvert le contraire. Avait-on vraiment oublié les expéditions blanches de Courcelles et de Tracy, et toute l'époque antérieure à 1665 ?

Denonville a maintenant d'autres plans un peu vagues. Il voudrait diviser l'armée en divers détachements pour attaquer en même temps toutes les tribus et toutes les bourgades iroquoises.

Il n'a pas eu de nouvelles des Iroquois. Les Tsonnontouans se sont réfugiés chez les autres tribus. Denonville a renvoyé les compagnons de Magregorie, c'est-à-dire tous les traiteurs anglais qu'il a capturés. « M. Dongan, écrit-il, soutient l'ennemi, lui envoie des armes et munitions, il rassemble les Cinq Nations et il les encourage à nous faire la guerre. » Les Français sont les dupes du traité de Neutralité. Cette guerre avec les Iroquois coûte cher. Il attendra les ordres du roi pour l'année prochaine. La maison de La Salle à Niagara avait été abandonnée en 1686 après les intrigues des Anglais et les menaces des Tsonnontouans. Denonville demande des troupes, toujours des troupes, pour mettre des garnisons partout et poursuivre une guerre effective. On a l'impression qu'il ne sait plus où il en est, n'a pas de plan précis, éprouve des craintes imprécises mais fortes, qu'il est en plein désarroi. Une épidémie de rougeole se déclare dans la colonie, surtout chez les Indiens amis ; seulement à Sillery il y a 130 morts.

Environ 1400 morts sur une population de 11 000 habitants.

Enfin, Denonville a tenté d'entrer en communication avec les Iroquois. Ayant renvoyé quatre prisonniers Onnontagués et Onneyouts, il espère avoir des nouvelles. Les renseignements qu'ils apporteront détermineront les décisions à prendre. Il faut aussi soutenir le poste de Niagara et celui de Détroit.

En novembre, Callières écrit à Seignelay. Depuis son retour, dit-il, il s'efforce de protéger la campagne. Des redoutes avec palissades ont été construites dans chaque seigneurie pour que les habitants et les troupes puissent s'y abriter. Ville-Marie est palissadée. Il favoriserait pour sa part l'envoi de nouvelles troupes afin que Denonville puisse attaquer l'Iroquoisie de deux endroits à la fois. Il aimerait aussi que la France achète l'État de New York.

Chapitre 176

1687

L'hiver 1687-1688 débute dans l'incertitude, l'indécision, l'attente. Les Anglais redoutent toujours l'invasion projetée et se tiennent sur la défensive de même que les Iroquois.

Mais pour faire suite au projet d'accord formulé par Dongan le 31 octobre, Denonville a envoyé les pères Vaillant et Dumont. Ils rencontrent en route des Indiens ivres qui les pillent et les malmènent. Dongan fait restituer leurs biens. Des négociations s'engagent à New York au mois de février. Dongan a demandé, comme on l'a vu, la démolition du fort de Niagara, la restitution des effets volés à Magregorie et aux Tsonnontouans, la remise des prisonniers iroquois qui sont au Canada et en France. Ce sont, dit-il, les ordres de son roi. Il s'engage à faire accorder une réparation pour les torts futurs, qui comporterait toujours la reconnaissance du droit de suzeraineté des Anglais sur les Iroquois, — vrai cheval de Troie —, et le paiement des deux cents castors promis à La Barre. Il a déjà renvoyé huit prisonniers.

Mission impossible pour Vaillant et Dumont.

Après quelques difficultés causées par l'attaque contre le père Vaillant et Dumont, faite par des Mohicans, et, disent ceux-ci, à l'instigation de Dongan, une discussion s'engage entre les agents français et Dongan, laquelle se traduit par une série de mémoires et de contre-mémoires. Ils n'offrent pas un très grand intérêt, car nous en connaissons déjà toute la matière par la correspondance échangée entre Denonville et Dongan. C'est une controverse qui porte sur tous les points, et il n'y a pas beaucoup d'accord possible.

Dongan pose d'abord des questions. Le 3e article du traité de neutralité dit qu'aucun soldat français ne peut attaquer des sujets britanniques, dans une colonie anglaise; or, en mai 1687, Magregorie et Roseboon l'ont été, leurs marchandises volées, eux-mêmes faits prisonniers en se rendant chez les Indiens de l'ouest et du sud-ouest. En second lieu, en juin 1687, les Français ont capturé à Katarakouy des Iroquois qui sont des sujets anglais; en juillet, ils ont attaqué des Tsonnontouans, qui le sont aussi, en Iroquoisie qui est une terre anglaise. Ils ont construit Niagara sur le territoire anglais. C'est pourquoi il demande la remise des marchandises de Magregorie, la libération des prisonniers anglais et iroquois et la démolition de Niagara.

Engagé sur cette pente, le débat pouvait durer à l'infini. Les agents français envoient à Dongan le 5e article du traité de neutralité: les Anglais ne peuvent pas faire de commerce en Amérique sur les rivières ou dans les autres lieux soumis au roi de France; s'ils y contreviennent, ils peuvent être arrêtés. Or, les Outaouais et les Hurons habitent Michillimakinac qui est depuis quarante ans une possession de la France. La passe de même que la commission que l'on a trouvées sur Magregorie prouvaient qu'il s'agissait bien de commerce.

passe = permis de passer, de circuler.

Dongan a aussi violé le traité de neutralité sur un autre article. Lorsqu'il en a envoyé copie à Denonville, il disait avoir fourni des armes et des munitions aux Iroquois. C'était une interdiction indiquée sur le traité. Dongan prétend s'en tirer en faisant une distinction entre les sauvages soumis à l'Angleterre et les sauvages purs et simples ; il affirme qu'il pouvait fournir des armes aux premiers pour cette raison. Personne n'est en mesure de confirmer ou d'accepter cette explication car cette distinction n'a jamais été prévue.

Les prisonniers iroquois sont détenus tout simplement comme ennemis de la France, comme le Goyogouin, Oureouaré, dit le père Vaillant, « et son compagnon de voyage qui, comme il me l'a confessé, était venu en Canada avec l'intention de ramener avec lui, dans sa bourgade, des captifs français. Nous avons détenu d'autres barbares, pour qu'ils ne découvrissent point la marche de l'armée française, mais nous les avons gardés plus tard comme des ennemis parce que leurs compatriotes ont commencé la guerre avec nous autour de Katarakouy et de Montréal ». Les envoyés de Denonville nient ensuite la théorie de Dongan sur la nationalité des Iroquois ; ils sont, au contraire, des « rebelles contre nous », c'est-à-dire des sujets français en révolte ; au lieu de prendre leur parti, Dongan aurait dû les pousser à donner une réparation « en nous remettant les captifs outaouais » et à se rendre à Katarakouy pour faire la paix avec le gouverneur, comme ils le faisaient depuis plusieurs années. Les contre-propositions des agents français sont donc les suivantes : laisser aux rois le soin de fixer les frontières, de démolir les forts, de rembourser les marchandises de Magregorie et des Tsonnontouans ; quant à la paix à établir, on peut tenir une assemblée générale de toutes les tribus en moins de quinze mois ; et, en attendant, il faut cesser les hostilités. À cette dernière date, les premières questions auront été réglées et on soumettra les décisions prises à l'assemblée avec les autres. Les agents français demandent la libération des prisonniers indiens, français et outaouais, hurons aussi, qui sont actuellement aux mains des Iroquois, surtout les Hurons capturés il y a deux ans ; les Français remettront un même nombre d'Iroquois. Enfin si, dans l'intervalle, les Tsonnontouans attaquent les Français ou les Indiens alliés, les Français pourront recommencer la guerre et Dongan ne leur donnera aucune assistance.

Puis Dongan revient avec les mêmes affirmations : les Outaouais ne sont pas des Indiens français, Magregorie ne faisait pas du commerce ; il n'était pas sur le territoire canadien. Il répète que l'Iroquoisie est terre anglaise et que Niagara doit être détruit avant le 1er mai ; le remboursement des marchandises doit se faire ; les Iroquois doivent être remis en liberté ; les Iroquois en Europe doivent être remis à l'ambassadeur de la Grande-Bretagne ; les Iroquois catholiques, libres de retourner en leur pays, etc.

Il est donc impossible de faire le moindre progrès. Les agents français attaquent vivement Dongan qui prétend pouvoir donner des armes aux Indiens qui sont, d'après lui, sujets anglais : « ...L'article serait ridicule s'il prohibait d'assister des Indiens qui ne sont pas connus, ou qui ne sont pas des associés, car le cas ne se produirait jamais... »

Les agents parlent des Français faits prisonniers au début du mois d'août ; les Iroquois ont capturé Mlle d'Allonne et quatre autres Français à Katarakouy ; un peu auparavant, ils en ont capturé ou tué dix à La Galette ; et avant la fin du même mois, plusieurs Français ont été capturés ou tués dans l'île de Montréal.

Niagara, disent les agents français, a été construit sur ordre du roi ; il ne peut être démoli sans directive de celui-ci. Pour les marchandises, il faut s'adresser au roi. Les 200 soldats en garnison dans les villages des Iroquois catholiques ne sont pas là pour les empêcher de partir, mais pour leur aider à se défendre contre une attaque et pour se servir des canons, le cas échéant. Les agents réitèrent leurs demandes.

Dongan reformule ses demandes, cédant un peu de terrain sur sa distinction entre Indiens et Indiens amis. Finalement on est dans une impasse et on ne sait comment en sortir. Les agents français ont alors recours à l'article 17 du traité de neutralité : s'il y a divergence de vues entre les deux nations, la paix ne sera pas violée, mais les commandants des colonies en prendront connaissance pour les régler et si ceux-ci ne s'entendent pas, ils les soumettront aux rois. C'était une issue.

Dongan invite les Iroquois à se prononcer. Il est d'une habileté totale.

Dongan réserve cependant une surprise. Toute guerre contre les Iroquois est une guerre contre les Anglais ; des représentants des Cinq Nations sont à Albany et lui demandent d'inclure dans ses réclamations la destruction des forts de Katarakouy et d'un autre, ainsi que la libération de leurs prisonniers. Dongan est à ce moment-là en possession du mandat royal lui ordonnant de protéger les Iroquois. Il parle donc aux Iroquois : « ...Le Roi m'a envoyé pleins pouvoirs pour vous protéger. » « ...de lever des soldat pour votre assistance, de réclamer tous vos compatriotes qui sont prisonniers en Nouvelle-France et de livrer nos prisonniers français. » Il met les Iroquois au courant des médiations entre les Pères Vaillant, Dumont et lui, des demandes des Français et des siennes. Il leur demande de décider s'ils veulent abandonner la guerre pendant quinze mois, et laisser le fort Niagara en fonction pendant ce laps de temps. Tout cela est une surprise pour les agents français. L'idée d'amener les Iroquois en consultation est, de la part de Dongan, une manœuvre habile.

Dongan leur a parlé le 8 février. Ils répondent le 13. Ils sont heureux d'apprendre la nouvelle de la protection du roi d'Angleterre. Ils sont fiers qu'on leur ait communiqué les propositions et contre-propositions et que Vaillant soit là pour connaître leur opinion.

Les Iroquois, naturellement, disent que Dongan a raison dans ses demandes. Les Français n'ont aucun droit aux places fortes qu'ils possèdent tant à Katarakouy qu'à Montréal, non plus qu'aux territoires situés près des Outaouais, des Hurons et des Miamis : « Nous sommes, disent-ils, les propriétaires de bonne foi et légaux et complets de toutes nos terres, et de celles sur lesquelles les Français ont des prétentions, maintenant, et que nous avons données depuis longtemps et accordées au roi d'Angleterre. » Par sa prétention problématique et confuse à l'Iroquoisie, Dongan est en train de réclamer toute l'Amérique du Nord.

Le renouvellement du traité d'alliance des Anglais et des Iroquois.

Les Onnontagués avancent qu'ils ont entamé des pourparlers avec le père de Lamberville, à Katarakouy, pour la remise des prisonniers, mais que tout cela est maintenant remis à Dongan. Les Iroquois répètent l'une après l'autre les demandes de Dongan : démolition des forts, remise des prisonniers, réparation des dommages, liberté absolue accordée aux Iroquois catholiques. Si Denonville refuse, c'est lui qui sera la cause de la poursuite de la guerre. Si les Français gardent leurs forts sur le lac Ontario, les Iroquois se considéreront comme assiégés et entourés. Ils laissent Dongan régler cette affaire. Celui-ci renoue son traité d'alliance avec les Cinq Nations. Si la guerre se poursuit, que personne ne fasse la paix sans son consentement et celui des autres tribus. Les Iroquois seront protégés, soutenus et assistés par les Anglais.

L'affaire en reste là. L'ambassade du trop crédule Denonville s'est tournée contre lui. Dongan en a profité pour manœuvrer de nouveau les Iroquois contre les Français et mettre ceux-ci en mauvaise posture face aux Iroquois. Les agents français peuvent rapporter à Denonville que, maintenant, une guerre contre l'Iroquoisie est aussi une guerre contre l'État de New York, une guerre contre les Iroquois est une guerre contre les Anglais. Le problème de l'Iroquoisie se complique un peu plus au lieu de se régler.

Cette fois, sir Edmund Andros sera gouverneur du « Dominion of New England » incluant New York.

Ayant accompli sa tâche bon gré mal gré, ayant manqué aux traités, à tous les droits, qu'ils soient internationaux ou nationaux, mais ayant établi les positions des Anglais, exposé leurs demandes et joué leur jeu, Dongan est maintenant remplacé. Le 7 avril 1688, Sir Edmund Andros reçoit une commission le nommant gouverneur de New York. Ses instructions sont du 16 avril et elles contiennent un paragraphe incluant le mandat de protéger les Cinq Nations car l'Iroquoisie est terre anglaise. On lui demande d'observer l'acte pour prévenir toute hostilité et des renseignements au sujet des frontières, lorsqu'il en aura défini les limites du moins en ce qui a trait à l'Iroquoisie. Mais Andros ne devra pas commencer ou déclarer la guerre sans que le roi le sache et l'ordonne. Enfin, le 22 avril, Dongan reçoit l'ordre de laisser son poste à Andros. Celui-ci arrive à New York le 11 août et il entre en fonction. Dongan a exécuté sa tâche. Il s'en va, mais sa politique l'emporte sur celle de la France.

Mission accomplie pour Dongan.

Chapitre 177

1687

Les problèmes des frontières.

Au mois de mars, Denonville reçoit du roi de nouvelles instructions. Les commissaires chargés de régler les problèmes de frontières se rassembleront au début du mois de janvier 1689. Il faut envoyer des documents sur les droits de la France en Iroquoisie, ordonner des recherches et faire dessiner des cartes. Seignelay donne aussi de nouvelles directives au gouverneur. Il approuve la capture puis la libération de Magregorie et de ses compagnons. Le roi d'Angleterre a rappelé Dongan ; son successeur aura l'ordre de vivre en bonne entente avec lui [Denonville]. Sa Majesté avait peine à croire que le roi d'Angleterre endosserait les prétentions de Dongan sur l'Iroquoisie. Il faut en reprendre possession, mais ne traiter en ennemis les Anglais que lorsque ceux-ci auront les armes à la main ou s'ils s'opposent à une expédition contre les Iroquois. Il est impossible pour le moment d'obtenir l'État de New York par un échange ou par d'autres formalités diplomatiques.

Le roi de France envoie d'autres soldats en Nouvelle-France en 1688.

Le 8 mars, le roi écrit encore pour exprimer sa satisfaction de la dernière campagne. Il enverra 300 soldats par les premiers navires ; 150 pour compléter les anciennes compagnies et 150 pour en former de nouvelles. D'après les statistiques françaises, il y aurait maintenant au Canada 1 527 soldats et ce nombre passerait à 1827 avec les nouvelles recrues. Il approuve la formation d'une compagnie qui serait faite de soldats canadiens. Il envoie 600 fusils et des munitions. Avec ces secours, Denonville devrait pouvoir subvenir à tous les besoins de la prochaine campagne. Le roi entérine la construction du fort Niagara et les nouvelles défenses de Katarakouy. Il faut organiser l'opération de façon que les forces actuelles suffisent. Les soldats, les miliciens et les Indiens alliés devraient être capables de terminer rapidement la guerre. Et le roi répète qu'il faut faire le plus de prisonniers possible.

Nouveau plan de guerre contre les Iroquois.

On élabore donc un autre plan de guerre, mais qui apparemment, ne semble pas plus satisfaisant que les autres. On diviserait l'armée en deux. Une des moitiés passerait par le lac Champlain et attaquerait les Agniers ; l'autre passerait par le Saint-Laurent, La Famine et se rendrait dans la capitale iroquoise. Quatre cents hommes hiverneraient non loin de la capitale et se tiendraient en relations avec une centaine d'hommes qu'on laisserait à La Galette. Il y aurait 200 hommes à Niagara. De trois à quatre cents soldats hiverneraient chez les Agniers. Mille hommes resteraient ainsi dans le pays des Iroquois pour l'hiver. La guerre débuterait au printemps 1689. On détruirait les Goyogouins puis, de l'est, les Onneyouts. Le fort de La Famine deviendrait permanent. Ce plan a pour objectif de disperser les Iroquois et de les obliger à changer d'habitat. Mais il ne diffère pas beaucoup des plans précédents et ne semble pas plus efficace malgré les sept cents hommes que l'on maintiendrait sur le lac Ontario.

L'impasse ou presque.

Les dépêches et le plan indiquent que la Cour de France ne pense pas que les Anglais défendront vraiment les Iroquois si Denonville tente une autre expédition. Toute liberté lui est laissée et personne ne semble capable, au fond, de trouver la solution de ce problème.

Cet index a été conçu de façon à faciliter la recherche. Sauf exception (Agariata, Agarienta), l'orthographe de l'auteur a été respectée. Également, les variantes Fort Katarakouy ou fort Katarakouy, Fort Frontenac ou fort Frontenac ont été conservées. Pour établir l'orthographe des noms propres, le lecteur se réfèrera au *Dictionnaire biographique du Canada.*

Les noms de lieux ont été indexés sous le toponyme utilisé par l'auteur. Par commodité, des renvois à partir des toponymes les plus connus ont parfois été introduits. C'est particulièrement vrai pour les noms des bourgades iroquoises dont la transcription varie beaucoup d'un auteur à l'autre et particulièrement en passant du français à l'anglais, ou inversement.

Des thèmes ou sujets ont également été mentionnés dans l'index, comme Canadiens, captif, eau de vie, fourrures, otage, etc. Ces références sont données à titre indicatif tout comme celles des noms propres tels Louis XIV ou Charles II; elles ne sont pas exhaustives. Par ailleurs, des notions ou termes récurrents n'apparaissent pas dans l'index comme Nouvelle-France, jésuite, Français, etc.

Enfin, la lettre n indique la page où se trouve une notice biographique ou explicative.

A

B

C

D

M

N

O

P

Q

R

S

W

Y

Sources des illustrations

p. 6: L'Iroquoisie, carte de Julie Benoit; **p. 25**: traité du 25 mai 1666 avec les Tsonnontouans conservé à la Bibliothèque nationale de Paris; **p. 27** : détail d'une carte de Sanson d'Abbeville, 1656; **p. 31**: village palissadé, dessin de John White; **p. 37**, **p. 54**, **p. 286** et **p. 317** : tiré de P. F. J. Bressani, *Relation abrégée de quelques missions...*; **p. 44**: Nieuw Amsterdam détail d'une carte de van der Donck, 1656; **p. 58**, Bourg-Royal, (au nord des terres de Chrétien et LeBlanc se trouve aujourd'hui Charlebourg), détail d'une carte de Gédéon de Catalogne, 1709; **p. 65**: cruauté des Iroquois, dans Louis Hennepin, *Voyage curieux...* Chez Pierre Vander, 1704; **p. 69**, **p. 203**, **p. 207**, **p. 224**,**p. 259**, **p. 304** et **p. 310**: Lahontan, *Mémoires de l'Amérique septentrionale*, LaHaye, 1703; **p. 73** : village palissadé, gravure de Théodore de Bry d'après un dessin de John White; **p. 80**: d'après Lahontan, *Mémoires de l'Amérique septentrionale*; **p. 84** : maison longue, détail d'un dessin de Champlain intitulé Cérémonie des morts dans *Voyages et découvertes...*, 1619; **p. 87** : vue de Fort Orange ou Albany, détail de la carte de van der Donck, 1656; **p. 99**: extrait d'une carte d'Hennepin, 1704; **p. 115**: carte du lac Ontario d'après Bréhant de Galinée; **p. 118** : le fort Frontenac, dans Marcel Trudel, *Atlas de la Nouvelle-France*, PUL; **p. 122** et **p. 129** : tiré de Lahontan, *Mémoires de l'Amérique septentrionale*; **p. 140** : cabane du fort Frontenac, tirée d'une carte de la marine, coll. Newberry Library; **p. 144** (canot d'écorce) et **p. 196** :) calumet provenant de la famille d'Ely Parker, chef tsonnontonan et collaborateur de Lewis Henry Morgan) : illustrations tirées de *League of the Iroquois*, 1851; **p. 156** (contestation des sauvages sur le partage de nos marchandises et de notre équipage avec mes ornements sacerdotaux et de ma cassette) et **p. 325** (mort de La Salle): dans Hennepin, *Nouveaux voyages...*, 1704; **p. 164** : construction du Griffon, dans Hennepin; **p. 178, p. 184**, **p. 211**, **p. 214**, **p. 220**, **p. 242**, **p. 256**, **p. 268**, **p. 271** et **p. 310**: Lafitau, *Mœurs des Sauvages amériquains...*, 1724; **p. 185**, **p. 245**, **p. 249**, **p. 273** et **p. 279**: *Codex canadiensis* attribué à Louis Nicolas; **p. 191**, **p. 193** (les clans de l'ours et de la tortue, selon Daniel K Richter, *The Ordeal of the Longhouse*, 1992) et **p. 194**: détails d'un manuscrit anonyme du 17e siècle, Archives nationales de France; **p. 261** : Indian Village, Arnoldus Montanus; **p. 263** et **p. 320**: détails d'une carte de W. J. Blaeu; **p. 282**, **p. 286** (Indien avec bouclier et portant un fusil,à noter le mécanisme du fusil) et **p. 313** et **p. 317**: illustrations tirées de la carte dite de Bressani; **p. 334** : Du Creux, *Historiæ canadensis*; **p. 348** : maison longue, dessin de Molly Braun dans *Atlas of the North American Indian* de Carl Waldman, Facts on file publications, 1985.

COMPOSÉ EN TIMES CORPS 10

SELON UNE MAQUETTE CONÇUE ET RÉALISÉE PAR DANIEL HUOT

CETTE SECONDE ÉDITION A ÉTÉ ACHEVÉE D'IMPRIMER EN FÉVRIER 1999

SUR LES PRESSES DE MARC VEILLEUX IMPRIMEUR INC. À BOUCHERVILLE

POUR LE COMPTE DE DENIS VAUGEOIS

ÉDITEUR À L'ENSEIGNE DU SEPTENTRION